Hans Brox Allgemeiner Teil des Bürgerlichen Gesetzbuchs

D1923595

ACADEMIA IURIS

LEHRBÜCHER DER RECHTSWISSENSCHAFT

Carl Heymanns Verlag KG · Köln · Berlin · Bonn · München

Sebastian Kohl

		Seite	Rdnr.
	IV. Teilgeschäftsfähigkeit	137	250
	1. Betrieb eines Erwerbsgeschäfts	137	250
	2. Dienst- oder Arbeitsverhältnis	137	251
§ 13	Die Form des Rechtsgeschäfts	138	252
	I. Grundsatz der Formfreiheit	139	252
	II. Bedeutung der Formbedürftigkeit	139	253
	III. Arten der Formen	140	254
	1. Schriftform	140	254
	2. Öffentliche Beglaubigung	142	259
	3. Notarielle Beurkundung	142	260
	4. Abgabe vor einer Behörde	143	261
	IV. Rechtsfolgen bei Nichtbeachtung der Form	143	262
	1. Nichtbeachtung der gesetzlichen Form	143	262
	2. Nichtbeachtung der rechtsgeschäftlichen Form	145	271
§ 14	Inhaltliche Schranken des Rechtsgeschäfts	146	273
	I. Gesetzliche Verbote	147	274
	1. Verbotsgesetze	147	275
	2. Folgen des Verstoßes gegen ein Verbotsgesetz	148	276
	3. Umgehungsgeschäfte	149	282
	II. Verstoß gegen die guten Sitten	149	283
	1. Tatbestand	149	283
	2. Rechtsfolgen	151	287
	3. Fallgruppen	151	290
	4. Wucherische Rechtsgeschäfte	153	296
	III. Veräußerungsverbote	154	299
	1. Absolute Veräußerungsverbote	154	299
	2. Relative Veräußerungsverbote	155	300
§ 15	Teilnichtigkeit, Umdeutung und Bestätigung	157	304
	I. Teilnichtigkeit	157	305
	1. Voraussetzungen für die Auslegung	158	306
	2. Auslegung	159	309
	3. Ausnahmen von § 139	160	315
	II. Umdeutung	161	317
	1. Voraussetzungen für die Auslegung	161	318
	2. Auslegung	162	321
	III. Bestätigung	163	323
	1. Voraussetzungen	163	323
	2. Folgen	163	325

	Seite	Rdnr.
Viertes Kapitel Die Willensmängel	164	327
§ 16 Überblick über die gesetzliche Interessenbewertung bei Willensmängeln	164	327
I. Ausgangslage	164	327
1. Mangelfreie Willenserklärung	164	327
2. Mangelhafte Willenserklärung	164	328
II. Interessenbewertung	165	333
1. Gültigkeit der Willenserklärung	165	334
2. Nichtigkeit der Willenserklärung	166	335
3. Vernichtbarkeit der Willenserklärung	166	336
III. Gesetzliche Regelung	167	341
1. Anfechtbare Willenserklärungen	167	341
2. Nichtige Willenserklärungen	168	342
3. Gültige Willenserklärungen	168	343
§ 17 Bewußtes Abweichen von Wille und Erklärung	168	344
I. Geheimer Vorbehalt	169	345
1. Voraussetzungen	169	345
2. Folgen	169	347
II. Scherzerklärung	170	349
1. Voraussetzungen	170	349
2. Folgen	170	351
III. Scheinerklärung	171	354
1. Voraussetzungen	171	354
2. Folgen	172	356
3. Abgrenzungen	172	358
§ 18 Der Irrtum	173	359
I. Verhältnis der Anfechtung zur Auslegung	174	359
1. Anfechtung	174	359
2. Auslegung	175	360
II. Irrtumstatbestände	176	365
1. Irrtum bei der Willensäußerung	176	365
2. Irrtum bei der Willensbildung	178	370
3. Einzelfälle	180	375
III. Voraussetzungen der Irrtumsanfechtung	184	382
1. Irrtum	184	382
2. Kausalzusammenhang zwischen Irrtum und Willenserklärung	184	383
3. Anfechtungserklärung	185	385
4. Unverzüglichkeit der Anfechtung	186	387
5. Fehlen eines Ausschlußgrundes	187	388
IV. Folgen der Irrtumsanfechtung	187	390
1. Nichtigkeit des Rechtsgeschäfts	187	390
2. Schadensersatzpflicht	190	395

	Seite	Rdnr.
V. Sonderfälle des Irrtums	191	399
1. Irrtum bei der Testamentserrichtung	191	399
2. Irrtum bei der Eheschließung	192	400
§ 19 Arglistige Täuschung und widerrechtliche Drohung	192	401
I. Arglistige Täuschung	192	401
1. Täuschungshandlung	192	401
2. Kausalität	193	403
3. Widerrechtlichkeit	195	404
4. Arglist	195	405
5. Person des Täuschenden	196	406
6. Rechtzeitige Anfechtungserklärung	197	409
7. Rechtsfolgen der Anfechtung	198	410
8. Konkurrenzen	198	411
II. Widerrechtliche Drohung	199	414
1. Drohung	199	414
2. Kausalität	200	416
3. Widerrechtlichkeit	200	417
4. Subjektiver Tatbestand	201	421
5. Person des Drohenden	202	422
6. Rechtzeitige Anfechtungserklärung	202	423
7. Rechtsfolgen der Anfechtung	202	424
8. Konkurrenzen	202	425
§ 20 Beiderseitiger Motivirrtum	202	426
I. Problematik	203	426
II. Lösungswege	203	427
III. Anpassung durch ergänzende Auslegung	204	428
1. Voraussetzung	204	428
2. Anpassung	205	429
Fünftes Kapitel Bedingte, befristete und zustimmungsbedürftige Rechtsgeschäfte	206	430
§ 21 Bedingte und befristete Rechtsgeschäfte	206	430
I. Begriff, Bedeutung und Zulässigkeit	206	430
1. Begriff	206	430
2. Bedeutung	208	434
3. Zulässigkeit	209	436
II. Arten	210	439
1. Aufschiebende und auflösende Bedingung	210	439
2. Anfangs- und Endtermin	211	442
III. Rechtsfolgen des Eintritts oder Ausfalls der Bedingung	211	443
1. Eintritt der Bedingung	211	443
2. Ausfall der Bedingung	212	446

	Seite	Rdnr.
IV. Schutz des bedingt Berechtigten	213	448
1. Schutz im Verhältnis zum Geschäftspartner	213	448
2. Schutz im Verhältnis zu einem Dritten	213	451
§ 22 Zustimmungsbedürftige Rechtsgeschäfte	215	453
I. Bedeutung und Begriff	215	453
1. Bedeutung	215	453
2. Begriff	216	454
II. Zustimmung	216	455
1. Arten	216	455
2. Allgemeine Regeln	216	456
3. Besonderheiten bei der Einwilligung	217	458
4. Besonderheiten bei der Genehmigung	218	460
III. Zustimmung bei der Verfügung eines Nichtberechtigten	218	462
1. Einwilligung und Genehmigung	218	462
2. Heilung	219	463
Sechstes Kapitel Die Stellvertretung	220	464
§ 23 Bedeutung, Interessenlage und Abgrenzung	220	464
I. Bedeutung	220	464
II. Interessenlage	221	466
1. Interessen des Dritten	221	467
2. Interessen des Vertretenen	221	468
3. Interessen des Dritten bei Fehlen der Vertretungsmacht	222	469
III. Abgrenzung	222	470
1. »Vertretung« bei der Tathandlung	223	470
2. Abschlußvermittlung	223	471
3. Mittelbare Stellvertretung	224	472
4. Botenschaft	224	472
5. Handeln unter fremdem Namen	224	472
§ 24 Voraussetzungen und Wirkungen der Stellvertretung	224	473
I. Voraussetzungen der Stellvertretung	225	473
1. Zulässigkeit	225	473
2. Willenserklärung des Vertreters	225	474
3. Offenkundigkeit	228	481
4. Vertretungsmacht	230	487
II. Wirkungen der Stellvertretung	231	489
1. Wirkung für und gegen den Vertretenen	231	489
2. Folgen eines Fehlers bei der Willenserklärung des Vertreters	232	491
3. Folgen bei Kenntnis oder Kennenmüssen bestimmter Umstände	233	494

	Seite	Rdnr.
§ 25 Die Vollmacht	234	496
I. Erteilung der Vollmacht	235	496
1. Empfangsbedürftigkeit	235	497
2. Form	235	499
II. Arten der Vollmacht	236	502
1. Spezial-, Gattungs- und Generalvollmacht	236	502
2. Einzel- und Gesamtvollmacht	236	503
3. Haupt- und Untervollmacht	237	504
4. Duldungs- und Anscheinsvollmacht	238	504
III. Vollmacht und Grundverhältnis	238	505
1. Außen- und Innenverhältnis	238	505
2. Abstraktionsprinzip	239	507
IV. Erlöschen der Vollmacht	239	508
1. Erlöschensgründe	239	508
2. Folgen des Erlöschens	241	512
V. Duldungs- und Anscheinsvollmacht	242	518
1. Interessenlage	242	518
2. Voraussetzungen	243	519
VI. Willensmängel bei der Vollmachtserteilung	244	523
1. Rechtslage vor Gebrauch der Vollmacht	244	524
2. Rechtslage nach Gebrauch der Vollmacht	244	526
§ 26 Die Begrenzung der Vertretungsmacht	247	529
I. Mißbrauch der Vertretungsmacht	248	530
1. Interessenlage	248	530
2. Fallgruppen	249	531
II. Insichgeschäft	250	535
1. Begriff	250	535
2. Rechtsfolgen	250	536
3. Anwendungsbereich des § 181	251	540
§ 27 Die Vertretung ohne Vertretungsmacht	254	546
I. Rechtsverhältnis zwischen Vertretenem und Drittem	254	546
1. Recht des Vertretenen zur Genehmigung	255	546
2. Gestaltungsrechte des Dritten	256	550
II. Rechtsverhältnis zwischen Vertreter und Drittem	257	552
1. Anspruch aus § 179 I	257	553
2. Anspruch aus § 179 II	258	556
3. Ausschluß der Ansprüche aus § 179	259	557
4. Beweislastverteilung nach § 179	259	558

	Seite	Rdnr.
Dritter Teil Das subjektive Recht	261	559
Erstes Kapitel Inhalt und Ausübung der subjektiven Rechte	261	559
§ 28 Das Privatrechtsverhältnis und das subjektive Recht	261	559
I. Privatrechtsverhältnis	261	559
1. Begriff	261	559
2. Elemente	262	560
II. Subjektives Privatrecht	264	568
1. Begriff und Inhalt	264	568
2. Arten	266	572
§ 29 Erwerb der subjektiven Rechte	270	584
I. Ursprünglicher und abgeleiteter Erwerb	270	585
1. Ursprünglicher Erwerb	270	585
2. Abgeleiteter Erwerb	271	586
II. Einzel- und Gesamtnachfolge	271	587
1. Einzelnachfolge	271	587
2. Gesamtnachfolge	272	588
III. Erwerb vom Berechtigten oder vom Nichtberechtigten	272	589
1. Erwerb vom Berechtigten	272	589
2. Erwerb vom Nichtberechtigten	273	590
§ 30 Die Ansprüche	274	591
I. Begriff und Bedeutung	274	591
1. Begriff	274	591
2. Bedeutung	275	595
II. Arten und gesetzliche Regelung	276	596
1. Arten	276	596
2. Gesetzliche Regelung	277	599
III. Anspruchsgrundlagen	278	602
1. Arten	278	602
2. Anwendung	279	604
3. Anspruchsgrundlagenkonkurrenz	280	606
§ 31 Die Einreden	280	607
I. Einrede im prozeßrechtlichen Sinn	281	607
1. Rechtshindernde Einrede	281	608
2. Rechtsvernichtende Einrede	282	609
3. Rechtshemmende Einrede	282	610
II. Einrede im privatrechtlichen Sinn	283	611
1. Begriff	283	611
2. Ausübung der Einrede	283	613
3. Wirkung der erhobenen Einrede	284	614

	Seite	Rdnr.
III. Einrede der Verjährung	285	617
1. Begriff	285	617
2. Zweck	285	618
3. Gegenstand	285	619
4. Dauer der Verjährungsfristen	286	621
5. Beginn der Verjährungsfristen	287	627
6. Hemmung, Ablaufhemmung und Unterbrechung der Verjährung	288	631
7. Wirkung der Verjährungseinrede	289	634
8. Übergangsrecht in den neuen Bundesländern	289	634a
§ 32 Grenzen und Schutz der Rechtsmacht	290	635
I. Grenzen der Rechtsmacht	290	635
1. Schikaneverbot	291	636
2. Verbot sittenwidriger Rechtsausübung	291	638
3. Verbot treuwidriger Rechtsausübung	291	639
II. Schutz der Rechtsmacht	292	645
1. Notwehr	293	646
2. Notstand	294	649
3. Selbsthilfe	297	652
Zweites Kapitel Die Rechtssubjekte	299	654
§ 33 Die natürliche Person	299	654
I. Der Mensch als Rechtssubjekt	300	654
II. Rechtsfähigkeit	300	655
1. Begriff und Bedeutung	300	655
2. Beginn	301	657
3. Ende	303	661
III. Schutz der Persönlichkeit	305	667
1. Namensrecht	305	668
2. Allgemeines Persönlichkeitsrecht	306	673
IV. Wohnsitz	308	676
1. Bedeutung	308	676
2. Begriff	308	677
3. Arten	308	678
§ 34 Die juristischen Personen	309	680
I. Einführung	311	680
1. Personenvereinigungen	311	680
2. Vermögensmassen	312	682
II. Arten	312	683
1. Verein	312	684
2. Stiftung	313	686

	Seite	Rdnr.
III. Der rechtsfähige Verein	314	688
1. Gesetzliche Grundlagen	314	688
2. Entstehung	315	689
3. Organe	316	692
4. Verantwortlichkeit	319	698
5. Eintragungen im Vereinsregister	322	704
6. Mitgliedschaft	323	709
7. Ende der Rechtsfähigkeit	326	719
IV. Der nichtrechtsfähige Verein	327	720
1. Gesetzliche Regelung und Kritik	327	720
2. Anpassung an den rechtsfähigen Verein	328	722
3. Parteifähigkeit	328	723
4. Vereinsvermögen	329	724
5. Haftung	329	725
6. Übergangsrecht in den neuen Bundesländern	330	726a
Drittes Kapitel Die Rechtsobjekte	331	727
§ 35 Die Rechtsobjekte im allgemeinen	331	727
I. Begriff, Arten und Abgrenzung	331	727
1. Begriff	331	727
2. Arten	332	728
3. Abgrenzung	333	731
II. Sachgesamtheiten	334	734
1. Begriff	334	734
2. Bedeutung	335	735
3. Abgrenzung	336	737
III. Rechtsgesamtheiten	336	739
1. Vermögen	336	739
2. Unternehmen	337	743
§ 36 Die Sachen	338	746
I. Bedeutung und Begriff	339	746
1. Bedeutung	339	746
2. Begriff	339	747
II. Arten	340	751
1. Unbewegliche und bewegliche Sachen	340	751
2. Vertretbare und nicht vertretbare Sachen	341	754
3. Verbrauchbare und nicht verbrauchbare Sachen	341	755
4. Teilbare und unteilbare Sachen	342	758
III. Bestandteile	342	761
1. Gesetzliche Regelung	342	761
2. Bedeutung	343	763
3. Wesentliche Bestandteile an beweglichen Sachen	344	765
4. Wesentliche Bestandteile an Grundstücken	345	766

	Seite	Rdnr.
IV. Zubehör	348	773
1. Begriff	348	773
2. Bedeutung	349	779
V. Früchte, Nutzungen, Lasten	350	780
1. Begriffe	350	780
2. Bedeutung	351	783
Vierter Teil Anhang	352	784
§ 37 Methode der Fallbearbeitung	352	784
I. Sachverhalt und Fragestellung	353	784
1. Sachverhalt	353	784
2. Fragestellung	353	785
II. Regeln für die Prüfung eines Anspruchs	355	787
1. Anspruchsteller und Anspruchsgegner	355	787
2. Anspruchsziel	355	788
3. Anspruchsgrundlagen	356	789
III. Reihenfolge der Prüfung bei mehreren Anspruchsgrundlagen	356	790
1. Ansprüche aus Vertrag	356	790
2. Ansprüche aus vertragsähnlichen Verhältnissen	357	793
3. Dingliche Ansprüche	357	796
4. Deliktische Ansprüche	358	798
5. Ansprüche aus ungerechtfertigter Bereicherung	359	801
IV. Prüfung des einzelnen Anspruchs	360	807
1. Entstehung des Anspruchs	360	808
2. Kein Untergang des Anspruchs	361	810
3. Durchsetzbarkeit des Anspruchs	361	811
V. Ausarbeitung im Gutachtenstil	362	812
1. Allgemeine Regeln	362	812
2. Beispiel für ein ausformuliertes Gutachten	363	813
Paragraphenregister	365	
Sachregister	369	

Abkürzungen

a. A.	anderer Ansicht
a. a. O.	am angegebenen Ort
AcP	Archiv für die civilistische Praxis
a. E.	am Ende
a. F.	alte Fassung
AG	Amtsgericht
AGB	Allgemeine Geschäftsbedingungen
AGBG	Gesetz zur Regelung des Rechts der Allgemeinen Geschäftsbedingungen
AktG	Aktiengesetz
Anm.	Anmerkung
ArbGG	Arbeitsgerichtsgesetz
ArbR	Brox, Arbeitsrecht, 11. Aufl., 1993
ArchBürgR	Archiv für Bürgerliches Recht
arg.e	Argument aus
Art.	Artikel
AS	Brox, Allgemeines Schuldrecht, 21. Aufl., 1993
BAG	Bundesarbeitsgericht
BAGE	Entscheidungen des Bundesarbeitsgerichts
Baur/Stürner	Baur/Stürner, Lehrbuch des Sachenrechts, 16. Aufl., 1992
BayObLG	Bayerisches Oberstes Landesgericht
BB	Der Betriebsberater
Bd.	Band
Bde.	Bände
Beil.	Beilage
BetrVG	Betriebsverfassungsgesetz
BeurkG	Beurkundungsgesetz
BGB	Bürgerliches Gesetzbuch
BGBl.	Bundesgesetzblatt
BGH	Bundesgerichtshof
BGHZ	Entscheidungen des Bundesgerichtshofs in Zivilsachen
Bl.	Blatt
BS	Brox, Besonderes Schuldrecht, 19. Aufl., 1993
BT-Drucks.	Bundestags-Drucksache
BtG	Betreuungsgesetz
BVerfG	Bundesverfassungsgericht
BVerfGE	Entscheidungen des Bundesverfassungsgerichts
c. i. c.	culpa in contrahendo
CR	Computer und Recht
D	Denkschrift
DB	Der Betrieb
d. h.	das heißt
DJZ	Deutsche Juristen-Zeitung

DNotZ	Deutsche Notar-Zeitschrift
E	Entwurf eines bürgerlichen Gesetzbuches für das Deutsche Reich
EG	Einführungsgesetz
EGBGB	Einführungsgesetz zum Bürgerlichen Gesetzbuche
EGGVG	Einführungsgesetz zum Gerichtsverfassungsgesetz
EheG	Ehegesetz
Enneccerus/ Nipperdey	Enneccerus/Nipperdey, Allgemeiner Teil des Bürgerlichen Rechts, 15. Aufl., 1959/1960
ErbbauRVO	Verordnung über das Erbbaurecht
ErbR	Brox, Erbrecht, 15. Aufl., 1994
Erman/ (Bearb.)	Erman, Handkommentar zum Bürgerlichen Gesetzbuch, 9. Aufl., 1993
ESJ	Entscheidungssammlung für junge Juristen
e. V.	eingetragener Verein
f.	folgende, für
FamRZ	Zeitschrift für das gesamte Familienrecht
ff.	fortfolgende
Flume	Flume, Allgemeiner Teil des Bürgerlichen Rechts, Zweiter Band: Das Rechtsgeschäft, 4. Aufl., 1992
FN	Fußnote
G	Gesetz
GBO	Grundbuchordnung
GebrMG	Gebrauchsmustergesetz
GenG	Genossenschaftsgesetz
GeschmMG	Geschmacksmustergesetz
GG	Grundgesetz
GmbH	Gesellschaft mit beschränkter Haftung
GmbHG	Gesetz betreffend die Gesellschaften mit beschränkter Haftung
Gruchot	Beiträge zur Erläuterung des Deutschen Rechts, begründet von Gruchot
GVG	Gerichtsverfassungsgesetz
GWB	Gesetz gegen Wettbewerbsbeschränkungen
HausTWG	Gesetz über den Widerruf von Haustürgeschäften und ähnlichen Geschäften
HGB	Handelsgesetzbuch
h. L.	herrschende Lehre
h. M.	herrschende Meinung
HR	Brox, Handelsrecht und Wertpapierrecht, 11. Aufl., 1994
Hs.	Halbsatz
i.d.F.	in der Fassung
i. S. d.	im Sinne des
i. V. m.	in Verbindung mit
JA	Juristische Arbeitsblätter
Jauernig/(Bearb.)	Jauernig, Bürgerliches Gesetzbuch, 7. Aufl., 1994
JherJb	Jherings Jahrbücher für die Dogmatik des bürgerlichen Rechts
JR	Juristische Rundschau
JurA	Juristische Analysen
Jura	Juristische Ausbildung
JurJB	Juristen-Jahrbuch

JuS	Juristische Schulung
JW	Juristische Wochenschrift
JZ	Juristenzeitung
KG	Kommanditgesellschaft
KO	Konkursordnung
KunstUrhG	Kunsturhebergesetz
Larenz	Larenz, Allgemeiner Teil des deutschen Bürgerlichen Rechts, 7. Aufl., 1989
LM	Lindenmaier/Möhring, Nachschlagewerk des Bundesgerichtshofs
LMBG	Lebensmittel- und Bedarfsgegenständegesetz
LZ	Leipziger Zeitschrift für das Deutsche Recht
m.a.W.	mit anderen Worten
MDR	Monatsschrift für Deutsches Recht
m. E.	meines Erachtens
Medicus, AT	Medicus, Allgemeiner Teil des BGB, 5. Aufl., 1992
Medicus, BürgR	Medicus, Bürgerliches Recht, 16. Aufl., 1993
m. N.	mit Nachweisen
Mot.	Motive zum Entwurf eines Bürgerlichen Gesetzbuches
MünchKomm/(Bearb.)	Münchener Kommentar zum Bürgerlichen Gesetzbuch, Band 1, 3. Aufl., 1993
m. w. N.	mit weiteren Nachweisen
Nachw.	Nachweise
n. F.	neue Fassung
NJW	Neue Juristische Wochenschrift
NJW-RR	Neue Juristische Wochenschrift – Rechtsprechungs-Report
Nr.	Nummer
OGH	Oberster Gerichtshof für die britische Zone
OHG	Offene Handelsgesellschaft
OLG	Oberlandesgericht
Palandt/(Bearb.)	Palandt, Bürgerliches Gesetzbuch, 53. Aufl., 1994
PatG	Patentgesetz
ProdHaftG	Produkthaftungsgesetz
Prot.	Protokolle der Kommission für die 2. Lesung des Entwurfs des Bürgerlichen Gesetzbuches
PStG	Personenstandsgesetz
RabelsZ	Zeitschrift für ausländisches und internationales Privatrecht, begr. von Rabel
Rdnr.	Randnummer
RG	Reichsgericht
RGRK/(Bearb.)	Das Bürgerliche Gesetzbuch mit besonderer Berücksichtigung der Rechtsprechung des Reichsgerichts und des Bundesgerichtshofes, Kommentar ..., I. Bd., 12. Aufl., 1982
RGZ	Entscheidungen des Reichsgerichts in Zivilsachen
Rspr.	Rechtsprechung
s.	siehe
S.	Seite
SchiffsRG	Gesetz über Rechte an eingetragenen Schiffen und Schiffsbauwerken

SeuffA	Seufferts Archiv für Entscheidungen der obersten Gerichte in den deutschen Staaten
SJZ	Süddeutsche Juristenzeitung
Soergel/(Bearb.)	Soergel, Bürgerliches Gesetzbuch, Bd. 1, Allg. Teil, 12. Aufl., 1988
sog.	sogenannt(e, en)
Staudinger/(Bearb.)	Staudinger, Kommentar zum Bürgerlichen Gesetzbuch, Allg. Teil, 12. Aufl., 1980
StGB	Strafgesetzbuch
StPO	Strafprozeßordnung
st.Rspr.	ständige Rechtsprechung
str.	streitig
StVG	Straßenverkehrsgesetz
StVO	Straßenverkehrs-Ordnung
TVG	Tarifvertragsgesetz
u.	und
u. a.	unter anderem
UrhG	Urheberrechtsgesetz
UWG	Gesetz gegen den unlauteren Wettbewerb
v.	vom, von
VerbrKrG	Verbraucherkreditgesetz
VereinsG	Vereinsgesetz
VerschG	Verschollenheitsgesetz
VersR	Versicherungsrecht (Zeitschrift)
vgl.	vergleiche
VO	Verordnung
VuR	Verbraucher und Recht
VwGO	Verwaltungsgerichtsordnung
WEG	Wohnungseigentumsgesetz
WG	Wechselgesetz
WM	Wertpapiermitteilungen
WZG	Warenzeichengesetz
ZAkDR	Zeitschrift der Akademie für Deutsches Recht
z. B.	zum Beispiel
ZGB	Zivilgesetzbuch der ehemaligen Deutschen Demokratischen Republik
ZGR	Zeitschrift für Unternehmens- und Gesellschaftsrecht
ZHR	Zeitschrift für das gesamte Handelsrecht und Konkursrecht, ab 1962 für das gesamte Handelsrecht und Wirtschaftsrecht
ZIP	Zeitschrift für Wirtschaftsrecht und Insolvenzpraxis
ZPO	Zivilprozeßordnung
ZRP	Zeitschrift für Rechtspolitik
ZVR	Brox/Walker, Zwangsvollstreckungsrecht, 4. Aufl., 1993

Paragraphen ohne Gesetzesangaben sind solche des BGB.
Die Abkürzung AS Rdnr. ... verweist auf mein Allgemeines Schuldrecht, die Abkürzung BS Rdnr. ... auf mein Besonderes Schuldrecht, die Abkürzung HR Rdnr. ... auf mein Handelsrecht und Wertpapierrecht, die Abkürzung ErbR Rdnr. ... auf mein Erbrecht, die Abkürzung ArbR Rdnr. ... auf mein Arbeitsrecht und die Abkürzung ZVR Rdnr. ... auf Brox/Walker, Zwangsvollstreckungsrecht.

Erster Teil Einführung in das bürgerliche Recht

§ 1 Recht, Privatrecht und bürgerliches Recht

1

Schrifttum: *Baumann*, Einführung in die Rechtswissenschaft, 8. Aufl., 1989; *Baur/Walter*, Einführung in das Recht der Bundesrepublik Deutschland, 6. Aufl., 1992; *Boehmer*, Einführung in das bürgerliche Recht, 2. Aufl., 1965; *Coing*, Grundzüge der Rechtsphilosophie, 4. Aufl., 1985; *Henkel*, Einführung in die Rechtsphilosophie, 2. Aufl., 1977; *Larenz*, Methodenlehre der Rechtswissenschaft, 6. Aufl., 1991; *Medicus*, Die Entwicklung des bürgerlichen Rechts seit 1900, JA 1971, ZR S. 119; *Radbruch*, Rechtsphilosophie, 7. Aufl., 1970; *Raisch*, Zur Abgrenzung von Gewohnheitsrecht und Richterrecht im Zivil- und Handelsrecht, ZHR 1986, 117; *Rehbinder*, Einführung in die Rechtswissenschaft, 7. Aufl., 1991.

Das bürgerliche Recht (Rdnr. 12ff.) ist ein Teil des Privatrechts (Rdnr. 9ff.) und dieses wiederum ein Teil des Rechts (Rdnr. 1ff.).

I. Recht

1. Bedeutung

Das Zusammenleben der Menschen bedarf einer Ordnung. Der allein auf einer Insel lebende Robinson braucht eine solche Ordnung nicht. Regelmäßig gehört jeder Mensch einer Reihe von Gemeinschaften an (z. B. Familie, Gemeinde, Staat). Die vielfältigen zwischenmenschlichen Beziehungen machen »soziale Spielregeln« erforderlich, nach denen der einzelne sein Verhalten einrichten soll. Die Verhaltensvorschriften bestehen aus Geboten und Verboten. Sie können sich aus Recht, Sitte (Rdnr. 2) und Sittlichkeit (Rdnr. 3) ergeben.

Eine Ordnung ist nur dann Recht, wenn sie an der Idee der Gerechtigkeit ausgerichtet ist. Diese ist dem positiven (z. B. in Gesetzen enthaltenen) Recht übergeordnet. Gerade die Erfahrungen in der jüngeren Vergangenheit zeigen, wie groß die Gefahr eines Mißbrauchs des Rechts ist, wenn letztlich die Macht und nicht die Gerechtigkeit das Recht bestimmt. Was unter Gerechtigkeit zu verstehen ist, wird immer streitig bleiben. Jedenfalls beruht sie auf einer nicht willkürlich veränderbaren Wertordnung. Einzelne dieser Werte (z. B. Menschenwürde, Leben, Freiheit, Eigentum) sind allgemein anerkannt. So gehört z. B. ein Gesetz, das die willkürliche Tötung menschlichen Lebens erlaubt, nicht zum Recht, weil es der Gerechtigkeit widerspricht. Ein ungerechtes Gesetz ist und bleibt Unrecht.

Die Vorschriften des Rechts erreichen eine gerechte Gemeinschaftsordnung, wenn alle Menschen das Recht beachten. Aber nicht jedermann hält freiwillig die rechtlichen Regeln ein. Deshalb setzt der Staat gegen Rechtsbrecher Zwang ein, damit die Vorschriften befolgt werden.

2 *2. Abgrenzung von Sitte und Sittlichkeit*

Nicht alle zwischenmenschlichen Beziehungen werden vom Recht geregelt. Das Recht ist von Sitte und Sittlichkeit abzugrenzen.

a) Unter *Sitte* versteht man Bräuche und Gewohnheiten. Diese können in einzelnen Menschengruppen und einzelnen Regionen (z. B. Familie, Dorf, Handel) sehr verschieden sein. Es handelt sich nicht um rechtlich, sondern *gesellschaftlich geforderte Regeln*.

Beispiel: Wer jemanden zum Abendessen einlädt, muß ihn auch empfangen und darf ihn nicht an der Haustür abweisen. Es gibt aber keine Rechtsregeln über die Einladung zu einem Essen; der Eingeladene hat auch kein »Recht« darauf, daß die Einladung »erfüllt« wird. Dennoch besteht eine gesellschaftliche Regel, die dem Einladenden gebietet, seine Einladung wahr zu machen, und die ihm verbietet, den Eingeladenen abzuweisen.

Recht und Sitte haben gemeinsam, daß sie Regeln aufstellen, die ein bestimmtes äußeres Verhalten verlangen. Auf eine bestimmte innere Gesinnung kommt es nicht an.

Beispiele: Wer einen Pkw verkauft, muß ihn liefern; der Einladende muß das Abendessen geben. Der bloße Gedanke, den verkauften Pkw am liebsten zu zerstören und dem Eingeladenen die Tür vor der Nase zuzuschlagen, verletzt weder Recht noch Sitte.

Verschieden sind Recht und Sitte in der Sanktion für eine Zuwiderhandlung. Die Befolgung von rechtlichen Geboten und Verboten kann mit Hilfe staatlichen Zwanges erreicht werden. Die Beachtung von Bräuchen ist dagegen staatlich nicht durchsetzbar; die Folge der Mißachtung einer Sitte ist die gesellschaftliche Mißachtung, weil eine Anstandsregel verletzt wurde.

Beispiele: Erfüllt der Verkäufer (V) den Kaufvertrag nicht, kann der Käufer (K) den V auf Lieferung des Pkw verklagen. Das Gericht verurteilt den V zur Übereignung und Übergabe des Pkw (vgl. § 433 I 1). Leistet V dem Urteil keine Folge, holt der Gerichtsvollzieher auf Verlangen des K den Wagen bei V heraus und übergibt ihn dem K. – Dagegen hat der Eingeladene keine Möglichkeit, die »Erfüllung« der Einladung zum Abendessen mit Hilfe des Staates zu erzwingen. Er kann nur dafür sorgen, daß man den Gastgeber in Zukunft gesellschaftlich »schneidet«, weil dieser sich »unmöglich benommen« hat.

Obwohl Recht und Sitte voneinander zu unterscheiden sind, kann die Sitte für das Recht von Bedeutung sein.

Beispiel: Das Verlöbnis ist nicht nur ein gesellschaftlicher Brauch, sondern auch rechtlich erheblich. So kann etwa die Verlobte eines wegen Diebstahls Angeklagten im Strafverfahren ihre Aussage verweigern (vgl. § 52 I Nr. 1 StPO). Die ohne wichtigen Grund »sitzen gelassene« Braut ist berechtigt, von dem Verlobten den Verdienstausfall einzuklagen, den sie dadurch erlitten hat, daß sie im Hinblick auf die Eheschließung ihre Stellung aufgegeben hat (vgl. § 1298). Für den Richter ist es in beiden Fällen wichtig, ob es sich nur um eine

Freundschaft (dann kein Zeugnisverweigerungsrecht, kein Schadensersatz) oder um ein Verlöbnis handelt. Rechtlich entscheidend ist allein, ob Mann und Frau sich gegenseitig das Versprechen gegeben haben, miteinander die Ehe einzugehen. Das Austauschen von Ringen, Versenden von Verlobungsanzeigen sowie eine Verlobungsfeier gehören in den Bereich der Bräuche, sind also rechtlich unerheblich. Dennoch können sie für den Richter Indizien dafür sein, daß ein Verlöbnis im Rechtssinne vorliegt.

Das Gesetz verweist an einigen Stellen ausdrücklich auf Bräuche. So sind Bräuche, die sich im Handel herausgebildet haben, zwar keine Rechtsnormen; sie sind jedoch z. B. im Verkehr unter Kaufleuten bei der Beurteilung von Handlungen zu berücksichtigen (vgl. § 346 HGB). Entsprechendes gilt von Verkehrssitten; sie sind bei der Auslegung von Verträgen zu beachten (vgl. § 157; Rdnr. 134).

Schließlich können Sitten und Gebräuche sogar zu Rechtsnormen werden, wenn sie zum Gewohnheitsrecht erstarken (Rdnr. 7) oder vom Gesetzgeber in ein Gesetz übernommen werden (Rdnr. 4).

b) Bei der *Sittlichkeit (Moral)* geht es ebenfalls um Sollensvorschriften. Hierbei 3
ist dreierlei zu unterscheiden: Die moralische Verpflichtung kann einmal auf dem Gewissen des einzelnen Menschen beruhen; sittlich gut handelt danach der Mensch, welcher der Stimme seines eigenen Gewissens folgt. Die Verhaltensregeln können aber auch ihren Grund in einer Religion oder Weltanschauung haben; so verlangt die christliche Ethik oder Moraltheologie die Befolgung der Worte Jesu wie »Seid vollkommen, wie euer Vater im Himmel vollkommen ist!« und »Liebe deinen Nächsten wie dich selbst!«. Schließlich gibt es auch in einer Gruppe von Menschen eine Reihe von sittlichen Grundwerten, die gemeinsamer Anschauung entsprechen (»Sozialmoral«); das Verhalten gegenüber der Gruppe und den Mitgliedern ist dann sittlich gut, wenn es sich im Rahmen dieser Grundnormen (wie Anständigkeit, Hilfsbereitschaft) hält.

Recht und Sittlichkeit unterscheiden sich in ihren Zielen. Während das Recht ein einigermaßen erträgliches Zusammenleben der Menschen bezweckt, geht es bei der Sittlichkeit der Idee nach um die Verwirklichung des Guten. Demnach gibt es Handlungen, die rechtlich erlaubt, moralisch aber unerlaubt sind.

So ist die Lüge unmoralisch. Der Angeklagte im Strafprozeß darf aber lügen, ohne rechtlich einen Nachteil befürchten zu müssen. Eine Lüge ist nur unter besonderen Umständen strafrechtlich erheblich (z. B. beim Meineid, § 154 StGB; beim Betrug, § 263 StGB). Die Lüge eines Vertragspartners bei Abschluß eines Vertrages berechtigt den anderen Vertragspartner nur dann zur »Annullierung« des Vertrages nach §§ 123, 142 (Rdnr. 401), wenn es sich dabei um eine »arglistige Täuschung« handelt. Die Beispiele machen verständlich, daß man das Recht als »ethisches Minimum« bezeichnet hat.

Die Sittlichkeit vor allem im Sinne der Befolgung der eigenen Gewissensentscheidung geht auch insoweit über das Recht hinaus, als der bloße Gedanke, etwas Verwerfliches zu tun (z. B. zu stehlen, falsch zu schwören, einen anderen zu töten), bereits unsittlich ist. Rechtlich bedeutsam ist erst die dem bösen Gedanken entsprechende Tat (z. B. Diebstahl, Meineid, Totschlag).

Aus dieser Überlegung heraus stellt man der »Äußerlichkeit« des Rechts die »Innerlichkeit« der Sittlichkeit gegenüber. Das ist zumindest mißverständlich. Denn die Sittlichkeit beschränkt sich nicht auf das Innerliche; nicht nur der böse Gedanke, sondern erst recht die ihm folgende böse Tat ist moralisch verwerflich. Andererseits berücksichtigt auch das Recht die innere Tatseite eines äußeren Verhaltens; so ist es z. B. rechtserheblich, ob die Tötung eines Menschen auf Unachtsamkeit beruht (fahrlässige Tötung, § 222 StGB), bewußt und gewollt (vorsätzlich) geschieht (Totschlag, § 212 StGB) oder etwa aus niedrigen Beweggründen des Täters erfolgt (Mord, § 211 StGB).

Auch in der Sanktion unterscheiden sich Recht und Sittlichkeit. Das Recht ist mit staatlicher Hilfe durchsetzbar. Bei der Sittlichkeit fehlt eine solche Sanktion; die Folge eines Verstoßes gegen eine vom Gewissen geforderte Verhaltensvorschrift ist der Gewissensvorwurf (»Gewissensbisse«).

Trotz aller Verschiedenheit von Recht und Sittlichkeit gibt es viele Berührungspunkte. So verweisen manche Rechtsnormen auf die Sittlichkeit. Dabei ist Sittlichkeit nicht im Sinne einer (subjektiven) Gewissensentscheidung des einzelnen Menschen und auch nicht im Sinne einer religiösen oder weltanschaulichen Ethik gemeint; vielmehr geht es um die sog. Sozialmoral.

So ist nach § 826 zum Schadensersatz verpflichtet, wer in einer gegen die guten Sitten verstoßenden Weise einem anderen vorsätzlich Schaden zufügt. Bei der Sittenwidrigkeit kommt es weder auf die moralisch besonders hochstehende Auffassung bestimmter Kreise noch auf besonders laxe Auffassungen an. Sittenwidrig ist eine Handlung vielmehr dann, wenn sie gegen das »Anstandsgefühl aller billig und gerecht Denkenden« verstößt (Mot. II, 727; RGZ 80, 221). Abzustellen ist also auf die Anschauungen des »anständigen Durchschnittsmenschen« (BS Rdnr. 470).

Eine Rechtsnorm kann auch auf die Sozialmoral einwirken.

Im ersten Urteil über die Verfassungswidrigkeit der sog. Fristenlösung bei der Abtreibung hat das Bundesverfassungsgericht auf die Fernwirkung einer Strafnorm (»Die Abtreibung ist strafbar«) hingewiesen und ausgeführt (BVerfGE 39, 57): »Schon die bloße Existenz einer solchen Strafandrohung hat Einfluß auf die Wertvorstellungen und die Verhaltensweisen der Bevölkerung«.

Schließlich ist eine veränderte Sozialmoral in der Lage, eine Änderung des Rechts herbeizuführen.

Man denke etwa an einen gewissen Wandel der Sozialmoral, der zu einer Liberalisierung des Strafrechts (z. B. Sexualdelikte) geführt hat.

4 *3. Entstehung von Rechtsnormen*

Rechtsnormen (Rechtssätze) entstehen dadurch, daß sie entweder von den Organen einer Gemeinschaft ausdrücklich gesetzt (gesetztes Recht) oder dauernd stillschweigend geübt werden (Gewohnheitsrecht). Dagegen werden durch richterliche Rechtsfortbildung Rechtsnormen nicht geschaffen.

a) Das *gesetzte Recht* kann in der Form von Gesetzen, Rechtsverordnungen und autonomen Satzungen aufgestellt werden.

(1) Ein *Gesetz* wird durch den Gesetzgeber geschaffen. Das ist in der Demokratie regelmäßig die Volksvertretung. Das Verfahren richtet sich bei einem Bundesgesetz nach dem Grundgesetz (Art. 70ff. GG), bei einem Landesgesetz nach den Vorschriften der jeweiligen Landesverfassung. Wesentlich sind vor allem ein entsprechender Parlamentsbeschluß (Bundestag, Landtag), die Ausfertigung des Gesetzes (beim Bund durch den Bundespräsidenten) und die Verkündung im Gesetzblatt.

Die Gesetze enthalten in der Regel Rechtsnormen. Diese liegen immer dann vor, wenn das Gesetz einen bestimmten Lebensbereich für unbestimmt viele Personen und Fälle regelt. Solche Gesetze, die Rechtsnormen begründen, nennt man Gesetze im materiellen Sinn.

Beispiel: Nach § 462 kann der Käufer einer mangelhaften Sache vom Verkäufer Rückgängigmachung des Kaufes oder Herabsetzung des Kaufpreises verlangen. Diese Rechte hat jeder Käufer; sie finden auf jeden Kauf Anwendung. Die Regelung gilt also für unbestimmt viele Personen und eine unbestimmte Vielzahl von Fällen.

Es gibt auch Gesetze, die keine Rechtsnormen begründen; sie sind Gesetze im (nur) formellen Sinn.

Beispiel: Der Haushaltsplan des Bundes, der die Einnahmen und Ausgaben enthält, wird nicht allein durch die Bundesregierung aufgestellt, sondern von der Volksvertretung durch Gesetz beschlossen (vgl. Art. 110 GG). Dadurch soll die Volksvertretung an der wichtigen Entscheidung über die Haushaltsaufstellung beteiligt werden. Rechte und Pflichten der Bürger entstehen nicht. Der Haushaltsplan bedarf also der Form des Gesetzes, schafft jedoch keine Rechtsnormen.

(2) Rechtsnormen sind aber nicht nur in Gesetzen enthalten. Die Verfassung 5
sieht vor, daß Rechtsnormen (= Gesetze im materiellen Sinne) auch durch die Regierung oder einen Minister geschaffen werden können, ohne daß das Parlament daran unmittelbar beteiligt ist. Voraussetzung für den Erlaß einer solchen *Rechtsverordnung* ist jedoch, daß dazu eine Ermächtigung in einem formellen Gesetz enthalten ist und daß das Gesetz Inhalt, Zweck und Ausmaß der Ermächtigung bestimmt (Einzelheiten: Art. 80 GG). Da das ermächtigende Gesetz von der Volksvertretung beschlossen sein muß, ist diese an dem Erlaß von solchen Rechtsverordnungen wenigstens mittelbar beteiligt.

Beispiel: Im Straßenverkehrsgesetz (StVG) finden sich Vorschriften über den Verkehr von Kraftfahrzeugen auf öffentlichen Wegen und Plätzen. Die näheren Einzelheiten ergeben sich aus der Straßenverkehrs-Ordnung (StVO), die der Bundesminister für Verkehr mit Zustimmung des Bundesrates erlassen hat. Die Ermächtigung dazu enthält § 6 I StVG.

Eine Rechtsverordnung unterscheidet sich in ihrer Wirkung nicht von einem durch das Parlament geschaffenen Gesetz. Deshalb ist eine Rechtsverordnung, die Rechtsnormen enthält, ein Gesetz im materiellen, nicht aber im formellen Sinn.

6 (3) Schließlich sind auch nichtstaatliche Verbände in der Lage, Rechtsnormen zu setzen. Die Befugnis zur Rechtsetzung (sog. Autonomie, Satzungsgewalt) muß dem Verband durch staatliches Gesetz zugestanden worden sein. Macht ein Verband von der ihm verliehenen Autonomie Gebrauch und setzt er Recht, liegt eine *autonome Satzung* vor. Darunter versteht man also die von einem Verband aufgrund der ihm gesetzlich eingeräumten Befugnis erlassene Rechtsnorm.

Solche Verbände sind beispielsweise die Gemeinden, Gemeindeverbände, Handwerksinnungen, Universitäten. – Ermächtigungen zum Erlaß von autonomen Satzungen enthalten z. B. die Gemeindeordnungen, die Handwerksordnung, die Hochschulgesetze. – Beispiele für Satzungen der Gemeinde: Satzungen über Vergnügungssteuer, Reinigung öffentlicher Wege, Kurtaxe.

Nicht hierher gehört die Satzung eines Vereins, weil diesem – ebenso wie einer Privatperson – keine Rechtsetzungsbefugnis eingeräumt ist.

Eine autonome Satzung unterscheidet sich in ihrer Wirkung nicht von einem Gesetz, wenngleich sie regelmäßig einen engeren Geltungsbereich (z. B. für die betr. Gemeinde) hat. Sie ist Gesetz im materiellen, nicht jedoch im formellen Sinn.

7 b) Das *Gewohnheitsrecht* entsteht nicht durch einen Gesetzgebungsakt, sondern beruht auf einem allgemeinen Rechtsgeltungswillen der Gemeinschaft, der sich in einer dauernden Übung, vor allem in einem ständigen Gerichtsgebrauch, zeigt.

Beispiel: Die Verpflichtung des Rechtsanwalts, vor Gerichten in Amtstracht aufzutreten, beruht in den Ländern, in denen gesetzliche Bestimmungen fehlen, auf Gewohnheitsrecht; denn in allen Ländern der Bundesrepublik gibt es eine entsprechende, einheitlich herrschende Rechtsüberzeugung, die von den Richtern aller Gerichte anerkannt und von der Rechtsanwaltschaft in ihrer Gesamtheit geteilt wird (vgl. BVerfGE 28, 28).

Das Gewohnheitsrecht hat sich aus Sitten und Gebräuchen allmählich herausgebildet und war vor allem in Zeiten, in denen Gesetzesrecht weitgehend fehlte, besonders bedeutsam. Heute ist es vielfach durch Gesetzesrecht abgelöst.

In seiner Wirkung steht das Gewohnheitsrecht dem Gesetzesrecht gleich. Das ergibt sich z. B. aus Art. 2 EGBGB, wonach Gesetz im Sinne des BGB jede Rechtsnorm ist, also auch eine solche, die auf Gewohnheitsrecht beruht.

8 c) Durch *richterliche Rechtsfortbildung* werden Rechtsnormen nicht geschaffen. Zwar kann eine ständige Rechtsprechung bei einer entsprechenden allgemeinen Rechtsüberzeugung zum Gewohnheitsrecht werden. Richterliche Entscheidungen, die (noch) kein Gewohnheitsrecht sind, schaffen aber kein Recht.

Die Gerichte wenden das Gesetz auf den zu entscheidenden Einzelfall an. Stellen sie dabei fest, daß das Gesetz lückenhaft ist, füllen sie diese Lücke durch eine in den Urteilsgründen vorgenommene Gesetzesergänzung aus (Rdnr. 63). Die Befugnis der Gerichte zu einer solchen »schöpferischen Rechtsfindung« ist heute unbestritten; die obersten Gerichte haben sie von Anfang an für sich in

Anspruch genommen (Nachw. in BVerfGE 34, 269, 288). Den Großen Senaten der obersten Gerichtshöfe des Bundes hat das Gesetz selbst die Aufgabe der »Fortbildung des Rechts« ausdrücklich zugewiesen (z. B. § 132 IV GVG).

Vor allem im Arbeitsrecht hat die richterliche Rechtsfortbildung besonderes Gewicht erlangt, weil die Gesetzgebung hinter dem Fluß der sozialen Entwicklung zurückgeblieben ist. So ist das Arbeitskampfrecht gesetzlich nicht geregelt. Deshalb hat das Bundesarbeitsgericht (BAG) Regeln darüber aufgestellt, unter welchen Voraussetzungen Streik und Aussperrung rechtmäßig sind und welche Rechtsfolgen sie nach sich ziehen (vgl. etwa BAGE 1, 291; 23, 292; 48, 160; BAG DB 1988, 1902 u. 1952; BVerfG DB 1991, 1678; 1993, 837; Einzelheiten: *Brox/Rüthers*, Arbeitskampfrecht, 2. Aufl., 1982; ArbR Rdnr. 301 ff.).

Die Gesetzesergänzung durch die Gerichte hat über den zu entscheidenden Einzelfall hinaus Bedeutung auch für gleichliegende künftige Fälle. Besonders die unteren Gerichte schließen sich den oft in Leitsätzen enthaltenen und wie Rechtssätze formulierten Regeln der höchstrichterlichen Entscheidungen an, weil sie von der Richtigkeit überzeugt sind oder der Rechtssicherheit dienen wollen. Sie sind aber nicht an solche Sätze wie an ein Gesetz oder an ein Gewohnheitsrecht gebunden. Vielmehr sind sie rechtlich sehr wohl in der Lage, von der Rechtsansicht eines obersten Gerichts abzuweichen. Regelmäßig laufen sie jedoch dabei Gefahr, daß das oberste Gericht ihre Entscheidung auf Rechtsmittel des Unterlegenen abändert und die Rechtsfrage wie früher löst. Die unteren Gerichte werden deshalb von einer höchstrichterlichen Rechtsprechung nur dann abweichen, wenn berechtigte Aussicht besteht, daß das oberste Gericht seine frühere Auffassung aufgibt. Daraus folgt, daß das »Richterrecht« zwar »faktisch«, aber nicht »rechtlich« die Gerichte und die Rechtsunterworfenen bindet. Das »Richterrecht« steht also dem Gesetzesrecht nicht gleich.

Beispiel: Das BAG hat seit seiner Entscheidung in BAGE 1, 269 in ständiger Rechtsprechung die Regel angewandt, daß eine rechtmäßige Aussperrung als Antwort der Arbeitgeberseite auf einen Streik die Arbeitsverhältnisse der ausgesperrten Arbeitnehmer auflöse. Daran haben sich die Arbeitsgerichte und die Verbände jahrelang gehalten, ohne jedoch rechtlich gebunden zu sein. Jedes Gericht, auch das BAG selbst, hätte diese Rechtsfrage in einem anderen Rechtsstreit anders entscheiden können. Später hat das BAG diese Regel weitgehend eingeschränkt (BAGE 23, 292; vgl. BVerfGE 38, 386; 84, 212).

II. Privatrecht 9

1. Begriff und Abgrenzung

a) Das Privatrecht (oder Zivilrecht) ist der Teil des Rechts, der die *Beziehungen zwischen den einzelnen gleichgeordneten Mitgliedern der Gemeinschaft* regelt. Dagegen geht es im öffentlichen Recht meistens um die Regelung von Über- und Unterordnungsverhältnissen.

Ob der Käufer vom Verkäufer die Übereignung und Übergabe des gekauften Pkw verlangen kann, ergibt sich aus dem Privatrecht. Dagegen ist die Frage, wer dem Staat zur Zahlung von Umsatzsteuer verpflichtet ist, aus dem Steuerrecht zu beantworten, das zum öffentlichen Recht gehört.

Diese Abgrenzung trifft nicht immer zu. Trotz Über- und Unterordnung kann Privatrecht, trotz Gleichordnung kann öffentliches Recht vorliegen.

So gibt es z. B. im Eltern-Kind-Verhältnis eine gewisse Über- und Unterordnung; dennoch gehört das Familienrecht zum Privatrecht. – Schließen zwei Gemeinden einen Gebietsänderungsvertrag, stehen sich gleichgeordnete Parteien gegenüber; trotzdem gilt öffentliches Recht.

Auch wenn an den Rechtsbeziehungen ein Träger hoheitlicher Gewalt (wie Staat oder Gemeinde) beteiligt ist, handelt es sich nicht notwendigerweise um öffentliches Recht. Nur wenn er gerade in seiner Funktion als Hoheitsträger tätig wird, ist öffentliches Recht, ansonsten Privatrecht anwendbar.

Beispiele: Kauft und erwirbt die Stadt ein Grundstück vom Grundstückseigentümer und läßt sie darauf von einem Bauunternehmer ein Gebäude errichten, schließt sie wie ein Privater privatrechtliche Verträge. Erteilt die Stadt dagegen dem Bauherrn A eine Baugenehmigung, wird sie hoheitlich tätig (öffentliches Recht). – Die Stadt kann wie ein Privater etwa aufgrund eines Testaments oder kraft Gesetzes (§ 1936) Erbe eines Verstorbenen werden (Privatrecht). Die Pflicht eines Erben, dem Staat Erbschaftsteuer zu zahlen, gehört jedoch zum öffentlichen Recht.

Vielfach ist ein Lebenssachverhalt sowohl privatrechtlich als auch öffentlich-rechtlich bedeutsam. So kann etwa ein privatrechtliches Rechtsgeschäft in seiner Wirksamkeit von einem öffentlich-rechtlichen Akt abhängig sein oder öffentlich-rechtliche Konsequenzen haben. Ein und derselbe tatsächliche Vorgang vermag sowohl privatrechtliche als auch öffentlich-rechtliche Folgen auszulösen.

Beispiele: Der (privatrechtliche) Erwerb eines land- oder forstwirtschaftlichen Grundstücks bedarf zu seiner Wirksamkeit einer (öffentlich-rechtlichen) behördlichen Genehmigung (§§ 2f. Grundstückverkehrsgesetz). Mit dem Erwerb eines Grundstücks nach Privatrecht wird der Erwerber grundsteuerpflichtig (öffentliches Recht).

Wer einem anderen Geld stiehlt, erfüllt den Straftatbestand des § 242 StGB; er wird wegen Diebstahls bestraft (öffentliches Recht). Der Bestohlene hat gegen den Dieb einen Schadensersatzanspruch nach § 823 (Privatrecht).

10 b) Die Abgrenzung des Privatrechts vom öffentlichen Recht ist vor allem für zwei Fragen von Bedeutung:

(1) *Welche Rechtsnormen* im Einzelfall anzuwenden sind, hängt davon ab, ob der Sachverhalt nach privatem oder öffentlichem Recht zu beurteilen ist.

Beispiel: Der Grundstückseigentümer schuldet dem Unternehmer, den er mit der Straßenreinigung beauftragt, die vereinbarte (privatrechtliche) Vergütung. Führt die Stadt die Straßenreinigung durch, so ist der Eigentümer verpflichtet, eine (öffentlich-rechtliche) Straßenreinigungsgebühr zu entrichten.

(2) Wer klagen will, muß das richtige Gericht anrufen. Entscheidend ist dabei, welcher Zweig der Gerichtsbarkeit (z. B. die ordentlichen Gerichte oder die Verwaltungsgerichte) vom Staat zur Verfügung gestellt wird. Die *Zulässigkeit des Rechtswegs* richtet sich grundsätzlich danach, ob das streitige Rechtsverhältnis dem Privatrecht oder dem öffentlichen Recht zuzuordnen ist. Dazu bestimmt § 40 I VwGO, daß der Verwaltungsrechtsweg in allen öffentlich-rechtlichen Streitigkeiten nichtverfassungsrechtlicher Art gegeben ist. Dagegen gehören nach § 13 GVG vor die ordentlichen Gerichte (Amtsgericht, Landgericht) alle bürgerlichen, also grundsätzlich alle privatrechtlichen Rechtsstreitigkeiten.

So sind etwa Streitigkeiten zwischen Bauherrn und Bauunternehmer als privatrechtliche vor den ordentlichen Gerichten auszutragen, während gegen einen Verwaltungsakt, durch den die Baugenehmigung versagt wurde, durch Klage vor dem Verwaltungsgericht vorgegangen werden kann.

Abweichend von der Regel gehören allerdings bestimmte öffentlich-rechtliche Streitigkeiten vor die ordentlichen Gerichte, wenn sie diesen durch Gesetz ausdrücklich zugewiesen sind. Die Ausnahmen sind einmal historisch zu erklären, weil früher die Verwaltungsgerichte keine unabhängigen Gerichte, sondern mehr oder weniger nur besondere Abteilungen von Verwaltungsbehörden waren. Zum anderen sollen Verwaltungsakte der Justiz auf bestimmten Gebieten wegen der Sachnähe von den ordentlichen Gerichten auf ihre Rechtmäßigkeit überprüft werden (§§ 23 ff. EGGVG).

Beispiele: Für den Schadensersatzanspruch wegen Amtspflichtverletzung eines Beamten darf nach Art. 34, 3 GG der ordentliche Rechtsweg nicht ausgeschlossen werden; demnach muß der Bürger, dessen Bauantrag zu Unrecht abgelehnt worden ist und dem dadurch ein Vermögensschaden entstanden ist, diesen vor dem ordentlichen Gericht einklagen. Hat der Präsident des Oberlandesgerichts es abgelehnt, einen Ausländer von der Beibringung eines Ehefähigkeitszeugnisses seines Heimatlandes zu befreien (§ 10 II EheG), kann Antrag auf gerichtliche Entscheidung beim Zivilsenat des Oberlandesgerichts gestellt, also ein ordentliches Gericht und nicht ein Verwaltungsgericht angerufen werden (§§ 23 ff. EGGVG).

2. *Nicht zum Privatrecht gehörende Rechtsgebiete* 11

Zum Privatrecht gehört nicht, was zum öffentlichen Recht gehört. Als Teile des öffentlichen Rechts sind aus den weiteren Erörterungen auszuscheiden:

a) das Staatsrecht, das u. a. das Recht der Organisation des Staates und die Rechte des Bürgers gegenüber dem Staat umfaßt (vgl. Grundgesetz, Landesverfassung),

b) das Verwaltungsrecht, das die Tätigkeit der öffentlichen Verwaltung regelt (z. B. Polizeirecht, Baurecht, Wegerecht, Wasserrecht, Beamtenrecht, Steuerrecht),

c) das Völkerrecht, das sich mit den Rechtsbeziehungen zwischen den Staaten und anderen Völkerrechtssubjekten befaßt,

d) das Strafrecht, das die Tatbestände normiert, in denen ein staatlicher Strafanspruch besteht, und die Sanktionen bei Verletzung eines Strafgesetzes behandelt (vgl. StGB),

e) die Prozeßgesetze, die der Durchsetzung des Rechts vor den Gerichten dienen (z. B. ZPO, StPO, ArbeitsgerichtsG, SozialgerichtsG, Finanzgerichtsordnung).

12 **III. Bürgerliches Recht**

1. Begriff

Das bürgerliche Recht ist der *Teil des Privatrechts, der für jedermann gilt.* Die Bezeichnung als »bürgerliches Recht« bedeutet nicht, daß es sich um ein Recht für den Stand des Bürgers handelt; vielmehr stammt sie von dem »ius civile« der römischen Antike. Sie ist auch heute noch gebräuchlich, weil das für jedermann geltende Privatrecht vorwiegend im Bürgerlichen Gesetzbuch geregelt ist.

Früher stellte das bürgerliche Recht das ganze Privatrecht dar; die Begriffe »bürgerliches Recht« und »Privatrecht« waren also identisch. Im Laufe der Zeit haben sich immer mehr Sonderrechtsgebiete (z. B. für bestimmte Personengruppen wie die Kaufleute) herausgebildet. Demnach ist das bürgerliche Recht heute das allgemeine Privatrecht gegenüber dem besonderen Privatrecht, das nur für bestimmte Teilgebiete des Privatrechts gilt.

13 *2. Abgrenzung*

Vom bürgerlichen Recht im Sinne eines allgemeinen Privatrechts sind folgende Rechtsgebiete des Sonderprivatrechts zu unterscheiden:

a) Das *Handelsrecht* ist das Sonderprivatrecht der Kaufleute (vgl. HR Rdnr. 1 ff.).

Es ist vorwiegend im HGB geregelt. Darin wird z. B. bestimmt, wer Kaufmann ist und welche Besonderheiten bei Handelsgeschäften und im Seehandel gelten. Die Normen über die Personalgesellschaften (offene Handelsgesellschaft, Kommanditgesellschaft) sind im HGB enthalten; die Vorschriften über die Kapitalgesellschaften (Aktiengesellschaft, Gesellschaft mit beschränkter Haftung) findet man in besonderen Gesetzen (AktG, GmbHG). Zum Handelsrecht im weiteren Sinne zählt man auch das Wechsel- und Scheckrecht (WG, ScheckG), da ein Wechsel früher nur von Kaufleuten ausgestellt werden durfte und ein Scheck nur auf einen Bankier gezogen werden darf.

14 b) Das *Wirtschaftsrecht* ist, soweit es nicht zum öffentlichen Recht gehört, das Sonderprivatrecht der gewerblichen Wirtschaft und mit dem Handelsrecht verwandt.

Dazu gehört vor allem das Wettbewerbsrecht (Gesetz gegen den unlauteren Wettbewerb – UWG –, Gesetz gegen Wettbewerbsbeschränkungen – GWB –, Rabattgesetz).

c) Das *Immaterialgüterrecht* ist das Sonderprivatrecht, welches das Recht der Immaterialgüter (Urheberrechte und gewerbliche Schutzrechte) regelt. 15

Beispiele: UrheberrechtsG, KunsturheberG, GeschmacksmusterG, PatentG, GebrauchsmusterG.

d) Das *Arbeitsrecht* ist das Sonderprivatrecht der abhängigen, unselbständigen Arbeitnehmer. Es enthält aber außer privatrechtlichen auch viele öffentlich-rechtliche Normen (vgl. ArbR Rdnr. 1 ff.). 16

Die Regeln des BGB über den Dienstvertrag (§§ 611 ff.) reichen zum Schutz der abhängigen Arbeitnehmer nicht aus. Deshalb gibt es eine Reihe von Gesetzen, die dem Schutz aller Arbeitnehmer oder besonders schutzwürdiger Arbeitnehmer dienen (z. B. BundesurlaubsG, ArbeitszeitG, KündigungsschutzG, MutterschutzG, SchwerbehindertenG).

3. Bedeutung 17

Das bürgerliche Recht ist die Grundlage des Privatrechts. Von ihm als dem allgemeinen Privatrecht haben sich die einzelnen Gebiete des Sonderprivatrechts abgespalten. Diese sind nur vor dem Hintergrund des allgemeinen Privatrechts zu verstehen. Deshalb ist die Kenntnis des bürgerlichen Rechts Voraussetzung für das Eindringen in das Sonderprivatrecht. Trotz der Verselbständigung des Sonderprivatrechts bestehen auch heute noch zahlreiche Verflechtungen zwischen ihm und dem bürgerlichen Recht.

Beispiel: Der Großhändler V liefert dem Händler K aufgrund eines Kaufvertrages Kartoffeln, die sich als verdorben und deshalb für K als unverkäuflich herausstellen. Daher wendet sich K am Tag nach Erhalt der Ware telefonisch an V, dem er die Kartoffeln wegen ihres Mangels zur Verfügung stellt und von dem er Rückzahlung des Kaufpreises verlangt. Mit Recht?

Zur Lösung des Falles kommen das BGB und das HGB in Betracht. Das BGB enthält in §§ 433 ff. Normen über den Kauf (BS Rdnr. 2 ff.), das HGB in §§ 373 ff. HGB Vorschriften über den Handelskauf (HR Rdnr. 368 ff.). Nach §§ 462, 459 BGB kann der Käufer wegen eines Mangels der Kaufsache Rückgängigmachung des Kaufs verlangen; ein Mangel liegt vor, weil die Kartoffeln verdorben sind. Damit ist der Fall aber noch nicht gelöst. Da V als Großhändler und K als Händler Kaufleute sind, ist zu prüfen, ob das Handelsrecht als Sonderrecht der Kaufleute Spezialvorschriften für diesen Fall enthält. § 377 I HGB bestimmt: »Ist der Kauf für beide Teile ein Handelsgeschäft, so hat der Käufer die Ware unverzüglich nach Ablieferung durch den Verkäufer, soweit dies nach ordnungsgemäßem Geschäftsgange tunlich ist, zu untersuchen und, wenn sich ein Mangel zeigt, dem Verkäufer unverzüglich Anzeige zu machen«. Der Kauf ist für beide Vertragspartner ein Handelsgeschäft; denn nach § 343 I HGB sind Handelsgeschäfte alle Geschäfte eines Kaufmanns, die zum Betrieb seines Handelsgewerbes gehören. Diese Voraussetzungen sind gegeben. V und K sind Kaufleute, weil ihr Gewerbebetrieb die Anschaffung und Weiterveräußerung von Waren zum Gegenstand hat (§ 1 II Nr. 1 HGB); der Kauf und Verkauf von Kartoffeln gehört auch zum Betrieb ihres Handelsgewerbes. Deshalb muß K die Kartoffeln unverzüglich nach der Ablieferung untersuchen und den Mangel unverzüglich dem V anzeigen; anderenfalls gilt die Ware als genehmigt (§ 377 II HGB). K könnte also keine Rechte wegen der Mangelhaftigkeit der Kartoffeln geltend machen (vgl. § 377 IV HGB). Was »unverzüglich« heißt, ergibt sich nicht aus dem HGB, sondern aus dem BGB. Der Begriff »unverzüglich« bedeutet nach der in einem ganz anderen Zusammenhang gegebenen Definition des § 121 I 1 BGB »ohne schuldhaftes Zögern«. Auch diese Voraussetzung ist erfüllt, da K dem V den Mangel bereits am Tage nach dem Erhalt der Kartoffeln telefonisch angezeigt hat. Das HGB bestimmt nun nicht, welche Rechte der Käufer hat, wenn der Tatbestand des § 377 I HGB gegeben ist. Dazu ist auf das BGB zurückzugreifen. Nach § 462 BGB kann der Käufer beim Mangel der Kaufsache Rückgängigmachung des Kaufvertrages verlangen. Das Begehren des K ist also berechtigt.

18 *4. Gesetzliche Regelung*

a) Das für das bürgerliche Recht wichtigste Gesetz ist das *Bürgerliche Gesetzbuch*, das am 18. 8. 1896 verkündet worden, am 1. 1. 1900 in Kraft getreten ist und auch heute noch gilt. Im Laufe der Zeit sind neben einzelnen Vorschriften auch größere Bereiche des BGB geändert worden.

Beispiele: Das *Gleichberechtigungsgesetz* (vom 18. 6. 1957) brachte die Gleichberechtigung von Mann und Frau auf dem Gebiet des bürgerlichen Rechts. Das *Nichtehelichengesetz* (vom 19. 8. 1969) verbesserte die rechtliche Stellung der nichtehelichen Kinder. Das *Testamentsgesetz* (vom 31. 7. 1938) erleichterte vor allem die Formvorschriften für die Errichtung von Testamenten und Erbverträgen. Die Normen aller drei Gesetze sind bis auf Übergangsvorschriften ins BGB aufgenommen worden. 1979 wurden durch das *Reisevertragsgesetz* (vom 4. 5. 1979) die §§ 651 a–651 k ins BGB eingefügt, um den Teilnehmer an einer Pauschalreise zu schützen. Durch das *Betreuungsgesetz* (vom 12. 9. 1990) wurden mit Wirkung vom 1. 1. 1992 die Entmündigung sowie die Vormundschaft und die Gebrechlichkeitspflegschaft über Volljährige abgeschafft und durch die »Betreuung« ersetzt.

19 b) Manche Teilgebiete des BGB sind inzwischen durch besondere Gesetze neu geregelt worden; die entsprechenden Vorschriften des BGB sind durch die neuen Gesetze außer Kraft gesetzt worden. Von diesen Gesetzen, die meist auch in den Textausgaben des BGB abgedruckt sind, sollen erwähnt werden:

(1) Das *Verschollenheitsgesetz* (vom 4. 7. 1939, zuletzt geändert durch Gesetz vom 5. 4. 1990) trat an die Stelle der §§ 13–20 BGB, die lückenhaft waren (Rdnr. 663 ff.).

(2) Das *Abzahlungsgesetz* von 1894 ergänzte das BGB für die Fälle, in denen es beim Kauf beweglicher Sachen dem Käufer gestattet war, den Kaufpreis in Raten zu zahlen. An die Stelle des Abzahlungsgesetzes trat mit Wirkung vom 1. 1. 1991 das *Gesetz über Verbraucherkredite* (vom 17. 12. 1990, geändert durch Gesetz vom 27. 4. 1993; VerbrKrG). Es gewährt bei allen Arten von entgeltlichen Kreditverträgen (z. B. Darlehen, Kauf-, Dienst- und Werkvertrag mit Ratenzahlungsverpflichtung) denselben Schutz, wie er ursprünglich nur für den Abzahlungskäufer bestanden hatte (Rdnr. 26, 203 n; BS Rdnr. 229 a ff.).

(3) Das *Gesetz über den Widerruf von Haustürgeschäften und ähnlichen Geschäften* (vom 16. 1. 1986, zuletzt geändert durch Gesetz vom 17. 12. 1990) dient wie das VerbrKrG dem Verbraucherschutz. Die Willenserklärung des »überrumpelten« Kunden wird grundsätzlich erst wirksam, wenn sie nicht innerhalb einer Woche schriftlich widerrufen wird (vgl. Rdnr. 203 ff.).

(4) Das *Gesetz zur Regelung des Rechts der Allgemeinen Geschäftsbedingungen* (vom 9. 12. 1976, zuletzt geändert durch Gesetz vom 22. 12. 1989) bezweckt den Schutz des Vertragspartners vor den Nachteilen der Verwendung Allgemeiner Geschäftsbedingungen (vgl. Rdnr. 204 ff.).

(5) Das *Straßenverkehrsgesetz* (vom 19. 12. 1952, zuletzt geändert durch Gesetz vom 27. 12. 1993), das seinen Vorläufer in einem Gesetz bereits aus dem Jahre 1909 hat, berücksichtigt die besondere Gefahr, die mit dem Betrieb eines Kraftfahrzeugs verbunden ist. Es begründet eine Ersatzpflicht des Kraftfahrzeughalters und -führers für Personen- und Sachschäden, die beim Betrieb eines Kraftfahrzeugs entstehen (vgl. BS Rdnr. 533 ff.).

(6) Das *Wohnungseigentumsgesetz* (vom 15. 3. 1951, zuletzt geändert durch Gesetz vom 3. 1 .1994) ergänzt das Sachenrecht des BGB, das ein Eigentum an realen Teilen eines Gebäudes nicht kennt. Es läßt Eigentum an einer Wohnung oder sonstigen Räumen eines Hauses zu (vgl. Rdnr. 751).

(7) Das *Ehegesetz* (vom 6. 7. 1938) regelte das Recht der Eheschließung und der Ehescheidung neu, das bisher im Familienrecht des BGB enthalten war. Das Kontrollratsgesetz Nr. 16 (vom 20. 2. 1946, zuletzt geändert durch Gesetz vom 16. 12. 1993) beseitigte einige Bestimmungen des Ehegesetzes, die nationalsozialistisches Gedankengut enthielten, und übernahm im übrigen größtenteils den bisherigen Text des Gesetzes. Nach dem Ersten Gesetz zur Reform des Ehe- und Familienrechts (vom 14. 6. 1976) ist das Scheidungsrecht wieder im BGB geregelt.

§ 2 Das Bürgerliche Gesetzbuch 20

Schrifttum: *Boehmer*, Einführung in das bürgerliche Recht, 2. Aufl., 1965, 56; *Canaris*, Grundrechte und Privatrecht, AcP 184, 201; *G. Dilcher*, Vom Beitrag der Rechtsgeschichte zu einer zeitgemäßen Zivilrechtswissenschaft, AcP 184, 247; *Geißler*, Die Privatautonomie im Spannungsfeld sozialer Gerechtigkeit, JuS 1991, 617; *Hattenhauer*, Grundbegriffe des Bürgerlichen Rechts, 1982; *Hönn*, Zur Problematik der Privatautonomie, Jura 1984, 57; *Kaser*, Der römische Anteil am deutschen bürgerlichen Recht, JuS 1967, 337; *Krause*, Der deutschrechtliche Anteil an der heutigen Privatrechtsordnung, JuS 1970, 313; *Laufs*, Die Begründung der Reichskompetenz für das gesamte bürgerliche Recht, JuS 1973, 740; *Medicus*, Die Entwicklung des bürgerlichen Rechts seit 1900, JA 1971, ZR S. 119; *Reuter*, Die ethischen Grundlagen des Privatrechts – formale Freiheitsethik oder materiale Verantwortungsethik?, AcP 189, 199; *E. Schmidt*, Von der Privat- zur Sozialautonomie, JZ 1980, 153; *Schünemann*, Wandlungen des Vertragsrechts, NJW 1982, 2027; *Schwabe*, Grundrechte und Privatrecht, AcP 185, 1; *Wieacker*, Privatrechtsgeschichte der Neuzeit, 2. Aufl., 1967, 468; *ders.*, Das Sozialmodell der klassischen Privatrechtsgesetzbücher und die Entwicklung der modernen Gesellschaft, 1953.

I. Entstehung

1. Gesetzgebungsverfahren

Das BGB brachte die erste einheitliche Kodifikation des bürgerlichen Rechts für das ganze damalige Deutsche Reich und beseitigte damit die seit Jahrhunderten bestehende Rechtszersplitterung.

Die Zersplitterung des Rechts wurde besonders auf dem Gebiet des Handels als mißlich empfunden; denn dieser ging über die Landesgrenzen hinweg. Deshalb war ein einheitliches Handels- und Wechselrecht besonders erstrebenswert. Da aber der Deutsche Bund keine Gesetzgebungsgewalt hatte, konnte das Ziel nur durch inhaltsgleiche Gesetze aller Einzelstaaten des Bundes erreicht werden. Auf diese Weise erlangten die Allgemeine Deutsche Wechselordnung von 1848 und das Allgemeine Deutsche Handelsgesetzbuch von 1861 Geltung für das ganze Gebiet des Deutschen Bundes.

Die Verfassung des Norddeutschen Bundes von 1867 und die Reichsverfassung von 1871 sahen nur für bestimmte Teile des Privatrechts (Obligationenrecht, Handels- und Wechselrecht) ein Gesetzgebungsrecht des Bundes oder Reiches vor. Um ein einheitliches bürgerliches Recht schaffen zu können, mußte zunächst die Gesetzgebungskompetenz des Bundes oder Reiches auf das gesamte bürgerliche Recht ausgedehnt werden. Dieses Ziel wurde nach mehrfachen Anträgen der Abgeordneten Miquel und Lasker durch Erlaß eines entsprechenden Gesetzes zur Änderung der Verfassung im Jahre 1873 endlich erreicht (lex Miquel-Lasker oder lex Lasker).

Nach Vorarbeiten einer 1874 eingesetzten Kommission (Vorkommission) begannen im selben Jahr elf namhafte Juristen (erste Kommission) auf Beschluß des Bundesrats mit der Erarbeitung eines Entwurfs für fünf Bücher eines Bürgerlichen Gesetzbuchs, der 1888 als »erster Entwurf« (E I) nebst Begründung in fünf Bänden »Motive« (Mot.) veröffentlicht wurde. In den Motiven sind die damals in den einzelnen Ländern geltenden Regelungen dargestellt, um deren Ausgleich sich die Kommission in ihrem Entwurf besonders bemühte. Der Entwurf wurde in den folgenden Jahren zum Teil sehr heftig kritisiert; man warf ihm vor allem vor, er sei überromanistisch, undeutsch und sozial rückständig.

1890 setzte der Bundesrat eine zweite Kommission ein, die aus Juristen, Vertretern verschiedener Berufskreise und Nationalökonomen bestand. Sie erarbeitete bis 1895 einen »zweiten Entwurf« (E II), der unter Berücksichtigung der geäußerten Kritik eine Rechtsfortbildung, vor allem auch den Schutz der wirtschaftlich Schwächeren, anstrebte. Die Beratungen wurden in sieben Bänden »Protokolle« (Prot.) veröffentlicht.

Der Bundesrat nahm einige Änderungen, vor allem im Vereinsrecht, vor, und 1896 kam dieser »dritte Entwurf« (E III) als Reichstagsvorlage zusammen mit einer vom Reichsjustizamt in einer »Denkschrift« (D) gegebenen Begründung an den Reichstag.

Von einer Kommission des Reichstags wurden weitere Veränderungen vorgenommen. Soweit sie das Vereins- und Eherecht betrafen, beruhten sie auf politischen Erwägungen. Erstmals in diesem Stadium des Gesetzgebungsverfahrens wurde eine Regelung der Erbfolge durch eigenhändiges Testament zugelassen. Im übrigen fanden auch Einflüsse einiger Berufsstände im Gesetz ihren Niederschlag; so wurde z. B. das Bienenrecht (!) ausführlich geregelt (§§ 961–964).

1896 wurde das Gesetz mit einigen Änderungen vom Reichstag angenommen, vom Bundesrat sanktioniert, vom Kaiser ausgefertigt und im Reichsgesetzblatt veröffentlicht. Es trat am 1. 1. 1900 in Kraft. Das BGB gilt mit seinen vielen im Laufe der Zeit erfolgten Änderungen heute als Bundesrecht fort (vgl. Art. 123 I, 125 Nr. 1 GG).

Die Entwürfe, Motive, Protokolle und die Denkschrift sind auch heute noch von Bedeutung. Wenn bei der Auslegung einer Bestimmung des BGB der Wille des Gesetzgebers ermittelt werden muß (Rdnr. 61), kann die Entstehungsgeschichte der Norm Antwort auf die Frage geben, was die Gesetzesverfasser mit einer Formulierung des Gesetzes gemeint haben. Die genannten Materialien des BGB sind bei *Mugdan*, Die gesamten Materialien zum BGB, 5 Bde., 1899, für jede einzelne Gesetzesbestimmung übersichtlich zusammengestellt.

2. *Geschichtliche Wurzeln* **21**

Primäres Ziel des Gesetzgebers war es nicht, mit dem BGB ein ganz neues Zivilrecht zu schaffen; vielmehr ging es darum, das geltende Recht zu vereinheitlichen. Daher erklärt es sich, daß das BGB wie die vor ihm geltenden Rechtsordnungen Elemente des römischen sowie des deutschen Rechts enthält. Die Kenntnis der Rechtsgeschichte ist für das Verständnis des BGB hilfreich.

a) Das *römische Recht*, das seit seiner Aufnahme (Rezeption) in Deutschland **22**
während des 15. Jahrhunderts zu einer Verwissenschaftlichung des Rechts und einer streng logischen und begrifflichen Rechtsfindung führte, hat vor allem im ersten und zweiten Buch des BGB seinen Niederschlag gefunden. Die Systematik des Gesetzes und die Abstraktion (Rdnr. 36), die besonders im Allgemeinen Teil des BGB zum Ausdruck kommt, sind römisch-rechtlichen Ursprungs. Das gleiche gilt für das Schuldrecht und hier vor allem für den wichtigsten Schuldvertrag, den Kauf.

So beruhen z. B. die dem Käufer bei Mangelhaftigkeit der Kaufsache eingeräumten Rechte der Wandlung und Minderung (§ 462) auf der actio redhibitoria und der actio quanti minoris, die im Edikt der curulischen Ädilen, der römischen Marktpolizei, für den Sklaven- und Viehkauf bestimmt waren.

b) Das *deutsche Recht*, das als Recht der einzelnen Volksstämme gewohnheits- **23**
rechtlich entstanden war und im Mittelalter Eingang in die Stadt- und Landrechte fand, war ein ländliches Agrarrecht. Auf ihm beruht die vom BGB im Sachenrecht getroffene Unterscheidung zwischen beweglichen Sachen (Mobilien) und unbe-

weglichen Sachen (Immobilien). Das Bodenrecht und das Familiengüterrecht sind deutschrechtlichen Ursprungs.

Beispielsweise sind Erwerb und Verlust des Eigentums an Grundstücken (§§ 925 ff.) anders geregelt als Erwerb und Verlust des Eigentums an beweglichen Sachen (§§ 929 ff.). Die zur Übertragung des Eigentums an einem Grundstück erforderliche Einigung von Veräußerer und Erwerber wird in § 925 mit dem deutschrechtlichen Namen »Auflassung« bezeichnet.

24 II. Grundlagen

1. Privatautonomie

Das BGB weist eine *liberalistische, individualistische Grundhaltung* auf. Es basiert auf dem wirtschaftlichen Liberalismus. Man ging davon aus, daß der einzelne Mensch in der Lage sei, seine privaten Lebensverhältnisse in freier Selbstbestimmung und ohne staatliche Hilfe oder Bevormundung zu gestalten. Gleichheit und Freiheit des einzelnen würden zu einer optimalen Ordnung des Zusammenlebens der Menschen führen, da das eigennützige Streben des einzelnen und das freie Spiel der Kräfte im Wettbewerb allen zugute kommen sollten. Deshalb gibt das Gesetz dem einzelnen die Freiheit, *selbst eine Regelung seiner Lebensverhältnisse zu treffen*, die von der Rechtsordnung anerkannt wird (Grundsatz der Privatautonomie).

Das Prinzip der Privatautonomie zeigt sich deutlich in der *Vertragsfreiheit*. Danach ist der einzelne z. B. frei darin, ob und mit wem er einen Vertrag schließt (Abschlußfreiheit; Rdnr. 74) und was dessen Inhalt sein soll (Gestaltungsfreiheit; Rdnr. 75). In § 305 wird die Vertragsfreiheit vorausgesetzt. – Nach § 903 kann der Eigentümer einer Sache mit dieser grundsätzlich nach seinem Belieben verfahren und andere von jeder Einwirkung ausschließen *(Eigentumsfreiheit)*. Der einzelne ist befugt, durch Testament zu bestimmen, an wen nach seinem Tode sein Vermögen fallen soll (§ 1937; *Testierfreiheit*; ErbR Rdnr. 20).

Die bereits im BGB enthaltenen Freiheitsrechte sind heute in den Grundrechtsartikeln des Grundgesetzes verfassungsrechtlich garantiert; sie können nicht einmal durch eine Änderung des Grundgesetzes abgeschafft werden (vgl. Art. 79 III GG).

So ergibt sich aus Art. 2 I GG das Recht auf freie Entfaltung der Persönlichkeit und damit die Vertragsfreiheit. Dem Schutz der Freiheit des einzelnen dient die Garantie zweier wichtiger privatrechtlicher Institutionen, nämlich des Eigentums und des Erbrechts, in Art. 14 GG. Mit dem Erbrecht ist auch die Testierfreiheit, also die Freiheit, seine Erbfolge zu regeln, verfassungsrechtlich gesichert.

2. Sozialer Ausgleich

25

Trotz seiner individualistischen Grundhaltung berücksichtigt das BGB an einigen Stellen auch den Gedanken des sozialen Ausgleichs. Es ist mit einem »Tropfen sozialen Öls« gesalbt; das beruht vor allem auf der Kritik am ersten Entwurf.

So führt die Vertragsfreiheit im allgemeinen nur dann zu einem gerechten Ergebnis, wenn sich beim Vertragsschluß ungefähr gleichstarke Vertragspartner gegenüberstehen. Nutzt ein Partner etwa die Zwangslage oder Unerfahrenheit des anderen aus und läßt er sich Vermögensvorteile versprechen, die in auffälligem Mißverhältnis zum Wert seiner eigenen Leistung stehen (z. B. Hingabe eines Darlehens an den in Not geratenen Vertragspartner zu 40 % Zinsen), so ist dieses Geschäft trotz der freien Vereinbarung nicht gültig; es ist nichtig (§ 138 II, Rdnr. 296 ff.).

Auch die Eigentumsfreiheit besteht nach § 903 nur, »soweit nicht das Gesetz oder Rechte Dritter entgegenstehen«. So ist der Eigentümer einer Sache beispielsweise nicht berechtigt, die Einwirkung eines anderen auf die Sache zu verbieten, wenn sie zur Abwendung einer gegenwärtigen Gefahr notwendig und der drohende Schaden gegenüber dem Schaden des Eigentümers unverhältnismäßig groß ist (§ 904, 1; Rdnr. 651).

Aufgrund der Testierfreiheit ist jeder Mensch zwar in der Lage, seine nächsten Angehörigen von seiner Erbfolge z. B. dadurch auszuschließen, daß er testamentarisch andere Personen als seine Erben einsetzt (§ 1937). Ihn trifft aber eine über den Tod hinausgehende Fürsorgepflicht etwa für seinen Ehegatten und seine Kinder. Deshalb kann er grundsätzlich nicht verhindern, daß diesen Angehörigen wenigstens ein Pflichtteilsrecht in Form eines Geldanspruchs zusteht (§§ 2303 ff.; ErbR Rdnr. 517 ff.), wenn sie schon nicht erben sollen.

Das BGB allein hat nicht ausgereicht, einen sozialen Ausgleich herbeizuführen. 26
Deshalb sind im Laufe der Zeit innerhalb und außerhalb des BGB Normen geschaffen worden, die etwa im Vertragsrecht für beide Vertragsparteien gerechte Ergebnisse bewirken sollen. Diese werden nämlich bei frei ausgehandelten Vertragsbedingungen nur dann erzielt, wenn die vom BGB vorausgesetzte Gleichheit der Vertragspartner auch tatsächlich besteht. Das ist z. B. beim Arbeitsvertrag, Mietvertrag über Wohnräume und Abzahlungskauf typischerweise nicht der Fall. Hier kann der Arbeitnehmer, Mieter oder Käufer gegenüber dem stärkeren Arbeitgeber, Vermieter oder Verkäufer beim Aushandeln der Vertragsbedingungen wenig ausrichten. Deshalb hat der Gesetzgeber zugunsten des schwächeren Vertragspartners Schutzvorschriften geschaffen, die von den Vertragsparteien nicht zum Nachteil des schwächeren Teils ausgeschlossen werden können.

Beim Abschluß des Arbeitsvertrages stehen sich Arbeitgeber und Arbeitnehmer zwar formell als gleichberechtigte Partner gegenüber; materiell stellt der Arbeitsvertrag aber oft ein einseitiges Diktat des Arbeitgebers dar. Die Vertragsfreiheit hat man deshalb als »Vogelfreiheit« des Arbeitnehmers bezeichnet. Hier gibt es außerhalb des BGB Schutzvorschriften zugunsten des Arbeitnehmers. So können Gewerkschaften, die der Arbeitgeberseite in etwa gleich stark gegenüberstehen, im Tarifvertrag Arbeitsbedingungen aushandeln, die für die Arbeitsverträge mit Angehörigen der Gewerkschaft als Mindestbedingungen gelten (vgl. § 4 TVG; ArbR Rdnr. 268 ff.); das Arbeitszeitgesetz und das Bundesurlaubsgesetz schreiben Höchstarbeitszeiten und Mindesturlaubszeiten vor.

Bei der Wohnungsmiete muß der Mieter vor unberechtigten Kündigungen des Vermieters und unangemessenen Erhöhungen des Mietzinses geschützt werden. Deshalb schränkt das Gesetz zur Regelung der Miethöhe (vom 18.12.1974, zuletzt geändert durch Gesetz vom 21. 7. 1993) die Vertragsfreiheit im Interesse des Mieters ein.

Bei einem Vertrag, der die Gewährung eines Darlehens, eines Zahlungsaufschubs oder einer sonstigen Finanzierungshilfe gegen Entgelt zum Gegenstand hat (sog. Kreditvertrag), soll das Verbraucherkreditgesetz den Verbraucher, der nicht in Ausübung seiner beruflichen Tätigkeit handelt, vor unüberlegten Verpflichtungen und ihn benachteiligenden Vertragsbedingungen bewahren; dem Schutz des Verbrauchers dient auch dessen Recht, den Vertrag innerhalb einer Frist zu »annullieren«. – Entsprechendes gilt für Rechtsgeschäfte, die vom Gesetz über den Widerruf von Haustürgeschäften ... (HausTWG) geregelt werden (Rdnr. 19, 203ff.).

27 *3. Vertrauensschutz*

Im Gegensatz zum römischen Recht und im Anschluß an das deutsche Recht ordnet eine Reihe von Vorschriften die *Rücksichtnahme auf die Verkehrssicherheit* an. Während das römische Recht von der Regel ausgeht, daß niemand mehr Rechte auf einen anderen übertragen kann, als er selbst hat, schützt das BGB den Erwerber, der auf den Schein des Rechts des Veräußerers vertraut. Der Erwerber kann das Recht erlangen, obwohl der Veräußerer gar nicht Inhaber des Rechts war.

Wenn V dem K ein Grundstück verkauft hat, dann ist er nach § 433 I 1 verpflichtet, dem K das Eigentum an dem Grundstück zu verschaffen. Das geschieht nach § 873 I durch Einigung von V und K über den Eigentumsübergang (Auflassung: § 925 I 1) und durch Eintragung des K als Eigentümer im Grundbuch. Voraussetzung für den Eigentumsübergang auf K ist aber, daß V bisher Eigentümer des Grundstücks war. Wenn V dagegen gar nicht Grundstückseigentümer ist, kann K vom Nichteigentümer V grundsätzlich auch kein Eigentum erwerben.

Diese Folge ist für K dann besonders mißlich, wenn V statt des wahren Eigentümers E zu Unrecht (z. B. infolge eines Versehens des Grundbuchbeamten) als Eigentümer im Grundbuch eingetragen und demnach das Grundbuch unrichtig ist. In diesem Fall wird durch das Grundbuch der Schein erweckt, daß V tatsächlich Eigentümer des Grundstücks ist. Wenn nun K im Vertrauen auf die Richtigkeit des Grundbuches sich mit V über den Eigentumsübergang einigt und im Grundbuch als Eigentümer eingetragen wird, dann soll er in seinem guten Glauben an die Richtigkeit des Grundbuches geschützt werden: Er wird, obwohl V gar nicht Eigentümer war, Eigentümer des Grundstücks; damit verliert der wirkliche Eigentümer E sein Eigentum am Grundstück. Dieser Schutz des gutgläubigen Erwerbs vom Nichtberechtigten wird durch § 892 I 1 bestimmt. Die Vorschrift ist hier wie folgt zu lesen: Zugunsten desjenigen (K), welcher ein Recht an einem Grundstück (Eigentum) ... durch Rechtsgeschäft (Einigung und Eintragung) erwirbt, gilt der Inhalt des Grundbuchs als richtig (gilt der zu Unrecht im Grundbuch eingetragene V als Eigentümer des Grundstücks). Dem E steht nur ein Ausgleichsanspruch gegen V zu (vgl. § 816 I 1; BS Rdnr. 415ff.).

K wird nur dann nicht Eigentümer, wenn sich aus dem Grundbuch selbst ergibt, daß die Eintragung des V als Eigentümer möglicherweise nicht in Ordnung ist, oder wenn K trotz der Eintragung des V weiß, daß V nicht Eigentümer ist. In diesen beiden Fällen darf K nicht auf die Richtigkeit des Grundbuches vertrauen; er ist nicht schutzwürdig, so daß er trotz

Einigung und Eintragung das Eigentum nicht erwirbt. Diese beiden Ausnahmen regelt der Nebensatz des § 892 I 1; danach tritt ein Rechtserwerb nicht ein, wenn ein Widerspruch gegen die Richtigkeit (der Eintragung des V als Eigentümer) eingetragen oder die Unrichtigkeit (der Eintragung des V als Eigentümer) dem Erwerber (K) bekannt ist.

In dem – nicht einfachen – Beispiel wird also das Vertrauen auf den Rechtsschein vom Gesetz im Interesse des gutgläubigen Erwerbers und damit im Interesse der Verkehrssicherheit geschützt.

4. Einfluß des Grundgesetzes 28

Das BGB muß heute wie jedes andere Gesetz an den Normen des Grundgesetzes (GG) gemessen werden.

Eine Gesetzesbestimmung, die einer Norm des GG widerspricht, ist nicht gültig (vgl. Art. 1 III, 20 III GG).

Beispiel: Durch das Gleichberechtigungsgesetz von 1957 wurde die elterliche Gewalt über ein minderjähriges eheliches Kind neu geregelt; sie stand Vater und Mutter zu. Wenn die Eltern sich aber nicht einigen konnten, sollte nach § 1628 I der Vater entscheiden. Im Regelfall sollte nach § 1629 I dem Vater die Vertretung des Kindes zustehen. Das Bundesverfassungsgericht sah in dem Stichentscheid und dem Alleinvertretungsrecht des Vaters einen Verstoß gegen das Grundrecht der Gleichberechtigung von Mann und Frau (Art. 3 II GG) und erklärte deshalb die genannten Vorschriften für nichtig (BVerfGE 10, 59).

Die im GG enthaltene objektive Wertordnung wirkt auf alle Bereiche des Rechts und damit auch auf das Privatrecht ein. Diese »Ausstrahlungswirkung« der Verfassung führt zu einer verfassungskonformen Auslegung einer Vorschrift des BGB. Demnach ist eine Bestimmung etwa extensiv (erweiternd) oder restriktiv (einschränkend) auszulegen (Rdnr. 67), so daß sie der Wertordnung des GG entspricht; zu diesem Zweck kann auch eine verfassungskonforme richterliche Rechtsfortbildung (Rdnr. 8) in Betracht kommen.

Beispiel: Nach § 823 I BGB ist schadensersatzpflichtig, wer widerrechtlich und schuldhaft ein »sonstiges Recht« eines anderen verletzt. Obwohl der Gesetzgeber des BGB ein allgemeines Persönlichkeitsrecht ablehnte, hat die Rechtsprechung aus Art. 1 und 2 GG, welche die Würde und die freie Entfaltung der Persönlichkeit schützen, gefolgert, daß ein allgemeines Persönlichkeitsrecht ein sonstiges Recht i. S. d. § 823 I ist (BGHZ 13, 334; BS Rdnr. 450). Entgegen § 253, wonach bei einem immateriellen Schaden grundsätzlich keine Entschädigung in Geld gefordert werden kann, ist unter verfassungskonformer einschränkender Auslegung dieser Vorschrift bei schweren Verletzungen des allgemeinen Persönlichkeitsrechts ein Anspruch auf Schadensersatz in Geld gegeben (BVerfGE 34, 269; Rdnr. 67 a. E.).

Die Grundrechte der Verfassung wirken schließlich auch auf die Rechtsgeschäfte (Rdnr. 94 ff.) und insbesondere auf die Verträge (Rdnr. 69 ff.) ein (sog. Drittwirkung der Grundrechte). Das geschieht durch eine ausdrückliche Bestimmung der Verfassung (Art. 9 III 2 GG) oder – soweit eine solche fehlt – jedenfalls über die Generalklauseln des BGB (z. B. §§ 138, 157, 242, 826).

Bei der Auslegung der Generalklauseln sind nach ständiger Rechtsprechung des Bundesverfassungsgerichts die Grundrechte als »Richtlinien« zu beachten; geschieht das zum Nachteil einer Person nicht, ist diese in ihren Grundrechten verletzt (vgl. etwa BVerfGE 7, 198, 206f.).

Art. 9 III 1 GG gewährleistet für jedermann das Recht, zur Wahrung und Förderung von Arbeitsbedingungen Vereinigungen zu bilden. Nach Art. 9 III 2 GG sind Abreden, die dieses Recht einschränken oder zu behindern suchen, nichtig und hierauf gerichtete Maßnahmen rechtswidrig. Demnach ist eine Vereinbarung von Unternehmern, keine Gewerkschaftsmitglieder einzustellen, nichtig. – Ein Vertrag, in dem sich jemand seine Gewissensfreiheit abkaufen läßt (z.B. Verpflichtung zum Kirchenaustritt), ist nach § 138 I unter Berücksichtigung des Wertgehalts des Art. 4 I GG nichtig (AS Rdnr. 33).

Auch der Gedanke des sozialen Ausgleichs (Rdnr. 25) ist durch das GG verfassungsrechtlich verstärkt worden. Das ergibt sich aus den Grundrechten und aus der Sozialstaatsklausel (Art. 20 I GG).

Beispiele: Art. 9 III GG gewährleistet das Recht, zur Wahrung und Förderung der Arbeits- und Wirtschaftsbedingungen Vereinigungen zu bilden. Dieses Grundrecht schützt damit auch ein freiheitliches Tarifvertragssystem und das Recht, zur Erreichung tarifvertraglich regelbarer Ziele Arbeitskämpfe zu führen. – Art. 14 I GG schützt nicht nur die Eigentumsfreiheit, sondern besagt auch, daß Inhalt und Schranken des Eigentums durch die Gesetze bestimmt werden. Art. 14 II GG bestimmt, daß Eigentum verpflichtet und sein Gebrauch zugleich dem Wohl der Allgemeinheit dienen soll. In Art. 14 III GG werden die Voraussetzungen genannt, unter denen das Eigentum dem Eigentümer durch Enteignung sogar entzogen werden darf. – Art. 6 I GG stellt die Ehe als Lebensgemeinschaft zwischen Ehegatten und die Familie als Verbindung von Eltern und Kindern unter den besonderen Schutz der staatlichen Ordnung und verbietet damit dem Gesetzgeber, Ehe und Familie zu schädigen oder zu beeinträchtigen. Deshalb wäre ein Gesetz, das die erbrechtliche Beteiligung des Ehegatten und der Kinder am Nachlaß – etwa durch Abschaffung des Pflichtteilsrechts – ganz beseitigte, verfassungswidrig (ErbR Rdnr. 24).

29 III. Inhalt und Arten der Normen

1. Vermögensrecht und Nichtvermögensrecht

a) Vornehmlich regelt das BGB die *vermögensrechtlichen Verhältnisse* der einzelnen zueinander.

(1) Dabei geht es einmal um den Güteraustausch wie bei den Verträgen, die auf Veräußerung eines Gegenstandes gerichtet sind (Kauf, §§ 433ff.; Tausch, § 515; Schenkung, §§ 516ff.), die eine Gebrauchsüberlassung zum Gegenstand haben (Miete, §§ 535ff.; Pacht, §§ 581ff.; Leihe, §§ 598ff.) oder nach denen bestimmte Leistungen gegen Entgelt zu erbringen sind (Dienstvertrag, §§ 611ff.; Werkvertrag, §§ 631ff.). Alle diese Fragen sind im Schuldrecht (2. Buch des BGB) geregelt.

(2) Zum Vermögensrecht gehören aber auch die Regeln über die rechtliche Sachherrschaft des Eigentümers über die in seinem Eigentum stehende Sache (vgl. §§ 903 ff.) sowie die Bestimmungen darüber, wie der Eigentümer das Eigentum an einer Sache auf einen anderen übertragen kann (§§ 925 ff. für Grundstücke; §§ 929 ff. für Mobilien), und ferner die Regeln, nach denen das Eigentum an einer beweglichen Sache mit einem Pfandrecht (§§ 1204 ff.) oder an einem Grundstück etwa mit einer Hypothek oder einer Grundschuld (§§ 1113 ff.) zugunsten eines anderen belastet werden kann. Auf alle diese Fragen gibt das Sachenrecht (3. Buch des BGB) Antwort.

(3) Auch im Erbrecht (5. Buch des BGB) geht es um vermögensrechtliche Fragen, nämlich um die vermögensrechtlichen Folgen des Todes eines Menschen.

Hier wird z. B. geregelt, wie das Eigentum an den Sachen, die dem Verstorbenen bis zu seinem Tod gehörten, auf den Erben übergeht (§ 1922), welche Verpflichtungen der Erbe gegenüber den testamentarisch enterbten nahen Angehörigen des Verstorbenen hat (§§ 2303 ff.; Pflichtteil), für welche Schulden der Erbe einzustehen hat (§ 1967) und wie er seine Haftung für die Schulden beschränken kann (§§ 1975 ff.).

(4) Schließlich enthält auch das Familienrecht (4. Buch des BGB) vermögensrechtliche Bestimmungen. Man denke nur an das eheliche Güterrecht (§§ 1363 ff.), das Unterhaltsrecht (§§ 1601 ff.) oder das Recht und die Pflicht der Eltern zur Sorge für das Vermögen des Kindes (§§ 1638 ff.).

So ist beispielsweise geregelt, ob mit der Eheschließung die beiden Eheleute gemeinsam Eigentum an den von einem Ehegatten mit in die Ehe gebrachten Sachen erwerben oder ob jeder Ehegatte trotz der Heirat Alleineigentümer seiner Sachen bleibt. Läßt die Ehefrau beim Lebensmittelhändler »anschreiben«, will der Ehemann wissen, ob er zur Begleichung dieser Schulden verpflichtet ist (vgl. § 1357; Schlüsselgewalt). Schwierige Fragen der vermögensrechtlichen Auseinandersetzung können bei der Scheidung der Ehe entstehen (vgl. etwa §§ 1372 ff., 1587 ff.).

b) In geringerem Umfang enthält das BGB auch *Normen über nichtvermögensrechtliche Fragen*. Man denke etwa an den Schutz des Namensrechts (§ 12) und vor allem an große Teile des Familienrechts. 30

Beispiele: Bestimmungen über die Pflicht der Ehegatten zur ehelichen Lebensgemeinschaft (§ 1353), die eheliche und nichteheliche Abstammung (§§ 1591 ff.), die Personensorge der Eltern für ihr Kind (§§ 1631 ff.), die Annahme als Kind (§§ 1741 ff.).

Nichtvermögensrechtliche Angelegenheiten können sehr wohl vermögensrechtliche Folgen nach sich ziehen. So lösen die eheliche oder nichteheliche Abstammung sowie die Annahme als Kind Unterhaltsansprüche aus. Die Verletzung des Namensrechts kann für den Namensträger einen Vermögensschaden bewirken, der vom schuldhaft handelnden Schädiger zu ersetzen ist (vgl. § 823 II i. V. m. § 12).

2. *Strenges und billiges Recht* 31

Das BGB enthält strenges und billiges Recht; die Übergänge sind fließend.

a) Zum *strengen Recht* (ius strictum) gehören die Rechtssätze, die an einen genau beschriebenen Tatbestand eine genau bestimmte Rechtsfolge knüpfen, ohne Raum dafür zu lassen, die Besonderheiten des einzelnen Falles zu berücksichtigen. Diese Normen sind nicht wertausfüllungsbedürftig; sie lassen im Interesse der Rechtsklarheit keine Ausnahmen zu.

Beispiel: Nach § 2 tritt die Volljährigkeit mit der Vollendung des achtzehnten Lebensjahres ein. Sie bewirkt die unbeschränkte Geschäftsfähigkeit (Rdnr. 222). Das 18. Lebensjahr ist mit dem Ablauf des letzten Tages des 18. Lebensjahres (also des Tages vor dem Geburtstag) vollendet (vgl. § 187 II 2). Diese starre Grenze kann im Einzelfall nicht vorverlegt werden, selbst wenn die betreffende Person etwa besonders intelligent und geschäftstüchtig ist.

32 b) Als *billiges Recht* (ius aequum) bezeichnet man die Normen, die einen wertausfüllungsbedürftigen Tatbestand enthalten oder bei der Rechtsfolge einen Ermessensspielraum lassen. Dadurch lassen sie eine Berücksichtigung der besonderen Umstände des Einzelfalles zu. Hier sind besonders die Generalklauseln wie »Treu und Glauben« (§§ 157, 242) und »gute Sitten« (§§ 138 I, 826) zu nennen.

Beispiel: Ob der Vertrag über ein erotisches Telefongespräch gegen Entgelt (sog. Telefonsex) sittenwidrig ist, muß nach dem Anstandsgefühl aller billig und gerecht Denkenden beurteilt werden (vgl. Rdnr. 283 ff.). Bei der dabei vorzunehmenden Wertung sind verschiedene Ergebnisse möglich (vgl. einerseits AG Essen NJW 1989, 3162; LG Bonn NJW 1989, 2544; OLG Hamm NJW 1989, 2551; AG Garmisch-Partenkirchen NJW 1990, 1856; AG Dortmund MDR 1991, 535: sittenwidrig und andererseits AG Offenbach NJW 1988, 1097; AG Düsseldorf MDR 1990, 338; NJW 1990, 1856: nicht sittenwidrig). – Bei der Verlegung einer Arztpraxis hat nach § 242 der bisherige Vermieter während einer angemessenen Zeit ein Umzugsschild zu dulden; welche Zeit angemessen ist, muß im Einzelfall unter Billigkeitsgesichtspunkten ermittelt werden.

33 c) Strenges und billiges Recht stehen sich nicht klar abgegrenzt gegenüber; die Übergänge sind fließend. Die meisten Rechtssätze enthalten mehr oder weniger strenges und billiges Recht.

Beispiel: § 1601 bestimmt eine Unterhaltspflicht zwischen Verwandten in gerader Linie; dieser Personenkreis wird in § 1589, 1 genau definiert (strenges Recht). Die Höhe des Unterhalts muß nach § 1610 I angemessen sein (billiges Recht).

34 *3. Zwingendes und nachgiebiges Recht*

Die soeben getroffene Unterscheidung zwischen strengem und billigem Recht ist nicht identisch mit dem Gegensatz von zwingendem und nachgiebigem Recht, den man ebenfalls im BGB findet.

a) *Zwingendes Recht* (ius cogens) enthalten die Gesetzesbestimmungen, die durch den Willen der Beteiligten nicht ausgeschlossen oder abgeändert werden können. Soweit das Gesetz etwas zwingend vorschreibt, ist also die Vertragsfreiheit ausgeschlossen. Die Gründe dafür, daß der Gesetzgeber es den Beteiligten nicht überläßt, ihre Angelegenheiten rechtlich zu ordnen, sondern selbst im

Gesetz die Ordnungsaufgabe übernimmt, können verschiedener Art sein. So ordnet er für manche Verträge zwingend eine bestimmte Form (Schriftform, notarielle Beurkundung) an, um den Beweis zu sichern oder die Vertragsschließenden vor Übereilung zu schützen. Andere Vorschriften sollen den unerfahrenen und wirtschaftlich schwächeren Vertragspartner vor solchen Vertragsbedingungen bewahren, die für ihn besonders ungünstig sind. Manchmal bezweckt der Gesetzgeber, Ergebnisse zu vermeiden, die der Gerechtigkeit Hohn sprechen würden. Schließlich kann es ihm darum gehen, bestimmte Institutionen wie Ehe und Familie zu schützen.

Beispiele: Der Grundstückskaufvertrag bedarf der notariellen Beurkundung (§ 313, 1); ohne sie ist er nichtig (§ 125, 1). Grund: Beweissicherung, größere Rechtsklarheit, vor allem Schutz vor Übereilung.

Die in §§ 617, 618 bestimmten Schutzpflichten des Dienstberechtigten können nicht im voraus durch Vertrag aufgehoben oder beschränkt werden (§ 619). Grund: Schutz des wirtschaftlich Schwächeren.

Der Schuldner haftet nach § 276 I 1 dem Gläubiger für jedes Verschulden (Vorsatz und Fahrlässigkeit). Die Haftung für Fahrlässigkeit ist vertraglich ausschließbar (insoweit Vertragsfreiheit). Jedoch kann die Haftung wegen Vorsatzes nicht im voraus erlassen werden (§ 276 II). Grund: Es verstößt gegen die Gerechtigkeit, wenn der Schuldner willentlich etwa die dem Gläubiger verkaufte Sache zerstört, ohne ihm – wegen des Haftungsausschlusses – den Schaden ersetzen zu müssen.

Die meisten Vorschriften des Familienrechts sind zwingenden Rechts. So kann die Pflicht zur ehelichen Lebensgemeinschaft (§ 1353 I) bei der Eheschließung nicht vertraglich für alle Zeit ausgeschlossen werden. Grund: Schutz der Institution der Ehe.

Oft ist aus dem Wortlaut des Gesetzes zu entnehmen, daß die Vorschrift zwingenden Rechtes ist (z. B. §§ 125, 138, 276 II, 619). Soweit das nicht der Fall ist, kann vor allem aus dem Zweck der Bestimmung deren zwingender Charakter entnommen werden (z. B. bei den meisten Regeln des Familienrechts).

b) *Nachgiebiges Recht* (ius dispositivum) enthalten die Gesetzesbestimmungen, die durch den Willen der Beteiligten ausgeschlossen oder abgeändert werden können. Insoweit ist Raum für die Vertragsfreiheit. Die nachgiebigen Regeln hat der Gesetzgeber für die Fälle geschaffen, in denen die Vertragsparteien im Vertrag bewußt oder unbewußt nicht für alle Eventualitäten Abmachungen getroffen haben. Dann bietet das Gesetz eine Lösung an, die in der Regel dem entspricht, was vernünftige Parteien vereinbart hätten, wenn sie vertraglich den Konfliktsfall gelöst hätten. Demnach greifen dispositive Gesetzesbestimmungen dann ein, wenn die Beteiligten nichts anderes vereinbart haben. **35**

Beispiel: Der Verkäufer hat dem Käufer die verkaufte Sache geliefert; jedoch ist sie mit einem Fehler behaftet. Welche Rechte dem Käufer zustehen, folgt primär aus dem Vertrag. Ergibt sich aus ihm, daß der Verkäufer das Recht und die Pflicht hat, den Mangel zu beheben, hat der Käufer gegen den Verkäufer einen Anspruch auf Nachbesserung. Ist im Vertrag nicht geregelt, welche Rechte der Käufer wegen des Mangels der Kaufsache hat, greift das Gesetz ein. Nach §§ 462, 459 kann er Rückgängigmachung des Kaufs oder Herabsetzung des Kaufpreises verlangen (BS Rdnr. 59ff.).

Beim Kauf eines gebrauchten Pkw wird häufig zwischen den Parteien vereinbart, daß Ansprüche wegen eines Mangels des Autos ausgeschlossen sind. Dieser Haftungsausschluß ist gültig, weil die §§ 459ff. nur nachgiebiges Recht enthalten. Jedoch zieht das Gesetz hier eine Grenze für die Vertragsfreiheit: Sofern der Verkäufer den Mangel arglistig verschwiegen hat, ist die Vereinbarung über den Erlaß der Gewährleistung wegen Sachmangels nichtig (§ 476; BS Rdnr. 69). Insoweit liegt zwingendes Recht vor, weil der Gesetzgeber aus Gründen der Gerechtigkeit das verwerfliche Verhalten des Verkäufers nicht »prämieren« wollte.

36 IV. Aufbau und Gliederung

1. *Aufbau*

a) In dem *Bestreben, das BGB nicht zu umfangreich werden zu lassen*, hat der Gesetzgeber durch *weitgehende Abstraktion* konkrete Regelungen auf immer allgemeinere Regelungen zurückgeführt. Dadurch sind die für die Lösung eines Falles sachlich zusammenhängenden Bestimmungen auseinandergerissen. Je weiter die Abstraktion vorangetrieben ist, desto unverständlicher wird die Regelung für den Studienanfänger. Der Herausbildung allgemeiner Begriffe, Definitionen und Rechtssätze verdankt besonders der Allgemeine Teil des BGB (1. Buch des BGB) seine Entstehung.

37 Das BGB geht also in seinem Aufbau vom Allgemeinen zum Besonderen. Man kann diese Methode nach dem Vorbild aus der Mathematik als *»Ausklammerungsmethode«* bezeichnen; denn das Gemeinsame mehrerer Regelungen wird ausgeklammert, also vor die Klammer gesetzt, während in der Klammer nur das jeweils Besondere verbleibt.

(1) Diese Methode ist einmal *innerhalb der einzelnen Bücher des BGB* durchgeführt, wie schon ein Blick auf das Inhaltsverzeichnis zum BGB zeigt.

Beispiele: Im siebenten Abschnitt des *Schuldrechts* (§§ 433–853) werden »Einzelne Schuldverhältnisse« behandelt. Das Gemeinsame aller oder mehrerer dieser verschiedenen Schuldverhältnisse ist vorweg behandelt. So wird im dritten Abschnitt das »Erlöschen der Schuldverhältnisse« (§§ 362ff.) geregelt. Dort ist z. B. bestimmt, unter welchen Voraussetzungen eine Forderung des Gläubigers gegen den Schuldner auf Zahlung eines bestimmten Geldbetrages erlischt. Dabei ist es gleichgültig, ob es sich um einen Anspruch etwa aus Kauf, Miete oder Werkvertrag handelt.

Im *Sachenrecht*, das zwischen beweglichen und unbeweglichen Sachen unterscheidet, werden zunächst (im ersten Abschnitt; §§ 854ff.) die Probleme des Besitzes (= der tatsächlichen Herrschaft über eine Sache) behandelt, weil sie sowohl für Mobilien als auch für Immobilien gelten. – In § 873 wird bestimmt, daß die Grundstücksrechte durch Einigung und Eintragung im Grundbuch erworben werden; diese Regel gilt für alle Grundstücksrechte, also z. B. für das Eigentum wie für die Grundschuld. Das Besondere, das nur für den Erwerb des Eigentums an einem Grundstück gilt, steht in § 925, der für die nach § 873 erforderliche Einigung eine besondere Form vorschreibt.

Im *Familienrecht* finden sich zunächst »allgemeine Vorschriften« über die Unterhaltspflicht (§§ 1601ff.). Für die Unterhaltspflicht gegenüber nichtehelichen Kindern gelten nach

§ 1615 a die allgemeinen Vorschriften, »sofern sich nicht aus den folgenden Bestimmungen ein anderes ergibt«.

Im *Erbrecht* werden den Bestimmungen über das Testament (dritter Abschnitt) »allgemeine Vorschriften« (erster Titel) vorangestellt. So kann nach § 2064 jemand sein Testament nur persönlich errichten, also nicht durch einen anderen errichten lassen. Das gilt für jedes Testament, ganz gleichgültig, ob darin eine Erbeinsetzung (zweiter Titel), die Einsetzung eines Nacherben (dritter Titel), ein Vermächtnis (vierter Titel) usw. enthalten ist.

(2) Die Ausklammerungsmethode *greift über die einzelnen Bücher des BGB* 38
hinaus. Das, was für die Bücher 2 bis 5 des BGB gemeinsam gilt, ist im *Allgemeinen Teil des BGB* (1. Buch) vorangestellt.

So beginnen die Regeln über den Kauf in § 433 mit den Pflichten von Verkäufer und Käufer, die sich aus dem Kaufvertrag ergeben. § 433 (»Durch den Kaufvertrag wird ...«) setzt einen Kaufvertrag voraus, sagt aber nicht, wie er zustande kommt. Entsprechend beginnen § 535: »Durch den Mietvertrag ...«, § 611: »Durch den Dienstvertrag ...« usw. Die bei allen diesen Verträgen gemeinsame Frage, wie sie zustande kommen, ist ausgeklammert. Sie wäre im Allgemeinen Schuldrecht geregelt, wenn es nur im Schuldrecht Verträge gäbe. Verträge werden aber auch in den anderen Büchern des BGB behandelt. So ist die bereits erwähnte Einigung beim Erwerb von Grundstücksrechten (§ 873) nichts anderes als ein Vertrag. Dasselbe gilt für den Ehevertrag (§ 1408) und den Erbvertrag (§ 2274). Deshalb ist die Regelung über das Zustandekommen eines Vertrages bereits im Allgemeinen Teil (§§ 145 ff.) enthalten.

(3) Auch *innerhalb des Allgemeinen Teils* des BGB ist die Ausklammerungs- 39
methode weitergeführt. So ist z. B. aus §§ 145 f. einerseits und §§ 147 ff. andererseits zu entnehmen, daß der Vertrag aus dem Antrag des einen Vertragspartners und der Annahmeerklärung des anderen Vertragspartners besteht. Jede dieser beiden Erklärungen ist eine Willenserklärung. Über die Willenserklärung handelt der vorhergehende (zweite) Titel (§§ 116 ff.). Voraussetzung für die Gültigkeit der Willenserklärung ist die Geschäftsfähigkeit des Erklärenden. Die Geschäftsfähigkeit ist im ersten Titel des dritten Abschnitts (§§ 104 ff.) behandelt.

Fall: V verkauft an K für 10000,– DM einen Pkw. Später stellt sich heraus, daß K schon beim Abschluß des Kaufvertrages unerkannt geisteskrank war. Kann V von K den Kaufpreis verlangen?

Lösung: Grundlage für den Anspruch auf Zahlung des Kaufpreises kann § 433 II sein. Dieser setzt einen Kaufvertrag (§ 433 I 1, am Anfang) voraus. Ein Vertrag kommt durch Angebot und Annahme, also durch übereinstimmende Willenserklärungen der Parteien, zustande (§§ 145 ff.). Die Willenserklärungen müssen gültig sein. K ist geisteskrank; deshalb ist er nach § 104 Nr. 2 geschäftsunfähig. Die Willenserklärung eines Geschäftsunfähigen ist nach § 105 nichtig. Da also keine gültige Willenserklärung des K vorliegt, fehlt es an einem Kaufvertrag und damit an der Voraussetzung für einen Anspruch des V gegen K auf Zahlung des Kaufpreises.

b) Durch *Verweisungen* auf andere Gesetzesbestimmungen, die wörtlich oder 40
entsprechend anzuwenden sind, werden sonst notwendige Wiederholungen vermieden. Viel zu oft wird in einer Vorschrift auf mehrere andere Vorschriften

Bezug genommen. Es kommt auch vor, daß die Bestimmung, auf die verwiesen wird, ihrerseits weiterverweist. Diese Verweisungstechnik kann den Anfänger mutlos machen.

Abschreckende Beispiele (nur lesen, nicht darüber nachdenken!): § 2013; § 819 II setzt den Tatbestand des § 817, 1 voraus und verweist auf § 819 I, dieser verweist auf § 818 IV, dieser auf die »allgemeinen Vorschriften«, zu denen § 292 gehört, § 292 verweist auf das Eigentümer-Besitzer-Verhältnis der §§ 987 ff. (Einzelheiten: Budde, Verweisungen im BGB, Jura 1984, 578).

41 *2. Gliederung*

Aus dem bisher Gesagten ist bereits die Gliederung des BGB in *fünf Bücher* zu erkennen:

a) Der *Allgemeine Teil* enthält die *Vorschriften, die für alle übrigen Bücher des BGB gelten*, sofern diese keine abweichenden Spezialregeln aufstellen. Im ersten Buch des BGB geht es vor allem um Normen über Personen, Sachen und Rechtsgeschäfte.

42 b) Das *Schuldrecht* behandelt die Schuldverhältnisse. Das sind *Sonderverbindungen* zwischen einzelnen Personen. Solche Verbindungen können auf Vertrag (§ 305; z. B. Kauf), aber auch unmittelbar auf Gesetz (z. B. § 823) beruhen (AS Rdnr. 6, 10 ff.).

43 c) Das *Sachenrecht* ordnet die *Beziehung einer Person zu einer Sache*. Es enthält Regeln über die tatsächliche Sachherrschaft (Besitz), die rechtliche Sachherrschaft (Eigentum) sowie beschränkte dingliche Rechte (z. B. Hypothek, Grundschuld, Pfandrecht).

44 d) Das *Familienrecht* bringt Normen über die *familiären Beziehungen* (Ehe, Verwandtschaft) sowie die *Vormundschaft, Betreuung und Pflegschaft*.

Im Eherecht sind häufig die allgemeinen Normen des 1. Buches nicht anwendbar; wegen der Besonderheiten dieses Rechtsgebietes sind Sonderregeln geschaffen worden.

Die Eheschließung ist ein Vertrag; er kann – wie jeder andere Vertrag – von einem Geschäftsunfähigen nicht geschlossen werden (vgl. § 2 EheG, §§ 104 ff.). Für den Vertragsschluß ist aber eine besondere Form vorgeschrieben (§ 13 I EheG: »vor dem Standesbeamten persönlich und bei gleichzeitiger Anwesenheit«). Demnach ist z. B. eine Eheschließung durch Briefe oder per Telefon ausgeschlossen. Der an den Folgen eines »feuchten« Polterabends leidende Bräutigam kann auch nicht seinen Freund als seinen Vertreter zum Standesamt schicken; § 13 I EheG (»persönlich«) schließt die Regeln über die Stellvertretung (§§ 164 ff.; Rdnr. 464 ff.) aus. Da die Erklärungen vor dem Standesbeamten nicht »unter einer Bedingung oder einer Zeitbestimmung abgegeben werden« können (§ 13 II EheG), sind auch die Vorschriften über die Bedingung und Zeitbestimmung (§§ 158 ff.; Rdnr. 430 ff.) hier nicht anwendbar.

45 e) Das *Erbrecht* regelt die *vermögensrechtlichen Folgen des Todes eines Menschen*. Da der Mensch mit seinem Tode aus dem Rechtsleben ausscheidet und er damit nicht mehr Träger von Rechten und Pflichten sein kann (Rdnr. 661 ff.), muß

bestimmt werden, wer an die Stelle des Verstorbenen tritt und welche Rechte und Pflichten er hat.

Das Erbrecht enthält teilweise Vorschriften, die vom Allgemeinen Teil abweichen. So ist die Anfechtung eines Testaments in §§ 2078ff. (ErbR Rdnr. 226ff.) anders geregelt als allgemein die Anfechtung einer Willenserklärung in §§ 119ff. (Rdnr. 327ff.). Die Regeln über die Stellvertretung (§§ 164ff.; Rdnr. 464ff.) finden bei der Errichtung eines Testaments keine Anwendung (vgl. § 2064; ErbR Rdnr. 102).

V. Geltungsbereich 46

Bei der Lösung eines Rechtsfalles kann es darauf ankommen, ob das BGB überhaupt anwendbar ist. So können Zweifel bestehen, ob statt des BGB eine zivilrechtliche Norm eines Bundeslandes, eine bereits vor dem Inkrafttreten des BGB geltende Bestimmung oder die Norm eines fremden Staates in Betracht kommt. Dann stellt sich die Frage nach dem sachlichen, zeitlichen und räumlichen Geltungsbereich des BGB. Normen darüber finden sich im Einführungsgesetz zum BGB (EGBGB vom 18. 8. 1896, zuletzt geändert durch Gesetz vom 29. 10. 1993).

Seit dem Betritt der DDR zur Bundesrepublik (3. 10. 1990) gelten das BGB und seine Nebengesetze grundsätzlich auch im Gebiet der ehemaligen DDR (Art. 8 des Einigungsvertrages); einige Besonderheiten ergeben sich aus Art. 230–236 EGBGB.

1. Sachlicher Geltungsbereich 47

Im Verhältnis des BGB als des Privatrechts des Bundes zum Privatrecht eines Bundeslandes gilt Art. 31 GG: »Bundesrecht bricht Landesrecht.« Dem entspricht der Grundsatz des Art. 55 EGBGB, wonach die privatrechtlichen Vorschriften der Landesgesetze außer Kraft treten. Es war das vornehmliche Ziel, mit dem BGB die Rechtseinheit auf dem Gebiet des bürgerlichen Rechts für das Deutsche Reich herzustellen.

Das Landesprivatrecht blieb aber nach Art. 55 EGBGB bestehen, soweit das im BGB oder im EGBGB bestimmt war. Die Vorbehalte zugunsten des Landesrechts sind vor allem in den Art. 56–152 EGBGB enthalten. Man hat sie als »Verlustliste der deutschen Rechtseinheit« bezeichnet, um die im Gesetzgebungsverfahren heftig gekämpft worden ist.

Teile des Landesprivatrechts sind inzwischen gegenstandslos geworden, weil die Rechtsmaterien durch Reichs- oder Bundesgesetz geregelt worden sind. Das ist durch Bundesgesetz auch in Zukunft möglich.

So ist nach Art. 67 EGBGB das Bergrecht zwar dem Landesrecht überlassen. Der Bund kann aber ein bundeseinheitliches Berggesetz erlassen, da er dazu die Gesetzgebungsbefugnis hat (Art. 74 Nr. 11; Art. 72 GG). Davon hat er durch Erlaß des Bundesberggesetzes (vom 13. 8. 1980) Gebrauch gemacht; dieses Gesetz geht den landesrechtlichen Berggesetzen vor (Art. 31 GG).

48 *2. Zeitlicher Geltungsbereich*

Hier geht es darum, ob ein Rechtsverhältnis, das vor dem 1. 1. 1900 (Inkrafttreten des BGB) begründet worden ist, vom 1. 1. 1900 an nach bisherigem Recht oder nach BGB zu beurteilen ist. Diese Fragen, die in den ersten Jahren dieses Jahrhunderts begreiflicherweise eine große Rolle gespielt haben und die in Art. 153–218 EGBGB eingehend geregelt sind, haben im Laufe der Zeit immer mehr an Bedeutung verloren. Vor 1900 geschlossene Kaufverträge sind inzwischen längst abgewickelt; Ehen aus dem vorigen Jahrhundert sind in der Regel durch den Tod eines Ehegatten aufgelöst. Jedoch sind möglicherweise die Übergangsvorschriften etwa für langdauernde Rechtsverhältnisse wie Miete und Pacht (Art. 171 f. EGBGB), für das Eigentum (Art. 181 ff. EGBGB) und für das Erbrecht (Art. 213 ff. EGBGB) auch heute noch bedeutsam.

So können bei der Beurteilung, ob jemandem bestimmte Gegenstände gehören, weit zurückliegende Erbfälle eine Rolle spielen. Dabei kann die Frage auftauchen, ob dafür vor dem Inkrafttreten des BGB geltendes Erbrecht anwendbar ist. Wenn der Erblasser vor dem 1. 1. 1900 gestorben ist, bleiben nach Art. 213 EGBGB die früheren Gesetze maßgebend. Aus dieser Bestimmung ist ferner zu entnehmen, daß für Erbfälle von dem genannten Tage an das BGB gilt. Hat der Erblasser, der nach dem 31. 12. 1899 gestorben ist, schon vor dem 1. 1. 1900 ein Testament errichtet, so wäre es nicht sinnvoll, wenn die Prüfung, ob ein solches Testament gültig ist, nach den z. Zt. der Errichtung noch nicht geltenden Regeln des BGB zu erfolgen hätte. Der Erblasser, der diese Vorschriften vielleicht nicht einmal kannte, vermochte sich bei der Testamentserrichtung nur nach dem alten Recht zu richten. Deshalb stellt Art. 214 EGBGB für die Errichtung des Testaments auf die früheren Gesetze ab, selbst wenn der Erbfall erst nach dem 31. 12. 1899 eingetreten ist.

Entsprechendes gilt für die Erbfälle, in denen der Erblasser mit letztem Wohnsitz im Gebiet der ehemaligen DDR vor dem 3. 10. 1990 (Beitritt der DDR) gestorben ist; es bleibt das Erbrecht der DDR maßgebend (Art. 235 § 1 I EGBGB). Auch wenn der Erblasser am 3. 10. 1990 oder später gestorben ist, wird, eine frühere Errichtung des Testaments nach dem bisherigen Recht beurteilt (Einzelheiten: Art. 235 § 2 EGBGB); dadurch soll das Vertrauen in die Beständigkeit eines einmal gültig errichteten Testaments geschützt werden.

49 *3. Räumlicher Geltungsbereich*

Das BGB gilt für das Gebiet der Bundesrepublik und nicht für Rechtsverhältnisse in einem andern Staat. Es gibt aber auch Fälle – und sie werden immer zahlreicher –, die Privatrechtsordnungen verschiedener Staaten berühren.

Beispiele: Ein Deutscher liefert Röhren nach Rußland, gerät mit einem Holländer (in Köln, Amsterdam, Madrid) in eine Wirtshausschlägerei, heiratet (in München, Brüssel,

Rom) eine Belgierin, will von ihr in Deutschland wieder geschieden werden, ist von seinem Onkel in Amerika zum Erben eingesetzt worden.

In solchen Kollisionsfällen muß festgestellt werden, ob auf den Sachverhalt das BGB oder das Privatrecht eines fremden Staates anzuwenden ist. Die Antwort ergibt sich vor allem aus den Art. 3–38 EGBGB. Diese *»Kollisionsnormen«* gehören zum *»Internationalen Privatrecht«*. Dieses besondere, schwierige und hier nicht näher zu erläuternde Rechtsgebiet hat den räumlichen Geltungsbereich der Privatrechtsnormen zum Gegenstand.

Die Bezeichnung als internationales Privatrecht ist irreführend. Es handelt sich dabei nicht um internationales, überstaatliches Recht, sondern um nationales, innerstaatliches Recht. So sagt das deutsche internationale Privatrecht dem deutschen Richter, ob er auf einen bestimmten Fall deutsches oder fremdes Recht anzuwenden hat.

Dabei knüpft das deutsche Recht für das Personen-, Familien- und Erbrecht grundsätzlich an die Staatsangehörigkeit der betreffenden Person an, während die Rechtsordnungen mancher anderer Staaten auf den Wohnsitz der Person abstellen. Das kann zu Schwierigkeiten führen.

Beispiel: Ein in Köln lebendes amerikanisches Ehepaar will sich vom Familiengericht Köln scheiden lassen. Nach deutschem internationalen Scheidungsrecht ist das Recht des Heimatstaates anzuwenden (Art. 17 I 1 i. V. m. Art. 14 I Nr. 1 EGBGB). Bestimmt dieses, daß für die Scheidung das Recht am »domicile« des Mannes maßgebend ist, fragt es sich, ob diese Rückverweisung für das ganze deutsche Recht, also auch für die Kollisionsnormen, gilt. Dann käme man wieder auf deutsches internationales Scheidungsrecht, das seinerseits auf amerikanisches Recht verweist. Um ein solches dauerndes Hin und Her zu vermeiden, nimmt man an, daß das amerikanische Recht nur auf die deutschen Sachnormen zurückverweist (Art. 4 I 2 EGBGB), so daß der deutsche Richter den Ehescheidungsantrag nach deutschem Recht zu beurteilen hat.

Auch wenn das deutsche Recht auf das Recht eines fremden Staates verweist, so ist nicht ausschließlich das fremde Recht maßgebend. Zwar ist von diesem auszugehen; es ist aber immer zu prüfen, ob die Anwendung dieses Rechts nicht dem hiesigen »ordre public« widerspricht. Denn nach Art. 6 EGBGB ist die Anwendung eines ausländischen Gesetzes ausgeschlossen, wenn sie gegen die guten Sitten oder gegen den Zweck eines deutschen Gesetzes verstoßen würde.

Beispiel: Die Eingehung der Ehe ist bei jedem Verlobten nach seinem Heimatrecht im Zeitpunkt der Eheschließung zu beurteilen (Art. 13 I EGBGB). Will ein bereits verheirateter Ausländer, nach dessen Heimatrecht die Vielweiberei zulässig ist, in Deutschland eine zweite Ehe mit einer Landsmännin eingehen, so verstößt eine solche Eheschließung zwar nicht gegen das anzuwendende fremde Recht, wohl aber gegen den ordre public (Art. 6 EGBGB), nämlich gegen den Grundgedanken der Einehe.

50 § 3 Die Rechtsanwendung

Schrifttum: *Bartholomeyczik*, Die Kunst der Gesetzesauslegung, 4. Aufl., 1967; *Canaris*, Die Feststellung von Lücken im Gesetz, 2. Aufl., 1983; *Engisch*, Einführung in das juristische Denken, 8. Aufl., 1983; *Heck*, Gesetzesauslegung und Interessenjurisprudenz, AcP 112, 1; *P. Kirchhof*, Richterliche Rechtsfindung, gebunden an »Gesetz und Recht«, NJW 1986, 2275; *Köhler*, Gesetzesauslegung und »gefestigte höchstrichterliche Rechtsprechung«, JR 1984, 45; *Larenz*, Methodenlehre der Rechtswissenschaft, 6. Aufl., 1991; *Mayer-Maly*, Über die der Rechtswissenschaft und der richterlichen Rechtsfortbildung gezogenen Grenzen, JZ 1986, 557; *Rüthers*, Die unbegrenzte Auslegung, 3. Aufl., 1988; *Jan Schröder*, Gesetzesauslegung und Gesetzesumgehung, 1985; *Wieacker*, Gesetz und Richterkunst, 1968.

I. Allgemeines

1. Begriff und Zweck der Rechtsanwendung

a) Rechtsanwendung ist die Anwendung gesetzlicher Bestimmungen auf einen Lebensvorgang. Gesetze enthalten einen abstrakten Tatbestand und ordnen eine Rechtsfolge an. Bei der Rechtsanwendung prüft man, ob ein Lebenssachverhalt den gesetzlichen Tatbestand erfüllt. Trifft das zu, greift die im Gesetz genannte Rechtsfolge ein. Es ist also unter den gesetzlichen Tatbestand als Obersatz der konkrete Lebenssachverhalt als Untersatz zu subsumieren; der Schlußsatz ist die Rechtsfolge, die sich aus dem Gesetz für den konkreten Fall ergibt.

Beispiele:

(1) V will dem K sein Hausgrundstück für 200000,– DM verkaufen. K ist damit einverstanden. Beide wollen wissen, ob sie den Kaufvertrag mündlich oder schriftlich schließen können oder ob sie deshalb zum Notar müssen.

Obersatz: § 313, 1: »Ein Vertrag, durch den sich der eine Teil verpflichtet, das Eigentum an einem Grundstück zu übertragen . . ., bedarf der notariellen Beurkundung.«

Untersatz: V verpflichtet sich in einem Kaufvertrag mit K, diesem das Eigentum am Grundstück zu übertragen.

Schlußsatz: Der Grundstückskaufvertrag zwischen V und K muß notariell beurkundet werden. Mündlicher oder schriftlicher Vertragsschluß genügen also nicht.

(2) Nach notarieller Beurkundung des Kaufvertrages verlangt K von V Übergabe und Übereignung des Grundstücks. Mit Recht?

Obersatz: § 433 I 1: »Durch den Kaufvertrag wird der Verkäufer einer Sache verpflichtet, dem Käufer die Sache zu übergeben und das Eigentum an der Sache zu verschaffen.«

Untersatz: V hat mit K einen Kaufvertrag über das Grundstück zum Preise von 200000,– DM geschlossen.

Schlußsatz: K verlangt zu Recht von V Übergabe und Übereignung des Grundstücks.

(3) Sechs Sangesbrüder wollen einen Gesangverein »Liedertafel Schönberg e. V.« (= eingetragener Verein) gründen. Sie möchten wissen, ob sie ihr Ziel erreichen können.

Obersatz: § 56: »Die Eintragung (in das Vereinsregister beim Amtsgericht; vgl. § 55) soll nur erfolgen, wenn die Zahl der Mitglieder mindestens sieben beträgt.«

Untersatz: Sechs Mitglieder wollen den Verein eintragen lassen.

Schlußsatz: Das Amtsgericht wird die Eintragung ablehnen, weil die Mindestzahl an Mitgliedern nicht erreicht ist.

b) Die Rechtsanwendung dient sowohl der Lösung von Rechtsfragen, bevor es zum Streit kommt, als auch der Streitentscheidung selbst. 51

So fragt im Beispielsfall (1) V einen Notar, ob beim Abschluß eines geplanten Grundstückskaufvertrags besondere Formvorschriften zu beachten sind. Ein Sangesbruder sucht im Fall (3) das Amtsgericht auf, um zu erfahren, was zur Eintragung im Vereinsregister erforderlich ist. K läßt sich im Fall (2) von einem Rechtsanwalt belehren, ob und wie er an das gekaufte Grundstück »herankommt«. Erst wenn der Anwalt für K gegen V auf Übergabe und Übereignung des Grundstücks klagt, wird der Richter zwecks Streitentscheidung mit dem Fall befaßt.

2. *Bindung des Richters an das Gesetz* 52

Der Richter ist *an Gesetz und Recht gebunden* (vgl. Art.97 I, 20 III GG). Er darf also einen Rechtsstreit nicht etwa nach seinem billigen Ermessen, nach Gefühl oder gar nach Willkür entscheiden. Wenn der Richter eine gesetzliche Bestimmung für ganz unzweckmäßig hält, mag er dagegen in Aufsätzen literarisch zu Felde ziehen; es steht ihm frei, sich an Abgeordnete des Parlaments zu wenden, um eine Gesetzesänderung zu erreichen. Kommt es bei der Entscheidung eines Streitfalles auf die nach seiner Meinung verfehlte Gesetzesbestimmung an, muß er sie jedoch beachten. Auch wenn der Richter die Anwendung eines bestimmten Gesetzes mit seinem Gewissen nicht vereinbaren zu können glaubt, ist er an dieses Gesetz gebunden. Selbst wenn der Richter eine Gesetzesnorm für verfassungswidrig hält, darf er sie bei der Entscheidung nicht einfach unberücksichtigt lassen; vielmehr muß er die Entscheidung des Bundesverfassungsgerichts darüber einholen, ob das Gesetz gegen das Grundgesetz verstößt (Art. 100 GG; §§ 80ff. BVerfGG).

Erklärt das Bundesverfassungsgericht die Bestimmung für verfassungswidrig und nichtig, darf sie nicht befolgt werden. Ist dagegen die Norm nach der Entscheidung des Bundesverfassungsgerichts mit dem Grundgesetz vereinbar, muß der Richter sie auf den zur Entscheidung stehenden Fall auch dann anwenden, wenn er selbst sie nach wie vor für verfassungswidrig hält.

Damit der Richter »nur dem Gesetz unterworfen« ist, wird seine *Unabhängigkeit* verfassungsrechtlich garantiert (Art. 97 GG) und im Deutschen Richtergesetz (§§ 25 ff.) im einzelnen gesichert:

Danach ist der Richter *sachlich unabhängig*; er ist nur dem Gesetz unterworfen und nicht an Weisungen etwa seiner Dienstvorgesetzten oder eines Ministers gebunden.

So darf der Präsident des Landgerichts dem Richter nicht nahelegen oder gar vorschreiben, in einem Rechtsstreit einen bestimmten Zeugen zu hören oder die Klage abzuweisen. – Dagegen ist der Staatsanwalt als weisungsgebundener Beamter gehalten, in einem Strafprozeß auf Geheiß seines Vorgesetzten z. B. einen Zeugen zu benennen oder Freispruch des Angeklagten zu beantragen.

Zur Sicherung der sachlichen Unabhängigkeit soll der Richter auch *persönlich unabhängig* sein. Deshalb ist ein auf Lebenszeit ernannter Richter grundsätzlich unabsetzbar und unversetzbar (vgl. Art. 97 II GG).

Selbst eine vorübergehende Abordnung eines Richters auf Lebenszeit (zwecks Vertretung eines erkrankten Kollegen) an ein anderes Gericht oder gar die Beförderung in ein höheres Richteramt darf nur mit Zustimmung des Richters erfolgen.

53 *3. Rechtsanwendung durch den Richter*

Fall: Der Kläger Kramer reicht beim Amtsgericht eine Klage gegen den Beklagten Becker ein, in der er beantragt, den Beklagten zur Zahlung von 200,– DM zu verurteilen. Begründung: Der Beklagte hat, um mich zu ärgern, am 1. 5. 1993 bewußt in ein Fenster meines Hauses geschossen. Dadurch ist die Fensterscheibe zerstört worden. Das Einsetzen einer neuen Scheibe hat mich 200,– DM gekostet.
Der Beklagte beantragt, die Klage abzuweisen. Begründung: Ich habe nicht in das Fenster des Klägers geschossen. Jedenfalls habe ich es nicht bewußt getan. Allenfalls ist mir aus Unachtsamkeit das Mißgeschick unterlaufen, das Fenster des Klägers durch einen Schuß beschädigt zu haben.
Wie entscheidet der Richter?

a) Der Richter prüft zunächst, ob der vom Kläger vorgetragene Sachverhalt unter eine Gesetzesbestimmung subsumiert werden kann, aus der sich die vom Kläger begehrte Rechtsfolge ergibt.

Im Ausgangsfall kommt § 823 I in Betracht. Diese Bestimmung setzt voraus: »Wer (= der Beklagte) das Eigentum eines anderen (= die Fensterscheibe des Klägers) verletzt (= durch Schuß zerstört)«. Diese Verletzung muß »widerrechtlich« erfolgt sein; es darf also kein Rechtfertigungsgrund (z. B. Notwehr; § 227, Rdnr. 646 ff.) vorliegen. Ein Rechtfertigungsgrund ist im vorliegenden Fall nicht ersichtlich. Schließlich ist die Verletzung auch »vorsätzlich« geschehen; der Beklagte hat mit Wissen und Wollen den Tatbestand verwirklicht. Damit ist der Tatbestand des § 823 I nach dem Vortrag des Klägers erfüllt. Aus dieser Bestimmung ergibt sich als Rechtsfolge die Schadensersatzverpflichtung: »Wer (= der Beklagte) ..., ist dem anderen (= Kläger) zum Ersatz des daraus entstehenden Schadens (= zerstörte Fensterscheibe) verpflichtet.« Aus § 249, 2 ergibt sich: »Ist wegen Beschädigung einer Sache (= zerstörte Fensterscheibe) Schadensersatz zu leisten (= hier nach § 823), so kann der Gläubiger (= Kläger) statt der Herstellung (= Einsetzung einer neuen Scheibe) den dazu erforderlichen Geldbetrag (= hier 200,– DM) verlangen.« Demnach ist die Klage nach dem Vortrag des Klägers begründet.

54 b) Erst dann, wenn der Richter zu dem Ergebnis gekommen ist, daß das Vorbringen des Klägers sein Begehren rechtfertigt, prüft er, ob das Vorbringen des Beklagten demgegenüber erheblich ist.

Der Beklagte bestreitet, ins Fenster des Klägers geschossen zu haben. Hat der Beklagte das Eigentum des Klägers nicht verletzt, ist er nicht nach § 823 I schadensersatzpflichtig. Dann muß die Klage abgewiesen werden. Da es also für den Ausgang des Prozesses erheblich ist, ob der Beklagte ins Fenster des Klägers geschossen hat, muß der Richter (durch Beweisaufnahme) feststellen, ob die Behauptung des Klägers zutrifft, daß der Beklagte ins Fenster geschossen habe.

Angenommen, die Behauptung des Klägers über den Schuß des Beklagten erweist sich als richtig, dann kommt es darauf an, ob der weitere Vortrag des Beklagten rechtserheblich ist, allenfalls sei ihm aus Unachtsamkeit das Mißgeschick unterlaufen, das Fenster des Klägers durch einen Schuß beschädigt zu haben. Damit will der Beklagte bestreiten, vorsätzlich gehandelt zu haben. Entfällt der Vorsatz, ist ein Schadensersatzanspruch aus § 823 I aber noch nicht ausgeschlossen; denn in dieser Bestimmung werden Vorsatz und Fahrlässigkeit gleichgestellt (»wer vorsätzlich oder fahrlässig ...«). Fahrlässig handelt nach § 276 I 2, »wer die im Verkehr erforderliche Sorgfalt außer acht läßt.« Demnach spielt es für den Ausgang des Rechtsstreits keine Rolle, ob der Beklagte willentlich oder nur aus Unachtsamkeit ins Fenster des Klägers geschossen hat. Der Vortrag des Beklagten, er habe allenfalls aus Unachtsamkeit das Fenster des Klägers beschädigt, ist also rechtlich unerheblich.

Für den Ausgang des Rechtsstreits ist also (nur) die streitige Tatsache, ob der Beklagte in das Fenster des Klägers geschossen hat, rechtserheblich.

c) Über die zwischen den Prozeßparteien streitigen Tatsachen, die rechtserheblich sind, muß der Richter Beweis erheben. 55

(1) Ob eine Tatsache rechtserheblich ist, ergibt sich bei der Subsumtion des von den Parteien vorgebrachten Sachverhalts unter das Gesetz. Deshalb ist es falsch, wenn in der Literatur gelegentlich die Auffassung vertreten wird, es sei zunächst die (erste) Aufgabe des Richters, den Lebenssachverhalt, so wie er sich tatsächlich abgespielt habe, festzustellen.

Es ist Beweis über die rechtserhebliche Tatsache zu erheben, ob der Beklagte in das Fenster des Klägers geschossen hat. Falsch wäre es, wenn der Richter die Beweisaufnahme auch auf die Frage erstreckte, ob der Beklagte willentlich oder nur aus Unachtsamkeit ins Fenster des Klägers geschossen hat; denn die Subsumtion unter § 823 I hat ergeben, daß der Beklagte nicht nur bei Vorsatz, sondern auch bei (bloßer) Fahrlässigkeit nach § 823 I schadensersatzpflichtig ist.

(2) Tatsachen sind nur insoweit zum Gegenstand der Beweisaufnahme zu machen, als sie unter den Prozeßparteien streitig sind. Eine Tatsache, die von einer Prozeßpartei vorgetragen, von der anderen aber nicht bestritten wird, ist als zugestanden anzusehen (vgl. § 138 III ZPO). Der Richter muß sie als unstreitig hinnehmen und darf insoweit keine anderen Feststellungen treffen, selbst wenn er Zweifel an der Richtigkeit dieser Tatsache hat oder gar von ihrer Unrichtigkeit überzeugt ist. 56

Die Klage auf Zahlung von 200,– DM ist nur dann in vollem Umfang begründet, wenn das Einsetzen der neuen Fensterscheibe auch 200,– DM gekostet hat. Selbst wenn der Richter glaubt, der Kläger habe dafür höchstens 170,– DM gezahlt, darf er über die Höhe des Schadens keinen Beweis erheben; denn der Kläger hat behauptet, das Einsetzen der

Scheibe habe ihn 200,– DM gekostet, und der Beklagte hat dazu nichts gesagt. Die Höhe des Schadens beläuft sich demnach unstreitig auf 200,– DM.

57 (3) Die *Durchführung der Beweisaufnahme* über die rechtserheblichen und streitigen Tatsachen richtet sich nach der Zivilprozeßordnung.

Wenn im Ausgangsfall der Kläger für seine Behauptung, der Beklagte habe in sein Fenster geschossen, die Zeugen A und B benennt und der Beklagte sich auf das Zeugnis des X dafür beruft, daß er sich zur Tatzeit auf einer Spazierfahrt befunden habe und infolgedessen nicht am Tatort gewesen sei, so wird der Richter alle drei Zeugen vorladen.

Die Beweisaufnahme kann drei verschiedene Ergebnisse haben:

(a) Es steht zur Überzeugung des Richters fest, daß die Behauptung des Klägers den Tatsachen entspricht; dann gewinnt dieser den Prozeß.

Ist der Richter z. B. nach der glaubhaften Bekundung der Zeugen A und B davon überzeugt, daß der Beklagte den Schuß ins Fenster des Klägers abgegeben hat, gibt er der Klage nach § 823 I, § 249, 2 statt; er verurteilt den Beklagten, an den Kläger 200,– DM zu zahlen.

(b) Es steht zur Überzeugung des Richters fest, daß die Darstellung des Beklagten richtig ist; dann gewinnt dieser den Prozeß.

Hat z. B. der Zeuge X glaubhaft bekundet, daß der Beklagte sich zur Tatzeit etwa 50 km vom Tatort entfernt aufgehalten habe, während die Zeugen A und B erklärt haben, sie hätten zwar den Schuß gehört, könnten aber nicht mit Sicherheit sagen, wer der Schütze gewesen sei, weist der Richter die Klage ab, weil nach seiner Überzeugung feststeht, daß der Beklagte den Schuß nicht abgegeben hat und deshalb der Tatbestand des § 823 I nicht erfüllt ist.

(c) Nach Abschluß der Beweisaufnahme ist der Richter weder von der Richtigkeit der Darstellung des Klägers noch von der Richtigkeit der Darstellung des Beklagten überzeugt. Er muß dennoch den Rechtsstreit entscheiden. Hier unterliegt diejenige Partei, die für die streitige Tatsache die Beweislast trifft. Die Beweislastfrage ist in einigen Fällen ausdrücklich im Gesetz geregelt (z. B. § 179 I; Rdnr. 558); im übrigen trägt jede Partei die Beweislast dafür, daß die Voraussetzungen der ihr günstigen Norm vorliegen.

Wenn der Richter nach Durchführung der Beweisaufnahme sich nicht klar darüber ist, ob die Behauptung des Klägers, der Beklagte habe ins Fenster geschossen, oder die Behauptung des Beklagten, er habe nicht geschossen, den Tatsachen entspricht, ist die Klage unbegründet. Denn der Kläger muß die Voraussetzungen des § 823 I, daß der Beklagte das Eigentum des Klägers verletzt hat, beweisen. Gelingt ihm das nicht, darf die ihm günstige Vorschrift des § 823 I nicht angewandt werden, so daß seine Klage abzuweisen ist.

II. Gesetzesauslegung 58

1. Bedeutung und Methode

a) Wenn der Jurist prüft, ob auf einen Lebenssachverhalt eine gesetzliche Bestimmung anzuwenden ist, muß er den Sinn dieser Vorschrift ermitteln; er muß das Gesetz auslegen. Unter Gesetzesauslegung (Gesetzesinterpretation) versteht man also die *Ermittlung des rechtlich maßgebenden Sinnes des Gesetzes*. Diese Sinnermittlung ist nicht immer einfach, zumal das Gesetz nicht genau voneinander abgegrenzte Begriffe der Logik, sondern Ausdrücke der Fach- und Umgangssprache verwendet.

Parallelen zur Gesetzesauslegung finden sich in anderen Wissenschaften wie auch im alltäglichen Leben.

Beispiele: Bei der Interpretation einer mittelalterlichen, lateinischen Urkunde soll der Sinn ermittelt werden, den der Autor damit verbunden hat. Dazu geht man vom Wortlaut der einzelnen Textstelle aus. Dabei wird man es aber nicht bewenden lassen. Vielmehr wird man die Textstelle im Textzusammenhang lesen. Aus anderen Urkunden desselben Verfassers wird man möglicherweise auf eine ganz spezielle Bedeutung eines bestimmten Wortes schließen können. Die Texte anderer zeitgenössischer Autoren können Aufschluß darüber geben, welche Vorstellungen zur damaligen Zeit herrschten, und damit für die Auslegung der Textstelle hilfreich sein. Je mehr Quellenmaterial herangezogen wird, desto größer ist die Chance, die geschichtliche Wahrheit zu ermitteln.

An einem Eisenbahnabteil findet man das Schild mit der Aufschrift »Raucher« oder »Nichtraucher«. Aus der Bezeichnung allein könnte man folgern, das Abteil für Nichtraucher dürfe nur von Reisenden benutzt werden, die Nichtraucher sind, während das Raucherabteil nur den Rauchern offenstehe. Entscheidend ist der Sinn und Zweck, den die Regelung verfolgt: Es soll einem Reisenden die Möglichkeit eingeräumt werden, sein Reiseziel zu erreichen, ohne während der Fahrt den Tabakrauch von Mitreisenden inhalieren zu müssen. Deshalb darf auch ein Raucher das Nichtraucherabteil benutzen, wenn er während des Aufenthalts in diesem Abteil nicht raucht. Umgekehrt darf auch ein Nichtraucher im Raucherabteil fahren; in diesem darf, muß aber nicht geraucht werden.

Das Schild »Betreten des Rasens verboten« bezweckt, den Rasen vor Beschädigungen zu schützen. Diesem Sinn handelt zuwider, wer sich auf den Rasen rollt. Demnach ist der Ausdruck »Betreten« zu eng; er ist nach seinem Zweck erweiternd dahin auszulegen, daß auch Rollen, Fahren usw. auf dem Rasen verboten sein sollen.

Diese Beispiele zeigen, daß bei der Auslegung zwar vom Wortlaut der Erklärung auszugehen ist, dabei aber auch der Sprachgebrauch, der systematische und historische Zusammenhang und der Zweck der Erklärung zu beachten sind.

b) Auch bei der Gesetzesauslegung ist letztlich nicht anders zu verfahren. Es 59
gibt eine Reihe von Auslegungselementen, die bei der Ermittlung des Sinnes einer gesetzlichen Vorschrift bedeutsam sind:

(1) Auszugehen ist vom *Wortlaut der Norm*. Dabei sind die Regeln der Grammatik, der allgemeine Sprachgebrauch und die besondere Fachsprache der Juristen zu berücksichtigen.

Auf diese Weise ist es möglich, ein Redaktionsversehen des Gesetzgebers festzustellen. Ein solches liegt vor, wenn ein anderer als der vom Gesetzgeber gewollte Wortlaut ins Gesetz gekommen ist.

Beispiele: § 919 I spricht davon, daß »ein Grenzzeichen verrückt ... geworden ist«. – § 1511 III verweist für die Anrechnung eines gezahlten Betrages auf § 1500; aber nicht diese Bestimmung, sondern § 1501 handelt von der Anrechnung.

In manchen Fällen definiert das Gesetz selbst einen von ihm gebrauchten Begriff.

Beispiele: Der Begriff »fahrlässig« in § 823 I wird in § 276 I 2 dahin erläutert, daß fahrlässig handelt, wer die im Verkehr erforderliche Sorgfalt außer acht läßt. »Kennenmüssen« in § 166 heißt nach § 122 II »infolge von Fahrlässigkeit nicht kannte«. »Unverzüglich« in § 377 I HGB bedeutet nach der Klammerdefinition des § 121 I 1 »ohne schuldhaftes Zögern«.

Unterschiedliche gesetzliche Formulierungen machen für den Kenner der juristischen Fachsprache erkenntlich, daß unterschiedliche Rechtsfolgen gemeint sind. So sind Vorschriften zu beachten, gleichgültig, ob in ihnen ein »Müssen« oder ein »Sollen« vorgeschrieben ist. Bei Verstoß gegen eine »Mußvorschrift« liegt Nichtigkeit, bei Verstoß gegen eine bloße »Sollvorschrift« aber keine Nichtigkeit vor.

Beispiel: Wird ein Testament zur Niederschrift eines Notars errichtet, so *muß* der Notar eine Niederschrift aufnehmen (§ 8 BeurkG). Diese *muß* die Bezeichnung des Notars und des Erblassers sowie die Erklärung des letzten Willens enthalten (§ 9 I BeurkG). Die Verletzung einer Muß-Vorschrift führt zur Nichtigkeit des Testaments. Der Notar hat bei der Niederschrift aber auch die Soll-Vorschriften zu beachten. So *soll* die Niederschrift Ort und Tag der Verhandlung enthalten (§ 9 II BeurkG). Jedoch berührt der Verstoß gegen eine Soll-Vorschrift die Gültigkeit des Testaments nicht.

60 (2) Die Auslegung darf sich nicht mit dem Wortlaut der auszulegenden Vorschrift begnügen. Er ist nur eines der Auslegungskriterien. § 133 bestimmt für die Auslegung einer Willenserklärung, daß der wirkliche Wille zu erforschen und nicht an dem buchstäblichen Sinn des Ausdrucks zu haften ist. Das gilt gleichermaßen auch für die Auslegung einer gesetzlichen Bestimmung. Dem Willen des Gesetzgebers kommt man näher, wenn man den *Zusammenhang und das Verhältnis* der zu interpretierenden Vorschrift *zu anderen Bestimmungen* beachtet. Dadurch kann etwa festgestellt werden, daß der Wortlaut einer Vorschrift zu weit ist und Tatbestände erfaßt, die nach dem Willen des Gesetzgebers von ihr nicht erfaßt werden sollen.

Beispiel: Der verwitwete Vater dreier ehelicher und zweier nichtehelicher Kinder ist ohne Hinterlassung eines Testaments oder einer anderen Verfügung von Todes wegen gestorben. Dann beerben ihn nach § 1924 I seine »Abkömmlinge«. Das sind seine Kinder. Aus § 1934 a I ergibt sich aber, daß die nichtehelichen Kinder des Vaters nicht neben dessen ehelichen Abkömmlingen erben (ErbR Rdnr. 73 ff.); sie haben nur einen besonderen Anspruch gegen die Erben. Demnach ist der zu weite Begriff »Abkömmling« in § 1924 I einschränkend dahin auszulegen, daß die nichtehelichen Kinder des Vaters in den Fällen des

§ 1934 a I damit nicht gemeint sind. – Ist dagegen die Mutter dreier ehelicher und zweier nichtehelicher Kinder gestorben, so wird sie kraft Gesetzes von allen fünf Kindern beerbt. Denn sowohl die ehelichen als auch die nichtehelichen Kinder sind Abkömmlinge ihrer Mutter, da für die nichtehelichen Kinder der Mutter keine besonderen erbrechtlichen Vorschriften wie für die nichtehelichen Kinder des Vaters (§§ 1934 a ff.) bestehen.

(3) Wichtige Hinweise kann die *Entstehungsgeschichte des Gesetzes für die Sinnermittlung* geben. Als Materialien zur Auslegung des BGB kommen etwa dessen Entwürfe, Motive und Protokolle (Rdnr. 20) sowie die landesrechtlichen Vorläufer in Betracht. Aber auch die Entwicklung, die eine Gesetzesbestimmung im Laufe der Zeit (z. B. durch Gesetzesänderungen) genommen hat, ist manchmal für die Auslegung bedeutsam. **61**

Beispiel: Nach § 197 verjähren die »Ansprüche auf Rückstände von Zinsen ... und allen anderen regelmäßig wiederkehrenden Leistungen« in vier Jahren (Rdnr. 623). Fraglich kann sein, ob darunter auch Gewinnanteilsansprüche fallen, die in wechselnder Höhe wiederkehren und gelegentlich (mangels Gewinns) auch ausfallen können. Der BGH (BGHZ 28, 144) hat die Frage bejaht und zur Begründung mit Recht auch auf die Entstehungsgeschichte des § 197 abgestellt. Die dieser Vorschrift entsprechenden Bestimmungen der Entwürfe des BGB hätten von »allen sonstigen Leistungen, welche in regelmäßig wiederkehrenden Fristen zu entrichten sind,« gesprochen. Dort sei das Wort »regelmäßig« eindeutig nur auf die Termine und nicht auf die Höhe der Leistungen bezogen. Wenn später in § 197 ein anderer Wortlaut gewählt worden sei, so sei damit ersichtlich nicht eine sachliche Änderung bezweckt worden.

(4) Eine gesetzliche Vorschrift ist vor allem nach dem *Sinn und Zweck* (der ratio legis) auszulegen, den der Gesetzgeber damit verfolgt (teleologische Auslegung). Auf diese Weise kann etwa ermittelt werden, ob ein Begriff weit oder eng auszulegen ist. **62**

Beispiel: Eine Frau will ein halbes Jahr nach dem Tod ihres Mannes eine neue Ehe eingehen. Der Standesbeamte verweist sie auf § 8 I EheG. Danach soll eine Frau nicht vor Ablauf von zehn Monaten nach der Auflösung ihrer früheren Ehe eine neue Ehe eingehen, es sei denn, daß sie inzwischen geboren hat. Die Frau beruft sich darauf, daß sie nach dem Tod ihres Mannes eine Fehlgeburt gehabt habe. Der Standesbeamte meint, Geburt im Sinne des § 8 I EheG sei die Geburt eines lebenden Kindes.

Wie die Bestimmung auszulegen ist, ergibt sich aus ihrem Zweck. Dieser besteht nicht darin, für die Witwe ein Trauerjahr einzuführen. Denn man könnte nicht erklären, weshalb nicht auch der Witwer trauern sollte. Die frühere Ehe der Frau braucht nicht durch den Tod des Gatten aufgelöst worden zu sein; sie kann auch durch Richterspruch geschieden worden sein, und dann besteht möglicherweise kein Grund zur Trauer. Vor allem ließe es sich mit einem solchen Sinn (Trauerjahr der Witwe) nicht vereinbaren, daß die Frau die Wartezeit nicht einzuhalten braucht, wenn sie inzwischen geboren hat. Gerade dieser Nebensatz läßt Schlüsse auf den wirklichen Sinn der Vorschrift zu. Sie soll verhindern, daß ein Kind, das aus der aufgelösten Ehe stammt und in der neuen Ehe geboren wird, als eheliches Kind der neuen Ehe angesehen wird (vgl. § 1600). Diese Gefahr besteht nicht, wenn die Frau inzwischen geboren hat, gleichgültig, ob es sich um eine Lebend-, Tot- oder Fehlgeburt handelt. Demnach ist der Begriff »Geburt« in § 8 I EheG weit auszulegen; er umfaßt auch die Fehlgeburt.

63 2. *Lückenausfüllung*

a) Auslegung ist nicht nur Sinnermittlung. Sie kann auch zu einer Ergänzung des Gesetzes führen, sofern das Gesetz unvollständig ist, also eine Lücke enthält. Eine solche Lücke kann darauf beruhen, daß der Gesetzgeber eine bestimmte Frage im Gesetz bewußt nicht geregelt oder daß er bei der Schaffung des Gesetzes einen Umstand (unbewußt) nicht bedacht hat. Wenn eine vorhandene Lücke des Gesetzes ausgefüllt wird, spricht man von *ergänzender Auslegung*.

Auch die ergänzende Gesetzesauslegung hat ihre Parallelen in anderen Wissenschaften und im Alltagsleben.

Beispiele: Der Theologe, der eine Bibelstelle auslegt, erklärt nicht nur die damalige geschichtliche Lage, sondern stellt auch die Frage, welche Stellung Jesus bezogen hätte, wenn ihm ein bestimmtes heutiges Problem vorgelegt worden wäre. Die Antwort findet der Interpret durch ergänzende Auslegung.

Der Hausherr H trägt beim Verlassen des Hauses seiner Hausangestellten D auf, sie solle niemanden ins Haus lassen. Die Ehefrau des H ist verreist und kehrt früher als von ihm vorgesehen nach Hause zurück. Hält D sich buchstäblich an das Wort des H, läßt sie auch dessen Frau nicht ins Haus. Wenn aber D nicht blind gehorcht, sondern mitdenkt, dann erkennt sie die Lücke in dem Gebot des H. Dieser ging bei seiner Anordnung von der falschen Vorstellung aus, seine Frau werde erst später als er selbst zurückkehren. D schließt die Lücke im Gebot des H, indem sie sich die Frage stellt, was H angeordnet hätte, wenn er mit der vorzeitigen Rückkehr seiner Frau gerechnet hätte. Sie gelangt zu dem Ergebnis, daß H ohne die falsche Vorstellung befohlen hätte: »Laß keinen ins Haus, ausgenommen meine Frau!« Durch ergänzende Auslegung kommt D zu einer Einschränkung der ihr erteilten Weisung des H.

64 b) Bei der ergänzenden Gesetzesauslegung hat der Richter zunächst mit Hilfe der bereits geschilderten Auslegungskriterien festzustellen, *ob eine Lücke im Gesetz vorliegt*. Das ist einmal dann der Fall, wenn der Gesetzgeber bei Erlaß des Gesetzes einen bestimmten Umstand nicht oder nicht richtig in seine Willensbildung aufgenommen hat (*primäre Lücke*). Eine Lücke braucht aber bei Erlaß des Gesetzes noch nicht vorzuliegen; sie kann erst später entstanden sein (*sekundäre Lücke*).

Eine Lücke darf der Richter aber nicht durch eine eigene Wertung schließen; denn damit würde er sich insoweit an die Stelle des Gesetzgebers setzen. Vielmehr muß er *die Lücke aus dem Geist des Gesetzes ausfüllen*. Er hat sich die Frage zu stellen, wie der Gesetzgeber das Problem geregelt hätte. Deshalb darf der Richter bei der Auslegung des Gesetzes nicht bei den Gebotsvorstellungen des Gesetzgebers haltmachen. Vielmehr muß er darüber hinaus die den Geboten zugrunde liegenden Interessenabwägungen und Motive des Gesetzgebers erforschen. Auf diese Weise wird der Richter erfahren, wie der Gesetzgeber die von ihm nicht beantwortete Frage gelöst hätte.

c) Die ergänzende Auslegung kann zu einer ausdehnenden Anwendung *einer* Gesetzesbestimmung auf einen gesetzlich nicht geregelten Fall führen (*Gesetzesanalogie*). 65

Beispiel: Nach § 463, 2 kann der Käufer vom Verkäufer Schadensersatz wegen Nichterfüllung verlangen, wenn der Verkäufer dem Käufer einen Fehler der Kaufsache arglistig verschwiegen hat. Das Gesetz sagt an keiner Stelle, ob ein Schadensersatzanspruch auch dann gegeben sein soll, wenn der Verkäufer dem Käufer eine Eigenschaft der Kaufsache arglistig vorgespiegelt hat. Jedoch weist der (nicht geregelte) Fall des arglistigen Vorspiegelns die gleiche Interessenlage auf wie der (geregelte) Fall des arglistigen Verschweigens. In beiden Fällen nutzt der Verkäufer die Unkenntnis des Käufers von der tatsächlichen Beschaffenheit der Kaufsache bewußt aus. Es ist kein einleuchtender Grund ersichtlich, weshalb der Käufer nur bei arglistigem Verschweigen eines Fehlers Schadensersatz verlangen kann, nicht aber bei arglistigem Vorspiegeln einer nicht vorhandenen Eigenschaft. Demnach weist das Gesetz hinsichtlich des arglistigen Vorspiegelns eine Lücke auf. Hätte der Gesetzgeber sie erkannt, hätte er dieses Problem wie in dem gleichliegenden Fall des arglistigen Verschweigens geregelt. Demnach ist eine ausdehnende Auslegung des § 463, 2 (analoge Anwendung des § 463, 2) geboten (BS Rdnr. 89).

d) Ergibt die Auslegung eine Lücke im Gesetz, so kann diese möglicherweise durch ein Regelungsprinzip, das *mehreren* Gesetzesbestimmungen zugrunde liegt, gefüllt werden. Es werden also mehrere Gesetzesbestimmungen entsprechend angewandt (*Rechtsanalogie*). 66

Beispiel: Im BGB werden zwei Leistungsstörungen geregelt: Hat der Schuldner die dem Gläubiger geschuldete Sache vorsätzlich oder fahrlässig zerstört, so muß er dem Gläubiger wegen schuldhafter Unmöglichkeit der Lieferung Schadensersatz leisten (vgl. §§ 280 I, 325 I 1). Liefert der Schuldner die geschuldete Sache schuldhaft nicht rechtzeitig, sondern verspätet, muß er dem Gläubiger wegen Verzuges den Schaden ersetzen, der dem Gläubiger durch die Verspätung entstanden ist (vgl. §§ 286 I, 326). Enthält das vom Schuldner dem Gläubiger geschuldete Pferdefutter aufgrund einer Nachlässigkeit des Schuldners giftige Bestandteile und gehen dadurch zwei Pferde des Gläubigers ein, so kann der Gläubiger vom Schuldner wegen dieser schuldhaften Pflichtverletzung nach den genannten Vorschriften keinen Ersatz des ihm entstandenen Schadens verlangen. Denn Unmöglichkeit liegt nicht vor, weil der Schuldner geleistet hat, und Verzug ist nicht gegeben, weil er rechtzeitig geleistet hat. Der Gesetzgeber hat als Leistungsstörungen nur Unmöglichkeit und Verzug gesehen und geregelt; er hat übersehen, daß es außerdem noch eine Leistungsstörung gibt, die man als positive Forderungsverletzung bezeichnet. Die insoweit bestehende Lücke des Gesetzes ist danach zu schließen, wie der Gesetzgeber das Problem geregelt hätte, wenn er es gesehen hätte. Da er bei schuldhafter Nichterfüllung und bei schuldhafter Zuspäterfüllung einen Schadensersatzanspruch gewährt, hätte er bei schuldhafter Schlechterfüllung ebenfalls einen solchen Anspruch bestimmt. Demnach ist bei positiver Forderungsverletzung durch ergänzende Auslegung (analoge Anwendung der §§ 280, 286; §§ 325, 326) ein Schadensersatzanspruch gegeben (AS Rdnr. 291).

67 e) Die Lücke im Gesetz kann einmal darin bestehen, daß bestimmte Probleme nicht geregelt werden, obwohl man an sich eine Regelung erwartet hätte (*offene Lücke*). Sie wird oft durch analoge Anwendung anderer Vorschriften geschlossen.

Beispiele: Arglistiges Vorspiegeln einer Eigenschaft (Rdnr. 65); positive Forderungsverletzung (Rdnr. 66).

Es gibt aber auch Fälle, in denen das Gesetz eine Regelung enthält, diese jedoch nicht für alle darunter fallenden Probleme paßt, weil der Gesetzgeber deren Besonderheiten nicht berücksichtigt hat. Die getroffene Regelung geht zu weit. Der Gesetzgeber hätte sie eingeschränkt, wenn er die besondere Problematik beachtet hätte. Insoweit besteht eine Lücke, die durch die Existenz der zu weiten Regelung verdeckt ist (*verdeckte Lücke*). Auch in einem solchen Fall ist der Richter zur Lückenausfüllung befugt und verpflichtet. Dabei kann er von dem eindeutigen Wortlaut des Gesetzes und den Gebotsvorstellungen des Gesetzgebers abweichen, indem er die gesetzliche Regelung im Geiste des Gesetzes einschränkt (*einschränkende Auslegung; teleologische Reduktion*).

Beispiele: Gerner (G) kann seine Kaufpreisforderung, die er gegen Schröder (S) hat, auf Drepper (D) durch Vertrag übertragen (= abtreten; § 398; AS Rdnr. 381 ff.). Jedoch bestimmt § 400, daß eine Forderung nicht abgetreten werden kann, soweit sie der Pfändung nicht unterworfen ist. Demnach ist G nicht in der Lage, seine unpfändbaren Lohnansprüche gegen seinen Arbeitgeber auf D zu übertragen. Die Bestimmung bezweckt, dem G im eigenen Interesse, aber auch im Interesse der Allgemeinheit, das Existenzminimum zu erhalten; es soll vermieden werden, daß der Lohnberechtigte der Allgemeinheit zur Last fällt. Der Gesetzgeber ging bei seinem Abtretungsverbot davon aus, daß die genannten Gründe bei jeder Abtretung einer unpfändbaren Forderung vorliegen. Er bedachte nicht, daß der Schutzzweck der Norm ausnahmsweise dann nicht vereitelt wird, wenn der Gläubiger G seine unpfändbare Forderung an einen Dritten D abtritt, der ihm laufend Beträge in Höhe der abgetretenen Forderung zahlt; in einem solchen Fall wird der Gläubiger G durch die Abtretung nicht schlechter gestellt. Deshalb ist § 400 trotz des eindeutigen Wortlauts und der entsprechenden Gebotsvorstellungen des Gesetzgebers wegen der aufgezeigten (verdeckten) Lücke einschränkend dahin auszulegen, daß das Abtretungsverbot dann nicht gilt, wenn der abtretende Gläubiger G von dem Dritten D tatsächlich entsprechende Zahlungen erhält (vgl. BGHZ 4, 163; 13, 360; AS Rdnr. 389).

In der Unterhaltungspresse werden Vorgänge aus dem Privatleben eines bekannten Künstlers (K) in ehrverletzender Weise dargestellt. Deshalb hat K einen Schadensersatzanspruch aus § 823 I (»ein sonstiges Recht verletzt«; BS Rdnr. 450 f.). Ein Anspruch auf Schadensersatz *in natura* (§ 249, 1) führt zu einem Widerruf der ehrverletzenden Äußerung. Das reicht dem K nicht aus; er möchte Schadensersatz in Geld. Jedoch schließt § 253 wegen eines Schadens, der nicht Vermögensschaden ist (hier: Ehrverletzung), einen Schadensersatz *in Geld* aus. Dennoch billigte der BGH dem Verletzten eine Geldentschädigung zu; das Gericht sah die Regelung im BGB als lückenhaft an, weil sie die Wertentscheidung des Grundgesetzes (Art. 1 und 2 GG) zugunsten des Persönlichkeitsschutzes nicht gebührend berücksichtigte. Deshalb ergänzte der BGH die gesetzliche Regelung dahin, daß bei erheblicher Beeinträchtigung der Persönlichkeitssphäre und schwerem Verschulden eine

Entschädigung in Geld zu leisten sei (vgl. BGHZ 26, 349; 35, 363; 39, 124; BVerfGE 34, 269; AS Rdnr. 320; BS Rdnr. 511). Hier ist also durch Erlaß des Grundgesetzes eine (verdeckte) Lücke entstanden. Diese ist durch die Wertung der Art. 1 und 2 GG zu schließen; insoweit ist § 253 einschränkend auszulegen.

III. Schrifttum 68

1. *Lehrbücher, Grundrisse, Fallsammlungen*

Bähr, Grundzüge des Bürgerlichen Rechts, 8. Aufl., 1991;
de Boor, Bürgerliches Recht, Bd. I, Allg. Teil, Recht der Schuldverhältnisse, Sachenrecht, 2. Aufl., 1954;
Brehm, Allgemeiner Teil des BGB, 1991;
Cosack/Mitteis, Lehrbuch des deutschen Bürgerlichen Rechts, Bd. I, 8. Aufl., 1927;
Crome, System des deutschen Bürgerlichen Rechts, Bd. I, Allgemeiner Teil, 1900;
Dernburg, Das Bürgerliche Recht des Deutschen Reichs und Preußens, Bd. I, Die allgemeinen Lehren, 3. Aufl., 1906;
Diederichsen, Der Allgemeine Teil des Bürgerlichen Gesetzbuches für Studienanfänger, 5. Aufl., 1984;
Eisenhardt, Allgemeiner Teil des BGB, 3. Aufl., 1989;
Emmerich/Gerhardt/Grunsky/Huhn/Schmidt/Tempel/Wolf, Grundlagen des Vertrags- und Schuldrechts, 1972;
Endemann, Lehrbuch des Bürgerlichen Rechts, 8./9. Aufl., Bd. I, 1903;
Enneccerus/Nipperdey, Allgemeiner Teil des Bürgerlichen Rechts, 15. Aufl., Erster Halbband, 1959, Zweiter Halbband, 1960;
Flume, Allgemeiner Teil des Bürgerlichen Rechts, Zweiter Band: Das Rechtsgeschäft, 4. Aufl., 1992;
Gernhuber, Bürgerliches Recht, 3. Aufl., 1991;
Hattenhauer, Grundbegriffe des Bürgerlichen Rechts, 1982;
Helm, Grundkurs im Bürgerlichen Recht, 5. Aufl., 1990;
Henle, Lehrbuch des Bürgerlichen Rechts, Allgemeiner Teil, 1926;
Chr. Hirsch, Der Allgemeine Teil des BGB, 2. Aufl., 1992;
H. Hübner, Allgemeiner Teil des Bürgerlichen Gesetzbuches, 1985;
H. Hübner, ESJ Allgemeiner Teil des BGB, 1973;
Kaiser, Bürgerliches Recht, 4. Aufl., 1992;
Köhler, BGB, Allgemeiner Teil, 21. Aufl., 1991;
Köhler, BGB – Allgemeiner Teil, Prüfe Dein Wissen, 17. Aufl., 1993;
Kohler, Lehrbuch des Bürgerlichen Rechts, Bd. I, 1904;
Krückmann, Institutionen des BGB, 5. Aufl., 1929;
Larenz, Allgemeiner Teil des deutschen Bürgerlichen Rechts, 7. Aufl., 1989;
Leonhard, Der Allgemeine Teil des BGB, 1900;
Lindacher, Fälle zum Allgemeinen Teil des BGB, 1978;
Loewenwarter, Wegweiser durch das BGB, 18. Aufl., 1952;
Löwisch, Allgemeiner Teil des BGB, 5. Aufl., 1991;
Marburger, Fälle und Lösungen nach höchstrichterlichen Entscheidungen, BGB Allgemeiner Teil, 6. Aufl., 1987;
Medicus, Allgemeiner Teil des BGB, 5. Aufl., 1992 (zit.: AT);
Medicus, Bürgerliches Recht, 16. Aufl., 1993 (zit.: BürgR);

Musielak, Grundkurs BGB, 4. Aufl., 1994;
Pawlowski, Allgemeiner Teil des BGB, 4. Aufl., 1993;
F. Peters, BGB Allgemeiner Teil, 2. Aufl., 1991;
F. Peters, Allgemeiner Teil, 85 Fälle mit Lösungen, 1985;
Ramm, Einführung in das Privatrecht, Allgemeiner Teil des BGB, Bd. I–III, 1969/70; Bd. I u. II. 2. Aufl., 1974/75;
Rüthers, Allgemeiner Teil des BGB, 9. Aufl., 1993;
Schack/Ackmann, Höchstrichterliche Rechtsprechung zum Bürgerlichen Recht, 3. Aufl., 1993;
Schapp, Grundlagen des bürgerlichen Rechts, 1991;
Schmelzeisen/Thümmel, Bürgerliches Recht (BGB I–III), 6. Aufl., 1991;
E. Schmidt/Brüggemann, Zivilrechtlicher Grundkurs, 1989;
R. Schmidt, Bürgerliches Recht, Bd. I, Die allgemeinen Lehren des Bürgerlichen Rechts, 2. Aufl., 1952;
H. Schulte, Grundkurs im BGB, Band 1, 4. Aufl., 1992;
D. Schwab, Einführung in das Zivilrecht, 11. Aufl., 1993;
Schwerdtner, Allgemeiner Teil des Bürgerlichen Rechts, 1982;
Simeon/David, Lehrbuch des Bürgerlichen Rechts, 1. Hälfte: Allg. Teil, Schuldverhältnisse, 15. Aufl., 1928;
Thiele/Fezer, BGB – Allgemeiner Teil –, 4. Aufl., 1990;
Thoma, Bürgerliches Recht, Allgemeiner Teil, 2. Aufl., 1982;
v. Tuhr, Der allgemeine Teil des Deutschen Bürgerlichen Rechts, Bd. I, 1910; Bd. II, 1. Halbband 1914; 2. Halbband 1918;
R. Weimar/Schimikowski, Bürgerliches Recht, 4. Aufl., 1991 (wisu-texte);
W. Weimar/R. Weimar, Fälle aus dem Allgemeinen Teil des BGB, 2. Aufl., 1980;
Werner, Fälle mit Lösungen für Anfänger im Bürgerlichen Recht, 7. Aufl., 1990;
Werner, 20 Probleme aus dem BGB – Allgemeiner Teil, 5. Aufl., 1987;
H. Westermann, BGB, Allgemeiner Teil, 5. Aufl., 1983;
H. Westermann/H. P. Westermann, Grundbegriffe des BGB, 14. Aufl., 1994;
Wieser, Einführung in das Bürgerliche Recht mit Allgemeinem Teil und Übung, 4. Aufl., 1991;
Wörlen, Grundzüge des Privatrechts – Bd. I: Einführung in das Recht und Allgemeiner Teil des BGB –, 3. Aufl., 1993;
E. Wolf, Allgemeiner Teil des Bürgerlichen Rechts, 3. Aufl., 1982;
Zitelmann, Das Recht des Bürgerlichen Gesetzbuchs, Allgemeiner Teil, 1900.

2. *Kommentare*

Alternativkommentar, Kommentar zum Bürgerlichen Gesetzbuch, 1987 (Allg. Teil bearb. von *Damm, Hart, Kohl, Ott*);
Erman, Handkommentar zum Bürgerlichen Gesetzbuch, 9. Aufl., 1993 (Allg. Teil bearb. von *Brox, Ehmann, Hefermehl, Michalski, Westermann*);
Jauernig, Bürgerliches Gesetzbuch, 7. Aufl., 1994 (Allg. Teil bearb. von *Jauernig*);
Münchener Kommentar zum Bürgerlichen Gesetzbuch, Bd. 1, 3. Aufl., 1993 (bearb. von *Basedow, v. Feldmann, Förschler, Gerlach, Gitter, Holch, Kötz, Kramer, Mayer-Maly, Reuter, Säcker, Schramm, Schwerdtner, H. P. Westermann*);
Oertmann, Bürgerliches Gesetzbuch, 1. Buch, 3. Aufl., 1927;

Palandt, Bürgerliches Gesetzbuch, 53. Aufl., 1994 (Allg. Teil bearb. von *Heinrichs*);
Planck, Kommentar zum Bürgerlichen Gesetzbuch nebst Einführungsgesetz, I. Bd., 4. Aufl., 1913 (bearb. von *Knocke, Strecker, Flad*);
RGRK, Das Bürgerliche Gesetzbuch mit besonderer Berücksichtigung der Rechtsprechung des Reichsgerichts und des Bundesgerichtshofes, Kommentar, herausgegeben von Mitgliedern des Bundesgerichtshofes, I. Bd., 12. Aufl., 1982 (bearb. von *Johannsen, Kregel, Krüger-Nieland, Piper, Steffen*);
Rosenthal/Kammnitzer/Bohnenberg, Bürgerliches Gesetzbuch, 15. Aufl., 1965;
Rother, Grundsatzkommentar z. BGB, Allg. Teil, 2. Aufl., 1979;
Soergel, Bürgerliches Gesetzbuch, Bd. 1, Allg. Teil, 12. Aufl., 1988 (bearb. von *Fahse, Heinrich, Hadding, Mühl, Hefermehl, M. Wolf, Leptien, Walter*);
v. Staudinger, Kommentar zum Bürgerlichen Gesetzbuch, Allg. Teil, 12. Aufl., 1980 (bearb. von *Coing, Habermann, H. Dilcher*);
Studienkommentar zum BGB, Erstes bis Drittes Buch, 2. Aufl., 1979 (Allg. Teil bearb. von *Hadding*).

Zweiter Teil Das Rechtsgeschäft

Erstes Kapitel Die Grundlagen

69 ### § 4 Vertrag, Willenserklärung und Rechtsgeschäft

Schrifttum: *Bartholomeyczik*, Die subjektiven Merkmale der Willenserklärung, Festschrift f. Ficker, 1967, 51; *Brehmer*, Willenserklärung und Erklärungsbewußtsein – BGHZ 91, 324, JuS 1986, 440; *Brox*, Fragen der rechtsgeschäftlichen Privatautonomie, JZ 1966, 761; *F. Bydlinski*, Privatautonomie und objektive Grundlagen des verpflichtenden Rechtsgeschäftes, 1967; *Clemens*, Die elektronische Willenserklärung – Chancen und Gefahren, NJW 1985, 1998; *Eisenhardt*, Zum subjektiven Tatbestand der Willenserklärung, JZ 1986, 875; *Fabricius*, Stillschweigen als Willenserklärung, JuS 1966, 1, 50; *Flume*, Rechtsgeschäft und Privatautonomie, Festschrift zum 43. Juristentag, Bd. I, 1960, 135; *ders.*, Das Rechtsgeschäft und das rechtlich relevante Verhalten, AcP 161, 52; *Giesen*, BGB Allgemeiner Teil: Rechtsgeschäftslehre, 1991; *Hanau*, Objektive Elemente im Tatbestand der Willenserklärung, AcP 165, 220; *Hönn*, Entwicklungslinien des Vertragsrechts, JuS 1990, 935; *Huber*, Die verfassungsrechtliche Bedeutung der Vertragsfreiheit, 1966; *H. Hübner*, Zurechnung statt Fiktion einer Willenserklärung, Festschrift f. Nipperdey, Bd. I, 1965, 373; *Köhler*, Die neuere Rechtsprechung zur Rechtsgeschäftslehre, JZ 1984, 18; *ders.*, Die Problematik automatisierter Rechtsvorgänge, insbesondere von Willenserklärungen, AcP 182, 126; *Kramer*, Grundfragen der vertraglichen Einigung, 1972; *Krause*, Schweigen im Rechtsverkehr, 1933; *Leßmann*, Die willentliche Gestaltung von Rechtsverhältnissen im BGB, JA 1983, 341, 403; *Manigk*, Willenserklärung und Willensgeschäft, 1907; *Mayer-Maly*, Vertrag und Einigung, Festschrift f. Nipperdey, Bd. I, 1965, 509; *ders.*, Von solchen Handlungen, die den Kontrakten in ihrer Wirkung gleichkommen, Festschrift f. Wilburg, 1965, 129; *Melullis*, Zum Regelungsbedarf bei der elektronischen Willenserklärung, MDR 1994, 109; *Nipperdey*, Kontrahierungszwang und diktierter Vertrag, 1920; *Paefgen*, Forum: Bildschirmtext – Herausforderung zum Wandel der allgemeinen Rechtsgeschäftslehre?, JuS 1988, 592; *Raiser*, Vertragsfunktion und Vertragsfreiheit, Festschrift zum 43. Juristentag, Bd. I, 1960, 101; *Reinhardt*, Die Vereinigung subjektiver und objektiver Gestaltungskräfte im Vertrage, Festschrift f. Schmidt-Rimpler, 1957, 115; *Rhode*, Die Willenserklärung und der Pflichtgedanke im Rechtsverkehr, 1938; *Rother*, Der Vertrag als Vertragsgegenstand, Festschrift f. Larenz, 1973, 409; *Schapp*, Grundfragen der Rechtsgeschäftslehre, 1986; *J. Schmidt*, Schutz der Vertragsfreiheit durch Deliktsrecht?, Festschrift f. Lukes, 1989, 793; *Schmidt-Rimpler*, Grundfragen der Erneuerung des Vertragsrechts, AcP 147, 130; *ders.*, Zum Vertragsproblem, Festschrift f. Raiser, 1974, 3; *Schwerdtner*, Schweigen im Rechtsverkehr, Jura 1988, 443; *Wieacker*, Willenserklärung und sozialtypisches Verhalten, Göttinger Festschrift f. das OLG Celle, 1961, 263; *Wieser*, Wille und Verständnis bei der Willenserklärung, AcP 189, 112; *M. Wolf*, Rechtsgeschäftliche Entscheidungsfreiheit und vertraglicher Interessenausgleich, 1970.

Fälle:

a) V schreibt an K: »Ich biete Ihnen meine Vase, die Ihnen so gut gefiel, für 300,– DM zum Kauf an.« K antwortet dem V: »Ich danke für Ihren Brief und akzeptiere Ihren Vorschlag zum Kauf der Vase.« Kann V von K die Zahlung von 300,– DM verlangen?

b) Wie, wenn K auf den Brief des V antwortet: »Ich bin mit dem Kauf einverstanden, kann aber leider nur 250,– DM zahlen«?

c) Wie, wenn K, während der Brief des V an K von der Post befördert wird, an V, ohne dessen Brief zu kennen, schreibt: »Sie werden gemerkt haben, daß ich Gefallen an Ihrer Vase gefunden habe. Ich biete Ihnen für die Vase 300,– DM«?

d) Buchhändler B schickt dem X unaufgefordert ein Buch mit einem Anschreiben, wonach er das Buch dem X zum Kauf für 30,– DM anbiete; wenn er von X innerhalb von zwei Wochen keine Antwort erhalte, gehe er davon aus, daß X durch sein Schweigen das Angebot annehme. X schweigt. Muß er zahlen?

I. Vertrag

1. Bedeutung

a) Wenn jemand bestimmte Güter benötigt, so bieten sich dafür gedanklich zwei grundverschiedene Möglichkeiten an: Entweder teilt der Staat jedem einzelnen Nahrung, Kleidung, Wohnung, Arbeitsplatz usw. zu, oder aber der einzelne beschafft sich die gewünschten Güter selbst. Die erste Möglichkeit widerspricht unserer Verfassung; das Grundgesetz geht von der Selbstverantwortlichkeit des einzelnen aus und läßt eine staatliche Güterverteilung nur dann zu, wenn der einzelne sich nicht mehr selbst helfen kann. Diese Art der Güterverteilung ist auch unpraktisch, wie die Mängel der Planwirtschaft zeigen. Die zweite Möglichkeit führt zu grob gemeinschaftswidrigen und ungerechten Ergebnissen, wenn der einzelne mehr oder weniger rücksichtslos seinen eigenen Willen durchsetzt. Deshalb kann der einzelne nach unserer Rechtsordnung grundsätzlich nicht durch seinen Willen allein die Güterversorgung beeinflussen. Wenn er z. B. bestimmte Nahrungsmittel erwerben will, wird er einen Kaufvertrag schließen; will er eine Wohnung benutzen, wird er sie mieten. Will er, um kaufen oder mieten zu können, Geld erwerben, wird er Sachen verkaufen, vermieten oder als Arbeitnehmer eine Arbeit aufnehmen usw. In allen diesen Fällen kommt es nicht nur auf den Willen *einer* Person (z. B. des Käufers) an; diese ist vielmehr auf den entsprechenden Willen einer *anderen* Person (z. B. des Verkäufers) angewiesen. Nur wenn beide Personen sich einigen, kommt es zu dem geplanten Güteraustausch. Die Willensübereinstimmung der sich gegenüberstehenden Personen, das »Sich-Vertragen«, ist ein Vertrag.

(1) Die Bedarfsdeckung im privaten und wirtschaftlichen Bereich erfolgt vor 70
allem durch Verträge, die auf den Austausch von Vermögensgütern gerichtet sind. Kaufvertrag (§ 433; BS Rdnr. 2ff.), Miete (§ 535; BS Rdnr. 151ff.), Pacht (§ 581; BS Rdnr. 210ff.), Dienstvertrag (§ 611; BS Rdnr. 230ff.) und Werkvertrag (§ 631;

BS Rdnr. 256ff.) haben gemeinsam, daß der eine Vertragsteil eine Leistung gerade deshalb verspricht, weil auch der andere sich zu einer Leistung verpflichtet (z. B. Ware gegen Geld).

Vor allem bei diesen Austauschverträgen zeigt sich, daß durch Privatinitiative der Vertragsparteien im allgemeinen vernünftige Ergebnisse erreicht werden. Die Interessen der Vertragsparteien sind entgegengesetzt; der Vorteil der einen ist der Nachteil der anderen Partei. Jede Partei will für wenig eigene Leistung viel fremde Leistung erzielen. Wenn sich beide Parteien über Leistung und Gegenleistung einigen, dann hat jede von ihnen einen Teil ihrer eigennützigen Motive beiseite getan. Durch das Aushandeln, die wechselseitige Beeinflussung und die abschließende Einigung im Vertrag, werden grundsätzlich einseitige Ergebnisse vermieden und gerechte Resultate erzielt.

Will K von V einen Pkw kaufen, so wird K einen möglichst geringen Kaufpreis (z. B. 7500,–DM) zahlen wollen; V dagegen will möglichst viel für seinen Wagen (z. B. 8300,–DM) haben. Einigen sie sich nach mehr oder weniger langen Verhandlungen auf einen »mittleren« Preis (von z. B. 8000,–DM), dann ist der Kaufvertrag geschlossen.

Diese »Vertragsgerechtigkeit« verwirklicht sich aber nur, wenn sich Vertragsparteien gegenüberstehen, die etwa gleich stark sind; nur dann kann es zu einem Aushandeln und nicht zu einem einseitigen Festsetzen des Vertragsinhalts kommen.

71 (2) Der Vertrag ist nicht nur für den wechselseitigen Austausch von Gütern bedeutsam. Auch dann, wenn die Leistungspflicht nur einer Person begründet werden soll, kann ein Vertragsschluß erforderlich sein. So setzt z. B. die Schenkung, durch die nur der Schenker, nicht aber der Beschenkte zu einer Leistung verpflichtet sein soll, einen Vertrag voraus; denn § 516 verlangt, daß »beide Teile darüber einig sind, daß die Zuwendung unentgeltlich erfolgt«. Der Grund für das Erfordernis des Vertragsschlusses ist, daß sich niemand ohne oder gegen seinen Willen etwas schenken zu lassen braucht.

Will A dem B zum Geburtstag einen Hund schenken und lehnt B dankend ab, fehlt es an der erforderlichen Willenseinigung, so daß kein Schenkungsvertrag zustande gekommen ist. Dabei ist es rechtlich uninteressant, ob B deshalb ablehnt, weil er die Hundesteuer scheut, Angst vor Hunden hat oder sich von A nichts schenken lassen will.

72 b) Die Willenseinigung spielt nicht nur im Vermögensrecht, sondern auch in anderen Rechtsgebieten, wie etwa im Personen- und Eherecht, eine Rolle.

So kann »Er« »Sie« nicht heiraten, wenn »Sie« nicht will.

73 *2. Vertragsfreiheit*

a) Unter der Vertragsfreiheit versteht man die Freiheit des einzelnen, seine privaten Lebensverhältnisse durch Verträge zu gestalten. Sie ist verfassungsrechtlich gewährleistet (Art. 2 I GG; AS Rdnr. 31ff.) und ist die wichtigste Erscheinungsform der Privatautonomie (Rdnr. 24). Die Vertragsfreiheit findet jedoch ebenso wie die im Prinzip der Privatautonomie zum Ausdruck kommende allgemeine Handlungsfreiheit ihre Grenze am Freiheitsraum des anderen. Wenn also zwischen zwei Personen Güter ausgetauscht werden sollen (z. B. Ware gegen Geld, Dienste gegen Geld), kann es nicht allein auf den Willen eines der beiden Beteiligten ankommen. Vielmehr müssen die Willen der beiden Betroffenen übereinstimmen. Nur bei einer auf freier Selbstgestaltung jedes einzelnen beruhenden Einigung der Beteiligten, d. h. bei einem Vertrag, erkennt das Recht die Selbstgestaltung als verbindlich an.

Beispiel: A erhält nicht deshalb gegen B einen Anspruch auf Lieferung des Pkw, weil A allein es so will, sondern weil A und B einig darüber sind, daß A einen solchen Anspruch haben soll. Den damit verbundenen Nachteil des B (Pflicht zur Lieferung des Pkw) läßt die Rechtsordnung deshalb gelten, weil B es so will. B wird schon wissen, weshalb er eine (ihn belastende) Verpflichtung übernimmt. Beim Verkauf des Pkw geht er die Verpflichtung ein, weil er von A als Gegenleistung den vereinbarten Kaufpreis von 8000,– DM bekommt. Den Kaufpreisanspruch erhält B aber nur deshalb, weil der insoweit belastete A damit einverstanden ist. Selbst wenn B für seinen Pkw einen höheren Preis (von 9000,– DM) hätte erzielen können, so gibt ihm die Rechtsordnung nur einen Anspruch auf Zahlung von 8000,– DM; denn ihm geschieht kein Unrecht, weil er sich mit A auf diesen Preis geeinigt hat; er hätte auf diesen Preis nicht einzugehen brauchen.

b) Die Vertragsfreiheit umfaßt die Abschluß- und die Gestaltungsfreiheit. 74

(1) *Abschlußfreiheit:* Der einzelne ist frei darin, *ob* und *mit wem* er einen Vertrag schließt.

B braucht dem Drängen des A, ihm den Pkw zu verkaufen, nicht nachzugeben. Er kann den Wagen behalten oder ihn an jemand anders verkaufen.

Nur in Ausnahmefällen ist jemand verpflichtet, einen Vertrag abzuschließen. Ein solcher Kontrahierungszwang besteht kraft spezieller gesetzlicher Anordnung (z. B. für Eisenbahn, Post, Energieversorgungsunternehmen) und allgemein bei öffentlichen Versorgungsaufgaben (Versorgung mit lebenswichtigen Gütern; vgl. AS Rdnr. 34ff.).

(2) *Gestaltungsfreiheit:* Die Vertragsparteien sind frei darin, *wie* sie den Vertrag inhaltlich ausgestalten (vgl. § 305). Diese Freiheit besteht vor allem bei schuldrechtlichen Verträgen, weniger bei Verträgen des Sachen-, Familien- und Erbrechts: 75

A und B können im Kaufvertrag z. B. vereinbaren, daß B den Wagen des A in Zahlung nimmt, A den Kaufpreis in bestimmten Raten zu zahlen hat, Ansprüche des A wegen Mängel des Pkw ausgeschlossen sein sollen, A berechtigt sein soll, den Vertrag innerhalb von 8 Tagen (durch Rücktritt) rückgängig zu machen. – Dagegen ist es bei der Eheschließung zwischen X und Y nicht möglich, bestimmte Rechte und Pflichten eines Ehegatten vertraglich auszuschließen, etwa dem Mann ein Kündigungsrecht einzuräumen.

Ausnahmsweise setzt das Gesetz auch bei schuldrechtlichen Verträgen der Gestaltungsfreiheit Grenzen. So ist beispielsweise ein Vertrag nichtig, der gegen ein gesetzliches Verbot (§ 134; Rdnr. 274ff.) oder gegen die guten Sitten (§ 138; Rdnr. 283ff.) verstößt (AS Rdnr. 38f.).

76 *3. Begriff*

Der Vertrag ist eine Willenseinigung. Es handelt sich genauer um ein Rechtsgeschäft, das aus inhaltlich übereinstimmenden, mit Bezug aufeinander abgegebenen Willenserklärungen von mindestens zwei Personen besteht. Zu diesem Begriff gelangt man durch Abstraktion, indem man von den Besonderheiten der einzelnen Verträge wie Kauf, Miete, Werkvertrag usw. absieht. Der Sinn der Definition besteht – entsprechend dem Bestreben des Gesetzgebers nach weitgehender Abstraktion (Rdnr. 36ff.) – darin, die für jeden einzelnen Vertrag notwendigen Voraussetzungen deutlich zu machen. Von dieser Definition geht der Gesetzgeber aus, wenn er in den §§ 145ff. allgemeine Regeln für alle Verträge aufstellt.

Durch weitere Abstraktion kommt man zu den Begriffen von Rechtsgeschäft und Willenserklärung, die in der genannten Definition des Vertrages enthalten sind und sogleich erklärt werden sollen.

Ein Vertrag setzt also folgendes voraus:

77 a) Es müssen *Willenserklärungen von mindestens zwei Personen* vorliegen. Man nennt die zeitlich erste Erklärung *Antrag* oder *Angebot* (§ 145) und bezeichnet die spätere als *Annahme* (§ 146).

Beispiele: Im Fall a kann V von K die Zahlung des Kaufpreises vom 300,– DM nach § 433 II verlangen, wenn ein Kaufvertrag über die Vase zum Preis von 300,– DM zustande gekommen ist. Das ist der Fall; denn im Brief des V liegt der Antrag, im Brief des K die Annahme. – V unterschreibt einen Mietvertrag, nach dem er die Erdgeschoßwohnung seines Hauses an die Eheleute M vermietet, und schickt ihn an die Eheleute M (= Angebot). Herr M und Frau M unterschreiben beide den Vertrag und senden ihn an V zurück (= Annahme). Dieses Beispiel zeigt, daß auch mehr als zwei Personen einen Vertrag schließen können.

78 b) Die Willenserklärungen müssen *inhaltlich übereinstimmen*. Sie brauchen allerdings nicht inhaltsgleich zu sein oder gar wörtlich übereinzustimmen; sie müssen aber in dem bezweckten Rechtserfolg inhaltlich übereinstimmen (Kauf einer Vase für 300,– DM). Weicht die Annahmeerklärung jedoch inhaltlich vom Angebot ab, liegt keine Einigung vor (vgl. § 150 II).

Im Fall b kann V von K nichts verlangen, weil kein Kaufvertrag zustande gekommen ist. Es genügt nämlich nicht, daß V verkaufen und K kaufen will. Vielmehr ist eine Einigung über Kaufsache und Kaufpreis erforderlich. Hier fehlt es an einer Einigung über den Kaufpreis.

79 c) Die Willenserklärungen müssen *mit Bezug aufeinander* abgegeben werden. Aus §§ 146ff. ist zu entnehmen, daß der Antrag angenommen sein muß. Es genügt zum Vertragsschluß also nicht, daß die Erklärungen ohne Bezug nebeneinander herlaufen, selbst wenn sie inhaltlich übereinstimmen.

Im Fall c ist also kein Kaufvertrag geschlossen worden. Übersendet dagegen V nach Erhalt des Briefes von K die Vase an K, so ist darin die Annahme des Angebots des K zu erblicken.

d) Eine *Form* ist für den Vertrag nicht erforderlich, wenn nicht das Gesetz etwas anderes (Schriftform, notarielle Beurkundung) vorschreibt oder die Parteien dies vereinbaren (Rdnr. 252ff.).

Es wäre unpraktisch und deshalb nicht einzusehen, wenn das Gesetz etwa für den Kauf von Brötchen und Wurst einen schriftlichen Vertrag verlangen würde.

II. Willenserklärung 80

1. Begriff

Die Willenserklärung ist eine private Willensäußerung, die auf die Erzielung einer Rechtsfolge gerichtet ist.

a) Nur eine *private*, also eine Willensäußerung, die nach dem Privatrecht beurteilt wird, kommt hier in Betracht, nicht dagegen eine Willensäußerung auf dem Gebiet des öffentlichen Rechts.

Auszuscheiden sind also öffentlich-rechtliche Erklärungen von Behörden (z. B. Verwaltungsakte), aber auch Willensäußerungen von Privaten in öffentlichen Angelegenheiten (z. B. Ausübung des Wahlrechts bei einer Bundestagswahl).

b) Die Willenserklärung ist die *Äußerung eines auf einen Rechtserfolg gerichteten Willens*. Sie besteht also aus zwei Elementen, dem (inneren) Willen und der Äußerung dieses Willens. Nicht der bloß innere Wille, sondern nur der kundgegebene Wille bewirkt einen Rechtserfolg. Da der innere Wille nämlich nicht erkennbar ist, muß er durch die Erklärung nach außen erkennbar gemacht werden. Der Wille verkörpert sich in der Erklärung; Wille und Erklärung bilden als Willensäußerung eine Einheit. 81

(1) Der *innere Wille* wurde von den Verfassern des BGB nach den damaligen Erkenntnissen der Psychologie in einen Handlungs-, Erklärungs- und Geschäftswillen aufgeteilt: 82

(a) Unter dem *Handlungswillen* versteht man das Bewußtsein zu handeln. Gemeint ist der bewußte Willensakt, der auf die Vornahme eines äußeren Verhaltens gerichtet ist.

Beispiele: Der Wille richtet sich auf Sprechen, bestimmte Gesten (Nicken, Kopfschütteln), Schweigen. Dagegen fehlt der Handlungswille, wenn solche Handlungen im Schlaf oder in Hypnose geschehen.

b) Beim *Erklärungswillen* oder *Erklärungsbewußtsein* geht es um das Bewußtsein des Handelnden, daß seine Handlung irgendeine rechtserhebliche Erklärung darstellt. Dieser Wille ist gegeben, wenn der Erklärende sich bewußt ist, daß sein Verhalten als eine rechtserhebliche Erklärung aufgefaßt werden kann. 83

Das Erklärungsbewußtsein wird heute nicht mehr als notwendiger Bestandteil einer Willenserklärung angesehen (vgl. BGHZ 91, 324; BGH BB 1990, 16; Rdnr. 135).

Beispiele: A unterschreibt bei der Geschäftspost einen Brief, in dem ein Kaufangebot enthalten ist; er schickt ihn los in dem Bewußtsein, daß sein Handeln rechtlich bedeutsam ist. Auch wenn A das Kaufangebot in der Meinung unterschreibt, es handele sich um eine Kündigungserklärung, ist das Erklärungsbewußtsein gegeben, da auch die Kündigungserklärung eine rechtserhebliche Erklärung ist; denn es reicht für das Erklärungsbewußtsein aus, daß der Erklärende sich bewußt ist, überhaupt rechtsgeschäftlich tätig zu sein. Der Erklärungswille braucht nicht auf eine bestimmte Rechtsfolge gerichtet zu sein.

Dagegen liegt kein Erklärungsbewußtsein vor, wenn A den B zum Abendessen einlädt, da eine solche Erklärung im außerrechtlichen, gesellschaftlichen Bereich abgegeben wird (AS Rdnr. 19).

Im Schulfall der Trierer Weinversteigerung (vgl. auch Rdnr. 135) winkt der ortsfremde A bei der Versteigerung durch Erheben der Hand seinem Freund zu. A weiß nicht, daß hier das Handheben die Abgabe eines um 100,– DM höheren Kaufangebots bedeutet. Der Versteigerer schlägt dem A das Faß Wein zu, nimmt also das »Angebot« des A an. Beim Erheben der Hand handelt A zwar mit Handlungswillen. Es fehlt ihm aber das Erklärungsbewußtsein. Er will mit seinem Winken keine rechtserhebliche Erklärung abgeben: es ist ihm nicht bewußt, daß sein Verhalten am Versteigerungsort als rechtserhebliche Erklärung (Kaufangebot) aufgefaßt wird.

84 (c) Als *Geschäftswillen* bezeichnet man den Willen, mit der Erklärung eine bestimmte Rechtsfolge herbeizuführen. Im Gegensatz zum Erklärungsbewußtsein geht es beim Geschäftswillen nicht darum, irgendeine, sondern eine ganz konkrete Rechtsfolge herbeizuführen.

Beispiele: A will dem B sein Motorrad für 5 430,– DM verkaufen. Gibt er dem B gegenüber eine entsprechende Erklärung ab, dann entspricht diese seinem Geschäftswillen. Verspricht er sich, indem er den Kaufpreis mit 4 530,– DM angibt, so liegt zwar für diese Erklärung das Erklärungsbewußtsein vor, da er eine Rechtsfolge herbeiführen will. Es fehlt aber der Geschäftswille, da A die erklärte Rechtsfolge (Verkauf des Motorrads für 4 530,– DM) nicht will.

Hebt A im Trierer Weinversteigerungsfall auf die Frage seines Freundes B, wer ihm seine Uhr für 50,– DM abkaufe, die Hand, hat A das Erklärungsbewußtsein, nicht aber den auf den Kauf des Fasses Wein gerichteten Geschäftswillen.

85 Zu (a)–(c): Im Normalfall der Willenserklärung kommt die Willensbildung fehlerfrei zustande, und es wird der Geschäftswille fehlerfrei erklärt. Dann interessieren die einzelnen Willenselemente nicht näher. Zur gerichtlichen Entscheidung kommen aber oft die Fälle, in denen sich bei der Willensbildung oder bei der Umsetzung des Willens in die Erklärung ein Fehler eingeschlichen hat. Hier taucht die Frage auf, ob eine solche (fehlerhaft zustande gekommene) Willenserklärung überhaupt eine Rechtsfolge auslöst.

Hat A dem B in Hypnose den Mietvertrag gekündigt, hat er bei der Weinversteigerung durch Handaufheben nur dem Freund zuwinken wollen oder hat er sich beim Preis des zu verkaufenden Motorrads versprochen, so fragt sich, ob die auf einem Fehler beruhende

Erklärung überhaupt keine rechtliche Wirkung entfaltet (Schutz des Erklärenden), ob die Erklärung so gilt, als ob sie fehlerfrei zustande gekommen wäre (Schutz des Erklärungsempfängers), oder ob die Erklärung gilt, der Erklärende aber die Möglichkeit hat, diese Wirkung wieder zu beseitigen (so beim Versprechen: Erklärungsirrtum; § 119 I; Rdnr. 365). Diese Fragen werden bei den Willensmängeln (Rdnr. 328) behandelt.

(2) Der Geschäftswille verwirklicht sich in seiner *Äußerung*. Sie ist ein äußer- 86
lich erkennbares Verhalten, das den Willen zum Ausdruck bringt, eine bestimmte Rechtsfolge herbeizuführen. Eine solche Äußerung liegt nur dann vor, wenn man von dem erkennbaren Verhalten auf einen dadurch ausgedrückten Geschäftswillen des Erklärenden zu schließen vermag. Dieses Verhalten kann in vielerlei Weise erfolgen:

(a) Bei einer *ausdrücklichen (direkten, unmittelbaren) Willenserklärung* kommt 87
der Geschäftswille des Erklärenden unmittelbar in der Erklärung zum Ausdruck.

Beispiele: In einem Brief heißt es: »Hiermit nehme ich Ihr Angebot vom 15. 5. an.« K sagt dem V: »Für Ihren Ring zahle ich Ihnen 100,– DM.« Der Erklärende braucht keine juristischen Fachausdrücke zu benutzen; erforderlich ist nur, daß die Erklärung demjenigen, für den sie bestimmt ist, erkennbar macht, welche Rechtsfolge der Erklärende will. Sagt also der Mieter dem Vermieter, er ziehe Ende des Monats aus, so kann der Vermieter darin eine Kündigungserklärung des Mieters erblicken.

(b) Eine *konkludente (indirekte, mittelbare) Willenserklärung* liegt vor, wenn 88
der Handelnde mit seinem Verhalten unmittelbar einen anderen Zweck verfolgt, mittelbar aber seinen Geschäftswillen zum Ausdruck bringt; aus dem Verhalten ist auf den Geschäftswillen zu schließen.

Beispiele: Der Kirmesbesucher besteigt ein Karussell, um damit zu fahren; er gibt konkludent die Willenserklärung zum Abschluß eines entsprechenden Vertrages (Karussellfahren zu dem angeschlagenen Entgelt) ab. – Der Arbeitnehmer sagt seinem Arbeitgeber: »Geben Sie mir sofort meine Papiere.« Damit verlangt er seine Arbeitspapiere heraus, um sich eine andere Arbeitsstelle zu suchen. Der Arbeitgeber kann und muß die Erklärung als fristlose Kündigung des Arbeitsverhältnisses auffassen. – Schickt »Sie« ihrem Verlobten den Verlobungsring und die Verlobungsgeschenke zurück, kann »Er« aus diesem Verhalten auf eine Rücktrittserklärung (vgl. § 1298) schließen.

(c) Ausnahmsweise kann auch in einem *Nichtstun* ein Geschäftswille zum 89
Ausdruck kommen.

Regelmäßig ist jedoch aus dem Schweigen nicht auf eine Willenserklärung zu schließen.

So gilt im Fall d das Schweigen des X nicht als Annahme des Kaufangebots. Deshalb braucht X auch nicht zu zahlen.

Nur dann gilt das Schweigen als Willenserklärung, wenn die Parteien das vereinbart haben oder das Gesetz es bestimmt; das ist insbesondere der Fall, wenn der Schweigende nach Treu und Glauben zu einer Erklärung verpflichtet war (vgl. Rdnr. 201 ff.).

Beispiele: Nach § 362 I HGB ist ein Kaufmann, dessen Gewerbebetrieb die Besorgung von Geschäften für andere mit sich bringt, gehalten, auf ein entsprechendes Angebot eines Geschäftspartners unverzüglich zu antworten, andernfalls sein Schweigen als Annahme des Angebots gilt (HR Rdnr. 287 ff.). In diesem Fall schützt das Gesetz den Geschäftspartner, der aus dem Verhalten des Kaufmanns (aus dem Schweigen) auf eine Annahme schließen kann.

Wenn B und X im Fall d vereinbart hatten, daß B dem X alle Neuerscheinungen auf dem Gebiet der Belletristik zusenden solle und X die übersandten Bücher kaufe, sofern er sie nicht binnen zwei Wochen zurücksende, so ist in dem Schweigen des X innerhalb der genannten Frist eine Annahmeerklärung zu erblicken. Ist die Klausel, daß das Schweigen als Annahme verstanden werde, in den Allgemeinen Geschäftsbedingungen enthalten, die dem Angebot beilagen, so ist sie unwirksam (§ 10 Nr. 5 AGBG; Rdnr. 204 o).

90 2. *Arten*

a) *Empfangsbedürftige Willenserklärungen* sind solche, die *an eine andere Person (den Erklärungsempfänger) gerichtet* sind. Da diese Person in der Lage sein muß, sich auf die durch die Erklärung geschaffene neue Rechtslage einzustellen, ist es zur Wirksamkeit der Erklärung erforderlich, daß der Erklärungsempfänger sie wahrnehmen kann.

Beispiele: Die Kündigungserklärung des Mieters M ist eine empfangsbedürftige Willenserklärung. Der Vermieter muß sich auf die durch die Kündigung bewirkte neue Rechtslage einrichten können; er muß sich einen neuen Mieter suchen. Geht also etwa die Kündigungserklärung auf der Post verloren, wird sie nicht wirksam (vgl. § 130 I 1; Rdnr. 152).

Auch das Vertragsangebot (Rdnr. 168 ff.) ist eine empfangsbedürftige Willenserklärung; der Erklärungsempfänger muß sich schlüssig werden können, ob er das Angebot annimmt oder ablehnt. Die Annahmeerklärung ist ebenfalls empfangsbedürftig; denn der Antragende muß wissen, ob der Vertrag zustande gekommen ist.

91 b) *Nicht empfangsbedürftige Willenserklärungen* sind solche, die *nicht an eine andere Person gerichtet* sind. Hier gibt es keine Person, die sich auf die durch die Willenserklärung geschaffene Rechtslage einstellen müßte.

Beispiel: Das Testament ist eine nicht empfangsbedürftige Willenserklärung. Niemand – weder die im Testament bedachte noch die nicht bedachte Person – hat ein rechtlich schutzwürdiges Interesse daran, schon vor dem Tod des Erblassers zu erfahren, ob er den Erblasser beerbt. Vielleicht will der Erblasser sein Testament vor seinem Tode deshalb geheimhalten, um sich Streitigkeiten mit seinen Angehörigen zu ersparen.

92 3. *Abgrenzung*

Die Willenserklärung ist von Realakten und geschäftsähnlichen Handlungen abzugrenzen.

a) *Realakte* sind solche Handlungen, an welche die Rechtsordnung unabhängig von einem entsprechenden Willen des Handelnden Rechtsfolgen knüpft. Im

Gegensatz zu den Willenserklärungen, bei denen der Rechtserfolg eintritt, weil er gewollt ist, schließen sich an die Realakte die Rechtswirkungen an, gleichgültig, ob sie vom Handelnden gewollt oder nicht gewollt sind (vgl. Mot. I, 127).

Beispiele: A malt auf eine dem B gehörende Leinwand ein Bild. Durch diese »Verarbeitung« der Leinwand zu einem Bild wird A nach § 950 Eigentümer der neuen Sache (des Bildes). Dabei spielt es keine Rolle, ob A diese Rechtsfolge will. Selbst wenn A – etwa infolge geistiger Erkrankung – gar nicht willensfähig ist, erwirbt er kraft Gesetzes (§ 950) das Eigentum. – Wenn X einen Schatz (etwa einen Ring, der so lange verborgen gelegen hat, daß der Eigentümer nicht mehr zu ermitteln ist) entdeckt und an sich nimmt, wird er zur Hälfte Eigentümer der Sache (§ 984); auf einen Willen des X, Eigentum an dem Schatz zu erwerben, kommt es nicht an.

b) *Geschäftsähnliche Handlungen* sind Willensäußerungen oder Mitteilungen, 93
an die das Gesetz Rechtsfolgen knüpft, ohne daß diese vom Äußernden gewollt sein müssen. Dadurch, daß die Rechtsfolge auch ohne einen darauf gerichteten Willen eintritt, unterscheiden sich die geschäftsähnlichen Handlungen von den Willenserklärungen. Andererseits stehen die geschäftsähnlichen Handlungen den Willenserklärungen näher als die Realakte; denn sie enthalten die Äußerung eines Willens oder einer Vorstellung.

Beispiele: Da der Schuldner S dem Gläubiger G die geschuldete Leistung nicht erbringt, mahnt G den S; damit will G erreichen, daß S seine Verpflichtung erfüllt. An diese Mahnung knüpfen §§ 284ff. unter bestimmten weiteren Voraussetzungen den Schuldnerverzug, der den G berechtigt, von S Ersatz des Schadens zu verlangen, der ihm durch den Verzug entstanden ist (§ 286 I; AS Rdnr. 272–278). Diese Rechtsfolge beruht u. a. auf der Mahnung, also auf einer Willensäußerung des G. Sie tritt auch dann ein, wenn es dem G bei der Mahnung nicht um die Herbeiführung der Verzugsfolgen, sondern nur darum geht, den S zur Leistung anzuhalten.

Hat der Großhändler V dem Händler K aufgrund eines Kaufvertrages verdorbene Kartoffeln geliefert (Rdnr. 17) und zeigt K dem V den Mangel sofort an, so handelt es sich bei dieser Unterrichtung des V um eine Mitteilung des K über den Zustand der gelieferten Kartoffeln. Diese Anzeige (§ 377 HGB) löst das Recht des K auf Rückgängigmachung des Kaufs aus (Rdnr. 17). In aller Regel wird der Mangel angezeigt, weil der Käufer den Kauf rückgängig machen will; die Rechtsfolge tritt aber auch dann ein, wenn der Käufer daran zur Zeit der Mitteilung nicht einmal denkt.

Da die geschäftsähnlichen Handlungen den Willenserklärungen nahe kommen, ist jeweils zu prüfen, ob die Vorschriften über die Willenserklärungen auf sie entsprechend anzuwenden sind.

In den Beispielsfällen der Mahnung und der Mängelrüge muß der Handelnde die Bedeutung seiner Handlung erkennen können. Deshalb werden die Vorschriften über die Geschäftsfähigkeit (§§ 104ff.) analog angewandt, so daß die Äußerungen Geisteskranker die erwähnten Rechtsfolgen nicht auslösen.

94 III. Rechtsgeschäft

1. *Begriff*

Das Rechtsgeschäft ist ein Tatbestand, der aus mindestens einer Willenserklärung sowie oft aus weiteren Elementen besteht und an den die Rechtsordnung den Eintritt des gewollten rechtlichen Erfolges knüpft.

a) Das Rechtsgeschäft muß mindestens eine *Willenserklärung*, also eine auf die Erzielung einer Rechtsfolge gerichtete Willensäußerung (Rdnr. 80ff.), enthalten. Die Willenserklärung ist der Kern des Rechtsgeschäfts. Sie ist aber nicht mit dem Rechtsgeschäft identisch. Dennoch verwendet das BGB die beiden Begriffe oft gleichbedeutend nebeneinander (vgl. dazu Mot. I, 126). Manchmal erschöpft sich der Tatbestand des Rechtsgeschäfts in einer Willenserklärung (z. B. Kündigungserklärung). Häufig enthält das Rechtsgeschäft mehrere Willenserklärungen (z. B. Vertrag).

Der Kaufvertrag ist ein Rechtsgeschäft, das aus den Willenserklärungen des Verkäufers und des Käufers besteht.

95 b) Nicht immer wird der Rechtserfolg allein von einer oder mehreren Willenserklärungen herbeigeführt. Oft müssen noch *andere Tatbestandsmerkmale* hinzutreten. Dabei kann es sich beispielsweise um einen Realakt (Rdnr. 92) oder eine behördliche Mitwirkung handeln.

Wenn A das Eigentum an seiner Uhr dem B übertragen will, dann genügt dazu nach § 929, 1 nicht, daß beide sich darüber einig sind, daß das Eigentum übergehen soll, sie also einen Vertrag schließen. Es muß die Übergabe der Uhr von A an B, also ein Realakt, hinzukommen. – Zur Eheschließung genügt nicht ein entsprechender Vertrag der Verlobten. Vielmehr müssen die Willenserklärungen vor dem Standesbeamten abgegeben werden (§ 13 I EheG).

96 c) Die Rechtsfolge tritt nicht schon deshalb ein, weil sie gewollt ist; erforderlich ist, daß die *Rechtsordnung den gewollten Rechtserfolg anerkennt*. Wenn diese den Rechtserfolg mißbilligt, bleibt er trotz eines entsprechenden Willens aus.

So ist z. B. ein wucherischer Kaufvertrag nach § 138 II nichtig (Rdnr. 296). Ein solcher Vertrag führt nicht die von den Vertragsparteien gewollte Rechtsfolge herbei. Ob andere Rechtsfolgen (z. B. ein Schadensersatzanspruch) ausgelöst werden, spielt hier keine Rolle.

97 2. *Arten*

a) *Einseitige Rechtsgeschäfte* enthalten die *Willenserklärung nur einer Person.*

Beispiele: Kündigungserklärung, Anfechtungserklärung (§ 143 I), Testamentserrichtung, Auslobung (§ 657).

98 b) *Mehrseitige Rechtsgeschäfte* enthalten die *Willenserklärungen mehrerer (mindestens zweier) Personen.* Zu den mehrseitigen Rechtsgeschäften gehören Verträge, Gesamtakte und Beschlüsse.

(1) *Verträge* sind die übereinstimmenden, wechselseitigen Willenserklärungen von mindestens zwei Personen (Rdnr. 76).

(2) *Gesamtakte* sind übereinstimmende, gleichgerichtete Willenserklärungen 99
von mindestens zwei Personen. Im Gegensatz zum Vertrag werden nicht korrespondierende, wechselseitige Erklärungen ausgetauscht, sondern gleichlaufende (parallele) Erklärungen abgegeben.

Beispiele: Die Eheleute M und F, die gemeinschaftlich eine Wohnung gemietet haben, wollen das Mietverhältnis kündigen. Deshalb geben M und F je eine Kündigungserklärung gegenüber dem Vermieter ab.

(3) *Beschlüsse* sind gleichgerichtete Willenserklärungen von mehreren Perso- 100
nen in einer Personenvereinigung wie in Gesellschaften und Vereinen. Sie werden gegenüber dem Leiter der Vereinigung parallel abgegeben; sie haben das Ziel, die inneren Rechtsverhältnisse der Vereinigung zu regeln. Aus dem Gesellschaftsvertrag oder der Vereinssatzung und aus dem Gesetz ergibt sich, ob ein einstimmiger Beschluß erforderlich ist oder ein Mehrheitsbeschluß ausreicht. Anders als beim Vertrag oder Gesamtakt brauchen bei einem Mehrheitsbeschluß nicht alle Willenserklärungen übereinzustimmen; der Beschluß ist bindend, wenn die erforderliche Mehrheit erreicht ist.

Beispiel: Die Mitgliederversammlung eines Schützenvereins beschließt mit Mehrheit, daß eine neue Vereinsfahne angeschafft werden soll. Sieht die Vereinssatzung für einen solchen Fall einen Beschluß der Mehrheit der erschienenen Mitglieder vor, dann ist der gefaßte Beschluß vereinsintern auch für die Mitglieder bindend, die gegen die Anschaffung einer Fahne gestimmt haben (Einzelheiten: Rdnr. 694).

§ 5 Verpflichtungs- und Verfügungsgeschäfte, kausale und abstrakte Geschäfte 101

Schrifttum: *Beyerle*, Der dingliche Vertrag, Festschrift f. Boehmer, 1954, 164; *Brandt*, Eigentumserwerb und Austauschgeschäft, 1940; *v. Caemmerer*, Rechtsvergleichung und Reform der Fahrnisübereignung, RabelsZ 12, 675; *Dulckeit*, Die Verdinglichung obligatorischer Rechte, 1951; *Eisenhardt*, Die Einheitlichkeit des Rehtsgeschäfts und die Überwindung des Abstraktionsprinzips, JZ 1991, 271; *Heck*, Das abstrakte dingliche Rechtsgeschäft, 1937; *Kegel*, Verpflichtung und Verfügung, Festschrift f. Mann, 1977, 57; *Krause*, Das Einigungsprinzip und die Neugestaltung des Sachenrechts, AcP 145, 312; *Heinr. Lange*, Rechtsgrundabhängigkeit der Verfügung im Boden- und Fahrnisrecht, AcP 146; 28; *ders.*, Rechtswirklichkeit und Abstraktion, AcP 148, 188; *Rother*, Die Erfüllung durch abstraktes Rechtsgeschäft, AcP 169, 1; *Schreiber/Kreutz*, Der Abstraktionsgrundsatz – Eine Einführung, Jura 1989, 617; *Süß*, Das Traditionsprinzip, ein Atavismus des Sachenrechts, Festschrift f. M. Wolff, 1952, 141; *v. Tuhr*, Zum Begriff der Verfügung nach dem BGB, AcP 117, 193.

Fälle:

a) V verkauft am 1.4. in einem schriftlichen Vertrag ein bestimmtes Gemälde für 2300,–DM an K. Am 2.5. liefert V es dem K. Rechtsstellung des K?

b) Bevor V dem K das verkaufte Gemälde liefert, findet er am 5.4. einen anderen Interessenten (I), der ihm für das Bild 4000,–DM bietet. V schließt mit I einen Kaufvertrag über das Bild und übereignet es sogleich dem I. Rechtslage?

c) Welche Rechtsstellung hat K im Fall a, wenn sich später herausstellt, daß V seit dem 15.4. unerkannt geisteskrank war?

d) Als K im Fall a am 4.5. den Kaufpreis bezahlen will, erkennt V, daß er sich im Vertrag verschrieben hat. Er wollte einen Kaufpreis von 3200,–DM schreiben, vertippte sich und schrieb 2300,–DM. V erklärt dem K sofort, er fechte den Vertrag wegen Irrtums (§ 119 I) an, und verlangt das Bild zurück. Rechtslage?

I. Verpflichtungs- und Verfügungsgeschäfte

1. *Verpflichtungsgeschäfte*

Unter einem Verpflichtungsgeschäft versteht man ein *Rechtsgeschäft, durch das die Verpflichtung zu einer Leistung begründet wird.* Die meisten Verpflichtungsgeschäfte sind im Schuldrecht des BGB enthalten; Hauptbeispiel ist der Kaufvertrag. Er »verpflichtet« den Verkäufer, dem Käufer die verkaufte Sache zu übergeben und zu übereignen (§ 433 I 1); der Käufer erwirbt durch den Kaufvertrag das Recht (den Anspruch, die Forderung) auf Übergabe und Übereignung der Kaufsache. Durch das Verpflichtungsgeschäft (den Kaufvertrag) ändert sich an der Rechtslage des Rechtsobjekts (der Kaufsache) unmittelbar nichts; der Verkäufer bleibt trotz Abschluß des Kaufvertrages Eigentümer der verkauften Sache. Das Verpflichtungsgeschäft bringt also keine unmittelbare Verminderung der Aktiva, wohl aber eine Vermehrung der Passiva des Verpflichteten mit sich.

Wird im Fall a das Gemälde am 2.4. bei V durch den Dieb D gestohlen, kann nur V, nicht aber K von D das Bild nach § 985 herausverlangen; denn V ist trotz des Kaufs weiterhin Eigentümer des Bildes. K hat durch Abschluß des Kaufvertrages am 1.4. einen Anspruch auf Verschaffung des Eigentums am Bild (§ 433 I 1), nicht aber Eigentum an dem Bild erworben.

Meistens ist das Verpflichtungsgeschäft ein *Vertrag* (Rdnr. 69ff.), ausnahmsweise nur ein *einseitiges Rechtsgeschäft* (Rdnr. 97).

102 ### 2. *Verfügungsgeschäfte*

a) Das Verfügungsgeschäft ist ein *Rechtsgeschäft, durch das ein Recht unmittelbar übertragen, belastet, geändert oder aufgehoben wird.* Dadurch wird auf den Bestand eines Rechts im Sinne einer Rechtsminderung eingewirkt.

Beispiele: V *überträgt* im Fall a das Eigentum an seinem Gemälde durch Einigung und Übergabe (§ 929, 1) am 2.5. dem K. Damit geht das Eigentum an dem Bild von V auf K über.

C *belastet* das Eigentum an seinem Ring mit einem Pfandrecht zugunsten des D (§§ 1204 I, 1205 I). Er bleibt zwar Eigentümer des Ringes; an diesem entsteht aber ein Pfandrecht des D. Dieser erwirbt einen vom Eigentum abgespaltenen, verselbständigten Eigentumssplitter; ein Teil der Befugnisse des Eigentümers C steht jetzt dem Pfandgläubiger D zu.

E, der gegen F aufgrund eines Kaufvertrages einen Kaufpreisanspruch in Höhe von 500,– DM hat, vereinbart mit F wegen dessen Zahlungsunfähigkeit in einem Vertrag (§ 305), daß seine Forderung auf Zahlung von 500,– DM dahin *geändert* wird, daß er anstelle von 500,– DM den gebrauchten Fernsehapparat des F bekommt.

G erläßt dem H durch Vertrag (§ 397 I) die Kaufpreisforderung von 200,– DM, die H dem G schuldet; dadurch wird das Recht des G *aufgehoben*.

Durch das Verfügungsgeschäft vermindern sich – im Gegensatz zum Verpflichtungsgeschäft – unmittelbar die Aktiva des Verfügenden. Verfügender ist derjenige, dessen Recht durch die Verfügung vermindert wird oder der sein Recht durch die Verfügung gar verliert, nicht dagegen derjenige, der das Recht vom Verfügenden erwirbt.

Im Fall a verfügt V durch Übereignung am 2. 5. über sein Bild. Er verliert das Eigentum; K erwirbt es.

Viele Verfügungsgeschäfte sind im Sachenrecht geregelt; deshalb spricht man auch von dinglichen Geschäften. Das darf aber nicht darüber hinwegtäuschen, daß sich auch im Schuldrecht Verfügungsgeschäfte finden.

Beispiele für Verfügungsgeschäfte im Sachenrecht: Eigentumsübertragung (§§ 929 ff. für bewegliche Sachen; §§ 873, 925 für Grundstücke).

Beispiele für Verfügungsgeschäfte im Schuldrecht: Abtretung einer Forderung (§ 398; AS Rdnr. 381 ff.); Erlaß einer Forderung (§ 397 I; AS Rdnr. 192).

b) *Voraussetzungen* für ein wirksames Verfügungsgeschäft sind: 103

(1) Das Verfügungsgeschäft besteht meist aus einem *Vertrag*, ausnahmsweise aus einer *einzigen Willenserklärung*.

Beispiele für einen Verfügungsvertrag: V überträgt im Fall a das Eigentum an seinem Gemälde am 2. 5. durch Einigung und Übergabe (§ 929, 1) dem K. Die Einigung ist ein Vertrag zwischen dem Veräußerer V und dem Erwerber K mit dem Inhalt, daß das Eigentum am Bild von V auf K übergehen soll. – X überträgt die ihm gegen den Käufer K zustehende Kaufpreisforderung an Y durch Vertrag zwischen X und Y, wonach die Forderung von X auf Y übergehen soll (§ 398, 1); mit dem Abschluß dieses Vertrages tritt Y als der neue Gläubiger der Forderung an die Stelle des bisherigen Gläubigers X (§ 398, 2).

Beispiel für eine Verfügung mit nur einer Willenserklärung: E will das Eigentum an seiner defekten Uhr aufgeben. Erforderlich sind die Willenserklärung des E zur Eigentumsaufgabe und die Besitzaufgabe (§ 959; Rdnr. 585). Dagegen ist der »Verzicht« des V auf seine Kaufpreisforderung gegen K nicht durch einseitiges Rechtsgeschäft des V möglich; vielmehr müssen V und K einen Erlaßvertrag schließen (§ 397 I).

(2) Oft setzt die Verfügung *weitere Tatbestandsmerkmale* voraus. 104

So verlangt § 929, 1 für die Eigentumsübertragung an einer beweglichen Sache außer dem Einigungsvertrag noch die Übergabe der Sache vom Veräußerer an den Erwerber. – Zur

Übertragung des Eigentums an einem Grundstück ist außer der Auflassung (= dem Einigungsvertrag; §§ 925 I 1; 873 I) die Eintragung in das Grundbuch erforderlich (§ 873 I).

Demgegenüber wird eine Forderung von einer Person auf eine andere allein durch Vertrag zwischen beiden Personen übertragen, ohne daß noch weitere Tatbestandsmerkmale gegeben sein müssen (§ 398, 1).

105 (3) Die Verfügung ist aber immer nur wirksam, wenn dem Verfügenden die *Verfügungsmacht* zusteht. So bezeichnet man die *rechtliche Macht, über ein Recht zu verfügen.*

(a) Regelmäßig steht dem *Inhaber des Rechts* die Verfügungsmacht zu.

So hat der Eigentümer einer Sache oder der Inhaber einer Forderung grundsätzlich auch die Macht, durch Übereignung der Sache (§ 929) oder durch Abtretung der Forderung (§ 398) darüber zu verfügen, so daß der Erwerber Eigentümer der Sache oder Inhaber der Forderung wird.

106 (b) Ausnahmsweise ist nicht der Inhaber des Rechts, sondern *ein anderer verfügungsbefugt*. Voraussetzung dafür ist, daß ihm die Verfügungsmacht durch Gesetz oder Rechtsgeschäft eingeräumt ist.

Beispiele: Trotz der Eröffnung des Konkursverfahrens bleibt E Eigentümer des ihm gehörenden Gemäldes. Dennoch verliert er mit der Eröffnung des Verfahrens die Verfügungsmacht über das Gemälde; diese wird durch den Konkursverwalter ausgeübt (§ 6 KO). Sinn dieser Regelung ist es, den Konkursverwalter in die Lage zu versetzen, das Vermögen des (Gemeinschuldners) E zu Geld zu machen, um damit die Gläubiger des E gleichmäßig zu befriedigen (z. B. Konkursquote: 10 %). Diesem Ziel des Gesetzes würde es widersprechen, wenn der Gemeinschuldner in der Lage wäre, über seine Vermögensgegenstände zu verfügen, sie zu »versilbern«, um den Erlös für sich zu verbrauchen, so daß seine Gläubiger leer ausgehen.

H übereignet das von ihm verkaufte Bild des Eigentümers E an K. Diese Verfügung ist wirksam, wenn E dem H die Verfügungsmacht eingeräumt hat (§ 185 I; Rdnr. 462). Obwohl H nicht Eigentümer ist, erwirbt K das Eigentum, und E verliert es. Diesem geschieht kein Unrecht, da er mit der Verfügung des H einverstanden war.

107 *3. Unterschiede*

Der Unterschied zwischen Verpflichtungs- und Verfügungsgeschäft wird besonders in zwei Punkten deutlich:

a) Das Verfügungsgeschäft setzt für seine Wirksamkeit eine besondere *Macht* des Verfügenden (Verfügungsmacht) voraus; für das Verpflichtungsgeschäft ist eine besondere Macht des sich Verpflichtenden nicht erforderlich.

So kann über das Eigentum an einer Sache grundsätzlich nur der verfügungsberechtigte Eigentümer verfügen und damit das Eigentum an der Sache auf einen anderen übertragen (vgl. § 929). Demgegenüber kann sich auch ein Nichtverfügungsberechtigter in einem Kaufvertrag verpflichten, dem Käufer das Eigentum an der Sache zu verschaffen.

Im Fall b hat V zwei gültige Kaufverträge über das Gemälde geschlossen. Er kann das Eigentum an dem Bild noch auf I übertragen (§ 929, 1), obwohl er es schon an K verkauft hatte; denn durch den Kaufvertrag mit K hat sich an seiner Verfügungsberechtigung als Eigentümer des Bildes nichts geändert. Übereignet er das Gemälde an I, verliert er sein Eigentum; er ist nunmehr also nicht mehr in der Lage, dem K das Eigentum an dem Bild zu verschaffen. K hat gegen V einen Schadensersatzanspruch wegen Nichterfüllung (§§ 440, 325; BS Rdnr. 25). Gegen I hat K regelmäßig keinen Anspruch; lediglich unter den strengen Voraussetzungen des § 826 (vorsätzliche sittenwidrige Schädigung; BS Rdnr. 469ff.) steht ihm ein Schadensersatzanspruch gegen I zu.

Eine Verfügung beschränkt also das rechtliche Können, eine Verpflichtung dagegen nur das Dürfen.

Nachdem V im Fall b das Gemälde an I übereignet hatte, *konnte* er es nicht noch einmal einem anderen übereignen. Obwohl V sich schon gegenüber K zur Übereignung des Gemäldes verpflichtet hatte, konnte er sich auch zur Übereignung an I verpflichten; er *durfte* es aber nicht, da er die Leistung nur einmal erbringen konnte. Deshalb ist er dem K schadensersatzpflichtig.

b) Bei Verfügungen gilt der *Prioritätsgrundsatz*; bei Verpflichtungen besteht **108**
eine solche Rangordnung nicht.

(1) Verfügt jemand mehrmals, so ist nur die zeitlich erste Verfügung wirksam, während alle späteren Verfügungen unwirksam sind (Ausnahme: gutgläubiger Erwerb bei Verfügung eines Nichtberechtigten; vgl. etwa Rdnr. 27, 590).

Tritt der Gläubiger G seine Forderung gegen den Schuldner S auf Zahlung von 500,– DM an D 1, später an D 2 und alsdann an D 3 ab, so erwirbt D 1 (nach § 398) die Forderung gegen S. Die spätere Abtretung von G an D 2 ist wirkungslos, da G in diesem Zeitpunkt schon nicht mehr Gläubiger der Forderung war, also nicht mehr verfügen konnte. Entsprechendes gilt für die Abtretung an D 3.

(2) Demgegenüber ist eine mehrmalige Verpflichtung gegenüber verschiedenen Personen möglich; die zeitlich erste Verpflichtung steht rangmäßig nicht besser als die zeitlich letzte.

V kann sein Radio an K 1, dann an K 2 und schließlich an K 3 wirksam verkaufen. Alle drei Käufer haben einen Anspruch auf Übereignung des Radios. V kann allerdings nur einen der Kaufverträge erfüllen. Wenn er nämlich einmal (z. B. an K 2) übereignet hat, ist er nicht mehr Eigentümer des Radios, so daß er die beiden anderen Verträge nicht mehr erfüllen kann; den beiden anderen Käufern ist er schadensersatzpflichtig (§§ 440, 325).

II. Kausale und abstrakte Geschäfte **109**

1. Einführung

Sowohl durch Verfügungs- als auch durch Verpflichtungsgeschäfte kann dem Geschäftspartner ein Vermögenswert zugewandt werden. Man spricht von Zuwendungen.

Übereignet etwa A an B sein Radio, so wird B um das Radio reicher. – Hat der Verkäufer V aufgrund eines Kaufvertrages einen Kaufpreisanspruch in Höhe von 800,– DM gegen den Käufer K erhalten, so stellt diese Forderung für V einen Vermögenswert dar.

110 a) *Zuwendungen erfolgen nicht ohne Grund.*

(1) Rechtsgrund der Zuwendung sind *nicht die Motive* (= persönlichen Beweggründe), von denen sich der Zuwendende bei der Zuwendung leiten läßt.

Beispiele: A übereignet das Radio dem B aus Mitleid, um den Lebensabend des vereinsamten B zu verschönern, – aus Dankbarkeit, weil B dem A einen guten Rat gegeben hat, – aus »Angabe«, weil er davon ausgeht, daß sich seine Freigebigkeit herumspricht, – aus Berechnung, weil er damit erreichen will, daß B ihn in seinem Testament bedenkt.

Von den vielen möglichen Motiven ist nur ein kleiner Kreis von typischen Zuwendungszwecken rechtlich bedeutsam. Man nennt sie Rechtsgrund der Zuwendung; im römischen Recht bezeichnete man sie als causa.

In den Beispielsfällen geht es trotz der verschiedenen Motive des A um eine unentgeltliche Bereicherung des B (= Schenkung als Rechtsgrund).

111 (2) *Rechtsgrund der Zuwendung ist der Grund, der die Zuwendung rechtfertigt.*

Wenn A dem B nach § 929, 1 das Radio übereignet, so läßt diese Übereignung nicht erkennen, aus welchem Grund sie erfolgt. Es kann sich beispielsweise um die Erfüllung eines zwischen A und B geschlossenen Kaufvertrages oder um die Erfüllung eines Schenkungsvertrages handeln.

Bei der der Übereignung zugrunde liegenden causa unterscheidet man nach römischer Rechtstradition zwischen der causa donandi, der causa credendi und der causa solvendi. Bei der causa donandi soll die Zuwendung eine unentgeltliche Bereicherung bewirken (z. B. Schenkung). Bei der causa credendi (acquirendi, obligandi) soll mit der Zuwendung eine Verpflichtung des andern Teils begründet werden (z. B. mit der Darlehenshingabe wird der Darlehensnehmer verpflichtet, das Empfangene in Sachen von gleicher Art, Güte und Menge zurückzuerstatten; § 607 I; BS Rdnr. 221 ff.). Die Zuwendung erfolgt solvendi causa, wenn der Zuwendende damit eine Schuld tilgen will (z. B. durch Kaufpreiszahlung erfüllt der Käufer seine Verpflichtung aus dem Kaufvertrag).

112 b) Es gibt Rechtsgeschäfte, aus denen sich der Rechtsgrund unmittelbar entnehmen läßt; der Rechtsgrund (die causa) ist Bestandteil des Rechtsgeschäfts. Deshalb bezeichnet man diese Geschäfte als *Kausalgeschäfte*.

Beispiele: Schenkungsvertrag, Kaufvertrag.

Davon sind solche Rechtsgeschäfte zu unterscheiden, zu deren Inhalt die Bestimmung des Rechtsgrundes der Zuwendung nicht gehört; diese Geschäfte sind also losgelöst, abstrahiert vom Rechtsgrund. Man nennt sie *abstrakte Geschäfte*.

Beispiel: Eigentumsübertragung nach § 929, 1.

2. *Kausale Geschäfte* 113

Kausale Geschäfte sind solche *Geschäfte, bei denen der Rechtsgrund (die causa) der Zuwendung zum Inhalt des Geschäfts gehört*. Zu ihnen zählen die meisten Verpflichtungsgeschäfte (Rdnr. 101).

Hauptbeispiel ist der Kaufvertrag. Die Vereinbarung, daß jede der beiden Vertragsparteien für ihre Leistung eine Gegenleistung erhält, ist der Rechtsgrund für den mit dem Kaufvertrag entstehenden Anspruch des Käufers auf Übereignung der Kaufsache und den Anspruch des Verkäufers auf Kaufpreiszahlung.

Hat der Verkäufer die Sache aber nur zum Selbstkostenpreis an seinen Freund verkauft, um ihm einen Gefallen zu tun, so ist dies nur ein rechtlich unbeachtliches Motiv; es ist kein Rechtsgrund des Kaufvertrages.

Da der Rechtsgrund ein Teil des Kausalgeschäfts ist, liegt kein gültiges Kausalgeschäft vor, wenn die Parteien sich nicht über den Rechtsgrund geeinigt haben.

Beispiel: A übereignet dem B einen Hundertmarkschein und will ihm damit ein Darlehen geben, das B zurückzuzahlen hat. B meint aber, A wolle ihm das Geld schenken. Hier fehlt es an einer Einigung über den Rechtsgrund. Dem abstrakten Geschäft der Übereignung des Geldes liegt also kein Kausalgeschäft zugrunde.

3. *Abstrakte Geschäfte* 114

Abstrakte Geschäfte sind *solche Geschäfte, die vom Rechtsgrund der Zuwendung losgelöst* sind. Der Rechtsgrund gehört nicht zum Inhalt des Geschäfts. Zu diesen Geschäften zählen alle Verfügungsgeschäfte (Rdnr. 102) sowie einige im Gesetz besonders geregelte Verpflichtungsgeschäfte.

Abstrakte Verpflichtungsgeschäfte sind das konstitutive Schuldversprechen (§ 780; BS Rdnr. 348ff.), das konstitutive Schuldanerkenntnis (§ 781; BS Rdnr. 348ff.), die Schuldverschreibung auf den Inhaber (§ 793) und vor allem die Verpflichtung aus einem Wechsel oder einem Scheck (nach dem WechselG und dem ScheckG). Alle diese Verpflichtungsgeschäfte sind abstrakt, weil sie – im Gegensatz zu den meisten anderen Verpflichtungsgeschäften – den Rechtsgrund der Verpflichtung nicht enthalten. So ist etwa der Begründung einer Wechselverbindlichkeit nicht zu entnehmen, weshalb diese eingegangen wird; den Grund enthält das zugrunde liegende Kausalgeschäft (z. B. Kauf, Schenkung).

Auch den abstrakten Geschäften liegt regelmäßig ein Rechtsgrund zugrunde. Nur ist dieser nicht Inhalt des abstrakten Geschäfts. Die causa liegt vielmehr in dem einem abstrakten Geschäft zugrunde liegenden Kausalgeschäft.

115 III. Abstraktionsgrundsatz

1. Bedeutung

Bei dem Abstraktionsgrundsatz geht es um eine *rechtliche Trennung von kausalem und abstraktem Geschäft*. Diese Regelung ist zunächst wenig einsichtig, weil es sich bei den verschiedenen Geschäften um einen einzigen tatsächlichen Vorgang handelt.

Beispiel: A will von einem Straßenhändler, der eine Sportzeitung vertreibt, ein Exemplar erwerben. Ohne ein Wort zu sagen, gibt er ihm ein Markstück. Darin ist das Angebot auf Abschluß eines Kaufvertrages über ein Exemplar, das Angebot auf Einigung über den Eigentumsübergang an dem Geldstück und dessen Übergabe zu erblicken. Händigt der Händler ihm ebenfalls wortlos ein Zeitungsexemplar aus, so nimmt er damit das Kaufangebot und das Einigungsangebot des A an. Gleichzeitig übereignet er dem A die Zeitung; dieses Einigungsangebot über die Zeitung nimmt A an. In diesem einheitlichen Vorgang sind drei verschiedene Rechtsgeschäfte (Kauf, Übereignung des Geldes, Übereignung der Zeitung) enthalten.

Es gibt aber auch Fälle, in denen kausales und abstraktes Geschäft tatsächlich auseinanderfallen. Hier wird die rechtliche Trennung von kausalem und abstraktem Geschäft verständlich. Das kausale Geschäft ist oft die Vorstufe des abstrakten Geschäfts und dieses die Erfüllung des Kausalgeschäfts (vgl. § 362 I; AS Rdnr. 162, 166).

Beispiel: Im Fall a ist der Kaufvertrag vom 1.4. die Vorstufe für die Übereignung des Gemäldes am 2.5. Durch die Übereignung wird K Eigentümer des Bildes; gleichzeitig erlischt die Forderung des K gegen V auf Übereignung des Bildes, weil V durch Übereignung den Kaufvertrag erfüllt (vgl. § 362 I; AS Rdnr. 162, 166).

Das Abstraktionsprinzip beruht auf dem römischen Recht und hat sich vor allem unter dem Einfluß von Savigny im vorigen Jahrhundert durchgesetzt; es liegt der Regelung des BGB zugrunde.

Dieses Trennungsprinzip ist aber nicht aus logisch zwingenden Gründen das einzig richtige. Vielmehr gehen viele andere Rechtsordnungen von dem Einheitsprinzip aus, wonach beispielsweise Kaufvertrag und Übereignung rechtlich eine Einheit bilden.

116 *2. Auswirkungen*

Kausales und abstraktes Geschäft sind rechtlich getrennt. Die Gültigkeit des einen hat nicht notwendigerweise die Gültigkeit des anderen zur Folge.

a) *Trotz Gültigkeit des Kausalgeschäfts kann das abstrakte Geschäft ungültig sein.*

Im Fall c war V bei Abschluß des Kaufvertrages geistig gesund, bei der Übereignung geisteskrank. Infolgedessen ist der Kaufvertrag gültig, die Einigung nach § 929, 1 dagegen nichtig (§§ 104 Nr. 2, 105 I; Rdnr. 230). Da K demnach nicht Eigentümer des Gemäldes geworden ist, hat er aufgrund des gültigen Kaufvertrages weiterhin den Anspruch auf Übereignung des Bildes (§ 433 I 1). Dieser Anspruch wird dadurch erfüllt, daß der Betreuer (§ 1902 n. F.) des V sich im Namen des V mit K über den Eigentumsübergang einigt.

b) Das *Fehlen oder die Nichtigkeit des Kausalgeschäfts berührt grundsätzlich nicht die Gültigkeit des abstrakten Geschäfts*, das zur Erfüllung des Kausalgeschäfts abgeschlossen wird. 117

Im Fall d kann V seine Willenserklärung wegen Erklärungsirrtums nach § 119 I anfechten (Rdnr. 365). Da V anficht, ist das Rechtsgeschäft als von Anfang an nichtig anzusehen (§ 142 I; Rdnr. 390). Damit fehlt es an einem gültigen Kaufvertrag. Davon wird aber die Übereignung des Gemäldes nicht berührt. Denn bei der Einigung über den Eigentumsübergang liegt kein Irrtum des V vor; V wollte das Gemälde übereignen, und er tat es auch. Infolgedessen hat V trotz Nichtigkeit des Kaufvertrages sein Eigentum an dem Bild verloren. Ihm steht mangels gültigen Kaufvertrages aber kein Kaufpreisanspruch zu. Andererseits kann V das Bild von K nicht nach § 985 herausverlangen, da er nicht mehr Eigentümer ist. Hier hilft § 812 I 1 dem V: Da K etwas (das Eigentum an dem Bild) durch die Leistung des V (Übereignung des Bildes) ohne rechtlichen Grund (ohne gültigen Kaufvertrag als Kausalgeschäft) erlangt hat, muß er das Erlangte dem V herausgeben (das Bild dem V zurückgeben und zurückübereignen).

3. Gesetzgeberischer Grund 118

Gesetzgeberischer Grund für das Abstraktionsprinzip ist es, *das abstrakte Geschäft von den Mängeln des Kausalgeschäfts unabhängig* zu machen. Damit dient das Prinzip der Sicherheit im Rechtsverkehr.

So ist im Fall d trotz Nichtigkeit des Kaufvertrages (infolge Anfechtung durch V; § 142 I) die Übereignung des Gemäldes an K gültig. Daß diese Regelung der Rechtssicherheit dient, wird besonders deutlich, wenn man sich vorstellt, daß K das Gemälde inzwischen an einen Dritten D weiterverkauft und übereignet hat: Da die Nichtigkeit des Kaufvertrages V–K die Übereignung an K unberührt läßt, erwirbt D vom Eigentümer K das Eigentum. D braucht sich also nicht darüber zu informieren, ob auch das Kausalgeschäft V–K gültig war; selbst wenn er den Mangel dieses Kausalgeschäfts genau kennt, erwirbt er das Eigentum vom Berechtigten (dem Eigentümer K). V kann das Gemälde nicht nach § 985 von D herausverlangen, da D Eigentümer geworden ist.

Auch die Gläubiger eines Schuldners werden durch das Abstraktionsprinzip geschützt: Wenn ihr Schuldner (S) etwa wertvollen Schmuck erworben hat, können die Gläubiger sich darauf verlassen, daß er Eigentümer ist und etwaige Mängel des Kausalgeschäfts, das zum Erwerb des Schmucks geführt hat (z. B. Kaufvertrag zwischen dem Voreigentümer und dem S), das Eigentum des S nicht beeinträchtigen. Deshalb können die Gläubiger des S den Schmuck bei S pfänden und versteigern lassen, ohne etwaige Interventionen des früheren Eigentümers, der den Schmuck an S verkauft und übereignet hat, befürchten zu müssen.

119 *4. Nachteile des Abstraktionsprinzips*

a) Das Abstraktionsprinzip hat auch Nachteile, weshalb es schon vor dem Inkrafttreten des BGB scharf angegriffen worden ist. Man hat ihm vor allem entgegengehalten, daß die Trennung eines einheitlichen Vorgangs (Barkauf des täglichen Lebens) in ein Kausalgeschäft (Kaufvertrag) und abstrakte Geschäfte (Übereignung der Kaufsache; Übereignung des Kaufpreises) der Volksanschauung widerspreche. Diese Trennung ist dem Laien schwer verständlich; sie bereitet dem Studienanfänger erhebliche Schwierigkeiten.

Außerdem wird mit Recht darauf hingewiesen, daß die Sicherheit im Rechtsverkehr, der das Abstraktionsprinzip dienen soll, im Sachenrecht durch die Vorschriften über den gutgläubigen Erwerb vom Nichtberechtigten (Rdnr. 590) gewährleistet sei.

Beispiel: Hat K im Fall d das Gemälde an D weiterverkauft sowie an ihn übereignet und würde die Nichtigkeit des Kaufvertrages auch die Nichtigkeit der Übereignung zur Folge haben (Einheitsprinzip), wäre K kein Eigentümer geworden. Infolgedessen könnte D nicht nach § 929, 1 von K Eigentum erlangt haben. Jedoch käme ein gutgläubiger Erwerb des Eigentums vom Nichtberechtigten nach § 932 in Betracht (Rdnr. 590), wenn D gutgläubig den Veräußerer K für den Eigentümer des Gemäldes hielte.

Das Abstraktionsprinzip bewirkt aber auch heute noch einen Schutz der Rechtssicherheit (des Rechtsverkehrs) überall dort, wo das Gesetz einen Gutglaubensschutz verweigert.

Beispiel: Verkauft A an B seine Darlehensforderung gegen X (§ 433 I 2) und erfüllt er den Kaufvertrag dadurch, daß er die Darlehensforderung durch Vertrag mit B diesem abtritt (§ 398, 1), dann wird B Inhaber der Darlehensforderung gegen X. Daran ändert sich auch nichts, wenn der Kaufvertrag nichtig ist; denn das abstrakte Geschäft (Abtretung, § 398, 1) ist davon unabhängig. Tritt B die Darlehensforderung durch Vertrag an C ab, wird dieser Inhaber der Forderung. Der Mangel des Kaufvertrages A–B spielt für den Forderungsübergang keine Rolle. Anders wäre es, wenn nach dem Einheitsprinzip die Nichtigkeit des Kaufvertrages A–B die Nichtigkeit der Abtretung der Forderung bewirkte. Dann wäre B nicht Inhaber der Darlehensforderung geworden. Er wäre infolgedessen auch nicht in der Lage gewesen, die ihm nicht zustehende Darlehensforderung auf C zu übertragen. Einen gutgläubigen Erwerb der Forderung (durch C) vom Nichtberechtigten (B) kennt das Gesetz – anders als bei § 932 – nicht. Demgemäß würde sich die Nichtigkeit des Kaufvertrages A–B auf den Erwerb der Forderung durch C auswirken. Dieses dem Verkehrsschutz nicht entsprechende Ergebnis wird durch das Abstraktionsprinzip verhindert.

Der Haupteinwand gegen das Abstraktionsprinzip liegt darin, daß es die Interessen des rechtsgrundlos Verfügenden nicht hinreichend schützt, wenn der Verfügungsempfänger weiterveräußert oder wenn seine Gläubiger in den Verfügungsgegenstand die Zwangsvollstreckung betreiben.

Beispiele: Solange sich im Fall d das Gemälde noch bei K befindet, kann V es von ihm bei Nichtigkeit des Kaufvertrages zurückverlangen. Zwar steht ihm kein Herausgabeanspruch nach § 985, wohl aber ein Bereicherungsanspruch nach § 812 I 1 zu (BS Rdnr. 386). Hat K das Gemälde aber an D weiterverkauft und übereignet, kommt V an das Bild nicht mehr heran: Denn nach § 985 kann er gegen D nicht vorgehen, da V nicht mehr Eigentümer des Bildes ist. Ein Bereicherungsanspruch nach § 812 I 1 gegen D scheidet aus, weil D nicht durch die Leistung des V das Bild ohne Rechtsgrund erlangt hat; Bereicherungsschuldner des V ist K, nicht aber D. Von K kann V das Bild nicht nach § 812 I 1 zurückverlangen, weil K das Bild nicht mehr hat. Es bleibt dem V gegen K ein Anspruch auf Wertersatz für das Bild nach § 818 II; aber auch dieser Anspruch führt zu nichts, wenn K inzwischen vermögenslos geworden ist.

Schutzlos ist V im Fall d auch dann, wenn das Gemälde bei K von dessen Gläubiger G gepfändet und versteigert wird. Da V trotz Nichtigkeit des Kaufvertrages das Eigentum an dem Gemälde durch wirksame Übereignung an K verloren hat, muß er die Pfändung und Versteigerung des Gemäldes geschehen lassen, ohne etwas dagegen unternehmen zu können. Der Bereicherungsanspruch (§ 812 I 1) des V gegen K nützt V nichts; denn K hat das Bild nicht mehr, und ein Anspruch auf Wertersatz für das Bild (§ 818 II) ist bei Vermögenslosigkeit des K nicht realisierbar.

b) Um diese Nachteile zu vermeiden, werden verschiedene Wege beschritten: 120

(1) Wenn das kausale und das abstrakte Geschäft eine wirtschaftliche Einheit darstellen, wird vorgeschlagen, sie als eine *Einheit im Sinne des § 139* (Rdnr. 305) zu behandeln. Nach dieser Bestimmung ist grundsätzlich das ganze Rechtsgeschäft nichtig, wenn ein Teil des Rechtsgeschäfts nichtig ist.

Beispiel: Ist der Kaufvertrag (als Teil des Rechtsgeschäfts) nichtig, dann ist auch das ganze Rechtsgeschäft (Kauf und Übereignung der Kaufsache und des Kaufpreises) nichtig.

Jedoch ist diese Auslegung des § 139 als eine unzulässige Umgehung des Abstraktionsprinzips abzulehnen. Das Gesetz will durch die Trennung von kausalem und abstraktem Geschäft das abstrakte Geschäft von den Mängeln des Kausalgeschäfts unabhängig machen. Diesem Willen des Gesetzes widerspricht die Anwendung des § 139.

(2) Man faßt das abstrakte Geschäft als ein *bedingtes Geschäft* auf (vgl. § 158; Rdnr. 430). Das abstrakte Geschäft soll unter der Bedingung stehen, daß das Kausalgeschäft gültig ist. 121

Beispiel: Die Übereignung der Kaufsache erfolgt unter der Bedingung, daß der zugrunde liegende Kaufvertrag gültig ist. Stellt sich heraus, daß der Kaufvertrag (etwa wegen Anfechtung) nichtig ist, dann fehlt die Bedingung, unter der die Übereignung der Kaufsache steht, so daß die Übereignung wegen Fehlens der Bedingung nicht wirksam ist.

Allerdings ist es in aller Regel möglich, das abstrakte Geschäft unter der Bedingung der Gültigkeit des Kausalgeschäfts zu schließen. Ein solches bedingtes abstraktes Geschäft liegt aber nur dann vor, wenn die Geschäftspartner mindestens über die Gültigkeit des Kausalgeschäfts im Ungewissen sind. Daran fehlt es in aller Regel. Es geht nicht an, in jedem Fall eines abstrakten Geschäfts eine solche Bedingung anzunehmen. Wer eine solche Bedingung in das abstrakte Geschäft »hineinkonstruiert«, will damit nur das ungeliebte Abstraktionsprinzip beseitigen und damit den Willen des Gesetzes umgehen.

122 § 6 Die Auslegung des Rechtsgeschäfts

Schrifttum: *Betti*, Zur Grundlegung einer allgemeinen Auslegungslehre, Festschrift f. Rabel, Bd. II, 1954, 79; *Bickel*, Die Methoden der Auslegung rechtsgeschäftlicher Erklärungen, 1976; *Brox*, Die Einschränkung der Irrtumsanfechtung, 1960, 92; *ders.*, Richterliche Gestaltung privater Rechtsverhältnisse, JR 1960, 321; *ders.*, Der Bundesgerichtshof und die Andeutungstheorie, JA 1984, 549; *Danz*, Die Auslegung der Rechtsgeschäfte, 3. Aufl., 1911; *Hager*, Gesetzes- und sittenkonforme Auslegung und Aufrechterhaltung von Rechtsgeschäften, 1983; *Henckel*, Die ergänzende Vertragsauslegung, AcP 159, 106; *Jahr*, Geltung des Gewollten und Geltung des Nicht-Gewollten – Zu Grundfragen des Rechts empfangsbedürftiger Willenserklärungen, JuS 1989, 249; *Kramer*, Grundfragen der vertraglichen Einigung, 1972; *Larenz*, Die Methode der Auslegung des Rechtsgeschäfts, 1930; *F. Leonhard*, Die Auslegung der Rechtsgeschäfte, AcP 120, 14; *Lüderitz*, Auslegung von Rechtsgeschäften, 1966; *Manigk*, Die Methode der Auslegung des Rechtsgeschäfts, JW 1930, 2193; *ders.*, Irrtum und Auslegung, 1918; *M. Reinicke*, Der Satz von der »falsa demonstratio« im Vertragsrecht, JA 1980, 455; *Rhode*, Die Willenserklärung und der Pflichtgedanke im Rechtsverkehr, 1937; *Säcker*, Rechtsgeschäftsauslegung und Vertrauensprinzip, JurA 1971, 509; *Sandrock*, Zur ergänzenden Vertragsauslegung im materiellen und internationalen Schuldvertragsrecht, 1966; *Scherer*, Die Auslegung von Willenserklärungen »klaren und eindeutigen« Wortlauts, Jura 1988, 302; *Stathopoulos*, Zur Methode der Auslegung der Willenserklärung, Festschrift f. Larenz, 1973, 357; Trupp, Die Bedeutung des § 133 BGB für die Auslegung von Willenserklärungen, NJW 1990, 1346; *Wieacker*, Die Methode der Auslegung des Rechtsgeschäfts, JZ 1967, 385; *Wieling*, Die Bedeutung der Regel »falsa demonstratio non nocet« im Vertragsrecht, AcP 172, 297; *ders.*, Falsa demonstratio non nocet, Jura 1979, 524; *Wieser*, Zurechenbarkeit des Erklärungsinhalts?, AcP 184, 40.

Fälle:

a) A vermacht in seinem Testament dem B sein Grundstück »eingetragen im Grundbuch von Mainz, Band 3, Blatt 13«. Nach dem Tod des A verlangt B vom Sohn S als Erben des A dieses Grundstück (vgl. § 1939). S macht geltend, A habe dem B nur sein kleineres Grundstück (Mainz, Band 3, Blatt 31) zuwenden wollen, was A mehrfach gegenüber seinen Verwandten geäußert habe. Kann B von S das größere oder das kleinere Grundstück verlangen?

b) A verkauft dem B in einem notariell beurkundeten Vertrag sein Grundstück (Mainz, Band 3, Blatt 13). Als B später von A Übereignung dieses Grundstücks verlangt, macht A geltend, B könne nur das kleinere Grundstück (Mainz, Band 3, Blatt 31) verlangen. Dieses Grundstück hat A verkaufen wollen, sich jedoch bei der Bezeichnung des Grundstücks geirrt; dieses kleinere Grundstück allein ist auch vor Kaufabschluß von B eingehend besichtigt worden. Was kann B verlangen?

c) Was kann B im Fall b verlangen, wenn A bei den Vertragsverhandlungen das Grundstück fälschlicherweise immer als Mainz, Band 3, Blatt 13 bezeichnet hat und B sich durch Einblick in das Grundbuch von der Lage dieses Grundstücks vergewissert und es vor Kaufabschluß auch besichtigt hat?

d) Die Ärzte A in Aachen und B in Bonn schließen einen Vertrag, wonach sie ihre Praxen tauschen. Kurze Zeit nach dem Tausch kehrt B nach Bonn zurück, um sich in der Nähe seiner früheren Praxis niederzulassen. A meint, B dürfe ihm keine Konkurrenz machen. B entgegnet, ein Konkurrenzverbot bestehe nicht, weil es nicht vereinbart sei.

e) V verpachtet dem P sein Tabakwarengeschäft für fünf Jahre. Im Vertrag wird vereinbart, daß es dem V verboten sein soll, im selben Haus ein solches Geschäft zu betreiben. Darf V vor dem Haus einen Kiosk errichten und dort Tabakwaren verkaufen?

f) Der Grundstückseigentümer E vereinbart mit seinem Nachbarn N, daß dieser an der dem Grundstück des E zugekehrten Wand seines Hauses keine Fenster anbringen darf. Später läßt N in diese Wand Glasbausteine einbauen, um dadurch Licht ins Haus gelangen zu lassen. Mit Recht?

Die Auslegung spielt in der Rechtswissenschaft bei der Gesetzesauslegung und bei der Auslegung des Rechtsgeschäfts eine Rolle. In beiden Fällen ist ein Wille (des Gesetzgebers bzw. des Erklärenden) erklärt; bei der Auslegung ermittelt man, von dem Erklärten (Gesetz bzw. Rechtsgeschäft) ausgehend, den Willen (des Gesetzgebers bzw. des Erklärenden). Außerdem kann sowohl das Gesetz als auch das Rechtsgeschäft eine Lücke enthalten, die durch ergänzende Auslegung ausgefüllt wird. Wegen der aufgeführten Parallelen sollten zuvor die Ausführungen über die Gesetzesauslegung (Rdnr. 58 ff.) noch einmal nachgelesen werden.

I. Einfache Auslegung 123

1. *Ziel, Weg und Bedeutung*

a) Mit der im Rechtsgeschäft enthaltenen Willenserklärung will der Erklärende einen bestimmten Rechtserfolg herbeiführen. Der (innere) Geschäftswille (Rdnr. 84) des Erklärenden erscheint in der (äußeren) Gestalt der Erklärung. Ziel der einfachen Auslegung ist es, *den hinter der Erklärung stehenden Geschäftswillen des Erklärenden zu ermitteln.* Auf diesen Willen kommt es nach dem Grundsatz der Privatautonomie (Rdnr. 73, 24) entscheidend an; denn der einzelne soll seine privaten Lebensverhältnisse nach seinem Willen selbst gestalten können. Im Regelfall decken sich Wille und Erklärung. Zur gerichtlichen Entscheidung kommen aber öfter Fälle, in denen die Erklärung nicht oder nur unvollkommen dem Willen des Erklärenden entspricht.

So kann die Erklärung mehrdeutig sein (z. B. das Verkaufsangebot lautet auf Francs, ohne daß man aus der Erklärung entnehmen kann, welche Francs-Währung gemeint ist). Selbst wenn die Erklärung eindeutig ist (z. B. »ich verkaufe das Bild für 890,– DM«), entspricht sie nicht dem Willen des Erklärenden, wenn dieser sich verschrieben hat (z. B. statt 890,– DM wollte er 980,– DM haben) oder wenn er mit dem in der Erklärung gebrauchten Begriff einen anderen Sinn verbunden hat (z. B. weil der erklärende Ausländer den von ihm benutzten Begriff »verkaufen« im Sinn von »kaufen« verstanden hat).

b) Der Weg zur Ermittlung des Willens *geht von der Erklärung aus.* Dabei darf man aber bei der Auslegung nicht stehen bleiben; denn sonst könnte man z. B. bei einem Versprechen oder Verschreiben den wirklichen Willen des Erklärenden nicht ermitteln. Deshalb bestimmt § 133, daß bei der Auslegung einer Willenserklärung nicht an dem buchstäblichen Sinn des Ausdrucks zu haften, sondern der wirkliche Wille zu erforschen ist. Zu diesem Willen dringt man nur vor, wenn man 124 *alle, auch außerhalb der Erklärung liegenden Umstände mitberücksichtigt*. Deshalb sind außer der Erklärung alle überhaupt erreichbaren Umstände wie Spracheigentümlichkeiten des Erklärenden, Äußerungen gegenüber anderen Personen, Prospekte, Vertragsverhandlungen, Geschäftsbräuche und Verkehrssitten zur Auslegung heranzuziehen.

Beispiele: Aus den Tatsachen, daß der Erklärende aus Frankreich stammt und die von ihm verkauften Sachen aus Frankreich bezieht, ist zu schließen, daß französische Francs gemeint sind. Aus der Preisliste ist zu entnehmen, daß der Wille des Erklärenden auf einen Kaufpreis von 980,– DM gerichtet ist. Aus den Gesten, die der Ausländer bei den Vertragsverhandlungen macht, ist ersichtlich, daß er erwerben und nicht veräußern will.

125 Auch eine eindeutige Erklärung ist nach richtiger Ansicht auszulegen; eine Berücksichtigung aller, auch außerhalb der Erklärung liegenden Umstände kann zu dem Ergebnis führen, daß sich hinter der Erklärung ein anderer Geschäftswille des Erklärenden verbirgt, als der Wortlaut der Erklärung vermuten läßt.

Beispiele: A bietet dem B schriftlich 100 Klaviere zu einem bestimmten Preis zum Kauf an. Aus den Vertragsverhandlungen ergibt sich, daß A und B Waffengeschäfte machen und aus Geheimhaltungsgründen die einzelnen Waffenarten im Schriftverkehr als bestimmte Musikinstrumente bezeichnen. Danach ist die eindeutige Erklärung »Verkauf von 100 Klavieren« als »Verkauf von 100 Maschinengewehren« auszulegen.

X vermacht dem Y testamentarisch »seine Bibliothek«. Durch Vernehmung von Freunden des X kommt der Richter zu der Überzeugung, daß X nur einige Krimis sein eigen nannte und seinen ausgezeichneten Weinkeller scherzhaft als seine Bibliothek bezeichnete. Demnach verbarg sich hinter der eindeutigen Erklärung »Vermächtnis der Bibliothek« der Geschäftswille des X, daß Y seinen Weinbestand als Vermächtnis haben sollte.

126 c) Die Auslegung ist zunächst für die Frage von Bedeutung, ob überhaupt eine Willenserklärung vorliegt.

Beispiel: Wenn A gegenüber B erklärt: »Ja«, so ist unter Heranziehung der Frage des B zu erklären, ob die Antwort des A eine Willenserklärung enthält. Das ist zu bejahen, wenn die Frage lautet: »Wollen Sie meinen Hund für 300,– DM haben?«, und zu verneinen, wenn B fragt, ob A gestern im Zoo gewesen ist.

Ferner kommt es auf die Auslegung an, wenn es darum geht, ob ein Vertrag zustande gekommen ist. Da Angebot und Annahme sich inhaltlich entsprechen müssen (Rdnr. 78, 192), ist bei jeder der beiden Willenserklärungen durch Auslegung der Wille des Erklärenden zu ermitteln. Nur wenn beide Willen sich decken, ist ein Vertrag zustande gekommen.

Beispiel: Lauten Angebot und Annahme bei einem in Deutschland geschlossenen Kaufvertrag auf 1 000,– Francs, meinte die eine Vertragspartei französische, die andere dagegen belgische Francs, dann ist trotz der Übereinstimmung der Erklärungen mangels Willensübereinstimmung kein Vertrag geschlossen.

Schließlich sind auch der abgeschlossene Vertrag und das einseitige Rechtsgeschäft auszulegen, um dadurch festzustellen, welche Rechtsfolgen sich daraus ergeben.

Beispiele: Die Vertragsparteien nehmen in den Vertragstext eine typische Klausel wie »netto Kasse« auf; diese ist dahin auszulegen, daß der Käufer den Kaufpreis bei Empfang der Ware bar und ohne Abzug eines Skontos zu zahlen verpflichtet ist. – Der Mieter schreibt an den Vermieter, er habe eine bessere und billigere Wohnung gefunden, weshalb man sich Ende des Monats trennen müsse; die Auslegung ergibt eine Kündigung zum Monatsende.

2. *Auslegungsmethode* 127

Bei der Auslegung eines Rechtsgeschäfts sind die Interessen des Erklärenden und die des Erklärungsempfängers zu berücksichtigen. Stellt man nur auf die Interessen des Erklärenden ab, ermittelt man dessen wirklichen Willen; stellt man dagegen auf die Interessen des Erklärungsempfängers ab, ermittelt man einen normativen Willen, der nicht mit dem wirklichen Willen des Erklärenden übereinzustimmen braucht. Dementsprechend kann man im ersten Fall von einer natürlichen, im zweiten von einer normativen Auslegung sprechen.

a) Bei der *natürlichen Auslegung* wird der wirkliche Wille des Erklärenden 128 festgestellt (vgl. § 133). Damit wird nur den Erfolgsinteressen des Erklärenden Rechnung getragen, während die Interessen des Erklärungsempfängers unberücksichtigt bleiben. Das ist dann berechtigt, wenn außer dem Erklärenden keine Person vorhanden ist, deren Interessen geschützt werden müßten, oder wenn zwar generell eine andere Person (der Erklärungsempfänger) zu schützen ist, diese aber im Einzelfall ausnahmsweise nicht schutzbedürftig bzw. nicht schutzwürdig ist.

(1) Es gibt Rechtsgeschäfte, bei denen immer nur die Interessen des Erklären- 129 den auf dem Spiele stehen. Hauptbeispiel ist das Testament. Hier gibt es keine Person, die geschützt werden muß. Auch der im Testament Bedachte (Erbe, Vermächtnisnehmer) ist in seinem Vertrauen auf das im Testament Erklärte nicht schutzwürdig. Er ist nicht Erklärungsempfänger; er erwirbt unentgeltlich, da er keine Gegenleistung erbringt. Deshalb ist bei der Testamentsauslegung nur auf die Interessen des Erklärenden abzustellen und dessen wirklicher Wille zu ermitteln, gleichgültig, ob dieser im Wortlaut des Testaments zum Ausdruck kommt oder nicht (str.; vgl. ErbR Rdnr. 194ff.).

Im Fall a muß der Richter – etwa durch Vernehmung der Verwandten des A – ermitteln, ob dieser dem B das größere, im Testament benannte Grundstück (Bd. 3, Bl. 13) oder das kleinere, im Testament nicht genannte Grundstück (Bd. 3, Bl. 31) vermachen wollte. Ergeben die Nachforschungen des Richters, daß A das kleinere Grundstück meinte, gilt das Gewollte, nicht das im Testament Erklärte, so daß B nur Anspruch auf das kleinere Grundstück hat. Kann der Richter jedoch einen vom Wortlaut des Testaments abweichenden Willen des A nicht feststellen, bleibt es bei dem Erklärten.

Entsprechendes gilt für den Weinkeller-Fall (Rdnr. 125); X hat dem Y den Weinbestand, nicht etwa Bücher vermacht.

(2) Bei den meisten Rechtsgeschäften kommt es neben den Interessen des 130 Erklärenden auch auf die Interessen des Erklärungsempfängers an. Die empfangs-

bedürftigen Willenserklärungen (z. B. Kündigungserklärung, Vertragsangebot, Vertragsannahme; Rdnr. 90) berühren auch die Interessen des Empfängers, da er in der Lage sein muß, sich auf die durch die Erklärung geschaffene Rechtslage einzustellen. Wenn hier die Erklärung vom Willen des Erklärenden abweicht (z. B. der Verkäufer will eine Sache für 980,– DM verkaufen, verschreibt sich und erklärt, er biete für 890,– DM an), so fragt es sich, ob der Erklärungsempfänger in seinem Vertrauen auf das Erklärte zu schützen ist. Ein solcher Schutz ist in zwei Fällen nicht erforderlich:

131 (a) Schutzwürdig ist der Erklärungsempfänger dann nicht, *wenn er* trotz der vom Willen des Erklärenden abweichenden Erklärung richtig *erkennt, was der Erklärende gewollt hat.* Dabei spielt es keine Rolle, ob der Erklärende bewußt oder irrtümlich einen Wortlaut gewählt hat, der seinem wirklichen Willen nicht entspricht. Wenn der Erklärungsempfänger weiß, was der Erklärende will, vertraut er nicht auf das Erklärte, so daß entgegen dem Wortlaut das vom Erklärenden Gewollte gilt (vgl. BGH NJW 1984, 721; NJW-RR 1987, 1284).

Beispiele: Gebrauch eines abgesprochenen Code-Wortes (Klavier statt Maschinengewehr; Rdnr. 125).

Bietet A dem B »Haakjöringsköd«, das im Norwegischen Haifischfleisch bedeutet, zum Kauf an, verstanden A und B darunter aber Walfischfleisch, ist das gemeinsam Gemeinte (Walfischfleisch) maßgebend (RGZ 99, 148).

Im Fall b ist trotz der falschen Bezeichnung des Grundstücks im Vertrag das kleinere Grundstück verkauft, da beide Parteien dieses Grundstück meinten; die Formbedürftigkeit des Vertrages gem. § 313 (AS Rdnr. 43) ändert daran nichts (vgl. BGHZ 87, 150, 152).

Wenn der Käufer sich verspricht und coffeinarme Zigarren verlangt, so kommt dennoch ein Vertrag über nikotinarme Zigarren zustande, sofern der Verkäufer erkennt, daß nikotinarme Zigarren gewollt sind.

Eine falsche Bezeichnung schadet also dann nicht, wenn beide Parteien die Erklärung nicht im gemeinverständlichen Wortsinn, sondern übereinstimmend in einem anderen Sinn verstehen (falsa demonstratio non nocet). Entscheidend ist, daß der Empfänger erkennt, was der Erklärende will. Dann gilt das Gewollte, da der Empfänger nicht schutzbedürftig ist.

132 (b) Wenn der Erklärungsempfänger zwar nicht erkennt, was mit der Erklärung gewollt ist, er dies aber *bei Anwendung der ihm zumutbaren Sorgfalt hätte erkennen können*, dann ist er im Vertrauen auf das Erklärte nicht schutzwürdig. Aus der Pflicht zur gegenseitigen Rücksichtnahme folgt für den Erklärungsempfänger, daß er die Erklärung auszulegen hat. Unterläßt er die Auslegung, ist er wegen seines pflichtwidrigen Unterlassens in seinem Vertrauen auf das Erklärte nicht schutzwürdig. Ergibt die Auslegung des Empfängers Anhaltspunkte, daß ein anderer Wille der Erklärung zugrunde liegt, ist dieser Wille aber von ihm nicht mit Gewißheit zu ermitteln, dann ist es ihm zuzumuten, beim Erklärenden nachzufragen. Auf keinen Fall darf er sich dann auf das Erklärte verlassen oder eine mehrdeutige Erklärung einfach in seinem Sinne auslegen.

Beispiele: Bietet X dem Y an, von ihm bestimmte Waren zum Listenpreis zu »kaufen«, obwohl er »verkaufen« will, darf Y sich nicht auf den Wortlaut der Erklärung »kaufen« verlassen, wenn er unter Berücksichtigung der ihm zuvor übersandten Preisliste hätte entnehmen können, daß X sich mit dem Verkauf dieser Waren beschäftigt. Schreibt also Y dem X, daß er das Angebot annehme, dann ist zwischen X als Verkäufer und Y als Käufer ein Kaufvertrag zustande gekommen. – Schreibt X in Köln dem B in München, er biete ihm ein bestimmtes Bild zu 5000,– Francs an, so ist die Erklärung mehrdeutig, da sich nicht ergibt, ob belgische oder französische Francs gemeint sind. Y darf sich nicht die Währung aussuchen, die für ihn am günstigsten ist.

b) Bei der *normativen Auslegung* ermittelt man nicht den wirklichen Willen, **133**
sondern die objektive Bedeutung der Erklärung.

(1) Grund für diese Auslegung ist es, den Interessen des Erklärungsempfängers gerecht zu werden. Dieser muß zwar auch die Erklärung auslegen, um den wirklichen Willen (§ 133) des Erklärenden zu ermitteln; er hat dabei alles zur Auslegung geeignete Material heranzuziehen. Aber trotzdem wird der Empfänger nicht immer in der Lage sein, diesen wirklichen Willen zu erkennen.

Weicht die Erklärung vom wirklichen Willen des Erklärenden ab und steht dem Empfänger außer der Erklärung kein weiteres Auslegungsmaterial zur Verfügung, dann schließt der Empfänger von dem Erklärten auf den Willen des Erklärenden; jedoch deckt sich dieser so ermittelte Wille nicht mit dem wirklichen Willen des Erklärenden.

Schreibt V an K, daß er ihm ein Bild für 890,– DM zum Kauf anbiete, während er in Wirklichkeit für 980,– DM verkaufen wollte, so muß K mangels weiterer Anhaltspunkte aus der Erklärung auf den (in Wirklichkeit nicht vorhandenen) Willen des V schließen, für 890,– DM zu verkaufen.

Steht dem Empfänger bei der Auslegung außer der Erklärung noch weiteres Material zur Verfügung, muß er es ebenfalls seiner Willensermittlung zugrunde legen. Dadurch kann es ihm gelingen, den wirklichen Willen des Erklärenden zu ermitteln. Es ist aber auch möglich, daß der Empfänger bei der Auslegung trotz Berücksichtigung allen Auslegungsmaterials zu einem anderen als dem wirklichen Willen des Erklärenden gelangt.

Kann K aus der Vorkorrespondenz entnehmen, daß V immer an einen Verkauf für 980,– DM dachte, wird K den Schreibfehler in dem Angebot erkennen und den wirklichen Willen des V ermitteln. – Ist dagegen aus Vorkorrespondenz und Prospekt kein Preis ersichtlich, wird K aus dem Angebot (890,– DM) auf einen dementsprechenden Willen des V schließen.

(2) Wägt man die Interessen von Erklärendem und Erklärungsempfänger ge- **134**
geneinander ab, so ist zu berücksichtigen, daß das Abweichen von Wille und Erklärung durch den Erklärenden verursacht wurde, also in seiner Sphäre entstanden ist. Wenn zudem der Erklärungsempfänger mangels entgegenstehenden anderen Auslegungsmaterials auf das Erklärte vertrauen muß, ist es interessengerecht, dem Vertrauensschutz des Empfängers den Vorrang vor dem Erfolgsinteresse des

Erklärenden zu geben. Dann gilt also nicht das vom Erklärenden wirklich Gewollte, sondern das, was der Empfänger aufgrund der Erklärung als das vom Erklärenden Gewollte ansehen kann (vgl. BGH NJW 1984, 721). Dieses Ergebnis wird durch § 157 und § 119 I bestätigt. Nach § 157 ist ein Vertrag so auszulegen, wie Treu und Glauben mit Rücksicht auf die Verkehrssitte es erfordern; damit soll das Vertrauen des Empfängers geschützt werden. Gem. § 119 I kann der Erklärende bei Abweichen von Wille und Erklärung seine Erklärung unter bestimmten Voraussetzungen anfechten. Daraus ergibt sich, daß das Erklärte, nicht das Gewollte gilt; nur hat der Erklärende die Möglichkeit, die seinem Willen nicht entsprechende Erklärung durch Anfechtung (Rdnr. 359 ff.) zu »beseitigen«.

Hat K bei der Auslegung nur die Erklärung zur Verfügung, muß er auf einen Willen des V, das Bild für 890,– DM zu verkaufen, schließen. Nimmt K das so verstandene Angebot des V an, dann ist – entgegen dem wirklichen, aber entsprechend dem normativen Willen des V – ein Kaufvertrag über das Bild zum Preise von 890,– DM zustande gekommen. Allerdings kann V, da er eine Erklärung dieses Inhalts überhaupt nicht abgeben wollte, seine Willenserklärung nach § 119 I anfechten. Tut er das, ist seine Erklärung nach § 142 I als von Anfang an nichtig anzusehen, so daß kein Kaufvertrag besteht.

Demnach ist es für die normative Auslegung entscheidend, wie die Erklärung vom Empfänger bei der ihm zumutbaren Sorgfalt zu verstehen ist *(Auslegung nach dem Empfängerhorizont)*. Ist danach der Erklärungsempfänger in seinem Vertrauen schutzwürdig, tritt die Rechtsfolge ein, die eintreten würde, wenn der Erklärende den Geschäftswillen gehabt hätte, der sich vom Empfängerhorizont aus ergibt.

Im Fall c ist dem B nicht das von A gewollte kleinere Grundstück, sondern das im notariellen Vertrag genannte größere Grundstück verkauft. B durfte sich auch bei Anwendung der ihm zumutbaren Sorgfalt auf das Erklärte verlassen, da A auch bei den Vertragsverhandlungen das Grundstück so bezeichnet hat und B durch Einsicht ins Grundbuch und Besichtigung des dort beschriebenen Grundstücks sich über das Kaufobjekt Klarheit verschafft hat. Zu einem anderen Ergebnis kommt man dann, wenn der Wert des größeren Grundstücks in solchem Maße von dem beurkundeten Kaufpreis abweicht, daß B sich unter Berücksichtigung der ortsüblichen Grundstückspreise hätte sagen müssen, zu einem solchen Preis würde niemand das bezeichnete Grundstück verkaufen.

135 (3) Streitig ist, ob die normative Auslegung auch dann in Betracht kommt, wenn es um die durch Auslegung zu beantwortende Frage geht, ob überhaupt eine Willenserklärung vorliegt. Dieses Problem ergibt sich etwa dann, wenn – wie im Trierer Weinversteigerungsfall – dem Erklärenden das Erklärungsbewußtsein fehlt (Rdnr. 83).

Aus der Sicht des Erklärungsempfängers stellt sich eine Erklärung auch dann, wenn sie ohne Erklärungsbewußtsein abgegeben wird, normalerweise als eine Willenserklärung dar. Hier ist das Vertrauen des Empfängers darauf, daß überhaupt eine Willenserklärung vorliegt, ebenso schutzwürdig, wie wenn der Empfänger darauf vertraut, daß rechtsgeschäftlicher Wille und Erklärung übereinstimmen. Ob die normative Auslegung bei einer Willenserklärung zu einem ganz anderen Ergebnis führt, als der Erklärende gewollt hat, oder ob die Auslegung eines Verhaltens, dem überhaupt kein rechtsgeschäftlicher Wille zugrunde liegt, eine Willenserklärung ergibt, macht keinen Unterschied. In beiden Fällen hat der Handelnde den falschen Eindruck bei dem anderen verursacht; das Handeln ist ihm zuzurechnen. Schutzbedürftig ist der Empfänger in seinem Vertrauen auf die ihm als Willenserklärung erscheinende Handlung, wenn er bei Anwendung der ihm zumutbaren Sorgfalt zu dem Auslegungsergebnis kommen durfte, daß es sich um eine Willenserklärung handele (*Brox*, a. a. O., S. 50ff.; jetzt auch BGHZ 91, 324).

Unterschreibt jemand ein Kaufangebot in der Meinung, es handele sich um ein Glückwunschschreiben, so kann der Empfänger das Schreiben nur als Kaufangebot auffassen. Nimmt er es an, ist ein Kaufvertrag zustande gekommen. Da aber der Erklärende bei Abweichen von Wille und Erklärung seine Willenserklärung durch Anfechtung vernichten kann (§§ 119 I, 142), muß der Handelnde diese Möglichkeit auch dann haben, wenn sein nicht rechtsgeschäftliches Handeln als Willenserklärung aufgefaßt werden darf und deshalb als Willenserklärung gilt. – Im Trierer Weinversteigerungsfall (Rdnr. 83) gilt das gleiche, wenn nicht der Versteigerer erkennen kann, daß der »Bieter« die Ortsbräuche nicht kennt oder offensichtlich nur seinem Freund zuwinken will.

II. Ergänzende Auslegung 136

1. Bedeutung

Ergänzende Auslegung bedeutet Ergänzung des lückenhaften Rechtsgeschäfts. Ergänzt werden können sowohl ein Vertrag als auch ein einseitiges Rechtsgeschäft (z. B. Testament; vgl. ErbR Rdnr. 198). Die ergänzende Auslegung des Vertrages setzt erst ein, nachdem durch natürliche oder normative Auslegung der einzelnen Willenserklärungen ein Vertragsschluß bejaht worden ist. Jetzt kann es sich herausstellen, daß die Vertragsparteien einen bestimmten Punkt im Vertrage nicht geregelt haben. Dabei ist es möglich, daß die Parteien eine Regelung bewußt unterlassen haben, weil sie den betreffenden Punkt nicht für regelungsbedürftig hielten; möglich ist aber auch ein unbewußtes Unterlassen, weil die Parteien eine bestimmte Frage übersehen haben oder gar nicht sehen konnten, da sie zur Zeit des Vertragsschlusses überhaupt noch nicht bestand und erst später auftauchte. Immer setzt die ergänzende Auslegung eine Lücke voraus, die der Richter durch Lückenausfüllung zu schließen hat (vgl. zur ergänzenden Auslegung des Gesetzes: Rdnr. 63ff.).

In häufig vorkommenden Fällen hilft das Gesetz dem Richter bei der Lückenausfüllung, indem es dispositive Regeln (Rdnr. 35) zur Verfügung stellt.

Beispiel: V und K schließen einen Kaufvertrag über eine bestimmte Sache zum Preise von 900,– DM. Der Vertrag enthält keine Regelung für den Fall, daß die Kaufsache mangelhaft sein sollte. Das unterbleibt deshalb, weil die Parteien die Sache für mangelfrei halten. Für diese Lücke gibt das Gesetz selbst ergänzende Normen (vgl. §§ 459, 462). Eine richterliche Ergänzung des Vertrages ist deshalb nicht erforderlich.

Die Auslegung kann aber auch ergeben, daß die dispositiven Regeln zur Lückenausfüllung im Einzelfall nicht passen. Dann darf der Richter nicht auf diese Vorschriften zurückgreifen; er muß vielmehr die Lücke nach den Grundsätzen der ergänzenden Auslegung schließen.

So kann im Beispielsfall die ergänzende Auslegung ergeben, daß die Parteien, wenn sie an die Mangelhaftigkeit der Sache gedacht hätten, dem V das Recht zur Nachbesserung eingeräumt hätten.

137 2. *Lücke*

Voraussetzung für eine ergänzende Auslegung ist, daß eine *Lücke im Rechtsgeschäft* besteht. Ob das der Fall ist, muß durch Auslegung des Rechtsgeschäfts ermittelt werden. Nur darf diese Auslegung nicht bei der Ermittlung des Geschäftswillens stehen bleiben; sie muß darüber hinaus die Motive und Umstände erforschen, die zu dem Geschäftswillen geführt haben. Eine ausfüllungsbedürftige Lücke liegt dann vor, wenn beim Vertragsschluß beide Parteien und bei einem einseitigen Rechtsgeschäft (wie dem Testament) der Erklärende einen bestimmten Umstand nicht oder in falscher Weise berücksichtigt haben. Dabei spielt es keine Rolle, ob die Vertragsparteien bei Vertragsschluß oder etwa der Erblasser bei der Testamentserrichtung einen damals schon vorhandenen Umstand außer acht gelassen haben (= primäre Lücke) oder ob dieser erst später entstanden ist (= sekundäre Lücke; vgl. Rdnr. 64).

Im Fall d liegt keine Lücke hinsichtlich der Zulässigkeit des Betriebs einer Arztpraxis durch B in unmittelbarer Nähe der Praxis des A vor, wenn beide Parteien mit der Rückkehr des B nach Bonn gerechnet haben und bei den Vertragsverhandlungen B dem A gegenüber erkennbar gemacht hat, daß er sich die Möglichkeit vorbehalte, seine Praxis wieder in der Nähe seiner alten Praxis zu betreiben. – Dagegen besteht eine Lücke, sofern A und B bei Vertragsschluß überhaupt nicht daran gedacht haben, daß einer von ihnen seine neue Praxis aufgeben werde und wieder an dem früheren Ort praktizieren wolle (vgl. BGHZ 16, 76).

Im Fall e ist das Problem des Konkurrenzverbots zwar von den Vertragsparteien gesehen und geregelt worden. Haben beide aber nicht an die Möglichkeit gedacht, daß auch von einem vor dem Haus errichteten Kiosk aus Tabakwaren verkauft werden können, dann ist der Vertrag hinsichtlich der Regelung des Konkurrenzverbots insoweit lückenhaft (vgl. RGZ 119, 355).

Im Fall f besteht eine Lücke im Vertrag, wenn die Parteien bei Vertragsschluß nicht an die Möglichkeit dachten, daß auch durch Verwendung von Glasbausteinen Licht in das Gebäude des N gelangen kann, und sie deshalb im Vertrag nur von Fenstern als der nach ihrer Meinung einzigen Lichtquelle sprachen. Dabei ist es unerheblich, ob die Parteien an Glasbausteine noch gar nicht denken konnten, weil es sie bei Vertragsabschluß noch nicht gab, oder ob sie die damals schon bekannte Möglichkeit, Glasbausteine zu verwenden, nicht bedacht haben.

3. *Lückenfüllung* 138

Ist eine regelungsbedürftige Lücke im Rechtsgeschäft festgestellt, muß sie vom Richter geschlossen werden. Er hat zu ermitteln, was bei einem Vertrag beide Parteien gewollt hätten, wenn sie den nicht bedachten Umstand berücksichtigt und hierbei die Gebote von Treu und Glauben sowie der Verkehrssitte beachtet hätten (vgl. § 157). Entscheidend ist also nicht der wirkliche, sondern der hypothetische Wille beider Vertragsparteien. Zur Ermittlung des hypothetischen Willens ist von den im Vertrag getroffenen Wertungen der Parteien auszugehen und zu fragen, was die Parteien bei Kenntnis der Lücke vernünftigerweise vereinbart hätten.

Daß bei der Lückenfüllung die Wertungen der Parteien zugrunde zu legen sind, **139** zeigt das Gesetz in dem von ihm geregelten Spezialfall der Herabsetzung des Kaufpreises bei Mangelhaftigkeit der Kaufsache (= Minderung, § 462; BS Rdnr. 83).

Ist die von V an K für 900,– DM verkaufte Sache mangelhaft, so wird bei der Minderung der Kaufpreis dem Wert der Kaufsache angepaßt. Das geschieht nicht einfach dadurch, daß der Richter den wirklichen Wert der fehlerhaften Sache (z. B. 800,– DM) ermittelt. Der Richter hat vielmehr von der Vereinbarung der Parteien auszugehen. Der vereinbarte Preis (900,– DM) ist im Verhältnis des Wertes der Kaufsache in mangelfreiem Zustand (z. B. 1200,– DM) zu dem in mangelhaftem Zustand (800,– DM), also im Verhältnis 3 : 2, auf 600,– DM herabzusetzen (§ 472 I). Hätte nämlich K anstelle des vereinbarten Preises von 900,– DM den Wert der Sache in mangelhaftem Zustand, also 800,– DM, zu zahlen, so würde er benachteiligt, da er den bei Vertragsschluß erzielten Vorteil eines für ihn günstigen Vertrages (Kauf einer mangelfreien Sache im Wert von 1200,– DM für 900,– DM) verlöre.

Wie der Richter die Wertungen der Parteien bei der Lückenausfüllung zu Ende **140** denken muß, hängt vom Einzelfall ab. Deshalb sind alle Umstände des Falles (Motive, Verkehrssitten, Interessenlage) zu berücksichtigen; oft hilft der von den Parteien mit dem Vertrag verfolgte Zweck weiter.

Hätten die Parteien im Fall d mit einer baldigen Rückkehr des B nach Bonn gerechnet, hätten sie bedacht, daß es dem Übernehmer einer Praxis innerhalb einer kurzen Zeit nicht möglich ist, seine Beziehungen zu den bisher von seinem Vorgänger betreuten Patienten so zu festigen, daß er durch dessen Rückkehr keine wesentliche Einbuße mehr erfahren würde. Da also eine baldige Rückkehr eines Tauschpartners in seinen früheren Praxisbereich den Vertragszweck weitgehend gefährdet, hätten die Parteien ein auf eine bestimmte Zeit begrenztes Rückkehrverbot vereinbart. Dementsprechend ist die Lücke zu schließen (vgl. BGHZ 16, 77ff.).

Im Fall e bezweckten die Parteien durch das Konkurrenzverbot den Schutz des P vor einer Konkurrenz durch V. Dieser Zweck würde nicht erreicht, wenn es dem V erlaubt wäre, vor dem Geschäft des P von einem Kiosk aus Tabakwaren zu verkaufen. Deshalb ist der Vertrag dahin zu ergänzen, daß das Verbot sich auch auf diesen Fall bezieht.

War im Fall f Sinn der Vereinbarung, daß das Grundstück des E nicht einsehbar und keinen Geräuscheinflüssen ausgesetzt ist, dann besteht kein Grund, die Vereinbarung auch auf Glasbausteine zu erstrecken, da die genannten Zwecke auch bei Verwendung von

Glasbausteinen erreicht werden. Sollte dagegen durch die Vereinbarung verhindert werden, daß Licht auf das Grundstück des E fällt, dann muß das Verbot sich auch auf die Verwendung von Glasbausteinen beziehen (vgl. die z. T. andere Begründung des BGH LM Nr. 17 zu § 133 (C) BGB).

141 § 7 Abgabe und Zugang der Willenserklärung

Schrifttum: *Behn*, Das Wirksamwerden von schriftlichen Willenserklärungen mittels Einschreiben, AcP 178, 505; *v. Blume*, Versäumnis des Empfanges von Willenserklärungen, JherJb 51, 1; *Brehm*, Zur automatisierten Willenserklärung, Festschrift f. Niederländer, 1991, 233; *Brinkmann*, Der Zugang von Willenserklärungen, 1984; *Buckenberger*, Fernschreiben und Fernkopien – Formerfordernisse, Absendung und Zugang, DB 1980, 289; *ders.*, Teletex–Formerfordernisse, Absendung und Zugang, DB 1982, 634; *Coester-Waltjen*, Das Wirksamwerden empfangsbedürftiger verkörperter Willenserklärungen, Jura 1992, 272; *dies.*, Einige Probleme des Wirksamwerdens empfangsbedürftiger Willenserklärungen, Jura 1992, 441; *H. Dilcher*, Der Zugang von Willenserklärungen, AcP 154, 120; *Förschler*, Die falsch adressierte Rücktrittserklärung – BGH, NJW 1979, 2032, JuS 1980, 796; *John*, Grundsätzliches zum Wirksamwerden empfangsbedürftiger Willenserklärungen, AcP 184, 385; *Köhler*, Die Problematik automatisierter Rechtsvorgänge, insbesondere von Willenserklärungen, AcP 182, 126; *Müller-Erzbach*, Kundgebungen in fremdem Interessenbereich, JherJb 83, 257; *Oertmann*, Zugehen und Vernehmen, Recht 1906, 721; *A. Roth*, Probleme des postmortalen Zugangs von Willenserklärungen – Ein Beitrag zum Anwendungsbereich des § 130 II BGB, NJW 1992, 791; *Schlechtriem*, Das »Sprachrisiko« – ein neues Problem?, Festschrift f. Weitnauer, 1980, 129; *Titze*, Der Zeitpunkt des Zugehens bei empfangsbedürftigen schriftlichen Willenserklärungen, JherJb 47, 379; *Wedemeyer*, Die Äußerungstheorie im geltenden Recht, DJZ 1912, 252.

Fälle:

a) A heftet an einen Straßenbaum einen Zettel: »Wiederbringer meines entlaufenen Dackels erhält 50,– DM Belohnung!« Muß A diesen Betrag dem B zahlen, wenn dieser den Hund zurückbringt, aber von dem Zettel nichts weiß? (vgl. § 657).

b) Der Mieter M, der nach dem Mietvertrag das Mietverhältnis über seine Wohnung mit einer Monatsfrist zum Monatsende zu kündigen berechtigt ist, schreibt am 15. 1. dem Vermieter V einen Brief, in dem er zu Ende Februar kündigt. Er wirft den Brief am 22. 1. in den Briefkasten. Ist die Kündigung wirksam, wenn M am 20. 1. (23. 1.) geisteskrank wird?

c) Der Mieter (M) einer Maschine will das Mietverhältnis telefonisch kündigen. Deshalb ruft er am Freitagnachmittag im Geschäft des Vermieters (V) an. Wegen Dienstschlusses ist das Telefon nicht mehr besetzt, aber mit einem automatischen Anrufbeantworter verbunden. M erklärt, er kündige das Mietverhältnis zu Ende Februar. V hört am Montag um 9 Uhr das Band ab. Ist die Kündigung wirksam, wenn die Kündigungsfrist am Freitag ablief?

d) V lehnt die Annahme eines Briefes des M ab, weil er Strafporto bezahlen soll. Nach ausreichender Frankierung durch M wird der Brief, der eine Kündigungserklärung enthält, drei Tage später dem V zugestellt. Ist die Kündigung wirksam, obwohl innerhalb der drei Tage die Kündigungsfrist verstrichen ist?

e) Wie ist zu entscheiden, wenn V sich in Urlaub befunden und bei der Post keinen Nachsendungsantrag gestellt hat, so daß er den eingeschriebenen Kündigungsbrief erst nach

Rückkehr aus dem Urlaub und nach Ablauf der Kündigungsfrist auf der Post in Empfang nimmt?

f) Dem 17 Jahre alten V (vgl. § 106) werden von M eine schriftliche Kündigungserklärung und ein schriftliches Vertragsangebot ausgehändigt. Wirksam?

I. Interessenlage

Die Willenserklärung ist als die private Äußerung eines auf einen Rechtserfolg gerichteten Willens definiert worden (Rdnr. 80 ff.). Hat also der Erklärende seinen Geschäftswillen geäußert, ist die Willenserklärung existent. Das genügt aber nicht in allen Fällen für die Wirksamkeit der Willenserklärung. So macht § 130 I 1 die Wirksamkeit einer »Willenserklärung, die einem anderen gegenüber abzugeben ist, ... wenn sie in dessen Abwesenheit abgegeben wird«, davon abhängig, daß die Erklärung dem Empfänger zugeht; die Bestimmung unterscheidet also zwischen Abgabe und Zugang der Willenserklärung. Tatsächlich durchläuft etwa der Brief, der eine Kündigungserklärung enthält, verschiedene Stadien: Er wird vom Erklärenden geschrieben, in den Postkasten geworfen, dem Empfänger von der Post zugestellt und von diesem gelesen; mit dem Einwurf in den Briefkasten tritt er aus der Sphäre des Erklärenden heraus: mit der Zustellung gelangt er in die Sphäre des Empfängers.

Auf dem Weg der Erklärung vom Erklärenden zum Erklärungsempfänger können sich Fehler einschleichen: Die Erklärung kommt verstümmelt beim Empfänger an (statt »verkaufen« heißt es im Ankunftstelegramm »kaufen«); sie wird dem Empfänger von der Post verspätet oder gar überhaupt nicht zugestellt. Hier stellt sich die Frage, ob die Gefahr für solche Fehler vom Erklärenden oder vom Erklärungsempfänger getragen werden soll. Zur gerechten Risikoverteilung muß ein Zeitpunkt für das Wirksamwerden der Willenserklärung aufgrund einer Interessenabwägung bestimmt werden.

Als frühester Zeitpunkt kommt die Äußerung oder Absendung der Erklärung 142
in Betracht. Dann fiele mit der Abgabe der Willenserklärung deren Wirksamwerden zusammen. Diese Lösung, die von der Äußerungs-, Absendungs- oder Entäußerungstheorie vertreten wurde, führt bei nicht empfangsbedürftigen Willenserklärungen wie den Testamenten (Rdnr. 91) zu interessengerechten Ergebnissen; denn hier geht es nur um die Interessen des Erklärenden; ein Erklärungsempfänger, der zu schützen wäre, ist gar nicht vorhanden. Bei empfangsbedürftigen Willenserklärungen wie den Kündigungserklärungen (Rdnr. 90) soll sich aber der Erklärungsempfänger auf die durch die Erklärung geschaffene neue Rechtslage einstellen können; deshalb muß er wenigstens in die Lage versetzt werden, die Willenserklärung wahrzunehmen. Dazu besteht aber bei bloßer Äußerung oder Absendung keine Möglichkeit.

Stellt man andererseits auf den spätesten Zeitpunkt, nämlich den der Kenntnis- 143
nahme durch den Erklärungsempfänger, ab (so die Vernehmungstheorie), trägt der Erklärende das Risiko zu lange, während der Erklärungsempfänger zu Un-

recht auf Kosten des Erklärenden begünstigt wird. Dieser hat nämlich keinen Einfluß darauf, daß der Empfänger die ihm durch die Post zugestellte briefliche Erklärung auch zur Kenntnis nimmt. Liest er etwa alle im Laufe der Woche ankommenden Postsendungen erst am Sonntag, kann eine im Brief enthaltene Kündigungserklärung unwirksam sein, weil die Kündigungsfrist inzwischen verstrichen ist. Nimmt der Empfänger die Erklärung überhaupt nicht wahr, wird sie niemals wirksam.

144 Deshalb muß der Zeitpunkt des Gefahrübergangs zwischen Absendung und Kenntnisnahme liegen. Wenn die Erklärung in die Sphäre des Erklärungsempfängers gelangt, hat dieser in der Regel die Möglichkeit der Kenntnisnahme, während der Erklärende keinen Einfluß darauf hat, daß der Empfänger die Erklärung zur Kenntnis nimmt. Deshalb stellte die im gemeinen Recht herrschende Empfangs- oder Zugangstheorie auf den Empfang oder Zugang beim Erklärungsempfänger ab. Dem ist das BGB gefolgt (vgl. § 130 I 1), weil damit interessengemäße Ergebnisse erzielt werden. Da danach die Äußerung oder Absendung für die Wirksamkeit der empfangsbedürftigen Erklärung nicht ausreicht, geht der Verlust der brieflichen Erklärung auf dem Wege zum Empfänger zu Lasten des Erklärenden. Andererseits ist für das Wirksamwerden der Willenserklärung die Kenntnisnahme durch den Empfänger nicht erforderlich. Es genügt vielmehr, daß die Erklärung in den Bereich des Empfängers gelangt und dieser die Möglichkeit hat, von ihr Kenntnis zu nehmen. Nimmt er dennoch keine Kenntnis, geht das zu Lasten des Empfängers.

145 II. Abgabe der Willenserklärung

1. Voraussetzungen

Bei der Abgabe ist zwischen einer nicht empfangsbedürftigen und einer empfangsbedürftigen Willenserklärung zu unterscheiden:

a) Die Abgabe einer *nicht empfangsbedürftigen Willenserklärung* liegt vor, wenn der Erklärende sich der Erklärung entäußert (sie vollendet, fertiggestellt) hat. Regelmäßig ist eine solche Erklärung mit der Abgabe bereits wirksam.

Die Auslobung im Fall a ist eine nicht empfangsbedürftige Willenserklärung. Sie ist mit dem Anschlag am Straßenbaum abgegeben und auch wirksam, selbst wenn kein Mensch den Anschlag wahrnimmt. A muß dem B die ausgesetzte Belohnung zahlen, »auch wenn dieser nicht mit Rücksicht auf die Auslobung gehandelt hat« (§ 657 a. E.).

146 b) Bei einer *empfangsbedürftigen Willenserklärung* reicht es für die Abgabe nicht aus, daß der Erklärende sich der Erklärung entäußert. Zur Abgabe der Erklärung gehört vielmehr, daß der Erklärende die Erklärung *in Richtung auf den Empfänger in Bewegung setzt* und er bei Zugrundelegung normaler Verhältnisse mit dem *Zugang beim Empfänger rechnen darf*.

(1) Eine *mündliche* Erklärung gegenüber einem *Anwesenden* ist abgegeben, wenn sie so geäußert wird, daß dieser in der Lage ist, sie zu verstehen. Das gilt auch für eine telefonische Erklärung, die vom Gesetz mit Recht wie eine Erklärung unter Anwesenden behandelt wird (vgl. § 147 I 2; Rdnr. 159). **147**

Die Kündigungserklärung des A gegenüber B auf dem Fußballplatz während des Geschreis der Zuschauer ist nicht abgegeben, wenn die Erklärung des A nicht zu verstehen ist. Sofern B die Erklärung verstehen kann, ist diese abgegeben; eine andere Frage ist es, ob sie wirksam wird, wenn B sie tatsächlich nicht versteht (Rdnr. 159). – Die Kündigungserklärung ist abgegeben, wenn sie von A dem B telefonisch erklärt wird, nicht dagegen, wenn A sich verwählt und in der Annahme, den B »an der Leitung zu haben«, sie einem anderen erklärt.

(2) Eine *mündliche* Erklärung gegenüber einem *Abwesenden* kann durch einen Boten geschehen. Handelt es sich um einen Boten des Erklärenden (Erklärungsboten; Rdnr. 369), hat der Erklärende alles getan, damit die Erklärung wirksam wird, wenn er die Erklärung gegenüber dem Boten vollendet und diesem die Weisung gegeben hat, diese Erklärung dem Erklärungsempfänger zu übermitteln. **148**

Sagt A seinem Fahrer F, dieser solle zu B fahren und bestellen, er – A – kündige hiermit den Mietvertrag zum nächstzulässigen Termin, so ist die Kündigungserklärung des A abgegeben. Eine andere Frage ist es, ob die Erklärung dem B auch zugeht und damit wirksam wird. Das ist z. B. nicht der Fall, wenn F seinen Auftrag vergißt.

(3) Eine *schriftliche* Erklärung gegenüber einem *Anwesenden* ist abgegeben, wenn sie diesem zur Entgegennahme überreicht wird. Mit der Herstellung der Urkunde hat sich der Erklärende der Erklärung noch nicht in Richtung auf den Empfänger entäußert. **149**

Solange A die schriftliche Kündigungserklärung dem vor ihm sitzenden B noch nicht ausgehändigt hat, ist die Erklärung noch nicht abgegeben. Das Schreiben der Erklärung bereitet die Abgabe der Willenserklärung lediglich vor. A kann das Schriftstück zurückhalten oder gar zerreißen, so daß mangels Abgabe keine Kündigungserklärung vorliegt.

(4) Eine *schriftliche* Erklärung gegenüber einem *Abwesenden* ist abgegeben, wenn der Erklärende das vollendete Schriftstück in Richtung auf den Erklärungsempfänger auf den Weg gebracht hat, so daß normalerweise mit dem Zugang beim Erklärungsempfänger gerechnet werden kann. **150**

Die in einem *Brief* enthaltene Willenserklärung ist demnach erst dann abgegeben, wenn der Erklärende den Brief selbst in den Postkasten wirft oder jemanden (z. B. in seinem Betrieb, aus seiner Familie) mit der Absendung beauftragt. Läßt er den Brief auf seinem Schreibtisch liegen (z. B. weil er sich »die Sache noch einmal überlegen will«), findet seine Ehefrau den Brief beim Staubputzen auf dem Schreibtisch vor und wirft sie ihn in der Annahme, der Brief sei versehentlich liegen geblieben, in den Briefkasten, liegt keine Abgabe der Willenserklärung vor, da diese nicht mit Willen des Erklärenden auf den Weg zum Empfänger gebracht wird.

Eine *telegraphische* Willenserklärung ist mit der Aufgabe bei der Post abgegeben, weil der Erklärende sie damit auf den Weg zum Empfänger gebracht hat.

Bei der Abgabe einer Willenserklärung durch *moderne Kommunikationsmittel* ist zu unterscheiden:

Beim *Telex-Verfahren* (Fernschreiben) erfolgt die Übermittlung der Erklärung durch das Absendegerät im Augenblick der Niederschrift. Damit ist die Willenserklärung abgegeben.

Beim *Teletex-Verfahren* wird zunächst auf einem Teletex-Gerät die Erklärung hergestellt und elektronisch gespeichert, so daß auch noch Korrekturen möglich sind. Erst auf Veranlassung des Absenders wird der Text auf das Gerät des Empfängers übertragen, und damit ist die Erklärung abgegeben.

Beim *Telefax-Verfahren* (Fernkopieren) wird eine Erklärung hergestellt und der Text dann durch das öffentliche Fernsprechnetz auf das Empfängergerät kopiert. Durch die Veranlassung der Fernkopie ist die Erklärung abgegeben (zu den Gefahren der Manipulation: *Schmittmann*, DB 1993, 2575).

Das *Telebrief-Verfahren* ist ein besonderes Telefax-Verfahren. Weil der Empfänger der Erklärung nicht an das Telefax-System angeschlossen ist, erfolgt die Fernkopie an die Bundespost, welche sie an den Empfänger wie einen Brief weiterbefördert. Die Erklärung wird mit der Fernkopie an die Post abgegeben.

151 *2. Rechtliche Bedeutung*

a) Mit der Abgabe wird die nicht empfangsbedürftige Willenserklärung regelmäßig auch wirksam; für die empfangsbedürftige Willenserklärung ist die Abgabe eine der Wirksamkeitsvoraussetzungen.

b) Für das Vorhandensein bestimmter Eigenschaften des Erklärenden kommt es auf den Zeitpunkt der Abgabe, nicht des Zugangs an. Nach § 130 II ist es auf die Wirksamkeit der Willenserklärung ohne Einfluß, wenn der Erklärende nach der Abgabe stirbt oder geschäftsunfähig wird.

Im Fall b ist die am 22. 1. durch Einwurf in den Postkasten abgegebene Kündigungserklärung nach §§ 104 Nr. 2, 105 I nichtig, wenn M seit dem 20. 1. geisteskrank ist. – Tritt die Geisteskrankheit jedoch erst am 23. 1., also nach Abgabe der Willenserklärung ein, wird davon die Gültigkeit der Willenserklärung nach § 130 II nicht berührt, selbst wenn diese dem V erst am 24. 1. zugeht. Die Kündigung ist also wirksam.

Über die beiden in § 130 II genannten Fälle (Tod, Geschäftsunfähigkeit) hinaus greift der Grundgedanke dieser Bestimmung überall dort ein, wo es um die subjektiven Voraussetzungen der Willenserklärung geht.

So kommt es für die Frage, ob ein zur Anfechtung nach §§ 119 ff. (Rdnr. 365 ff.) berechtigender Irrtum des Erklärenden gegeben ist, auf den Zeitpunkt der Abgabe der Erklärung an.

152 III. Zugang der Willenserklärung

1. Zugang gegenüber einem Abwesenden

Eine empfangsbedürftige Willenserklärung wird nach § 130 I 1 mit dem Zugang beim abwesenden Erklärungsempfänger wirksam.

a) *Zugang* ist nach h. M. dann gegeben, wenn die Willenserklärung so in den Bereich des Erklärungsempfängers gelangt ist, daß er Kenntnis nehmen kann und unter normalen Umständen mit der Kenntnisnahme zu rechnen ist (MünchKomm/*Förschler*, § 130, Rdnr. 10 m. w. N.).

(1) Für den Zugang ist es erforderlich, daß die Erklärung *in den Bereich des Empfängers gelangt* ist. Das ist vielfach der räumliche Machtbereich (Wohnung, Geschäftsräume, Hausbriefkasten). Es reicht aber auch jeder sonstige »Bereich« aus; notwendig ist nur, daß der *Empfänger in der Lage ist, von dem Inhalt der Willenserklärung Kenntnis zu nehmen.*

Wird also während der Öffnungszeit der Post der Brief in das Schließfach des Empfängers oder der postlagernd gesandte Brief zum Abholen bereit gelegt, ist dem Empfänger eine Kenntnisnahme möglich. Geschieht das Bereitlegen jedoch während der Nacht, kann der Empfänger erst am nächsten Morgen nach Öffnung der Post den Brief lesen.

In den Bereich des Erklärungsempfängers ist die Erklärung z. B. dann gelangt, wenn diesem das Telegramm telefonisch zugesprochen wird (RGZ 105, 256), die über ein modernes Kommunikationsmittel (vgl. Rdnr. 150 a. E.) abgegebene Willenserklärung vom Empfangsapparat des Erklärungsempfängers aufgenommen ist.

Im Fall c handelt es sich um eine mündliche Erklärung unter Abwesenden; der Gedanke des § 147 I 2 greift nicht ein, weil M nicht mit V spricht. Mit der Aufnahme auf das angeschlossene Band ist die Erklärung des M in den Machtbereich des V gelangt. Angaben gegenüber einer von ihm selbst zur Empfangnahme geschaffenen Einrichtung muß der Empfänger gegen sich gelten lassen (vgl. aber Rdnr. 153).

Ein an die Heimatanschrift gerichtetes Kündigungsschreiben geht dem im Urlaub befindlichen Arbeitnehmer grundsätzlich mit dem Einwurf in den Hausbriefkasten zu (BGH JZ 1989, 295).

(2) Zum Zugang gehört ferner, daß mit der Möglichkeit der Kenntnisnahme **153**
unter normalen Umständen gerechnet werden kann. Das kann besonders für die Frage wichtig sein, ob eine fristgebundene Willenserklärung (z. B. eine Kündigungserklärung) innerhalb der Frist zugeht. Es kann für den Erklärungsempfänger unbillig sein, wenn man nur auf die Möglichkeit der Kenntnisnahme abstellte; dann wäre nämlich die Erklärung zur »Unzeit« (z. B. um 23.30 Uhr) dem Empfänger zugegangen. Ihm ist es aber nicht zuzumuten, zu jeder Tages- und Nachtzeit nachzuforschen, ob eine Erklärung bei ihm eingegangen ist, und diese auch sofort zur Kenntnis zu nehmen, obwohl er die Möglichkeit dazu hätte. Erst dann, wenn das von dem Empfänger (nach der Verkehrssitte, den Regeln des Lebens, nach allgemeiner Übung) erwartet werden kann, ist die Erklärung ihm zugegangen.

Beispiele: Im Fall c ist die am Freitag nach Geschäftsschluß in den Bereich des V gelangte Erklärung diesem erst am Montagmorgen, also verspätet, zugegangen; denn nach den Gepflogenheiten des Geschäftsbetriebs konnte man nicht erwarten, daß V sich früher Kenntnis verschaffte.

Wird ein Brief an den Empfänger »postlagernd« gesandt, ist er zwar in dessen Bereich gelangt, wenn er für ihn zum Abholen bereit liegt und das Abholen möglich ist; jedoch ist er damit noch nicht zugegangen, wenn der Empfänger mit einer postlagernden Sendung nicht zu rechnen braucht. Dagegen ist der Brief schon mit dem Bereitlegen zugegangen, sofern der Empfänger mit dem Erklärenden postlagernde Sendung vereinbart hatte.

Keine Besonderheiten ergeben sich für den Zugang der über ein modernes Kommunikationsmittel (Rdnr. 150 a. E.) abgegebenen Willenserklärung. Mit ihrer Kenntnisnahme ist zu rechnen, wenn sie während der Geschäftsstunden eingeht, sonst mit dem nächsten Geschäftsstundenbeginn (vgl. *Palandt/Heinrichs*, § 130, Rdnr. 7).

154 b) Der Zugang der Willenserklärung, die über eine *Mittelsperson* an den Empfänger gelangen soll, hängt davon ab, ob diese Mittelsperson Empfangsvertreter, Empfangsbote oder Erklärungsbote ist.

(1) Handelt es sich um einen *Empfangsvertreter* (§ 164 III; Rdnr. 475ff.), so ist die Erklärung dem Vertretenen bereits mit dem Zugang beim Vertreter zugegangen. Eine Weitergabe der Erklärung an den Vertretenen ist für den Zugang nicht erforderlich.

155 (2) Ist die Mittelsperson nicht Vertreter, kann sie *Empfangsbote* sein. Das ist eine Person, die als zur Entgegennahme der Erklärung geeignet und ermächtigt anzusehen ist.

Davon kann der Erklärende regelmäßig etwa bei einem kaufmännischen Angestellten, einer Hausgehilfin und einem Familienangehörigen des Erklärungsempfängers ausgehen. Die Voraussetzungen sind bei Ablieferung einer schriftlichen Erklärung eher gegeben als bei einer mündlichen. Jedoch dürfte es bei einem kleinen Kind an der erforderlichen Eignung zur Entgegennahme auch einer schriftlichen Erklärung für den Erklärenden erkennbar fehlen.

Die Erklärung ist dem Erklärungsempfänger zu dem Zeitpunkt zugegangen, zu dem regelmäßig die Weitergabe an ihn zu erwarten ist (BGH NJW-RR 1989, 757). Übermittelt der Empfangsbote die Erklärung falsch, verspätet oder überhaupt nicht, so geht das zu Lasten des Erklärungsempfängers.

Die Erklärung geht aber überhaupt nicht zu, wenn der Empfangsbote die Entgegennahme einer schriftlichen Erklärung ablehnt (BAG NJW 1993, 1093; dazu Schwarz, NJW 1994, 891).

156 (3) Ist die Mittelsperson auch kein Empfangsbote, trägt der Erklärende die Gefahr der richtigen und rechtzeitigen Übermittlung. Die Mittelsperson ist *Erklärungsbote* des Erklärenden. Dem Erklärungsempfänger geht die Erklärung erst mit der Übermittlung an ihn selbst zu.

157 c) Trotz Zugangs der Willenserklärung wird diese nicht wirksam, wenn dem Empfänger vor dem Zugang oder gleichzeitig mit diesem ein *Widerruf* zugeht (§ 130 I 2). Dieser muß spätestens gleichzeitig mit der Willenserklärung dem Empfänger zugehen; anderenfalls ist dieser in seinem Vertrauen auf die Wirksamkeit der ihm zugegangenen Willenserklärung schutzwürdig.

Beispiele: K nimmt brieflich ein Kaufangebot des V an. Als er den Brief in den Postbriefkasten gesteckt hat, macht X ihm ein wesentlich günstigeres Angebot. Deshalb schickt K sofort ein Telegramm an V, wonach sein Brief nicht gelten soll. Das Telegramm wird dem V telefonisch am selben Tag zugesprochen (= Zugang des Widerrufs), während der Brief am nächsten Tag dem V zugestellt wird (= Zugang der Annahmeerklärung). Die Annahme wird nach § 130 I 2 trotz Zugangs wegen des Widerrufs nicht wirksam. – Wird dagegen das Telegramm dem V erst zugesprochen, nachdem ihm der Brief bereits zugegangen ist, ist und bleibt die Annahmeerklärung wirksam, da der Widerruf zu spät kommt. Weiß V jedoch bei Zugang des Briefes, daß ein Widerruf an ihn unterwegs ist, dann ist er in seinem Vertrauen auf die Wirksamkeit der Annahmeerklärung nicht schutzwürdig; vielmehr muß er sich nach richtiger Ansicht so behandeln lassen, als ob die Widerrufserklärung ihm gleichzeitig mit der Annahmeerklärung zugegangen wäre (a. A. RGZ 91, 63).

d) Eine Bestimmung in *Allgemeinen Geschäftsbedingungen*, wonach z. B. eine Kündigungserklärung des Verwenders der AGB als zugegangen gilt, auch wenn sie den Empfänger nicht erreicht hat, ist unwirksam (§ 10 Nr. 6 AGBG; vgl. Rdnr. 204 o). Die Klausel in AGB, daß die Wirksamkeit von Erklärungen an den Verwender besonderen Zugangserfordernissen unterliegt (z. B. Abgabe nur gegenüber der Kundendienststelle des Verwenders), ist ebenfalls unwirksam (§ 11 Nr. 16 AGBG; Rdnr. 204 o).

2. *Zugang gegenüber einem Anwesenden* 158

Für das Wirksamwerden einer empfangsbedürftigen Willenserklärung gegenüber einem Anwesenden fehlt eine gesetzliche Regelung. Hier ist der Grundgedanke des § 130 zu berücksichtigen und danach zu unterscheiden, ob es sich um eine schriftliche oder mündliche Erklärung handelt.

a) Bei einer *schriftlichen Erklärung* kommt es auf den Zugang beim Empfänger an. Demnach wird die Erklärung regelmäßig mit der Übergabe an den Empfänger wirksam; denn damit kommt die Erklärung in den Machtbereich des Empfängers, und dieser hat in diesem Zeitpunkt die Möglichkeit der Kenntnisnahme.

Wird die schriftliche Erklärung dem Empfänger heimlich in die Tasche gesteckt, ist sie zwar in seinen Bereich gelangt, aber doch noch nicht zugegangen, weil der Empfänger mit einer solchen Art der »Zustellung« nicht zu rechnen braucht.

b) Eine *mündliche Erklärung* gegenüber einem Anwesenden wird mit der 159
Abgabe regelmäßig auch wirksam, da der Empfänger in diesem Zeitpunkt die Erklärung zur Kenntnis nimmt. So stellt die h. M. auf die Vernehmung der Erklärung durch den Erklärungsempfänger ab (Vernehmungstheorie; MünchKomm/*Förschler*, § 130, Rdnr. 3 u. 20). Dem ist für den Regelfall zuzustimmen. Wenn aber die Erklärung vom Empfänger nicht vernommen worden ist, sie aber für ihn vernehmbar war und der Erklärende annehmen konnte, daß der Empfänger sie verstanden habe, ist die Erklärung nach der Vernehmungstheorie nicht zugegangen. Diese Entscheidung zuungunsten des Erklärenden ist nicht interessengerecht und widerspricht der Auffassung vom Zugang nach § 130 I 1; danach kommt es auch nicht auf die Kenntnisnahme der Erklärung durch den Empfänger, sondern darauf an, ob dieser unter normalen Umständen Kenntnis nehmen kann. Wendet man diesen Gedanken hier an, muß Zugang jedenfalls dann angenommen werden, wenn der Erklärende vernünftigerweise keinen

Zweifel daran haben kann, daß der Empfänger die Erklärung verstanden hat (*Erman/Brox*, § 130, Rdnr. 18; *Larenz*, § 21 II c; *Soergel/Hefermehl*, § 130, Rdnr. 21).

Hat also der Empfänger die Erklärung nicht verstanden, weil er schwerhörig ist oder nicht zuhört, so ist die Erklärung zugegangen, wenn der Erklärende keinen Anlaß hatte, aus den Umständen zu schließen, daß der Empfänger die Erklärung nicht richtig vernommen habe.

160 *3. Zugangshindernisse*

Gesetzlich nicht geregelt sind die Fälle, in denen die Willenserklärung wegen eines Verhaltens des Empfängers diesem nicht oder verspätet zugeht. Auch hier kann die Lösung nur unter Abwägung der sich gegenüberstehenden Interessen gefunden werden.

a) Bei einer *Verweigerung* der Annahme der schriftlichen oder des Anhörens der mündlichen Erklärung sind zwei Fallgruppen zu unterscheiden:

(1) Eine *berechtigte* Verweigerung durch den Erklärungsempfänger geht zu Lasten des Erklärenden. Die Erklärung ist nicht zugegangen.

Beispiele: Der Empfänger soll wegen ungenügender Frankierung Strafporto bezahlen (Fall d; die Kündigung ist unwirksam). Die Anschrift des Briefes läßt nicht eindeutig erkennen, ob er an den Empfänger gerichtet ist. Der Erklärungsempfänger hält sich die Ohren zu, weil die mündliche Erklärung Beleidigungen enthält.

(2) Eine *unberechtigte* Verweigerung geht zu Lasten des Erklärungsempfängers. Die Erklärung ist ihm zugegangen; denn der Empfänger war in der Lage, sich vom Inhalt der Erklärung Kenntnis zu verschaffen, und damit konnte unter normalen Umständen gerechnet werden (ähnlich: BGH NJW 1983, 929).

161 b) Eine *Zugangsverzögerung* ist vor allem dann bedeutsam, wenn es auf die Rechtzeitigkeit der Willenserklärung (z. B. fristgemäße Kündigungserklärung) ankommt. Der Erklärungsempfänger kann sich nicht mit Erfolg auf eine Verzögerung berufen, sofern diese ihm zuzurechnen ist. Das ist der Fall, wenn er grundlos und bewußt den rechtzeitigen Zugang vereitelt (Rechtsgedanke des § 162; Rdnr. 445), was allerdings schwer beweisbar sein dürfte. Der Empfänger ist aber auch dann nicht schutzwürdig, wenn er Vorkehrungen für einen rechtzeitigen Zugang der Erklärung unterlassen hat, obwohl es ihm aufgrund besonderer Umstände oblag, Vorsorge für den rechtzeitigen Zugang zu treffen.

Eine solche Obliegenheit kann sich aus einem Vertrage, aus dem Eintritt in Vertragsverhandlungen, aber auch aus der Berufsstellung des Empfängers (z. B. Kaufmann) ergeben. Deshalb muß ein Geschäftsmann die Verlegung seines Geschäftslokals der Post ordnungsgemäß anzeigen. Auf ein Verschulden des Adressaten kommt es dabei nicht an; es genügt, daß die Zugangsverzögerung in seiner Sphäre liegt. Generell hat derjenige, der mit dem Eingang rechtsgeschäftlicher Erklärungen rechnen muß, grundsätzlich Vorsorge dafür zu treffen, daß die Erklärungen ihn auch erreichen. Deshalb hat z. B. der Arbeitnehmer beim Arbeitgeber seine Urlaubsanschrift zu hinterlassen, wenn ihm für die Urlaubszeit eine Kündigungserklärung angekündigt worden war.

Trifft den Empfänger dagegen eine solche Obliegenheit nicht, hat der Erklärende das Verspätungsrisiko zu tragen. Das gilt insbesondere dann, wenn der Erklärende infolge Kenntnis des Hinderungsgrundes damit rechnen mußte, daß der Empfänger von der Erklärung nicht rechtzeitig Kenntnis nehmen konnte.

Übersendet der Vermieter seinem Mieter, der sich in der Türkei zu einem längeren Heimaturlaub aufhält, eine diesem vorher nicht in Aussicht gestellte Kündigung in die Wohnung, obwohl er von dem Urlaub weiß, so geht die Kündigung dem Mieter gewöhnlich erst nach dessen Rückkehr zu.

In allen genannten Fällen geht die Willenserklärung dem Erklärungsempfänger zu. Dieser kann sich auf die Verzögerung nicht berufen, wenn er das Verspätungsrisiko zu tragen hat.

Im Fall e muß V die Kündigung als rechtzeitig gegen sich gelten lassen, wenn ihm diese in Aussicht gestellt worden war. Mußte er dagegen nicht mit einer Kündigung rechnen, geht die Verspätung zu Lasten des M.

c) Eine *Zugangsverhinderung* ist – wie die Zugangsverzögerung – nach der zuvor (Rdnr. 161) getroffenen Interessenabwägung entweder dem Erklärenden oder dem Erklärungsempfänger anzulasten. Im ersten Fall fehlt es an einem Zugang. Im zweiten Fall, in dem die Zugangsverhinderung zu Lasten des Erklärungsempfängers geht, arbeitete man früher mit einer Zugangsfiktion; danach galt die Erklärung dem Empfänger zu dem Zeitpunkt als zugegangen, zu dem sie ohne das vom Empfänger geschaffene Hindernis zugegangen wäre. Nach der heute h. M. (MünchKomm/*Förschler*, § 130, Rdnr. 27) wird dem Erklärenden eine Wahlmöglichkeit eingeräumt. Unternimmt er nichts, bemüht er sich also nicht um einen Zugang, dann treten die Rechtsfolgen der Erklärung nicht ein. Will er aber, daß seine Erklärung wirksam wird, muß er alles ihm Zumutbare und nach der Sachlage Erforderliche unternehmen, die Willenserklärung in den Machtbereich des Erklärungsempfängers gelangen zu lassen. Er muß also so schnell wie möglich den Zugang bewirken. Einen verspäteten Zugang hat der Erklärungsempfänger dann nach Treu und Glauben als rechtzeitig gegen sich gelten zu lassen (BGH LM Nr. 1 zu § 130 BGB). **162**

Kommt der Kündigungsbrief als »unzustellbar« zurück und will der Erklärende weiterhin die Kündigung, muß er sofort erneut einen Zugangsversuch unternehmen (notfalls nach § 132). Geht die Erklärung dann zu, muß sich der Empfänger so behandeln lassen, wie wenn der erste Versuch des Zugangs zum Erfolg geführt hätte.

4. Besondere Fälle des Zugangs **163**

a) Bei dem Wirksamwerden einer *gegenüber einem nicht voll Geschäftsfähigen* abgegebenen Willenserklärung ist danach zu unterscheiden, ob der Empfänger geschäftsunfähig oder beschränkt geschäftsfähig ist. Unerheblich ist es, ob es sich um eine Erklärung unter Ab- oder Anwesenden handelt.

(1) Die Erklärung gegenüber einem *Geschäftsunfähigen* (§ 104; Rdnr. 227 ff.) wird wirksam, wenn sie dem gesetzlichen Vertreter zugeht (§ 131 I). Da der Empfänger sich auf die durch die Erklärung geschaffene Rechtslage einstellen können muß, verlangt das Gesetz die erforderliche Erkenntnisfähigkeit des Empfängers. Diese ist bei einem Geschäftsunfähigen nicht gegeben, so daß die Willenserklärung dem gesetzlichen Vertreter zugehen muß. Der Geschäftsunfähige kann allerdings Erklärungsbote (Rdnr. 156) oder Empfangsbote (Rdnr. 155) sein; Empfangsbote ist er nur dann, wenn er dazu vom gesetzlichen Vertreter eingesetzt worden ist.

164 (2) Für die Erklärung gegenüber einem *beschränkt Geschäftsfähigen* (§ 106; Rdnr. 233 ff.) gilt grundsätzlich das gleiche (§ 131 II 1). Da aber ein beschränkt Geschäftsfähiger eine wirksame Willenserklärung abgeben kann, wenn diese ihm einen lediglich rechtlichen Vorteil bringt (§ 107; Rdnr. 235 ff.) oder der gesetzliche Vertreter eingewilligt hat (vgl. § 111; Rdnr. 248), ist auch eine gegenüber dem beschränkt Geschäftsfähigen abgegebene Willenserklärung in diesen Fällen mit dem Zugang an ihn wirksam (§ 131 II 2); denn dann ist der beschränkt Geschäftsfähige hinreichend geschützt.

Im Fall f bringt das Vertragsangebot dem V lediglich einen rechtlichen Vorteil; denn damit wird ihm nur das Recht eingeräumt, das Angebot anzunehmen. Infolgedessen ist das Vertragsangebot mit dem Zugang bei V nach § 131 II 2 wirksam. Da aber die Kündigungserklärung für V nicht lediglich rechtlich vorteilhaft ist, muß sie, um wirksam zu werden, dem gesetzlichen Vertreter des V zugehen (§ 131 II 1).

165 (3) Die Wirksamkeit einer Willenserklärung gegenüber einem *Bewußtlosen* oder *vorübergehend Geistesgestörten* ist in § 131 nicht geregelt. Eine solche Person hat keinen gesetzlichen Vertreter. Aber eine Willenserklärung, die in einem solchen Zustand abgegeben wird, ist nichtig (§ 105 II). Daraus folgt jedoch noch nicht, daß die Willenserklärung gegenüber einer bewußtlosen oder vorübergehend geistesgestörten Person nicht mit dem Zugang an diese wirksam wird. Vielmehr gilt für die Wirksamkeit der Erklärung gegenüber einem Abwesenden § 130, für die Wirksamkeit der Erklärung gegenüber einem Anwesenden das zuvor Gesagte.

Beispiele: Die briefliche Kündigung wird wirksam, wenn sie in den Hausbriefkasten des Empfängers gelangt und dieser unter normalen Umständen Kenntnis nehmen kann; es ist dabei gleichgültig, ob der Empfänger sinnlos betrunken oder nüchtern ist. – Die mündliche Erklärung gegenüber dem betrunkenen Erklärungsempfänger wird nicht wirksam, weil dieser die Erklärung – für den Erklärenden erkennbar – gar nicht richtig aufnehmen kann.

§ 131 II ist auch auf einen geschäftsfähigen Betreuten im Falle des Einwilligungsvorbehalts anwendbar (§ 1903 I 2; dazu Rdnr. 249a ff., insbes. 249h).

166 b) Die *gegenüber einer Behörde abzugebende (= amtsempfangsbedürftige)* Willenserklärung wird nach § 130 III einer empfangsbedürftigen Willenserklärung gleichgestellt. Für das Wirksamwerden kommt es also auf den Zugang an (§ 130 I 1).

c) *Ersatzmittel für das Zugehen* der Willenserklärung sind einmal die Zustellung der Erklärung durch den Gerichtsvollzieher (§ 132 I) und zum anderen die öffentliche Zustellung durch das Amtsgericht (§ 132 II). **167**

d) Besondere Vorschriften über den Zugang von Annahmeerklärungen bei einem Vertragsschluß enthalten ferner die §§ 151, 152, 156 (Rdnr. 187ff.).

Zweites Kapitel Der Vertragsschluß

168 § 8 Angebot und Annahme

Schrifttum: *Bailas*, Das Problem der Vertragsschließung und der vertragsbegründende Akt, 1962; *Brehmer*, Die Annahme nach § 151 BGB, JuS 1994, 386; *P. Bydlinski*, Probleme des Vertragsabschlusses ohne Annahmeerklärung, JuS 1988, 36; *Diederichsen*, Der »Vertragsschluß« durch kaufmännische Bestätigungsschreiben, JuS 1966, 129; *Fabricius*, Stillschweigen als Willenserklärung, JuS 1966, 1, 50; *Fikentscher*, Lizenzoption, Anbietungspflicht und Vertragserweiterung, Festschrift f. Gernhuber, 1993, 121; *Haupt*, Über faktische Vertragsverhältnisse, 1941; *Henrich*, Vorvertrag, Optionsvertrag, Vorrechtsvertrag, 1965; *N. Hilger*, Die verspätete Annahme, AcP 185, 559; *H. Honsell/Holz-Dahrenstaedt*, Grundprobleme des Vertragsschlusses, JuS 1986, 969; *Kramer*, Grundfragen der vertraglichen Einigung, 1972; *ders.*, Schweigen als Annahme eines Antrags, Jura 1984, 235; *Krause*, Schweigen im Rechtsverkehr, 1933; *Kuchinke*, Zur Dogmatik des Bestätigungsschreibens, JZ 1965, 167; *Leenen*, Abschluß, Zustandekommen und Wirksamkeit des Vertrages, AcP 188, 381; *Mayer-Maly*, Vertrag und Einigung, Festschrift f. Nipperdey, Bd. I, 1965, 509; *ders.*, Von solchen Handlungen, die den Kontrakten in ihrer Wirkung gleichkommen, Festschrift f. Wilburg, 1965, 129; *Schmidt-Rimpler*, Grundfragen einer Erneuerung des Vertragsrechts, AcP 147, 130; *ders.*, Zum Vertragsproblem, Festschrift f. Raiser, 1974, 3; *Simitis*, Die faktischen Vertragsverhältnisse, 1957; *M. Weber*, Der Optionsvertrag, JuS 1990, 249; *Wieacker*, Willenserklärung und sozialtypisches Verhalten, Göttinger Festschrift f. das OLG Celle, 1961, 263.

Fälle:

a) Der Buchhändler B schreibt an seinen Kunden K, er biete ihm einen alten Palandt (50. Auflage) antiquarisch zum Kauf an. K antwortet, er nehme das Angebot an, und verlangt später Lieferung des Palandt. Mit Recht?

b) Wie, wenn B dem K die »neueste Auflage des Palandt, soeben eingetroffen«, anbietet und K das Angebot annimmt?

c) V hat in seinem Schaufenster ein Modellkleid für 1 500,– DM ausgestellt. Frau A, die das Kleid gesehen hat, ruft V an und erklärt, daß sie das Kleid nehme. V antwortet, er werde es ihr zuschicken. Kurz danach sieht Frau B das Kleid, geht sofort in den Laden und erklärt dem V, daß sie das Kleid kaufe. V bedauert, das Kleid sei bereits verkauft. Frau B verlangt das Kleid, da sie das von V im Schaufenster gemachte Angebot angenommen habe. Mit Recht?

d) V bietet dem K in einem am 1. 6. abgeschickten und dem K am 3. 6. durch die Post zugestellten Brief eine Vase für 900,– DM zum Kauf an. K schreibt dem V am Abend des 4. 6. einen Brief, in dem er erklärt, er nehme das Angebot an; dieser Brief geht dem V am 6. 6. zu. Ist ein Kaufvertrag zustande gekommen?

e) Wie, wenn K im Fall d am Morgen des 4. 6. dem V telefonisch mitgeteilt hat, er nehme die Vase für 800,– DM, und V darauf nicht eingegangen ist?

f) Auf das Schreiben des V an K, daß er ihm eine bestimmte Maschine für 5000,– DM zum Kauf anbiete, antwortet K, er sei mit dem Angebot einverstanden, müsse aber darauf bestehen, daß er den Kaufpreis in fünf gleichen Monatsraten zahlen dürfe. Vertragsschluß?

Der Vertrag besteht aus inhaltlich übereinstimmenden Willenserklärungen von mindestens zwei Personen (Rdnr. 77ff.). Die zeitlich erste Willenserklärung bezeichnet man als Antrag oder Angebot, die spätere als Annahme.

I. Angebot

1. Begriff

Das Vertragsangebot (die Offerte, der Antrag; § 145) ist eine *empfangsbedürftige Willenserklärung, durch die ein Vertragsschluß einem anderen so angetragen wird, daß nur von dessen Einverständnis das Zustandekommen des Vertrages abhängt.*

a) Als *empfangsbedürftige Willenserklärung* ist das Angebot nicht schon mit der Abgabe, sondern erst mit dem Zugang beim Empfänger wirksam (Rdnr. 152ff.). Bis dahin kann es widerrufen werden (§ 130 I 2).

b) Da das Zustandekommen des Vertrages von dem Einverständnis des ande- **169**
ren abhängt, muß das Angebot *inhaltlich so bestimmt sein, daß die Annahme durch eine bloße Zustimmung des anderen erfolgen kann.* Voraussetzung dafür, daß der Vertrag etwa durch ein bloßes »Ja« des Annehmenden zustande kommt, ist es, daß das Angebot die wesentlichen Punkte des Vertrages, also beim Kauf den Kaufgegenstand und den Kaufpreis, enthält. Jedenfalls müssen sie bestimmbar sein (vgl. §§ 315ff.; AS Rdnr. 62ff.).

Gibt A seine defekte Uhr dem Uhrmacher U zur Reparatur, dann liegt darin ein Angebot zum Abschluß eines Werkvertrages, selbst wenn von einer Vergütung keine Rede ist, da stillschweigend die übliche Vergütung als vereinbart gilt, wenn U das Angebot annimmt (vgl. § 632).

In den Fällen a und b enthält die Offerte des B keine Angabe des Kaufpreises. Dieser ist im Fall b bestimmbar, da ein Verkauf zum Ladenpreis gemeint ist. Dagegen ist im Fall a nicht erkennbar, wie hoch der Kaufpreis für das antiquarische Buch sein soll. Demnach liegt im Fall a kein wirksames Angebot vor, so daß kein Vertrag zustande kommt und K von B nichts verlangen kann. Im Fall b kann K nach § 433 I 1 Lieferung des Palandt fordern, da ein Vertrag über ein Exemplar der neuesten Auflage des Palandt zum Ladenpreis vorliegt.

Das Angebot ist normalerweise nur dann hinreichend bestimmt, wenn es auch die *Person des Vertragspartners* erkennen läßt. Dem Antragenden ist es in der Regel nicht gleichgültig, mit wem er einen Vertrag schließt. Es gibt aber Fälle, in denen sich jemand seine Vertragspartner nicht aussuchen will und ein individueller Antrag an einzelne Empfänger nicht möglich ist. Hier ist die Erklärung an die Allgemeinheit bereits als Vertragsangebot aufzufassen (sog. Offerte *ad incertas personas*).

Beispiele: Das Aufstellen eines Warenautomaten stellt ein Angebot auf Abschluß eines Kaufvertrages an jeden dar, der das verlangte Geldstück einwirft. Es ist dahin auszulegen, daß es solange gilt, wie der Vorrat reicht und der Apparat funktioniert. Der Betrieb einer Straßenbahn ist ein Angebot auf Abschluß eines Beförderungsvertrages an jedermann.

170 c) Durch Auslegung muß ermittelt werden, ob im Einzelfall ein Angebot oder lediglich eine *Aufforderung zur Offerte (invitatio ad offerendum)* vorliegt. Diese ist kein Angebot, sondern nur eine Aufforderung an andere, ihrerseits ein Angebot zu machen. Derjenige, der zur Abgabe von Angeboten aufgefordert hat, kann das ihm gemachte Angebot annehmen oder ablehnen.

Bei Verlautbarungen an die Allgemeinheit (»Angeboten« in Zeitungsanzeigen, Postwurfsendungen, Katalogen, Schaufenstern) fehlt erkennbar ein Geschäftswille, so daß es sich nicht um Angebote im Rechtssinne, sondern nur um Aufforderungen zu Angeboten handelt. Würden es Angebote sein, könnte eine unbegrenzte Zahl von Personen durch Annahme einen Vertragsschluß zustande bringen. Alle Verträge wären gültig (Rdnr. 107f.); der »Anbieter« könnte möglicherweise nur einen einzigen Vertrag erfüllen und sich gegenüber den anderen Vertragspartnern wegen Nichterfüllung der Verträge schadensersatzpflichtig machen. Ferner könnte jemand das »Angebot« annehmen, den der »Anbieter« z. B. wegen Zahlungsunfähigkeit nicht als Vertragspartner haben will. Diese Schwierigkeiten werden dem »Anbieter« erspart, wenn es sich bei seiner Erklärung nur um eine Aufforderung zur Offerte handelt. Dann machen die anderen das Angebot, und es liegt bei dem »Anbieter«, ob er das Angebot annimmt.

Im Fall c hat Frau B Anspruch auf das Kleid, wenn zwischen ihr und V ein Kaufvertrag über das Kleid zustande gekommen ist. Das ist zu verneinen. Denn das Ausstellen im Fenster war lediglich eine Aufforderung zur Offerte (vgl. auch BGH NJW 1980, 1388). Das Angebot gab Frau B im Laden ab; dieses Angebot lehnte V ab. Dagegen ist ein Vertrag über das Kleid zwischen V und Frau A durch Anruf der Frau A (= Angebot) und Zustimmung des V (= Annahme) entstanden. Wäre das Ausstellen im Fenster bereits das Angebot des V, dann wäre durch die Erklärung der Frau A am Telefon und durch die Erklärung der Frau B im Laden je ein Kaufvertrag über das Kleid zustande gekommen; V könnte aber nur einen der Verträge erfüllen.

171 Die Unterscheidung zwischen Angebot und Aufforderung zum Angebot spielt auch bei falscher Preisauszeichnung eine Rolle.

Ist das Preisschild bei dem Modellkleid verwechselt (1200,– DM statt 1500,– DM) und handelte es sich um ein Angebot, dann käme durch Erklärung einer Kundin, sie nehme das Kleid, ein Kaufvertrag zu dem im Schaufenster angegebenen Preis zustande. V könnte seine falsche Erklärung lediglich anfechten (§ 119 I; Rdnr. 365). Da es sich bei der Ausstellung im Fenster aber nur um eine Aufforderung zur Offerte handelt, kann V das Angebot der Kundin, sie nehme das Kleid zu dem angegebenen Preis, ablehnen. Damit liegt kein Vertrag vor; einer Anfechtung des V bedarf es nicht.

2. *Wirkung* 172

a) Im Interesse des Empfängers bestimmt § 145, daß der Antragende *an seinen Antrag gebunden* ist. Der Antrag ist also unwiderruflich; der Antragende kann sich nicht einseitig – wohl aber mit Zustimmung des durch die Vorschrift geschützten Empfängers – von seinem Antrag lossagen. Durch die Bindung des Antragenden erlangt der Empfänger eine günstige Rechtsposition: Er kann das Angebot annehmen oder ablehnen.

Voraussetzung für die Unwiderruflichkeit ist es, daß das Angebot nicht nur abgegeben, sondern dem Empfänger auch zugegangen ist; denn damit wird die Erklärung erst wirksam. Bis zu diesem Zeitpunkt ist ein Widerruf zulässig (§ 130 I 2; Rdnr. 157).

b) Im Interesse des Antragenden kann die Bindung jedoch ausgeschlossen oder befristet sein. 173

(1) Der Antragende kann seine *Gebundenheit ausschließen* (§ 145 a. E.). Voraussetzung dafür ist, daß das Angebot selbst den Ausschluß der Gebundenheit enthält oder der Ausschluß wenigstens gleichzeitig mit dem Angebot dem Empfänger zugeht.

Oft verwendet der Antragende Ausdrücke wie »freibleibend« oder »ohne obligo«. Damit kann gemeint sein, daß der Antragende sich vorbehält, nach Zugang der Annahmeerklärung zu widersprechen, so daß dann kein Vertrag zustande kommt. In diesem Fall ist nach Treu und Glauben vom Antragenden zu verlangen, daß er unverzüglich widerspricht, wenn er den Vertrag nicht will; schweigt er auf die Annahmeerklärung, muß der Empfänger das als endgültige Zustimmung ansehen. – Die genannten Klauseln können vom Antragenden aber auch als Vertragsinhalt gewollt sein. Dann kommt durch Annahme der Vertrag mit der Klausel zustande; diese schließt dann nicht die Bindung an den Antrag aus, sie berechtigt den Antragenden, sich von dem geschlossenen Vertrag loszusagen (vertragliches Rücktrittsrecht; §§ 346ff.; AS Rdnr. 199ff.).

(2) Zum Schutze des Antragenden darf die Bindung an seinen Antrag nicht »bis in alle Ewigkeit dauern«. Deshalb kann er selbst dafür sorgen, daß sein *Angebot erlischt*. Auch das Gesetz enthält Bestimmungen über das Erlöschen des Antrags. 174

3. *Erlöschen des Angebots* 175

a) *Erlöschensgründe* sind die Ablehnung des Antrags und der Ablauf der Annahmefrist, regelmäßig aber nicht Tod oder Geschäftsunfähigkeit des Antragenden.

(1) Bei der *Ablehnung* des Antrags gegenüber dem Antragenden (§ 146) handelt es sich um eine empfangsbedürftige Willenserklärung. Eine Ablehnung liegt auch dann vor, wenn das Angebot »unter Erweiterungen, Einschränkungen oder sonstigen Änderungen« angenommen wird (§ 150 II); eine solche »Annahme«, die rechtlich keine Annahme ist, stellt einen neuen Antrag dar (§ 150 II), der von der anderen Seite angenommen oder abgelehnt werden kann.

Im Fall e hat K in dem Telefongespräch das Angebot des V abgelehnt, da er nur 800,– DM bezahlen wollte. Dieses neue Angebot des K ist von V am Telefon abgelehnt worden. Als K an V schreibt, er nehme das Angebot des V an, lag infolge Erlöschens des Angebots des V kein Angebot mehr vor, das hätte angenommen werden können. Das Schreiben ist als neues Angebot des K (Kauf der Vase für 900,– DM) aufzufassen. Es liegt bei V, ob er es annimmt oder ablehnt.

176 (2) Wird das Angebot nicht rechtzeitig angenommen, erlischt es (§ 146; *Fristablauf*).

a) Die *Fristbestimmung* erfolgt in erster Linie *durch den Antragenden*; ist das geschehen, kann die Annahme nur innerhalb der Frist erfolgen (§ 148). Der Antragende kann im Angebot einen Zeitpunkt als Endtermin (z. B. bis zum 10. 6.) oder einen Zeitraum (z. B. innerhalb einer Woche) für die Annahme bestimmen.

Da der Antragende wissen will, ob ein Vertrag zustande gekommen, die Frist abgelaufen und er nicht mehr gebunden ist, muß grundsätzlich davon ausgegangen werden, daß die angegebene Frist mit dem Datum des Antrags (nicht mit dessen Zugang beim Empfänger) beginnen soll und daß die Annahmeerklärung bis zum Ablauf der Frist dem Antragenden zugegangen (nicht bloß abgesandt) sein muß. Selbstverständlich kann der Antragende etwas anderes bestimmen (z. B. daß Absendung der Annahme innerhalb der Frist genügt). Auch aus den Umständen des Einzelfalles kann sich eine Fristsetzung ergeben. So läßt der Satz im Angebotsschreiben »Erbitte telegraphische Antwort« auf den Willen des Antragenden schließen, daß die Frist kürzer sein soll als bei einer normalen brieflichen Antwort.

177 (b) Mangels Fristbestimmung durch den Antragenden erfolgt die *Fristbestimmung durch das Gesetz*:

Nach § 147 I kann der einem Anwesenden oder der telefonisch gemachte Antrag nur sofort angenommen werden. Der Empfänger muß sich also sofort entscheiden. Stimmt er dem Angebot nicht sofort zu, erlischt es.

Antwortet der Empfänger eines telefonischen Angebots, er wolle sich die Sache überlegen und rufe innerhalb von einer Stunde zurück, und ist der Antragende damit einverstanden, so ist aus diesem Verhalten des Antragenden zu schließen, daß er sein Angebot innerhalb der nächsten Stunde aufrechterhält. In diesem Falle ist § 147 I abbedungen; es gilt die Frist von einer Stunde (§ 148).

178 Nach § 147 II kann der einem *Abwesenden* gemachte Antrag nur bis zu dem Zeitpunkt angenommen werden, in dem der Antragende den Eingang der Antwort unter regelmäßigen Umständen erwarten darf. Im Interesse des Antragenden stellt das Gesetz darauf ab, wann er normalerweise mit dem Zugang der Annahmeerklärung rechnen darf. Bei der Fristberechnung sind die Zeiten für das Zugehen des Antrags beim Empfänger, für das Überlegen und Beantworten sowie für das Zugehen der Antwort beim Antragenden zu berücksichtigen.

In Rechnung zu stellen sind etwa: normale Dauer der Beförderung durch das gewählte Beförderungsmittel, Ankunft im Geschäftslokal am arbeitsfreien Wochenende, Dauer der Überlegungszeit nach der Wichtigkeit und dem Umfang des Angebots. Danach hat K im Fall d das Angebot des V rechtzeitig angenommen.

Auch außergewöhnliche Umstände (Poststreik, Krankenhausaufenthalt des Empfängers) sind vom Antragenden zu beachten, wenn sie ihm bekannt sind; denn dann muß er mit einer weiteren Verzögerung rechnen.

Die Hinweise zeigen, daß es nicht möglich ist, die Annahmefrist gesetzlich näher zu bestimmen. Das kann zu der Unsicherheit führen, wie lang im Einzelfall die Frist ist. Deshalb wird der Antragende, dem an einer klaren Fristbestimmung gelegen ist, selbst sein Angebot befristen.

Eine Bestimmung in Allgemeinen Geschäftsbedingungen, wonach sich der Verwender eine unangemessen lange oder eine nicht hinreichend bestimmte Frist für die Annahme oder Ablehnung des Angebots vorbehält, ist unwirksam (§ 10 Nr. 1 AGBG; vgl. Rdnr. 204 o). Die in Neuwagen-Verkaufsbedingungen enthaltene vierwöchige Bindungsfrist des Käufers ist nicht unangemessen lang (BGHZ 109, 359).

(3) *Keine Erlöschensgründe* sind regelmäßig der *Tod* und die *Geschäftsunfähigkeit des Antragenden* (§ 153). Diese Bestimmung ergänzt § 130 II; danach ist es auf die Wirksamkeit einer Willenserklärung ohne Einfluß, wenn der Erklärende zwischen Abgabe und Zugang der Willenserklärung stirbt oder geschäftsunfähig wird (Rdnr. 151). § 153 fügt dem hinzu, daß ein Angebot auch noch angenommen werden kann, wenn der Antragende stirbt oder geschäftsunfähig wird, gleichgültig, ob der Tod oder die Geschäftsunfähigkeit vor oder nach dem Zugang des Angebots eintritt. Die Annahme ist dann gegenüber den Erben des Verstorbenen oder dem gesetzlichen Vertreter des Geschäftsunfähigen abzugeben. 179

Ausnahmsweise erlischt das Angebot bei Tod oder Geschäftsunfähigkeit, wenn ein solcher Wille des Antragenden anzunehmen ist (§ 153 a. E.). Da der Antragende sich bei Abgabe der Erklärung keine Gedanken über Tod oder Geschäftsunfähigkeit gemacht haben dürfte, kommt es auf den hypothetischen Willen des Antragenden an. Entscheidend ist, was er bestimmt hätte, wenn er an seinen Tod oder den Eintritt seiner Geschäftsunfähigkeit gedacht hätte. Bei Kenntnis des bevorstehenden Todes hätte er sich beispielsweise keine Gegenstände des persönlichen Bedarfs, wohl aber Waren für sein Geschäft bestellt. Zum Schutz des Adressaten ist allerdings zu verlangen, daß diesem die für den hypothetischen Parteiwillen maßgebenden Umstände erkennbar waren (str.; vgl. *Medicus*, AT, Rdnr. 377). 180

Stirbt der Empfänger des Angebots, so sind folgende Fälle zu unterscheiden:

Tritt der Tod vor dem Zugang des Angebots ein, kann das Angebot nicht mehr zugehen. Es ist zu prüfen, ob der Antragende das Angebot auch den Erben gemacht hätte; ist das zu bejahen, wird das Angebot mit Zugang bei den Erben wirksam.

Stirbt der Empfänger nach dem Zugang, fragt sich, ob das Recht zur Annahme auf die Erben übergegangen ist. Entscheidend ist der (hypothetische) Wille des Antragenden; es kommt darauf an, ob dieser bereit gewesen wäre, statt mit dem Empfänger auch mit dessen Erben abzuschließen.

Stirbt der Empfänger des Angebots nach Abgabe und vor Zugang seiner Annahmeerklärung, kommt der Vertrag durch Zugang der Erklärung zustande (vgl. § 130 II).

b) Die *Wirkung* des Erlöschens des Antrags besteht darin, daß der Antrag rechtlich nicht mehr existiert. Deshalb führt die dennoch erklärte Annahme 181 mangels Angebots nicht zu einem Vertragsschluß. Die Annahmeerklärung gilt als neuer Antrag (§ 150).

Das gilt auch dann, wenn die Annahmeerklärung zwar rechtzeitig abgesandt worden ist, aber dennoch – wegen unregelmäßiger Beförderung – erst nach Ablauf der Annahmefrist (§ 148, § 147) dem Antragenden zugeht. Auch in diesem Fall wird der Antragende geschützt, der an seinen Antrag wegen Fristablaufs nicht mehr gebunden ist. Auf der anderen Seite darf der Annehmende nicht ganz schutzlos gelassen werden. Wenn er seine Annahmeerklärung rechtzeitig abgesandt hat, kann er normalerweise damit rechnen, daß seine Erklärung dem Antragenden rechtzeitig zugeht und damit der Vertrag geschlossen wird. Kommt die Erklärung wider Erwarten zu spät, hat der Annehmende ein Interesse daran zu erfahren, daß kein Vertrag zustande gekommen ist. Deshalb ist der Antragende nach § 149 gehalten, dem Annehmenden die Verspätung unverzüglich anzuzeigen. Voraussetzung dafür ist einmal, daß die Annahmeerklärung rechtzeitig abgesandt wurde und bei regelmäßiger Beförderung dem Antragenden rechtzeitig zugegangen wäre (andernfalls ist der Annehmende nicht schutzwürdig). Zum anderen kann man vom Antragenden eine Anzeige nur dann verlangen, wenn er erkannte oder jedenfalls erkennen mußte, daß die Verspätung des Zugangs auf einer unregelmäßigen Beförderung beruht. Dann kann der Annehmende erwarten, über die Verspätung informiert zu werden; eine solche Information ist dem Antragenden auch zumutbar. Unterläßt oder verzögert dieser eine solche Anzeige, wird der Annehmende in seinem Vertrauen darauf geschützt, daß ein Vertrag zustande gekommen ist. Deshalb gilt nach § 149,2 die verspätete Annahme als nicht verspätet. Der Vertrag ist also trotz der Verspätung geschlossen.

Kommt im Fall d der Brief des K vom 4. 6. infolge eines Fehlers bei der Post erst am 15. 6. bei V an und muß V aufgrund des Absendedatums sowie des Poststempels erkennen, daß bei der Beförderung durch die Post eine »Panne passiert« ist, hat er dies unverzüglich dem K anzuzeigen (§ 149,1). Tut er das, bleibt es dabei, daß wegen verspäteten Zugangs der Annahmeerklärung kein Vertrag zustande gekommen ist. Andernfalls gilt die Annahme als nicht verspätet (§ 149,2), so daß der Vertrag geschlossen ist.

182 II. Annahme

1. *Begriff*

a) Die Annahme ist eine *grundsätzlich empfangsbedürftige Willenserklärung, durch die der Antragsempfänger dem Antragenden sein Einverständnis mit dem angebotenen Vertragsschluß zu verstehen gibt.*

183 (1) Als (grundsätzlich) *empfangsbedürftige* Erklärung wird die Annahmeerklärung erst mit dem Zugang beim Antragenden wirksam; bis zum Zugang kann der Annehmende seine Erklärung also widerrufen (§ 130 I 2).

184 (2) Der Antragende kann nicht nur eine Frist für die Annahme bestimmen (§ 148); er ist auch in der Lage, die *Erfordernisse an die Annahmeerklärung zu*

erschweren (z. B. Übergabe an den Antragenden persönlich; notarielle Beurkundung, die gesetzlich nicht vorgeschrieben ist) *oder zu erleichtern* (z. B. Zugang nicht erforderlich).

(3) Da der Annehmende durch die Annahme sein Einverständnis mit dem Angebot kundgibt, *muß die Annahmeerklärung in bezug auf das Angebot abgegeben werden*. Haben sich Angebotsbrief und Annahmebrief gekreuzt, ist kein Vertrag zustande gekommen (Rdnr. 79). **185**

(4) *Inhaltlich* muß die Annahmeerklärung mit dem Angebot übereinstimmen; andernfalls liegt keine Einigung vor (Rdnr. 78). **186**

b) *Ausnahmsweise ist ein Zugang der Annahmeerklärung nicht erforderlich*: **187**

(1) Wenn eine *Erklärung der Annahme nach der Verkehrssitte nicht zu erwarten ist oder der Antragende auf sie verzichtet hat*, kommt der Vertrag durch die Annahme zustande, ohne daß diese dem Antragenden gegenüber erklärt zu werden braucht (§ 151, 1). Die Bestimmung enthält also eine Ausnahme vom Zugangserfordernis und beschleunigt dadurch das Zustandekommen eines Vertrages. Erforderlich ist aber ein Annahmewille, der nach außen unzweideutig in Erscheinung tritt; ein bloß innerer Annahmewille genügt nicht.

Da der Wille nicht »erklärt«, sondern nur »betätigt« zu werden braucht, spricht man in der Literatur von einer bloßen »Willensbetätigung«. Man ist sich aber weitgehend darüber einig, daß die Annahme jedenfalls wie eine Willenserklärung zu behandeln ist, so daß z. B. bei einem Willensmangel eine Anfechtung (§§ 119, 123; Rdnr. 365 ff.) in Betracht kommt.

Die Zugangsbedürftigkeit entfällt erstens, *wenn ein Zugang nach der Verkehrssitte nicht zu erwarten ist* (z. B. kurzfristige Bestellung eines Hotelzimmers; Schenkungsangebot). Betätigt der Empfänger des Angebots seinen Annahmewillen durch eine Handlung (z. B. durch Bereitstellen des Hotelzimmers; durch Randbemerkungen in dem mit dem Schenkungsangebot übersandten Buch), ist der Vertrag geschlossen, ohne daß der Antragende etwas davon erfährt. **188**

Im Hotelzimmerfall kann der Hotelier, der das Zimmer für den Besteller freigehalten hat, von ihm Zahlung des Übernachtungspreises verlangen, wenn der Gast nicht kommt (Schutz des Empfängers des Angebots). Andererseits hat der Besteller aufgrund des geschlossenen Vertrages Anspruch auf das reservierte Zimmer; er kann Schadensersatz verlangen, wenn der Hotelier das Zimmer an einen anderen vergeben hat und der Besteller deshalb in ein teureres Hotel ziehen muß (Schutz des Antragenden).

Die Zugangsbedürftigkeit entfällt zweitens, *wenn der Antragende auf den Zugang der Annahme verzichtet hat* (z. B. Waren, die starken Preisschwankungen unterliegen, werden »express« bestellt). Die Annahme liegt in einer Erfüllungshandlung (z. B. Verpacken, Absenden der Ware), wodurch der Vertrag zustande gekommen ist. **189**

Da mit dem Verpacken ein Vertrag zustande kommt, darf der Empfänger des Angebots nicht mehr anders disponieren und die Ware einem anderen verkaufen. Der Besteller hat einen Lieferungsanspruch aus dem Kaufvertrag (Schutz des Antragenden). Geht die Ware nach der Absendung auf der Bahn verloren, hat der Verkäufer Anspruch auf den Kaufpreis (§ 447); der Antragende kann sich demgegenüber nicht darauf berufen, sein Angebot sei vom Empfänger des Angebots nicht angenommen, weil die Annahmeerklärung ihm – dem Antragenden – nicht zugegangen sei; denn der Kaufvertrag wurde bereits mit dem Absenden der Ware geschlossen (Schutz des Empfängers des Antrags).

Die Beispiele zeigen, daß es sich bei den Annahmehandlungen vor allem um Erfüllungshandlungen (z. B. Reservierung des Hotelzimmers; Versendung der bestellten Ware) und um Aneignungs- und Gebrauchshandlungen (z. B. Verschenken oder »Zerlesen« des mit dem Kaufangebot übersandten Buches) handelt.

Damit der Antragende nicht zu lange Zeit an seinen Antrag gebunden bleibt, schreibt § 151, 2 vor, daß sich der Zeitpunkt des Erlöschens des Antrags nach dem aus dem Antrag oder den Umständen zu entnehmenden Willen des Antragenden bestimmt.

190 (2) Werden *bei notarieller Beurkundung eines Vertrages Angebot und Annahme getrennt beurkundet* (§ 128; Rdnr. 260), kommt bereits mit der Beurkundung der Annahmeerklärung und nicht erst mit deren Zugang der Vertrag zustande (§ 152, 1). Diese Regelung entspricht dem vermuteten Willen des Antragenden und dient der Beschleunigung des Vertragsschlusses; sie ist abdingbar (§ 152,1 a. E.).

Für den Zeitpunkt des Erlöschens des Antrags verweist § 152, 2 auf § 151, 2. Eine danach verspätete Beurkundung der Annahmeerklärung führt nicht zum Vertragsschluß.

191 (3) Bei einer *privatrechtlichen Versteigerung* kommt der Vertrag durch den Zuschlag des Versteigerers zustande (§ 156, 1). Demnach ist das Gebot des Bieters das Angebot, der Zuschlag die Annahme. Diese Annahme ist ebenfalls nicht empfangsbedürftig. Der Vertrag kommt also auch dann zustande, wenn der Bieter vor dem Zuschlag das Versteigerungslokal verläßt und von dem Zuschlag nichts erfährt.

Das Ausbieten des Versteigerers ist danach lediglich eine Aufforderung zur Offerte. Das Gebot (= Angebot des Bieters) erlischt, wenn ein Übergebot abgegeben oder die Versteigerung ohne Zuschlag geschlossen wird (§ 156, 2).

192 2. *Wirkung*

a) *Entspricht die Annahme inhaltlich dem Antrag* (Rdnr. 78) und ist sie vor dem Erlöschen des Antrags wirksam geworden, ist der Vertrag zustande gekommen.

193 b) *Enthält die Annahme gegenüber dem Antrag Erweiterungen, Einschränkungen oder sonstige Änderungen*, bringt der Erklärende damit zum Ausdruck, daß er mit dem Angebot nicht oder jedenfalls nicht in vollem Umfange einverstanden ist. Infolgedessen ist seine Erklärung nicht als Annahme, sondern als Ablehnung des Angebots aufzufassen. Sie gilt nach § 150 II als neuer Antrag, den der Partner annehmen oder ablehnen kann. Äußert dieser sich darauf nicht, so kann sein Schweigen nicht als Zustimmung und demnach auch nicht als Annahme des neuen Angebots angesehen werden.

Im Fall f entspricht die Erklärung des K nicht dem Angebot des V, da K den Kaufpreis in Raten zahlen will, während nach dem Angebot des V dem K nicht das Recht zustehen soll, den Preis in Raten zu zahlen. Demnach ist das Angebot des V abgelehnt (§ 150 II). Mit seiner Ablehnung verbindet K aber einen neuen Antrag (Kauf der Maschine für 5000,– DM, zahlbar in fünf gleichen Monatsraten), den V annehmen oder ablehnen kann.

Heißt es in dem Brief des K aber, er nehme das Angebot des V an, bitte den V jedoch, wohlwollend zu prüfen, ob er ihm nicht monatliche Ratenzahlungen à 1000,– DM bewilligen könne, dann enthält die Annahme des K keine Änderungen gegenüber dem Antrag des V, so daß der Vertrag entsprechend dem Antrag (also ohne Ratenzahlungen) zustande gekommen ist. Die Bitte um Gewährung von Ratenzahlungen ist als neuer Antrag auf Abänderung des geschlossenen Kaufvertrages hinsichtlich der Zahlungsmodalitäten aufzufassen; geht V darauf ein, ist der geschlossene Vertrag entsprechend dem Abänderungsangebot des K abgeändert; andernfalls bleibt es bei dem geschlossenen Vertrag.

c) *Ist die Annahme verspätet*, so muß zunächst geprüft werden, ob nach § 149 194
(Rdnr. 181) die Annahme ausnahmsweise als nicht verspätet gilt. Ist dies nicht der Fall, bewirkt die verspätete Annahme keinen Vertragsschluß, weil das Angebot wegen Fristablaufs erloschen ist. Dann ist die »Annahmeerklärung« als neuer Antrag aufzufassen (§ 150 I).

3. *Verpflichtung zur Annahme* 195

a) Aus dem Grundsatz der Privatautonomie folgt, daß der Empfänger eines Angebots *grundsätzlich frei darin ist, ob er das Angebot annimmt oder ablehnt* (Rdnr. 24, 74).

b) *Ausnahmsweise* kann der Empfänger eines Angebots *zur Annahme ver-* 196
pflichtet sein (= Abschlußpflicht).

(1) Im *Vorvertrag* verpflichten sich eine oder beide Parteien, einen anderen Vertrag (= Hauptvertrag) zu schließen. Aus dem Vorvertrag hat der Berechtigte einen Anspruch gegen den Verpflichteten, daß dieser das Angebot zum Abschluß des Hauptvertrages annimmt. Die Zulässigkeit des Vorvertrages ergibt sich aus dem Grundsatz der Vertragsfreiheit.

In der Praxis hat der Vorvertrag kaum eine Bedeutung (AS Rdnr. 54).

(2) *Kraft Gesetzes* ergibt sich ein Abschlußgebot z. B. für Eisenbahn, Post, 197
Energieversorgungsunternehmen (Rdnr. 74) sowie allgemein dann, wenn eine öffentliche Versorgungsaufgabe besteht. Die Pflicht zum Abschluß eines Vertrages folgt aus speziellen gesetzlichen Bestimmungen oder generell aus §§ 826, 249, wenn die Ablehnung eines Vertragsangebots eine sittenwidrige Schädigung darstellt (AS Rdnr. 36).

Beispiele: Kontrahierungszwang des Wasserwerks, der Apotheke, des am Unfallort anwesenden Arztes.

198 **III. Sonderfälle**

1. Option

Die Option ist das Recht, durch Erklärung einseitig, also ohne weiteres Zutun des Partners, einen Vertrag zu begründen. Im Gegensatz zu einem Angebot bedarf die Ausübung des Optionsrechts also keiner Annahmeerklärung des Vertragspartners, damit der Vertrag zustande kommt. Dem Vertragspartner geschieht damit kein Unrecht. Denn das Optionsrecht beruht auf einem zuvor zwischen den Parteien geschlossenen Vertrag (= Optionsvertrag), in dem das Einverständnis des anderen Teils zu der Begründung eines weiteren Vertrages durch den Optionsberechtigten gegeben ist.

Beispiel: In einem befristeten Mietvertrag wird dem Mieter das Recht eingeräumt, nach Ablauf des Mietverhältnisses durch einseitige Erklärung ein neues Mietverhältnis zu den im Vertrag genannten Bedingungen zu begründen.

Rechtlich ist der Optionsvertrag als ein aufschiebend bedingter (Rdnr. 430ff.) Vertrag aufzufassen. Die Bedingung besteht hier in der Ausübung des Optionsrechtes durch den Berechtigten.

Die gleichen Rechtswirkungen wie bei einem Optionsvertrag können bei einer *Festofferte* bestehen, bei welcher der Antragende eine lange Annahmefrist (meist über mehrere Jahre) eingeräumt hat. Der Unterschied zum Optionsvertrag zeigt sich vor allem darin, daß die Annahme einer Festofferte der für den Vertrag eventuell notwendigen Form bedarf, während nach h. M. bei der Optionserklärung diese Form nicht eingehalten werden muß (vgl. BGH LM Nr. 16 zu § 433).

199 *2. Sozialtypisches Verhalten*

a) Nach einer Ansicht soll im modernen Massenverkehr ein Vertrag nicht durch Angebot und Annahme, sondern allein durch tatsächliche Inanspruchnahme der Leistung zustande kommen. Eine solche Inanspruchnahme müsse nach ihrer sozialtypischen Bedeutung die Rechtsfolgen rechtsgeschäftlichen Handelns hervorrufen (AS Rdnr. 49ff., insbes. Rdnr. 50). Ein Vertrag soll danach also unabhängig von einem rechtsgeschäftlichen Willen allein durch ein tatsächliches Verhalten zustande kommen.

Beispiele: Das bloße Besteigen einer Straßenbahn soll einen Beförderungsvertrag, das Abstellen eines Autos auf einem bewachten Parkplatz einen Bewachungsvertrag begründen, so daß der Benutzer der Straßenbahn oder des Parkplatzes verpflichtet ist, das tariflich festgelegte Entgelt zu zahlen.

Diese Lehre vom sozialtypischen Verhalten will vor allem zwei Schwierigkeiten lösen: Einmal soll der Minderjährige (Rdnr. 234), der ohne Wissen seiner Eltern die Leistung in Anspruch nimmt (z. B. die Straßenbahn besteigt), zur Erbringung der Gegenleistung (z. B. des Fahrpreises) verpflichtet sein. Zum anderen soll der Geschäftsfähige, der von der Leistung Gebrauch macht (z. B. sein Auto auf einem bewachten Parkplatz abstellt), auch dann zur Gegenleistung (z. B. Zahlung der Gebühr) verpflichtet sein, wenn er bei der Inanspruchnahme der Leistung erklärt, er wolle weder die Leistung erhalten noch die Gegenleistung erbringen (z. B. er wolle zwar parken, aber keine Bewachung und deshalb auch nicht zahlen; vgl. BGHZ 21, 319).

b) Die Ansicht ist abzulehnen. Sie findet keine Stütze im Gesetz, das für einen 200
Vertragsschluß Angebot und Annahme verlangt. Man braucht die Lehre auch nicht. Meist kann in der Inanspruchnahme der Leistung eine (konkludente) Willenserklärung erblickt werden.

So ist das Besteigen einer Straßenbahn als Willenserklärung auf Abschluß eines entgeltlichen Beförderungsvertrages aufzufassen.

Der Minderjährige, der ohne Zustimmung seiner Eltern von der Leistung Gebrauch macht, schließt keinen gültigen Vertrag (vgl. § 108; Rdnr. 242), so daß er aus Vertrag nicht auf Zahlung des Fahrpreises in Anspruch genommen werden kann. Die Lehre vom sozialtypischen Verhalten, die den Minderjährigen zur Zahlung des Fahrpreises für verpflichtet hält, verstößt gegen den Minderjährigenschutz des BGB.

Möglicherweise kommt ein Bereicherungsanspruch (§ 812) oder ein Schadensersatzanspruch (§§ 823, 828 II, 829) gegen den Minderjährigen in Betracht.

Der Geschäftsfähige, der eine Leistung in Anspruch nimmt, muß die verkehrsmäßige Bedeutung seines Handelns gegen sich gelten lassen, selbst wenn er sich dahin äußert, er wolle die Gegenleistung nicht erbringen (Parkplatzfall). Seine protestatio facto contraria ist unbeachtlich, da der Handelnde sich damit zu seinem tatsächlichen Verhalten in Widerspruch setzt.

3. *Schweigen als Annahme* 201

a) Grundsätzlich gilt das Schweigen auf ein Angebot nicht als Annahme, sondern als Ablehnung. *Nur ausnahmsweise gilt Schweigen als Annahme*. Voraussetzung dafür ist, daß die Parteien dies vereinbart haben oder das Gesetz dies bestimmt.

Beispiele: § 516 II 2; § 362 I HGB (Rdnr. 89).

b) Das *Schweigen auf ein kaufmännisches Bestätigungsschreiben* gilt nach Ge- 202
wohnheitsrecht als Zustimmung zu dem Inhalt des Schreibens (HR Rdnr. 290 ff.; ausführlich: K. Schmidt, Handelsrecht, 4. Aufl., 1994, 571 ff.).

(1) Im kaufmännischen Verkehr ist es üblich, daß eine Vertragspartei der anderen den Inhalt eines bereits mündlich geschlossenen Vertrages schriftlich bestätigt. *Sinn dieses Bestätigungsschreibens* ist es, später Streitigkeiten darüber zu vermeiden, ob überhaupt ein Vertrag geschlossen worden ist und welche Vertragsbedingungen im einzelnen vereinbart worden sind. Soll also das Schreiben vornehmlich *Beweiszwecken* dienen, so würde dieser Zweck vereitelt, wenn der Empfänger auf das Schreiben hin untätig bliebe und später im Streitfall sich darauf berufen könnte, der Inhalt des Schreibens sei falsch, da kein Vertrag geschlossen oder etwas anderes als Vertragsinhalt vereinbart worden sei. Deshalb muß der Empfänger unverzüglich widersprechen, wenn er mit dem Inhalt des Schreibens nicht einverstanden ist; andernfalls muß er später den Inhalt gegen sich gelten lassen.

Diese Regelung ist gerechtfertigt, weil gerade im Handelsverkehr ein besonderes Bedürfnis nach Klarheit besteht und man vom Kaufmann als Empfänger des Bestätigungsschreibens eine besondere Sorgfalt bei der Behandlung seiner Post verlangen darf. Äußert er sich auf ein solches Schreiben nicht unverzüglich, erweckt er den Eindruck, daß er mit dem Inhalt des Schreibens einverstanden ist. In diesem Vertrauen muß der Absender geschützt werden.

Beispiel: Kaufmann K bestellt bei V telefonisch mehrere Posten Herrenhosen. V verwechselt im Bestätigungsschreiben die gewünschten Mengen der einzelnen Posten. Wenn K nicht unverzüglich widerspricht, gilt die Menge als verkauft, die im Bestätigungsschreiben genannt ist.

(2) Aus dem Sinn und Zweck der Regel ergeben sich folgende *Voraussetzungen*:

(a) Der Empfänger des Schreibens muß *Kaufmann* sein oder zumindest in größerem Umfang am Geschäftsleben teilnehmen. Von einer anderen Person erwartet man insoweit keine besondere Sorgfalt. Der Bestätigende muß ebenfalls wenigstens in größerem Umfang am Geschäftsverkehr teilnehmen. Nur dann kann er erwarten, daß ihm gegenüber nach kaufmännischer Sitte verfahren wird.

(b) Es müssen *Vertragsverhandlungen* dem Bestätigungsschreiben vorausgegangen sein. Ist das nicht der Fall, kann der Absender nicht damit rechnen, daß der schweigende Empfänger einverstanden ist.

(c) Das Bestätigungsschreiben muß *unmittelbar nach den Vertragsverhandlungen abgeschickt* werden, so daß der Empfänger auf das Eintreffen vorbereitet ist (BGH NJW 1964, 1223, 1224).

(d) Das *Schreiben muß den früheren Vertragsschluß unter Wiedergabe des Vertragsinhalts bestätigen*. Falls es nur zum Ausdruck bringt, daß der Absender das Angebot des Vertragspartners annimmt und damit der Vertrag erst zustande kommen soll, handelt es sich nicht um ein Bestätigungsschreiben, selbst wenn es als »Auftragsbestätigung« bezeichnet wird. Sofern eine solche Annahme vom Antrag abweicht, greift § 150 II ein; ein Schweigen des Empfängers auf dieses neue Angebot gilt nicht als Annahme (vgl. BGHZ 18, 212).

(e) Der *Absender muß der Meinung sein dürfen, daß der Inhalt des Schreibens der Vereinbarung entspricht* oder nur solche Abweichungen enthält, die der Empfänger billigt (vgl. BGHZ 40, 44 ff.). Der unredliche Absender ist in seinem Vertrauen auf das Schweigen des Empfängers nicht schutzwürdig.

(f) Der *Empfänger darf nicht unverzüglich widersprochen haben.* Bei rechtzeitigem Widerspruch ist der Absender nicht schutzbedürftig. Ein Widerspruch nach mehr als einer Woche ist in der Regel verspätet (BGH BB 1969, 933).

§ 9 Der Widerruf einer auf den Vertragsschluß gerichteten Willenserklärung 203

Nicht immer kommt durch Angebot (Rdnr. 168 ff.) und Annahme (Rdnr. 182 ff.) ein wirksamer Vertrag zustande. Vielmehr wird in besonderen Fällen einer der Vertragsparteien das Recht eingeräumt, ihre Willenserklärung auch noch nach deren Zugang binnen einer bestimmten Frist zu widerrufen. Erst dann, wenn innerhalb der Frist kein Widerruf erfolgt, wird die Willenserklärung der widerrufsberechtigten Vertragspartei wirksam. Bis zum Ablauf der Frist bleibt die Wirksamkeit der Willenserklärung und damit des Vertrages in der Schwebe (vergleichbarer Schwebezustand: Rdnr. 245, 439, 547). Bei einem wirksamen Widerruf kommt kein Vertrag zustande.

Ein solches Widerrufsrecht wird zum Zwecke des Verbraucherschutzes besonders schutzwürdigen Vertragspartnern eingeräumt. Dazu zählen vornehmlich die Kunden bei den sog. Haustürgeschäften sowie die Kreditnehmer.

I. Widerrufsrecht nach dem Gesetz über den Widerruf von Haustürgeschäften

Schrifttum: *Brox*, »Schlüsselgewalt« und »Haustürgeschäft«, Festschrift f. Mikat, 1989, 841; *Eckert*, Teleshopping–Vertragliche Aspekte eines neuen Marketingkonzepts, DB 1994, 717, 720; *R. Gaul*, Zum Begriff der vorhergehenden Bestellung im Haustürwiderrufsgesetz, NJW 1987, 2852; *Gilles*, Das Gesetz über den Widerruf von Haustürgeschäften und ähnlichen Geschäften, NJW 1986, 1131; *Gottwald*, Die Bürgschaft als Anwendungsfall von § 1 Abs. 1 HaustürWG ?, BB 1992, 1296; *Kaiser*, Zum Begriff der »Freizeitveranstaltung« im Haustürwiderrufsgesetz, NJW 1989, 1717; *Klauss/Ose*, Verbraucherkreditgeschäfte, 2. Aufl., 1989; *Klingsporn*, Bürgschaft als »Haustürgeschäft«, WM 1993, 829; *Knauth*, Das Gesetz über den Widerruf von Haustürgeschäften und ähnlichen Geschäften, WM 1986, 509; *W. Löwe*, Schutz gegen Überrumpelung beim Vertragsabschluß, BB 1986, 821; *Probst*, Geltungsbereichsprobleme des Gesetzes über den Widerruf von Haustürgeschäften, JR 1992, 133; *Schwenzer*, Neue Formen der Abstandnahme vom Vertrag, JA 1989, 473, 505; *Teske*, Das neue Gesetz über den Widerruf von Haustürgeschäften und ähnlichen Geschäften, ZIP 1986, 624; *P. Wassermann*, Grundfälle zum Recht der Haustürgeschäfte, JuS 1990, 548, 723; *ders.*, Zur Anwendbarkeit des Haustürwiderrufsgesetzes auf Bürgschaftsverträge – BGHZ 113, 287, und BGH, NJW 1991, 2905, JuS 1992, 908; *Werner/Machunsky*, Kommentar zum Haustürwiderrufsgesetz, 1990.

Fälle:

a) Frau K hat sich auf einer Kaffeefahrt eine Heizdecke aufschwatzen lassen und den Preis von 100,– DM sofort bezahlt. Später möchte sie das Geschäft »rückgängig« machen. Möglich?

b) Frau K möchte durch Schreibarbeiten einen Nebenverdienst erzielen. Auf eine entsprechende Zeitungsanzeige eines Schreibbüros bittet sie um den Besuch eines Mitarbeiters des Büros. Dieser verkauft ihr im Laufe des Gesprächs eine Schreibmaschine. Muß K sie bezahlen?

c) Im Fall b hat K am 1.2. ein Auftragsformular für den Kauf der Schreibmaschine unterschrieben. Das Formular enthält sieben vorgedruckte Absätze in gleicher Größe; in dem fünften Absatz wird auf das Widerrufsrecht hingewiesen. Ist die am 25.2. abgegebene Widerrufserklärung der K wirksam?

d) Im Fall c ist die Schreibmaschine bei einem Brand am 24.2. in der Wohnung der K ohne deren Verschulden zerstört worden. Kann K wirksam widerrufen und den gezahlten Kaufpreis zurückverlangen? Muß sie die zerstörte Schreibmaschine ersetzen?

203a *1. Bedeutung*

Häufig werden insbesondere Hausfrauen und ältere Leute an der Haustür durch einen (aufdringlichen) Werber oder Vertreter zu einem Vertragsabschluß (etwa über Bücher, Zeitschriften, Kosmetika) bewogen, den sie später bedauern. Weil der Kunde von dem Werber an der Haustür vielfach überrascht oder gar überrumpelt und zum Abschluß eines Vertrages überredet wird, räumt ihm das Gesetz über den Widerruf von Haustürgeschäften und ähnlichen Geschäften (HausTWG) unter bestimmten Voraussetzungen ein Widerrufsrecht ein. Dadurch wird der Kunde geschützt, dessen Entscheidungsfreiheit bei Vertragsschluß beeinträchtigt ist, weil er ohne hinreichende Überlegung Zahlungsverpflichtungen mit oft schwerwiegenden finanziellen Folgen eingeht. Dieser gesetzliche Kundenschutz kann nicht durch Parteivereinbarung eingeschränkt werden; alle von den Vorschriften des HausTWG zum Nachteil des Kunden abweichenden Vereinbarungen sind unwirksam (§ 5 III 1 HausTWG).

203b *2. Voraussetzungen des Widerrufsrechts*

Das Widerrufsrecht setzt voraus, daß der Kunde unter besonderen Umständen zur Abgabe einer Willenserklärung bestimmt worden ist, die auf den Abschluß eines Vertrages über eine entgeltliche Leistung gerichtet ist (§ 1 I HausTWG).

a) Die Willenserklärung des Kunden muß das Angebot oder die Annahme zum *Abschluß eines Vertrages über eine entgeltliche Leistung* sein. Darunter fallen nicht nur Kaufverträge und andere gegenseitige Verträge (AS Rdnr. 22), sondern alle Verträge, nach denen der Kunde zur Leistung eines Entgelts verpflichtet sein soll. Dabei spielt es keine Rolle, ob das Entgelt als Preis, Lohn, Honorar, Gebühr oder anders bezeichnet wird.

Beispiele für Verträge über eine entgeltliche Leistung: Miet-, Pacht-, Arbeits-, Werk-, Reise-, (Ehe-)Maklervertrag, sowie der Eintritt in einen Verein mit Beitragspflicht. Im Bürgschaftsvertrag übernimmt der Bürge einseitig eine Verbindlichkeit; das Bedürfnis, ihn vor Überrumpelung zu schützen, ist aber größer als in den Fällen, in denen einem Kunden für seine Leistung irgendein Entgelt versprochen oder geleistet wird. Deshalb kann auch ein Bürgschaftsvertrag unter § 1 I HausTWG fallen (so jetzt BGH WM 1993, 683; anders noch BGHZ 113, 287; BGH NJW 1991, 2905).

b) Die Willenserklärung des Kunden muß auf einer Überraschung oder Über- **203c**
rumpelung beruhen. Das Gesetz zählt insoweit folgende Tatbestände auf: Der *Kunde ist zu seiner Erklärung bestimmt worden*

(1) durch mündliche Verhandlungen *an seinem Arbeitsplatz oder im Bereich einer Privatwohnung* (§ 1 I Nr. 1 HausTWG).

Der Begriff Arbeitsplatz umfaßt auch das Werksgelände, insbesondere die Werkskantine und das Werkstor. Mit der Privatwohnung ist nicht nur die des Kunden gemeint; zu ihrem Bereich gehören auch die Haus- oder Etagentür, das Treppenhaus und der Hausgarten.

(2) *anläßlich einer Freizeitveranstaltung*, die von der anderen Vertragspartei oder zumindest auch in deren Interesse von einem Dritten durchgeführt wird (§ 1 I Nr. 2 HausTWG).

Beispiele: Kaffee-, Butter-, Besichtigungsfahrten (Fall a); Modenschauen; Filmvorführungen. Dagegen ist die Grüne Woche in Berlin keine Freizeitveranstaltung i.S.d. § 11 Nr. 2 HausTWG, weil sie keinen eigenständigen überragenden Unterhaltungswert hat, der in der Vorstellung des Besuchers den eigentlichen Zweck der Grünen Woche in den Hintergrund treten lassen könnte; es kommt hinzu, daß es dem Besucher in einem solchen Fall nicht besonders schwer gemacht wird, sich den Verkaufsbemühungen der dort tätigen Händler zu entziehen (so BGH NJW 1992, 1889f.).

(3) durch ein überraschendes Ansprechen *in (öffentlichen) Verkehrsmitteln oder im Bereich öffentlich zugänglicher Verkehrswege* (§ 1 I Nr. 3 HausTWG).

Hierher gehören auch Bahnhöfe und Bahnsteige, Autobahnraststätten, öffentliche Parks.

Obwohl die Aufzählung in § 1 I HausTWG abschließend gemeint ist, muß nach dem Schutzzweck des Gesetzes ein überraschendes Anbieten etwa auf dem Sportplatz oder innerhalb von Heimen oder Anstalten ebenfalls zu einem Widerrufsrecht führen. Diese ausdehnende Auslegung läßt sich auch auf das Umgehungsverbot des § 5 I HausTWG stützen. Letztlich können alle Willenserklärungen unter das Gesetz fallen, die außerhalb von Geschäftsräumen (mit-)verursacht worden sind (vgl. BT-Drucks. 8/130 S. 4).

203d *3. Ausschluß des Widerrufsrechts*

Ausgeschlossen ist das Widerrufsrecht, wenn der Kunde nicht schutzbedürftig ist. Das Gesetz nennt folgende Fälle:

a) Die Vertragsverhandlungen am Arbeitsplatz oder in einer Privatwohnung sind *auf vorhergehende Bestellung des Kunden* geführt worden (§ 1 II Nr. 1 HausTWG). Hier fehlt der Überraschungseffekt.

Beispiele: Schickt jemand die einer Werbeanzeige beigefügte Antwortkarte mit dem Aufdruck »Vertreterbesuch erwünscht« zurück, ist er nicht schutzbedürftig, da er auf den Besuch vorbereitet ist. Schließt er einen Vertrag ab, steht ihm kein Widerrufsrecht zu. Dagegen greift im Fall b die Ausnahmevorschrift des § 1 II Nr. 1 HausTWG nicht ein, da K bei der Bestellung nur mit einer Vereinbarung über Schreibarbeiten und nicht mit dem Kauf einer Schreibmaschine rechnete. Deshalb kann K widerrufen. – Wer sich an einer Verlosung oder einem Preisausschreiben beteiligt und dabei seine Anschrift angibt, bestellt damit keinen Vertreter zu Vertragsverhandlungen. – Wer ohne Veranlassung des Kunden telefonisch bei diesem anfragt, ob ein Vertreterbesuch genehm sei, provoziert die Bestellung und kann sich nicht auf den Ausschluß des Widerrufsrechts gem. § 1 II Nr. 1 HausTWG berufen (vgl. OLG Köln NJW 1988, 1985). Das gilt auch, wenn der Kunde vorher auf einer Werbeantwortkarte um Zusendung von Prospekten gebeten und dabei seine »Telefonnummer zwecks Rückruf« angegeben hat; denn § 1 II Nr. 1 HausTWG setzt eine Einladung zur Führung von Vertragsverhandlungen voraus (BGHZ 109, 127).

b) Bei Abschluß der Verhandlungen wird die *Leistung sofort erbracht sowie bezahlt, und das Entgelt übersteigt 80,– DM nicht* (§ 1 II Nr. 2 HausTWG). Der Kunde kann hier zwar überrascht oder überrumpelt worden sein; jedoch werden solche Geschäfte als Bagatellgeschäfte angesehen, die den Kunden nur geringfügig belasten.

Im Fall a (100,– DM) steht der K also ein Widerrufsrecht zu. – Werden etwa zwei Stücke zum Gesamtpreis von 150,– DM verkauft und wegen § 1 II Nr. 2 HausTWG zwei Verträge zu je 75,– DM geschlossen, liegt eine Umgehung des HausTWG vor (vgl. § 5 I HausTWG).

c) Die Willenserklärung ist *von einem Notar beurkundet* worden (§ 1 II Nr. 3 HausTWG). Hier ist der Kunde hinreichend geschützt, weil eine vorherige Belehrung durch den Notar erforderlich ist (vgl. § 17 BeurkG).

Gedacht ist insbesondere an den Fall, daß der Vertrag in der Privatwohnung eines Vertragspartners ausgehandelt und dort auch notariell beurkundet wird.

203e d) Der Vertrag *wird vom Kunden in Ausübung einer selbständigen Erwerbstätigkeit geschlossen* (§ 6 Nr. 1, erster Fall HausTWG). Ein solcher Kunde bedarf dann wegen seiner geschäftlichen Erfahrung keines besonderen Schutzes.

Beispiele: Der Arzt, Rechtsanwalt, Kaufmann (oder sein Vertreter; vgl. BGH NJW-RR 1991, 1074) wird in seiner Praxis, seinem Geschäft von einem unvorhergesehenen Vertreterbesuch überrascht.

e) Die *andere Vertragspartei handelt nicht geschäftsmäßig* (§ 6 Nr. 1, zweiter Fall HausTWG). Hier ist der Kunde regelmäßig nicht einem besonders geschäftstüchtigen und redegewandten Werber ausgeliefert.

Beispiel: Ein Privater verkauft ein gebrauchtes Möbelstück oder Fahrzeug.

f) Für den *Abschluß von Versicherungsverträgen* gilt das Gesetz nicht (§ 6 Nr. 2 HausTWG). Die besondere Behandlung solcher Verträge gegenüber allen anderen Verträgen ist durch keinen vernünftigen Grund sachlich gerechtfertigt (vgl. *Gilles*, NJW 1986, 1131, 1147; *Teske*, ZRP 1990, 412). Die Vorschrift verstößt also gegen Art. 3 GG und ist deshalb verfassungswidrig.

Allerdings räumt nunmehr § 8 IV des Versicherungsvertragsgesetzes beim Abschluß eines Versicherungsvertrages mit einer längeren Laufzeit als ein Jahr ein Widerrufsrecht innerhalb von zehn Tagen ein, sofern der Versicherungsnehmer nicht Vollkaufmann ist.

4. Ausübung des Widerrufsrechts 203f

Das Widerrufsrecht wird durch eine schriftliche Widerrufserklärung binnen einer Frist von einer Woche ausgeübt (§ 1 I a. E. HausTWG). Die Widerrufserklärung ist eine empfangsbedürftige Willenserklärung (Rdnr. 90), durch die der Kunde gegenüber seinem Vertragspartner die Rücknahme seiner auf den Vertragsschluß gerichteten Willenserklärung zum Ausdruck bringt. Dabei ist der Gebrauch des Wortes »Widerruf« nicht erforderlich; es genügt, daß aus dem Wortlaut der Erklärung für den Vertragspartner erkennbar ist, der Kunde wolle an seine Willenserklärung nicht gebunden sein.

Beispiele: »Ich habe es mir anders überlegt; ich will mit dem Vertrag nichts mehr zu tun haben«. »Ich trete vom Vertrag zurück«. »Behalten Sie gefälligst ihre Ware«.

a) *Form*: Die Widerrufserklärung bedarf der Schriftform; sie muß vom Kunden unterzeichnet werden. Eine mündliche Erklärung genügt also nicht, selbst wenn sie gegenüber dem anwesenden Vertragspartner abgegeben wird.

b) *Frist*: Der Widerruf muß fristgemäß erfolgen. Zur Wahrung der Frist genügt die rechtzeitige Absendung des Widerrufs (§ 2 I 1 HausTWG); dieser braucht also dem Vertragspartner nicht innerhalb der Frist zugegangen zu sein (vgl. Rdnr. 152ff.). 203g

Die Widerrufsfrist richtet sich danach, ob der Kunde über sein Widerrufsrecht ordnungsgemäß belehrt worden ist.

(1) *Bei ordnungsgemäßer Belehrung* beträgt die Widerrufsfrist eine Woche; sie beginnt mit der Aushändigung der Belehrung an den Kunden. 203h

Eine ordnungsgemäße Belehrung setzt nach § 2 HausTWG voraus:

(a) Sie muß *schriftlich* erfolgen und *drucktechnisch deutlich gestaltet* sein. Es ist nicht erforderlich, daß die Belehrung in einer vom Auftragsformular gesonderten Urkunde enthalten ist. Entscheidend ist allein, daß dem Kunden Inhalt und Bedeutung der Belehrung klar vor Augen geführt werden. Dem kann auch dadurch Rechnung getragen werden, daß die Belehrung etwa auf dem Auftragsformular steht (OLG Köln NJW 1987, 1205). Dann ist es aber entsprechend dem Sinn des § 2 I 2 HausTWG notwendig, daß die Belehrung aus dem sonstigen Text des

Formulars in einer vom Kunden nicht zu übersehenden Weise herausgehoben ist (BGH NJW-RR 1990, 370; OLG Köln NJW 1987, 1206).

Im Fall c ist die Widerrufsbelehrung nicht drucktechnisch deutlich gestaltet, so daß die einwöchige Widerrufsfrist noch nicht begonnen hat.

203i (b) Aus dem *Inhalt* der Belehrung muß der Kunde entnehmen können, daß er ohne weitere Voraussetzungen innerhalb einer Woche seit seiner Willenserklärung diese widerrufen kann, der Widerruf schriftlich erfolgen muß und die Frist durch Absendung des Widerrufs gewahrt wird. Außerdem muß die Belehrung über den Widerruf auch eine Belehrung über den Beginn der Widerrufsfrist (BGH NJW 1993, 1013) sowie den Namen und die Anschrift des Widerrufsempfängers enthalten.

Andere Erklärungen darf die Belehrung nicht enthalten (§ 2 I 3 HausTWG; dazu BGH NJW 1993, 2868); anderenfalls bestünde die Gefahr, daß der Kunde sein Recht zum Widerruf überliest.

203j (c) Die Belehrung muß *vom Kunden unterschrieben* und *ihm ausgehändigt* werden.

Da dem Kunden ein von ihm unterschriebenes Exemplar der Belehrung übergeben werden muß und da andererseits der Vertragspartner aus Beweisgründen ein Exemplar nebst Bestätigung des Kunden über die Aushändigung behalten möchte, werden in der Praxis regelmäßig zwei Exemplare hergestellt.

(d) *Nicht notwendig* ist der *Vermerk des Datums* der Aushändigung auf der Belehrung. Zweckmäßig ist der Vermerk jedoch wegen des Nachweises des Zeitpunkts für den Beginn der Widerrufsfrist (vgl. § 2 II HausTWG).

203k (2) *Bei nicht ordnungsgemäßer Belehrung* erlischt das Widerrufsrecht des Kunden erst einen Monat nach beiderseits vollständiger Erbringung der Leistung (§ 2 I 4 HausTWG).

Im Fall c ist die Monatsfrist noch nicht abgelaufen, selbst wenn K bereits am 1.2. die Schreibmaschine erhalten und bezahlt hat. Die Widerrufserklärung vom 25.2. ist also wirksam.

203l *5. Rechtsfolgen des Widerrufs*

Wenn der Kunde sein Widerrufsrecht form- und fristgerecht ausgeübt hat, ergeben sich die Rechtsfolgen aus § 3 HausTWG. Diese Vorschrift bezweckt, dem Kunden seine Entschließungsfreiheit darüber, ob er das Widerrufsrecht ausüben oder davon absehen soll, zu erhalten. Im einzelnen wird bestimmt:

a) Jeder Teil ist verpflichtet, dem anderen Teil *die empfangenen Leistungen zurückzugewähren* (§ 3 I 1 HausTWG). Die Verpflichtungen sind Zug um Zug zu erfüllen (§ 4 HausTWG).

Selbst bei Unmöglichkeit der Herausgabe des vom Kunden empfangenen Gegenstandes oder bei dessen Verschlechterung bleibt dem Kunden das Widerrufsrecht (§ 3 I 2 HausTWG). Dieser hat in einem solchen Fall Wertersatz zu leisten, wenn ihn an der Unmöglichkeit der Herausgabe oder an der Verschlechterung ein Verschulden (Vorsatz oder Fahrlässigkeit; § 276; AS Rdnr. 217ff.) trifft (§ 3 I 3 HausTWG).

Im Fall d ist K trotz Zerstörung der Schreibmaschine zum Widerruf befugt. Sie braucht keinen Wertersatz für die Maschine zu leisten, kann aber den gezahlten Kaufpreis zurückverlangen.

Sofern der Kunde über sein Widerrufsrecht nicht ordnungsgemäß belehrt worden ist oder von seinem Recht auch nicht anderweitig Kenntnis erlangt hat, brauchte er mit einer Rückgewähr des Gegenstandes nicht zu rechnen; deshalb soll er in solchen Fällen nach § 3 II HausTWG nur dann Wertersatz leisten, wenn ihm ein Verstoß gegen die Sorgfalt zur Last fällt, die er in eigenen Angelegenheiten anzuwenden pflegt (vgl. § 277; AS Rdnr. 220).

b) Der Kunde ist verpflichtet, für die Gebrauchsüberlassung, Benutzung einer **203m**
Sache sowie für sonstige Leistungen *Ersatz des Wertes* zu leisten, der auf die Zeit zwischen Empfangnahme und Ausübung des Widerrufsrechts entfällt (§ 3 III HausTWG).

c) Der Vertragspartner des Kunden ist verpflichtet, diesem die auf die Sache gemachten *notwendigen Aufwendungen zu ersetzen* (§ 3 IV HausTWG).

II. Widerrufsrecht nach dem Verbraucherkreditgesetz **203n**

Wer als Privatmann Kredit in Anspruch nimmt (z. B. im Darlehens- oder Abzahlungskaufvertrag), ist häufig geschäftlich unerfahren. Es besteht die Gefahr, daß er sich zum Abschluß eines Kredit- oder Kreditvermittlungsvertrages verleiten läßt. Deshalb soll der Verbraucher, der einen Kredit privat und nicht etwa in Ausübung seiner beruflichen Tätigkeit nutzen will, durch das Verbraucherkreditgesetz (Rdnr. 19, 26) besonders geschützt werden; § 7 VerbrKrG räumt ihm ein Widerrufsrecht ein, das dem des HausTWG ähnlich ist. Einzelheiten gehören ins Schuldrecht (BS Rdnr. 116, 229f.).

§ 10 Vertragsschluß unter Einbeziehung Allgemeiner Geschäftsbedingungen **204**

Schrifttum: *Baudenbacher*, Zur Bedeutung der Klauselkataloge des AGB-Gesetzes für den kaufmännischen Verkehr, JA 1987, 217; *Belke*, Die Prüfung Allgemeiner Geschäftsbedingungen in der Klausur, JA 1988, 475; *Bohle/Micklitz*, Erfahrungen mit dem AGB-Gesetz im nichtkaufmännischen Bereich, BB 1983, Beil. 11; *Bunte*, Entscheidungssammlung zum

AGB-Gesetz, 1990; *ders.*, Zehn Jahre AGB-Gesetz – Rückblick und Ausblick, NJW 1987, 921; *Coester*, Kaufmännisches Bestätigungsschreiben und AGB: Zum Vorrang der Individualabrede nach § 4 AGBG, DB 1982, 1551; *Coester-Waltjen*, Inhaltskontrolle von AGB – geltungserhaltende Reduktion – ergänzende Vertragsauslegung, Jura 1988, 113; *dies.*, Die AGB-Problematik, Jura 1991, 474; *Dreher*, Die Auslegung von Rechtsbegriffen in Allgemeinen Geschäftsbedingungen, AcP 189, 342; *Frey*, Wie ändert sich das AGB-Gesetz?, ZIP 1993, 572; *Hansen*, Das sogenannte Transparenzgebot im System des AGB-Gesetzes, WM 1990, 1521; *Heinrichs/Löwe/Ulmer*, Zehn Jahre AGB-Gesetz, 1987; *Hensen* und *Rabe*, Die Auswirkungen des AGB-Gesetzes auf den kaufmännischen Verkehr, NJW 1987, 1978, 1986; *Th. Honsell*, Zweifel bei der Auslegung Allgemeiner Geschäftsbedingungen gehen zu Lasten des Verwenders, JA 1985, 260; *Graf Lambsdorff/Hübner*, Eigentumsvorbehalt und AGB-Gesetz, 1982; *Lindacher*, Zur Einbeziehung Allgemeiner Geschäftsbedingungen durch kaufmännisches Bestätigungsschreiben, WM 1981, 702; *ders.*, Reduktion oder Kassation übermäßiger AGB-Klauseln?, BB 1983, 154; *Locher*, Das Recht der Allgemeinen Geschäftsbedingungen, 2. Aufl., 1990; *Neumann*, Geltungserhaltende Reduktion und ergänzende Auslegung von Allgemeinen Geschäftsbedingungen, 1988; *Niebling*, Isolierte Betrachung Allgemeiner Geschäftsbedingungen oder Würdigung des Gesamtvertrages?, BB 1992, 717; *Pfaff*, Schuldrecht durch Rechtsprechung, 1986, Rdnr. 202ff.; *L. Raiser*, Das Recht der Allgemeinen Geschäftsbedingungen, 1935; *Rieger/Friedrich*, Die Aufstellung von Allgemeinen Geschäftsbedingungen in der wirtschaftsrechtlichen Praxis, JuS 1986, 787, 976; 1987, 118; *H. Roth*, Geltungserhaltende Reduktion im Privatrecht, JZ 1989, 411; *ders.*, Funktion und Anwendungsbereich der Unklarheitenregel des § 5 AGBG, WM 1991, 2085, 2125; *ders.*, Allgemeine Geschäftsbedingungen und Individualvereinbarungen, Eine Rechtsprechungsübersicht, BB 1992, Beil. 4, 1; *Roussos*, Die Anwendungsgrenzen der Inhaltskontrolle und die Auslegung von § 9 AGBG, JZ 1988, 997; *Schlachter*, Folgen der Unwirksamkeit Allgemeiner Geschäftsbedingungen für den Restvertrag, JuS 1989, 811; *P. Schlosser*, Allgemeine Geschäftsbedingungen, Jura 1980, 381, 434; *ders.*, 10 Jahre AGB-Gesetz, JR 1988, 1; *Schlünder*, AGB-Gesetz in Leitsätzen, 2. Aufl., 1992; *E. Schmidt*, Grundlagen und Grundzüge der Inzidentkontrolle allgemeiner Geschäftsbedingungen nach dem AGB-Gesetz, JuS 1987, 929; *Striewe*, Kollidierende Allgemeine Geschäftsbedingungen: Vertragsschluß und Vertragsinhalt, JuS 1982, 728; *Teske*, Schriftformklauseln in Allgemeinen Geschäftsbedingungen, 1990; *Thamm/Detzer*, Druckgröße und sonstige formelle Gestaltung von Allgemeinen Geschäftsbedingungen, BB 1989, 1133; *Westermann*, Das Transparenzgebot – ein neuer Oberbegriff der AGB-Inhaltskontrolle?, Festschrift f. Steindorff, 1990, 817;
sowie außer den Kommentaren zum BGB die Kommentare zum AGBG von *Löwe/Graf von Westphalen/Trinkner* (1977; Bd. II, 2. Aufl., 1983; Bd. III, 2. Aufl., 1985), *Ulmer/Brandner/Hensen* (7. Aufl., 1993), *M. Wolf/Horn/Lindacher* (2. Aufl., 1989).

Fälle:

a) Nach Abschluß eines Kaufvertrages sendet V dem K die gekaufte Maschine mit einem Lieferschein, auf dem AGB abgedruckt sind. Danach steht dem Käufer bei Mangelhaftigkeit der Kaufsache nur ein Anspruch auf Nachbesserung zu. K will wegen eines Mangels den Kauf rückgängig machen (vgl. § 462). V beruft sich auf die AGB.

b) Wie ist zu entscheiden, wenn die AGB auf dem Angebot des V standen?

c) Der Bankkunde, der die AGB der Bank in ihrer jeweiligen Fassung als verbindlich anerkannt hat, erfährt, daß die Bank die AGB zu seinem Nachteil geändert hat. Muß er das gegen sich gelten lassen?

d) Die Hausfrau H kauft eine Kaffeemaschine. Nach dem Kleingedruckten der AGB des Verkäufers muß der Käufer monatlich eine bestimmte Menge Kaffee abnehmen. Als H später von ihrer Abnahmeverpflichtung erfährt, fühlt sie sich hinters Licht geführt. Sie will den Kaffee nicht und am liebsten auch die Maschine zurückgeben.

I. Bedeutung der AGB

Häufig fügt der Antragende seinem Vertragsangebot gedruckte Allgemeine Geschäftsbedingungen (AGB) bei. Dadurch will er erreichen, daß die Regeln, die in den AGB enthalten sind, Inhalt des Vertrages werden. Nimmt der Empfänger des Angebots dieses ohne Einschränkungen an, dann ist der Vertrag mit dem Inhalt zustande gekommen, der sich aus dem Angebot, zu dem auch die AGB gehören, ergibt.

Im heutigen Wirtschaftsleben spielen die AGB eine wichtige Rolle. Die meisten großen Unternehmen (z. B. Banken, Versicherungen, Transportunternehmen, Warenhersteller) verwenden bei Vertragsabschlüssen AGB (z. B. Bank-, Versicherungs-, Transport-, Lieferbedingungen), die von ihnen, ihren Rechtsberatern oder ihren Interessenverbänden ausgearbeitet worden sind. Dadurch können verschiedene Zwecke erreicht werden: Beim Abschluß von Massenverträgen sollen die AGB einen Rationalisierungseffekt herbeiführen; so vereinfachen gleichlautende Lieferungs- und Zahlungsbedingungen die Geschäftsabwicklung. Ferner sollen bestimmte Regelungen in den AGB das Risiko des Verwenders begrenzen (z. B. »Die Ware bleibt bis zur vollständigen Bezahlung mein Eigentum«; »Zwischenzeitliche Lohnerhöhungen berechtigen zu einer entsprechenden Preiserhöhung«). Schließlich sollen die AGB das Rechtsverhältnis umfassend regeln. Oft reichen nämlich die gesetzlichen Bestimmungen hierfür nicht aus. Das gilt einmal für gesetzlich nicht geregelte Vertragstypen (z. B. Leasingvertrag; Automatenaufstellungsvertrag), zum anderen aber auch für vorhandene, abdingbare Gesetzesbestimmungen (z. B. Nachbesserung statt Wandelung oder Minderung beim Sachmangel; §§ 459ff.).

Den Vorteilen der Verwendung von AGB stehen aber auch Nachteile gegenüber. Es besteht die Gefahr, daß der Verwender von AGB diese einseitig zu seinen Gunsten und zu Lasten seines Partners ausgestaltet, indem er sich etwa von Verpflichtungen freizeichnet und alle Risiken auf den Partner abwälzt. Dieser ist zwar frei darin, ob er überhaupt abschließt; wenn er sich aber dazu entschließt, muß er sich mit der Geltung der AGB einverstanden erklären. Dazu ist er praktisch gezwungen, falls er beispielsweise die Ware oder Dienstleistung dringend braucht und der Verwender der AGB eine Monopolstellung hat. Das gleiche gilt, wenn er zwar unter mehreren Anbietern wählen kann, diese aber die von ihrem Interessenverband aufgestellten AGB zum Vertragsinhalt machen. Obwohl also formal die Vertragsfreiheit (Abschlußfreiheit) auch bei der Verwendung von AGB gewahrt bleibt, handelt es sich sachlich vielfach um ein einseitiges Diktat des Verwenders der AGB. Es kommt hinzu, daß ein juristisch und geschäftlich ungeschulter Partner die vielen, oft sehr klein gedruckten Bestimmungen der AGB nicht liest oder in ihrer Bedeutung nicht erkennt.

Die geschilderten schweren Nachteile der AGB haben Rechtsprechung und Wissenschaft seit langem veranlaßt, die Geltung der AGB insoweit einzuschränken, als diese die gesetzlichen Regelungen einseitig zuungunsten des Vertragspartners des Verwenders abbedingen. Dem dient auch das AGBG, das am 1. 4. 1977 in Kraft getreten ist.

204a II. Begriff der AGB

AGB sind alle für eine Vielzahl von Verträgen vorformulierten Vertragsbedingungen, die eine Vertragspartei (Verwender) der anderen bei Abschluß des Vertrages stellt (§ 1 I 1 AGBG).

Unter *Vertragsbedingungen* sind Bestimmungen zu verstehen, die Inhalt des Vertrages werden sollen. Dabei kann es sich um fast den ganzen Vertragsinhalt oder nur um einzelne Vertragsbestandteile handeln.

Beispiele: Ein Formularvertrag wie der Einheitsmietvertrag enthält bis auf die Angabe der Vertragsparteien, des Mietobjekts, des Mietzinses und des Beginns der Mietzeit alle Vertragsbestimmungen. – Zahlungs- oder Lieferungsbedingungen treffen nur Regelungen über einzelne Vertragsteile.

Die Vertragsbedingungen müssen *für eine Vielzahl von Verträgen vorformuliert* sein. Dabei spielt es keine Rolle, ob der Verwender selbst, sein Interessenverband oder ein Dritter sie aufgesetzt hat. Es ist auch gleichgültig, ob die Bestimmungen einen äußerlich gesonderten Vertragsbestandteil bilden oder in die Vertragsurkunde selbst aufgenommen werden. Ebensowenig kommt es darauf an, welchen Umfang sie haben, in welcher Schriftart sie verfaßt sind und welche Form der Vertrag hat (§ 1 I 2 AGBG).

So kann in einem notariellen Vertrag auf (z. B. vorgedruckte oder in Maschinenschrift geschriebene) Bedingungen Bezug genommen oder können diese selbst in den Text der notariellen Urkunde aufgenommen werden. AGB sollen nach Ansicht des BGH sogar vorliegen, wenn ein Notar Klauseln aus einem Formularbuch entnimmt und sich eine Partei diese einseitig zu ihren Gunsten zunutze macht (BGHZ 74, 210; kritisch: *Stürner*, JZ 1979, 758; anders auch: BGH NJW 1991, 843). Schon eine zur wiederkehrenden Verwendung formulierte Klausel genügt, um eine vorformulierte Vertragsbedingung i.S.v. § 1 I AGBG anzunehmen (BGH NJW 1992, 2759).

Die Vertragsbedingungen müssen dem Vertragspartner *von dem Verwender gestellt*, also einseitig auferlegt werden. Daran fehlt es, wenn die Vertragsbedingungen zwischen den Parteien im einzelnen ausgehandelt werden (§ 1 II AGBG).

Ein Aushandeln liegt nach ständiger Rspr. des BGH dann vor, wenn der „Verwender die in seinen AGB enthaltenen Bestimmungen ernsthaft zur Disposition stellt und dem Verhandlungspartner Gestaltungsfreiheit zur Wahrung eigener Interessen einräumt mit zumindest der realen Möglichkeit, die inhaltliche Ausgestaltung der Vertragsbedingungen beeinflussen zu können" (BGH NJW 1992, 2760 m.w.N.).

Die handschriftliche Änderung einzelner Klauseln (z. B. der Provisionshöhe oder Vertragslaufzeit) in einem sonst wie vorformuliert stehengebliebenen Klauselwerk macht dieses noch nicht insgesamt zu einer Individualvereinbarung (OLG Stuttgart WM 1987, 114). Dagegen liegt trotz des vorformulierten Textes eine Individualabrede vor, wenn die Parteien beim Aushandeln der Vertragsbedingungen schließlich zu dem Ergebnis kommen, man wolle die auch sonst gebräuchlichen »Zahlungsbedingungen« als für beide Parteien zweckmäßig vereinbaren, da dieser Text von beiden Parteien frei ausgehandelt und nicht von einer Partei der anderen »diktiert« ist. Deshalb ist das AGBG nicht anwendbar. Von einem Aushandeln kann dagegen keine Rede sein, wenn der Verwender lediglich zu erkennen gegeben hat, daß er bereit sei, über einzelne Bestimmungen der AGB zu verhandeln (a. A. BGH NJW 1979, 367).

III. Einbeziehung der AGB in den Vertrag 204

Die AGB sind keine Rechtsnormen wie etwa Tarifverträge, denen der Gesetzgeber ausdrücklich Normencharakter beigelegt hat. Die Geltung der AGB beruht immer auf rechtsgeschäftlicher Grundlage. Damit die AGB Inhalt eines Vertrages werden, ist eine entsprechende Willensübereinstimmung der Vertragsparteien erforderlich. Das kann nach § 2 AGBG durch eine Einbeziehungs- oder eine Rahmenvereinbarung geschehen.

1. Einbeziehungsvereinbarung 204c

Die Einbeziehungsvereinbarung ist kein besonderes Rechtsgeschäft, sondern ein Teil des Vertrages. Sie setzt voraus:

a) *Hinweis durch den Verwender* 204d

(1) Im *Regelfall* muß der Verwender die andere Vertragspartei *bei Vertragsschluß ausdrücklich auf die AGB hinweisen* (§ 2 I Nr. 1 AGBG).

Ein Hinweis *nach* Vertragsschluß (z. B. auf der Rechnung, dem Lieferschein; Fall a) genügt nicht, da es sich dabei um einen Antrag auf Änderung des bereits geschlossenen Vertrages handelt. Diesen Antrag braucht der Vertragspartner nicht anzunehmen. Aus einem Schweigen des Partners oder der Annahme der Leistung durch ihn kann nicht auf eine Annahme des Änderungsangebots geschlossen werden. Im Fall a kann K wandeln (§ 462; BS Rdnr. 77 ff.). – Auch der bloße Abdruck der AGB auf der Rückseite des Vertragsangebots genügt nicht; erforderlich ist vielmehr ein ausdrücklicher Hinweis im Vertragsangebot auf die AGB (vgl. BGH ZIP 1986, 1126).

204e (2) *Ausnahmsweise*, wenn nämlich ein ausdrücklicher Hinweis wegen der Art des Vertragsschlusses nur unter unverhältnismäßigen Schwierigkeiten möglich ist, genügt ein *deutlich sichtbarer Aushang* am Ort des Vertragsschlusses (§ 2 I Nr. 1 AGBG).

Beispiele: Bewachung des Kraftfahrzeugs auf bewachtem Parkplatz; Benutzung eines Schließfachs.

Eines ausdrücklichen Hinweises auf die AGB bedarf es auch nicht bei AGB, die gegenüber Kaufleuten verwendet werden. Hier ist nämlich § 2 AGBG nicht anwendbar (vgl. § 24 Nr. 1 AGBG). Im kaufmännischen Verkehr reicht es aus, wenn sich die Parteien, und sei es konkludent, über die Einbeziehung der AGB einigen (BGHZ 102, 293, 304; BGH BB 1991, 502; vgl. Rdnr. 204 g). Entsprechendes gilt, wenn AGB gegenüber einer juristischen Person des öffentlichen Rechts oder einem öffentlich-rechtlichen Sondervermögen verwendet werden (§ 24 Nr. 2 AGBG).

204f b) *Möglichkeit der Kenntnisnahme durch den Vertragspartner*

Der Kunde muß in *zumutbarer Weise von dem Inhalt der AGB Kenntnis nehmen können* (§ 2 I Nr. 2 AGBG). Diese müssen für einen Durchschnittskunden mühelos lesbar und ohne übermäßigen Zeitaufwand auch verständlich sein.

Erkennt der Verwender, daß es sich bei dem Kunden um einen Ausländer handelt, der die AGB nicht verstehen kann, muß er sich erbieten, eine Übersetzung vornehmen zu lassen. Allerdings kann der Kunde auf eine Übersetzung und überhaupt auf eine Kenntnisnahme verzichten.

204g c) *Einverständnis des Vertragspartners*

Der Kunde muß *mit der Geltung der AGB einverstanden* sein (§ 2 I a. E. AGBG). Das Einverständnis kann ausdrücklich oder stillschweigend erklärt werden.

Hat der Verwender in seinem Vertragsangebot ausdrücklich auf die AGB hingewiesen und nimmt der Partner das Angebot ohne Erwähnung der AGB an, so sind diese Inhalt des Vertrages. (Fall b; zur Wirksamkeit der Klausel: Rdnr. 204 o). Hat dagegen der Kunde das Angebot abgegeben und nimmt der Verwender dieses Angebot unter Hinweis auf seine AGB an, so liegt darin eine Ablehnung des Angebots und gleichzeitig ein neues Angebot (§ 150 II; Rdnr. 193).

204h Bei Verträgen unter Kaufleuten kommt es oft vor, daß jeder der beiden Vertragspartner seiner Willenserklärung seine eigenen AGB beifügt und diese beiden AGB *voneinander abweichen*.

Beispiel: Der Verkäufer verweist in seinem Antrag auf die beigefügten Verkaufsbedingungen, und der Käufer bezieht sich in seiner Annahmeerklärung auf die auf der Rückseite stehenden Einkaufsbedingungen. Nach den Verkaufsbedingungen soll der Käufer vom Vertragsabschluß an die Gefahr des Untergangs der Kaufsache tragen; nach den Einkaufsbedingungen erfolgt der Transport der Kaufsache auf Gefahr des Verkäufers.

Da die AGB ein Teil der Willenserklärung sind, decken sich die Willenserklärungen insoweit nicht, als die AGB voneinander abweichen. Deshalb ist § 150 II anzuwenden (Rdnr. 193). Demnach gilt die Annahme als Ablehnung des Angebots und als neues Angebot. Wenn die Parteien aber trotzdem den Vertrag ausführen, so geben sie damit zu erkennen, daß sie den Vertrag nicht an der Divergenz der AGB scheitern lassen wollen. Dann gelten die AGB nur insoweit, als sie übereinstimmen (BGH NJW 1985, 1839; 1991, 1606); im übrigen ist dispositives Recht anwendbar (§ 6 II AGBG; Rdnr. 204 r).

2. *Rahmenvereinbarung* 204i

Die Rahmenvereinbarung ist eine von den Vertragsparteien für eine bestimmte Art von künftigen Rechtsgeschäften *im voraus* getroffene Vereinbarung über die Geltung bestimmter AGB (§ 2 II AGBG). Dadurch soll es den Parteien erspart werden, jeweils bei Abschluß eines neuen Vertrages wieder die Geltung der AGB zu vereinbaren.

Beispiel: Bei der Aufnahme einer Bankverbindung vereinbaren die Bank und ihr Kunde, daß für alle künftigen Geschäfte die Bankbedingungen gelten sollen.

a) Eine solche Rahmenvereinbarung ist nur dann *wirksam, wenn die in § 2 I AGBG bezeichneten Erfordernisse* erfüllt sind (§ 2 II AGBG; vgl. Rdnr. 204 d ff.).

Die Bankbedingungen gelten also nur dann für die künftigen Geschäfte, wenn die Bank auf ihre AGB hinweist, der Bankkunde von ihrem Inhalt Kenntnis nehmen kann und mit ihrer Geltung einverstanden ist.

b) Es kann nur die Geltung *bestimmter* AGB, nicht auch der AGB in ihrer jeweiligen Fassung vereinbart werden. Andernfalls hätte es der Verwender in der Hand, die AGB ohne Einverständnis des Partners einseitig zu seinen Gunsten zu ändern.

Will die Bank im Laufe der Zeit ihre Bedingungen ändern, so werden die geänderten Bedingungen nur unter den Voraussetzungen des § 2 I AGBG Vertragsinhalt. Deshalb wirken im Fall c die Änderungen nicht gegen den Bankkunden.

IV. Ausschluß überraschender Klauseln 204j

Selbst wenn eine nach § 2 AGBG wirksame Einbeziehungs- oder Rahmenvereinbarung vorliegt, so werden Bestimmungen der AGB dennoch nicht Vertragsbestandteil, wenn sie nach den Umständen, insbesondere nach dem äußeren Erscheinungsbild des Vertrages, so ungewöhnlich sind, daß der Vertragspartner des Verwenders mit ihnen nicht zu rechnen braucht (§ 3 AGBG). Dadurch soll der Partner vor Überraschungen geschützt werden; er soll darauf vertrauen dürfen, daß die AGB sich im Rahmen dessen halten, was bei einem solchen Vertrag normalerweise zu erwarten ist. Deshalb bezieht das Gesetz das Einverständnis nicht auf überraschende Klauseln, so daß diese nicht Inhalt des Vertrages werden.

Beispiele: Der Handwerker kauft eine Maschine; in den AGB des Verkäufers »versteckt« sich ein Wartungsvertrag. – Im Fall d handelt es sich bei der Pflicht zur Abnahme des Kaffees um eine überraschende Klausel nach § 3 AGBG; der Kaufvertrag über die Kaffeemaschine ist wirksam (§ 6 I AGBG; Rdnr. 204 r).

204k V. Auslegung der AGB

1. Auslegungsmethode

Sind die AGB Inhalt des Rechtsgeschäfts geworden, gelten für sie grundsätzlich die Regeln, die für die Auslegung des Rechtsgeschäfts maßgebend sind (Rdnr. 122 ff.); es kommt also sowohl die einfache Auslegung (Rdnr. 123 ff.) als auch eine ergänzende Auslegung (Rdnr. 136 ff.) in Betracht.

Jedoch ist aus dem mit den AGB verfolgten Zweck, eine gleichmäßige Geschäftsabwicklung von Massenverträgen zu erreichen, zu folgern, daß es bei der Auslegung der AGB nicht darauf ankommt, wie der konkrete Erklärungsempfänger im Einzelfall die AGB verstanden hat oder verstehen mußte; vielmehr ist auf das Verständnis eines Durchschnittskunden abzustellen. Deshalb sind bei der Auslegung der AGB nur solche Umstände zu berücksichtigen, deren Kenntnis von einem Durchschnittskunden erwartet werden kann (vgl. dazu etwa BGHZ 33, 218; 49, 88; 60, 177; 62, 254).

204l *2. Vorrang der Individualabrede*

Haben die Parteien eine individuelle Vertragsabrede getroffen und steht diese im Widerspruch zu einer Klausel der AGB, so hat die Individualabrede Vorrang vor den AGB (§ 4 AGBG). Das entspricht dem Willen der Vertragsparteien; denn diese wollten mit der Individualabrede deren Geltung erreichen, gleichgültig, ob ihnen der Widerspruch zu einer Klausel der AGB bekannt war.

Selbst wenn die AGB vorsehen, daß eine von ihnen abweichende Individualabrede der Schriftform bedarf, so ist diese Abrede auch dann gültig, wenn sie formlos (mündlich) getroffen wird; denn mit einer solchen Abrede ist gleichzeitig insoweit die Schriftformklausel (stillschweigend) abbedungen (h. M.; Rdnr. 272; vgl. MünchKomm/*Kötz*, § 4 AGBG, Rdnr. 8 ff.).

204m *3. Unklarheitenregel*

Führt die Auslegung einer Klausel der AGB auch unter Berücksichtigung aller zur Auslegung heranzuziehenden Umstände zu keinem eindeutigen Ergebnis und sind mindestens zwei Auslegungsergebnisse rechtlich vertretbar, so geht das zu

Lasten des Verwenders (§ 5 AGBG). Denn der Kunde hat – anders als beim Individualvertrag – keinen Einfluß auf die Ausgestaltung der AGB, und der Verwender hätte sich klarer ausdrücken können und müssen. Es gilt deshalb das Auslegungsergebnis, das für den Verwender ungünstiger und den Kunden günstiger ist.

Nahe verwandt mit der Unklarheitenregel des § 5 AGBG ist das ebenfalls von der Rechtsprechung aufgestellte, aber nicht ins AGBG übernommene *Restriktionsprinzip*. Danach sind Klauseln der AGB, die zum Nachteil des Kunden von abdingbaren Gesetzesbestimmungen abweichen, eng (also zugunsten des Kunden) auszulegen. Das kommt vor allem für Freizeichnungsklauseln in Betracht. Zeichnet sich der Verwender der AGB in einer Klausel z. B. von Schäden an einem von ihm zu erstellenden Werk frei, so bezieht sich das im Zweifel nur auf die vertragliche Haftung, nicht dagegen auf Ansprüche aus unerlaubter Handlung (vgl. BGH NJW 1975, 1315, 1316). Die Unklarheitenregel und das Restriktionsprinzip führen beide zu einer für den Kunden günstigen Auslegung.

VI. Inhaltskontrolle der AGB 204n

Hauptziel des AGBG ist es, die Geltung der AGB dort einzuschränken, wo diese die gesetzlichen Regeln einseitig zuungunsten des Vertragspartners des Verwenders abbedingen. Darum bestimmt § 8 AGBG, daß eine Inhaltskontrolle nur dann erfolgt, wenn die Bestimmungen der AGB von Rechtsvorschriften abweichen oder diese ergänzen. Diese Voraussetzungen liegen auch dann vor, wenn AGB die für einen anderen Vertragstyp geltenden gesetzlichen Vorschriften für anwendbar erklären (z. B. Werkvertragsregeln beim Kauf; vgl. auch BGHZ 91, 55, 57f.).

1. Unwirksamkeitsgründe 204o

§§ 10, 11 AGBG stellen eine Generalklausel (§ 9 AGBG) sowie ein Umgehungsverbot (§ 7 AGBG).

a) *Einzelne Klauselverbote*

§§ 10, 11 AGBG stellen einen Katalog von Klauselverboten auf. Die in § 11 AGBG genannten Klauseln sind stets unwirksam; die in § 10 AGBG aufgeführten Klauseln sind hingegen nur dann unwirksam, wenn sie auch im Einzelfall zu einer unangemessenen Benachteiligung des Vertragspartners führen.

Die in §§ 10, 11 AGBG enthaltenen Klauseln betreffen die verschiedensten Rechtsgebiete und müssen jeweils dort abgehandelt werden.

Im Fall b ist die Klausel Inhalt des Vertrages geworden. Sie verweigert aber dem K einen Mindestrechtsschutz; wenn nämlich die Nachbesserung durch V fehlschlägt, hat K keinerlei Rechte wegen des Mangels der Maschine. Deshalb ist nach § 11 Nr. 10 b AGBG die Klausel über die Beschränkung des Rechts des Käufers auf Nachbesserung unwirksam, weil sie dem Käufer nicht ausdrücklich das Recht vorbehält, bei Fehlschlagen der Nachbesserung Herabsetzung des Kaufpreises oder Rückgängigmachung des Kaufvertrages zu verlangen.

204p b) *Generalklausel*

Die einzelnen Klauselverbote können nicht alle gegen Treu und Glauben verstoßenden Klauseln erfassen. Deshalb stellt § 9 AGBG als Auffangtatbestand eine Generalklausel auf. Ist keiner der in §§ 10, 11 AGBG aufgeführten Tatbestände erfüllt, dann muß geprüft werden, ob die Generalklausel des § 9 AGBG eingreift. Diese Vorschrift ist auch dann zu beachten, wenn die AGB gegenüber einer juristischen Person des öffentlichen Rechts, einem öffentlich-rechtlichen Sondervermögen oder einem Kaufmann verwendet werden; in diesen Fällen sind zwar die §§ 2, 10 und 11 AGBG nicht anwendbar (vgl. § 24 AGBG), wohl aber die Generalklausel des § 9 AGBG.

Nach § 9 I AGBG sind AGB unwirksam, wenn sie den Vertragspartner des Verwenders entgegen den Geboten von Treu und Glauben unangemessen benachteiligen.

Aktuelle Probleme: Arztvertrag: Formularmäßig abgeschlossene Honorarvereinbarungen (BGH WM 1991, 2157); Bankklausel: »Wertstellung erst ein Tag nach Einzahlung« (BGHZ 106, 259); Unwirksamkeit von Gebührenklauseln für Ein- und Auszahlungen am Bankschalter (BGH ZIP 1994, 21); Der Sparkassenkunde trägt in vollem Umfang den von keinem der Beteiligten verschuldeten Schaden aus einem eintretenden Mangel in seiner eigenen Geschäftsfähigkeit (BGHZ 115, 38); Bausparkassenbedingungen (BGH BB 1991, 1591); Breitbandkabelanschlußvertrag: Keine unangemessene Benachteiligung bei 12-jähriger Bindung (BGH NJW 1993, 1133) Bürgschaft: Ausschluß des Übergangs der Rechte aus der Bürgschaft, so daß bei einer Abtretung der Hauptforderung die Bürgschaft erlischt (BGHZ 115, 178); Ehe- oder Partnerschaftsanbahnung: Kündigungsausschluß (BGHZ 106, 341); Einkaufsbedingungen: Verlängerung der Verjährungsfrist (BGHZ 110, 88); Abbedingung der §§ 377 f. HGB (BGH WM 1991, 1636); Kraftfahrzeugreparatur: Unwirksame Beschränkung der Gewährleistungsansprüche auf eine Fahrleistung des reparierten Kfz, wenn dadurch eine mittelbare Verkürzung der kurzen Gewährleistungsfrist des § 638 eintritt (BGHZ 122, 241); Krankenhausbehandlungsvertrag: Allgemeine Vertragsbedingungen (BGH NJW 1990, 761); vorformulierte Sektionseinwilligung (BGH NJW 1990, 2315 m. abl. Anm. *Deutsch*); Kundenkreditkarte: Mißbrauchsrisiko trägt der Kunde ohne Rücksicht auf dessen Verschulden (BGHZ 114, 238); Miete von Wohnraum: Kleinreparaturen hat Mieter selbst vorzunehmen (BGH NJW 1992, 1759); Formularmäßige Sicherungsübereignung eines Warenlagers mit wechselndem Bestand (BGH WM 1992, 813); Wandelung und Minderung: Ausschluß auch für kaufmännischen Geschäftsverkehr (BGH DB 1991, 2234); Höhere Überziehungszinsen in AGB-Sparkassen (BGH NJW 1992, 1751); Zinsanpassungsklauseln (BGH MDR 1989, 799); Zinsberechnungsklauseln bei Annuitätendarlehen (BGHZ 106, 42; 112, 115). Vgl. auch die Neufassung der AGB-Sparkassen zum 1. 1. 1993, abgedruckt in NJW 1993, 840 (dazu: *Aden*, NJW 1993, 832 ff; *Graf von Westphalen*, BB 1993, 8), sowie die Neufassung der AGB-Banken zum 1. 1. 1993, abgedruckt in WM 1993, 711 (dazu: *Hoeren*, NJW 1992, 3263; *Sonnenhol*, WM 1993, 677 u. 725; *Westermann*, WM 1993, 1895).

Eine unangemessene Benachteiligung ist im Zweifel in zwei Fällen zu bejahen:

(1) Eine Bestimmung der AGB ist mit wesentlichen Grundgedanken der abbedungenen gesetzlichen Regelung nicht zu vereinbaren (§ 9 II Nr. 1 AGBG).

Beispiel: Nach den AGB eines Maklers soll der Anspruch auf Maklerlohn ohne Rücksicht auf die Maklerleistung entstehen. Diese Klausel verstößt nicht gegen eine der in §§ 10, 11 AGBG enthaltenen Spezialregeln, wohl aber gegen die Generalklausel des § 9 AGBG. Nach dem gesetzlichen Leitbild des Maklerrechts hängt die Entstehung des Lohnanspruchs davon ab, ob der angestrebte Vertrag durch Nachweis oder Vermittlung des Maklers zustande kommt (§ 652; BS Rdnr. 310). Eine davon abweichende AGB ist unwirksam (§ 9 II Nr. 1 AGBG); es gilt die gesetzliche Regelung des § 652.

(2) Eine Bestimmung der AGB schränkt wesentliche Rechte oder Pflichten, die sich aus der Natur des Vertrages ergeben, so ein, daß die Erreichung des Vertragszwecks gefährdet ist (§ 9 II Nr. 2 AGBG).

Beispiel: In den AGB eines Bewachungsunternehmens ist die Haftung für mangelhafte Bewachung ausgeschlossen. Damit ist eine ordnungsgemäße Erfüllung der Bewachungspflicht infrage gestellt, so daß der Vertragszweck gefährdet ist.

c) *Umgehungsverbot* 204q

Da nach dem AGBG viele Klauseln verboten sind, werden Verfasser von AGB nach Wegen suchen, auf denen das AGBG umgangen werden kann. Das soll durch das Umgehungsverbot des § 7 AGBG verhindert werden. Die Vorschrift greift schon beim Vorliegen des objektiven Tatbestandes ein. Der Verwender braucht sich der Umgehung nicht bewußt zu sein; eine Umgehungsabsicht ist erst recht nicht erforderlich.

Beispiel: Der Händler, der einen Kunden ständig mit Waren beliefert, schließt mit diesem keine Kaufverträge über die einzelnen Lieferungen, sondern einen Gesellschaftsvertrag ab, der seine Allgemeinen Lieferungsbedingungen enthält. Auf Gesellschaftsverträge ist das AGBG nicht anwendbar (vgl. § 23 I AGBG). Da im Beispielsfall das AGBG umgangen wird, greift das Gesetz nach § 7 AGBG dennoch ein.

2. *Rechtsfolgen bei Unwirksamkeit oder Nichteinbeziehung einer Klausel* 204r

a) Enthalten die in den Vertrag einbezogenen AGB eine unwirksame Klausel, so wäre nach der Regel des § 139 (Rdnr. 305 ff.) das ganze Geschäft nichtig. Dieses Ergebnis liefe jedoch regelmäßig dem Zweck der Inhaltskontrolle zuwider, den Vertragspartner des Verwenders zu schützen. Dem typischen Interesse des Vertragspartners entspricht die *Aufrechterhaltung des Vertrages mit Ausnahme der unwirksamen Klausel.* Das sieht § 6 I AGBG für den Regelfall vor. Entsprechendes gilt auch, soweit AGB ganz oder teilweise nicht Vertragsbestandteil geworden sind.

Infolge der Unwirksamkeit oder Nichteinbeziehung der Klausel kann der Vertrag lückenhaft sein. Die Lücke des Vertrages soll nach § 6 II AGBG durch die (dispositiven) gesetzlichen Vorschriften geschlossen werden. Ist das (z. B. wegen Fehlens solcher Vorschriften) nicht möglich, kommt eine ergänzende Auslegung (Rdnr. 136 ff.) in Betracht (BGHZ 90, 69, 73 ff.).

Im Fall b greift anstelle der unwirksamen Klausel die gesetzliche Regelung ein, wonach der Käufer bei einem Sachmangel der Kaufsache Wandelung oder Minderung verlangen kann (§ 462).

Streitig ist, ob auch eine unwirksame Klausel (z. B. vierjährige Laufzeit eines Zeitungsabonnements; vgl. § 11 Nr. 12 a AGBG) wenigstens insoweit aufrechterhalten werden kann, als sie gerade noch (z. B. zweijährige Laufzeit) für zulässig zu erachten ist (sog. geltungserhaltende Reduktion). Das ist im Regelfall zu verneinen, weil nur die Unwirksamkeit der ganzen Klausel klare Verhältnisse schafft, der Verwender keinen Schutz verdient und andernfalls der Zweck des Gesetzes (Verbraucherschutz) unterlaufen würde (BGHZ 84, 109, 114ff.; 92, 312, 315; str.).

b) *Ausnahmsweise* ist bei Unwirksamkeit oder Nichteinbeziehung einer Klausel der *ganze Vertrag unwirksam*, wenn das Festhalten an ihm auch unter Berücksichtigung der Lückenfüllung nach § 6 II AGBG eine unzumutbare Härte für eine Vertragspartei darstellen würde (§ 6 III AGBG). Das ist z. B. der Fall, wenn durch die Aufrechterhaltung des Vertrages das Verhältnis von Leistung und Gegenleistung völlig ungleichgewichtig würde oder der verbleibende Restvertrag im Hinblick auf den erstrebten Zweck sinnlos wäre.

204s **VII. Gerichtlicher Verbraucherschutz**

Der Verbraucherschutz des AGBG wäre unvollkommen, wenn sich nur der einzelne Vertragspartner in einem Rechtsstreit mit dem Verwender gegen unwirksame Klauseln zur Wehr setzen könnte. Deshalb sind z. B. Verbraucherverbände, Industrie- und Handelskammern sowie Handwerkskammern befugt, den Verwender der AGB auf Unterlassung bzw. auf Widerruf in Anspruch zu nehmen (§ 13 AGBG). Auf das der Klage stattgebende Urteil kann sich nach § 21 AGBG auch der betroffene Vertragspartner des Verwenders grundsätzlich berufen. Einzelheiten: §§ 13–22 AGBG.

205 § 11 Konsens und Dissens

Schrifttum: *Diederichsen*, Der Auslegungsdissens, Festschrift f. H. Hübner, 1984, 421; *Kramer*, Grundfragen der vertraglichen Einigung, 1972; *Leenen*, Abschluß, Zustandekommen und Wirksamkeit des Vertrages – zugleich ein Beitrag zur Lehre vom Dissens –, AcP 188, 381; *Manigk*, Das Wesen des Vertragsschlusses in der neueren Rechtsprechung, JherJb 75, 127; *R. Raiser*, Schadenshaftung bei verstecktem Dissens, AcP 127, 1; *Titze*, Die Lehre vom Mißverständnis, 1910.

Fälle:
Ist in folgenden Fällen ein Vertrag zustande gekommen?

a) V will sein Gemälde dem K für 980,– DM verkaufen und schreibt dem K, er biete ihm das Bild für 890,– DM an. K weiß, daß V für das Bild 980,– DM haben will, und ist damit einverstanden; er antwortet dem V, er kaufe das Bild für 98,– DM. V bemerkt den Schreibfehler.

b) Auf den Brief des V im Fall a antwortet K, er nehme das Angebot an. Dabei weiß K nichts vom Schreibfehler im Angebotsschreiben, und er kann auch – mangels weiteren Auslegungsmaterials – nicht auf den wirklichen Willen des V (Kaufpreis 980,– DM) schließen.

c) V bietet sein Gemälde dem K zum Kauf für 980,– DM an. K erklärt, er nehme das Angebot an, müsse aber auf Ratenzahlung bestehen. V antwortet, damit sei er einverstanden, er erwarte entsprechende Vorschläge.

d) A telegraphiert an B: »50 Fernseher Typ E à 500,– DM«. B antwortet telegraphisch: »Einverstanden«. Später stellt sich heraus, daß jede Partei verkaufen wollte und den Partner als Käufer ansah.

I. Konsens

1. Begriff und gesetzliche Regelung

a) Unter dem Begriff Konsens (»consensus«) versteht man die *Übereinstimmung* der Willenserklärungen der Vertragsschließenden. Nur wenn Angebot und Annahme übereinstimmen, kommt ein Vertrag zustande; dagegen hindert eine Nichtübereinstimmung (Dissens) den Vertragsschluß.

b) Eine ausdrückliche gesetzliche Regelung gibt es für den Konsens nicht. Es ist auf die Bestimmungen über den Vertragsschluß (§§ 145 ff.) zurückzugreifen. Vor allem aus § 150 II ist zu entnehmen, daß nur eine solche Willenserklärung eine Annahme des Angebots darstellt, die nicht von dem Angebot abweicht, also mit ihm übereinstimmt.

2. Konsens und Auslegung 206

Wenn Konsens die Übereinstimmung der Willenserklärungen bedeutet, so fragt sich, ob damit die Übereinstimmung der (inneren) Willen oder der (äußeren) Erklärungen oder der objektiven Bedeutungen der Erklärungen gemeint ist. Die richtige Lösung läßt sich nur unter Beachtung der Auslegungsgrundsätze (Rdnr. 123 ff.) finden. Danach sind folgende Fallgruppen zu unterscheiden:

a) Ergibt die Auslegung von Angebot und Annahme, daß hinter beiden Erklä- 207
rungen *übereinstimmende Willen der beiden Erklärenden* stehen, dann ist wegen der Übereinstimmung der inneren Willen ein Konsens im Sinne des gemeinsam Gewollten zu bejahen, selbst wenn die Erklärungen übereinstimmend von dem beiderseits Gewollten abweichen (falsa demonstratio non nocet; Rdnr. 131). Diese Lösung benachteiligt keine der beiden Parteien, da sie auf das von beiden Gewollte abstellt.

Demnach sind bei der Prüfung, ob Konsens vorliegt, zuerst die Willen der beiden Erklärenden zu ermitteln. Stimmen sie überein, ist Konsens gegeben. Auf das Erklärte kommt es dann nicht an.

Im Fall a stimmen die Willen von V und K überein (Kaufvertrag über das Bild zu 980,– DM). Zu diesen Bedingungen ist der Vertrag zustande gekommen. Die falschen, sich nicht deckenden Erklärungen ändern daran nichts.

208 b) Ergibt die Auslegung, daß die Willen von Antragendem und Annehmendem nicht übereinstimmen, ist durch normative Auslegung beider Willenserklärungen (Rdnr. 133 f.) zu ermitteln, welchen Sinn jede der Erklärungen – vom Empfängerhorizont aus betrachtet – hat. *Stimmt der Sinn beider Erklärungen (der objektive Erklärungswert) überein*, ist ein Konsens gegeben, obwohl die tatsächlichen Willen der Parteien nicht übereinstimmen.

Im Fall b stimmen die inneren Willen der Parteien nicht überein; V will für 980,– DM verkaufen, während K für 890,– DM kaufen will. Bei normativer Auslegung des Angebots muß V die Erklärung (Verkauf für 890,– DM) gegen sich gelten lassen. Damit stimmt die Annahme des K überein, so daß ein Kaufvertrag zu 890,– DM zustande gekommen ist.

209 *3. Folgen*

a) *Bei Konsens ist der Vertrag geschlossen*, so daß jede Partei die ihr nach dem Vertrag zustehenden Ansprüche gegen den Partner geltend machen kann.

210 b) Beruht der *Konsens auf der Übereinstimmung der wirklichen Willen*, hat keine Partei das Recht, ihre Willenserklärung wegen Irrtums anzufechten (§§ 119 ff.; Rdnr. 365 ff.); selbst wenn die Erklärung von dem Willen abweicht, so wirkt sich dieser Fehler nicht zum Nachteil des Erklärenden aus, da allein sein wirklicher Wille maßgebend ist.

Im Fall a ist der Vertrag zu den von beiden Parteien gewollten Bedingungen (Kaufpreis 980,– DM) zustande gekommen. Deshalb kann keine Partei ihre auf einem Irrtum beruhende Erklärung anfechten.

211 c) Beruht der *Konsens auf dem durch normative Auslegung gefundenen, übereinstimmenden Sinn der Erklärungen*, kann die Partei, die einen vom Gewollten abweichenden Sinn der Erklärung gegen sich gelten lassen muß, anfechten (§ 119 I).

Im Fall b ist der Kaufvertrag zum Preis von 890,– DM zustande gekommen. Da V einen anderen Willen hatte, kann er seine Erklärung wegen Erklärungsirrtums nach § 119 I (Rdnr. 365) anfechten.

II. Dissens 212

1. Voraussetzungen

Dissens (»dissensus«) bedeutet *Nichtübereinstimmung* der Willenserklärungen. Da ein Dissens vorliegt, wenn kein Konsens gegeben ist, muß zunächst durch Auslegung der Willenserklärungen ermittelt werden, ob eine Übereinstimmung der wirklichen Willen (Rdnr. 131) oder des objektiven Erklärungswertes beider Erklärungen (Rdnr. 133) vorhanden ist. Nur wenn beides verneint wird, ist Dissens zu bejahen.

Demnach sind beim Dissens vor allem zwei Fallgruppen zu unterscheiden:

a) Die *Willenserklärungen* der Parteien *gehen aneinander vorbei*, decken sich also nicht. 213

Beispiel: V erklärt dem K, er wolle ihm sein Bild für 1000,– DM verkaufen; K antwortet, er nehme das Bild für 900,– DM. Da die Parteien sich über den Kaufpreis nicht geeinigt haben, ist kein Kaufvertrag zustande gekommen (vgl. § 150 II). Sollten aber beide Parteien entgegen ihren Erklärungen übereinstimmend einen Preis von z. B. 1000,– DM gewollt haben, liegt wegen der Übereinstimmung der beiden Willen ein Vertragsschluß vor.

b) Die *Willenserklärungen* der Parteien *sind objektiv mehrdeutig*. Dann fehlt es an einer Übereinstimmung, selbst wenn sich die Erklärungen äußerlich decken. 214

Schulbeispiele sind die Währungsfälle (Rdnr. 124, 126): Ein Vertrag lautet über 1000,– Franken. Das können französische, belgische, Schweizer Franken sein. Dennoch kann eine Willensübereinstimmung vorliegen, wenn nämlich beide Parteien etwa französische Franken meinten oder wenn bei normativer Auslegung als übereinstimmender Sinn z. B. belgische Franken ermittelt werden, weil der Vertrag etwa in Belgien geschlossen wurde. Nur wenn beide Möglichkeiten ausscheiden, liegt wegen Mehrdeutigkeit Dissens vor.

2. Offener und versteckter Dissens 215

Liegt ein Dissens vor und sind sich die Parteien bewußt, daß sie sich nicht geeinigt haben, spricht man von offenem Dissens; meinen die Parteien irrtümlich, daß sie sich geeinigt haben, ist ein versteckter Dissens gegeben. Auf dieser Unterscheidung beruhen die Auslegungsregeln des § 154 (offener Dissens) und des § 155 (versteckter Dissens).

a) Beim *offenen Dissens* (= offenen Einigungsmangel) wissen die Parteien, daß sie sich nicht geeinigt haben. 216

Beispiel: V bietet dem K eine Maschine für 5000,– DM an. K erklärt, er wolle nur 4500,– DM bezahlen (= Ablehnung, verbunden mit einem neuen Angebot; § 150 II; Rdnr. 193).

217 (1) Ist über einen der *wesentlichen Vertragsbestandteile* (= essentialia negotii) keine Einigung erzielt, ist ein Vertrag nicht zustande gekommen. Wesentlich sind die Umstände, die nach dem Gesetz den Vertragstyp bestimmen.

Dies sind beim Kauf die Bestimmung des Kaufgegenstandes und des Kaufpreises (§ 433), bei der Miete die Bestimmung der Mietsache und des Mietzinses (§ 535).

218 (2) Ist dagegen lediglich über vertragliche *Nebenpunkte* (= accidentalia negotii) keine Einigung erzielt, kommt es auf den Willen der Parteien an, ob der Vertrag erst dann geschlossen sein soll, wenn auch über den letzten der noch offengebliebenen Nebenpunkte eine Einigung erreicht worden ist, oder ob der Vertrag trotz der noch ausstehenden Einigung über die Nebenpunkte bereits jetzt als geschlossen anzusehen ist. Nach dem Willen der Parteien kann der noch nicht geregelte Nebenpunkt (z. B. über Zeit oder Ort der Leistung, Tragung der Transportkosten) eine derartige Bedeutung haben, daß sie die Wirksamkeit des ganzen Vertrages von der Einigung über den Nebenpunkt abhängig machen. Dieser Nebenpunkt kann für die Parteien aber auch so nebensächlich sein, daß sie den Vertragsschluß an der Nichteinigung über diesen Punkt nicht scheitern lassen wollen.

Der Wille der Parteien ist durch Auslegung zu ermitteln. Führt sie zu keinem Ergebnis, greift die *Auslegungsregel des § 154 I 1* ein. Danach ist im Zweifel der Vertrag nicht geschlossen, solange sich die Parteien nicht über alle Punkte eines Vertrages geeinigt haben, über die nach der Erklärung auch nur einer Partei eine Vereinbarung geschlossen werden soll.

Im Fall c hat V das Angebot des K, das Gemälde zu einem in Raten zahlbaren Kaufpreis von 980,– DM zu kaufen, angenommen. Da eine Einigung über einen Nebenpunkt, nämlich die Modalitäten der Ratenzahlungen (wie viele Raten, in welcher Höhe, zu welchen Terminen), fehlt, muß ermittelt werden, ob die Parteien den Kaufvertrag dennoch als geschlossen angesehen haben. Ein Indiz für einen solchen Willen können etwa die Übereignung und die Übergabe des Bildes als Erfüllung des Kaufvertrages sein. Führt die Auslegung zu keinem Ergebnis, bleibt es bei der Auslegungsregel des § 154 I 1, so daß der Kaufvertrag nicht geschlossen ist.

Kommt die Auslegung zum Ergebnis, daß der Vertrag trotz der fehlenden Einigung über einen Nebenpunkt geschlossen sein soll, muß die Lücke durch ergänzende Vertragsauslegung (Rdnr. 138) oder durch Anwendung dispositiven Gesetzesrechts geschlossen werden.

§ 154 enthält noch zwei andere Auslegungsregeln. Einmal stellt eine Aufzeichnung über einzelne Punkte (= *Punktation*) vor der Einigung über den ganzen Vertrag im Zweifel noch keine bindende Einigung dar (§ 154 I 2). Diese Regel ergibt sich schon aus § 154 I 1.

Zum anderen ist im Zweifel der Vertrag erst mit seiner *Beurkundung* geschlossen, wenn die Parteien eine (privatschriftliche oder notarielle) Beurkundung vereinbart haben (§ 154 II).

219 b) Beim *versteckten Dissens* (= versteckten Einigungsmangel) meinen die Parteien, sich geeinigt zu haben, während in Wirklichkeit ein Dissens vorliegt.

Beispiele: Die Personen, die eine offene Handelsgesellschaft gründen wollen, haben den Gesellschaftsvertrag schriftlich niedergelegt und unterschrieben. Sie halten den Vertrag für geschlossen, haben aber eine beabsichtigte Regelung über das Ende der Gesellschaft schließlich doch vergessen. – Im Fall d gebrauchen beide Parteien Worte, die scheinbar zueinander passen. In Wirklichkeit liegt aber ein Einigungsmangel vor. Denn nach dem wirklichen Willen jeder Partei sollte sie selbst Verkäuferin und die andere Käuferin sein. Auch bei normativer Auslegung der beiden Erklärungen kann kein übereinstimmender Sinn festgestellt werden, da aus den knappen telegraphischen Äußerungen nicht zu entnehmen ist, wer Verkäufer und wer Käufer sein soll (vgl. RGZ 104, 266).

(1) Fehlt eine Einigung über einen *wesentlichen Vertragsbestandteil*, ist – wie **220** beim offenen Dissens – kein Vertrag zustande gekommen (Fall d).

(2) Fehlt eine Einigung über einen *Nebenpunkt*, so muß beim versteckten **221** Dissens berücksichtigt werden, daß die Parteien davon ausgehen, der Vertrag sei zustande gekommen. Da beide Parteien auf die Gültigkeit des Vertrages vertrauen, soll die Auslegungsregel des § 155 die übrige fehlerfreie vertragliche Einigung »retten«. Deshalb gilt nach § 155 das Vereinbarte, sofern anzunehmen ist, daß die Parteien den Vertrag auch ohne eine Bestimmung über den Nebenpunkt geschlossen hätten.

Ob die Parteien den Vertrag ohne Regelung des Nebenpunktes geschlossen hätten, muß durch Auslegung ermittelt werden. Ist danach ein Vertragsschluß zu bejahen, muß die bestehende Lücke des Vertrages durch ergänzende Auslegung oder durch Anwendung dispositiven Gesetzesrechts ausgefüllt werden.

Beispiel: Hätten die Vertragsparteien den Gesellschaftsvertrag auch ohne eine vertragliche Regelung über das Ende der offenen Handelsgesellschaft geschlossen, kann die vertragliche Lücke, falls kein anderer hypothetischer Parteiwille zu ermitteln ist, notfalls durch die gesetzliche Regelung (§§ 131 f. HGB) geschlossen werden.

Drittes Kapitel Die Wirksamkeitsvoraussetzungen des Rechtsgeschäfts

222 § 12 Die Geschäftsfähigkeit

Schrifttum: *Bosch*, Teil-Unmündigkeit trotz Volljährigkeit?, Festschrift f. Schiedermair, 1976, 51; *Brandt*, Verkehrssicherheit und Geschäftsunfähigkeit, 1936; *Breit*, Die Geschäftsfähigkeit, 1903; *Brox*, Der Minderjährigenschutz beim Rechtsgeschäft, JA 1989, 441; *Gebauer*, Die Lehre von der Teilgeschäftsunfähigkeit und ihre Folgen, AcP 153, 332; *Giesen*, Grundsätze der Konfliktlösung bei fehlerhaften Rechtsgeschäften, Jura 1981, 505; *Gilles/Westphal*, Ein problematischer Gewerkschaftsbeitritt, JuS 1981, 899; *Hagemeister*, Grundfälle zu Bankgeschäften mit Minderjährigen, JuS 1992, 839, 924; *Harder*, Die Erfüllungsannahme durch den Minderjährigen – lediglich ein rechtlicher Vorteil, JuS 1977, 149, 1978, 84; *ders.*, Minderjährige Schwarzfahrer, NJW 1990, 857; *Jerschke*, Ist die Schenkung eines vermieteten Grundstücks rechtlich vorteilhaft?, DNotZ 1982, 459; *Knoche*, Minderjährige als Geschäftsführer ohne Auftrag, MDR 1964, 193; *Köbler*, Das Minderjährigenrecht, JuS 1979, 789; *Köhler*, Grundstücksschenkung an Minderjährige – ein »lediglich rechtlicher Vorteil«?, JZ 1983, 225; *Heinr. Lange*, Schenkungen an beschränkt Geschäftsfähige und § 107 BGB, NJW 1955, 1339; *Lindacher*, Überlegungen zu § 110 BGB, Festschrift f. Bosch, 1976, 533; *Nierwetberg*, Der »Taschengeldparagraph« (§ 110 BGB) im System des Minderjährigenrechts, Jura 1984, 127; *K. Schmidt*, Grenzen des Minderjährigenschutzes im Handels- und Gesellschaftsrecht, JuS 1990, 517; *K. Schreiber*, Neutrale Geschäfte Minderjähriger, Jura 1987, 221; *Schwimann*, Die Institution der Geschäftsfähigkeit, 1965; *Stürner*, Der lediglich rechtliche Vorteil, AcP 173, 402. *Wilhelm*, Aufforderung zur Erklärung über die Genehmigung eines schwebend unwirksamen Geschäfts und Widerruf des Geschäftes, NJW 1992, 1666.

Fälle:

a) K, der schon länger an Schizophrenie leidet, kauft von V ein Gemälde für 5000,– DM. Kommt ein Vertrag zustande, wenn K in einem geistig klaren Augenblick handelt?

b) Wie, wenn das Vormundschaftsgericht für K den Betreuer B in allen Vermögensangelegenheiten bestellt und angeordnet hat, daß zu einer Willenserklärung des K in Vermögensangelegenheiten die Einwilligung des B erforderlich ist? (vgl. §§ 1896, 1903 n. F.).

c) Die Eltern E wollen ihrem 15jährigen Sohn S ein Hausgrundstück schenken und übertragen. Das Grundstück ist 200000,– DM wert und mit Hypotheken in Höhe von 150000,– DM belastet. Können E und S die nötigen Verträge schließen?

d) Der 16jährige K kauft ohne Wissen seiner Eltern bei V ein Radio zum Preis von 60,– DM und zahlt von seinem Taschengeld 20,– DM an; den Rest will er in vier Monatsraten zahlen. Wirksamer Kaufvertrag?

e) Der minderjährige G hat eine verzinsliche Darlehensforderung gegen S in Höhe von 1000,– DM. Nach dem Vertrag kann zum 1. jeden Monats mit einmonatiger Kündigungsfrist gekündigt werden. G kündigt ohne Wissen seiner Eltern am 30. 4. zum nächsten Termin; am 1. 6. verlangt er von S Zahlung.

f) Der 17jährige S eröffnet mit Einverständnis seiner Eltern und mit vormundschaftsgerichtlicher Genehmigung ein Lebensmittelgeschäft. Als er Geschäftsräume mieten, eine Verkäuferin einstellen und einen Kredit in Höhe von 20000,– DM aufnehmen will, sind seine Eltern dagegen. Kann S die Geschäfte selbständig abschließen?

g) Der 17jährige Hilfsarbeiter S arbeitet mit Einwilligung seiner Eltern in einer Spinnerei. Da es ihm dort nicht gefällt, kündigt er ohne Wissen seiner Eltern und beginnt in einer Ziegelei als Hilfsarbeiter; er tritt einer Gewerkschaft bei. Wirksam?

I. Begriff, Bedeutung und Abgrenzung

1. Begriff und Bedeutung

a) Geschäftsfähigkeit ist die *Fähigkeit, Rechtsgeschäfte wirksam vorzunehmen.* Die Privatautonomie ermöglicht es dem einzelnen, Rechtsgeschäfte nach seinem eigenen Willen abzuschließen. Das ist aber nur dann sinnvoll, wenn der Handelnde die Folgen seiner rechtsgeschäftlichen Erklärungen verstehen kann; er muß deshalb ein Mindestmaß an Einsichts- und Urteilsfähigkeit besitzen, also geschäftsfähig sein.

Es würde zu großer Rechtsunsicherheit führen, wenn Vertragsparteien bei jedem Vertragsschluß sich darüber vergewissern müßten, ob der jeweilige Partner geschäftsfähig ist. Dazu besteht auch normalerweise keine Veranlassung, da in der Regel jeder Erwachsene die nötige Willensreife besitzt. Deshalb sagt das Gesetz auch nicht positiv, wer geschäftsfähig ist, sondern bestimmt nur, wem die volle Geschäftsfähigkeit fehlt. Dabei macht es die fehlende Geschäftsfähigkeit von festen Altersstufen und einer bestimmten Störung der geistigen Gesundheit abhängig. Aus dieser Regelung ergibt sich, daß regelmäßig jeder Volljährige, also jeder, der das achtzehnte Lebensjahr vollendet hat (§ 2), geschäftsfähig ist, soweit er nicht an einer solchen Störung der geistigen Gesundheit leidet, die eine freie Willensbestimmung ausschließt.

b) Die Bedeutung der Vorschriften über die fehlende Geschäftsfähigkeit liegt **223**
im *Schutz der nicht voll Geschäftsfähigen.* Sie sollen davor geschützt werden, sich selbst zu schädigen. Diese Schutzfunktion wird auch nicht im Interesse des Rechtsverkehrs durchbrochen, wenn etwa der Vertragspartner des nicht voll Geschäftsfähigen diesen für geschäftsfähig gehalten hat und dies auch durfte. Deshalb wird der gute Glaube an die Geschäftsfähigkeit des Geschäftspartners vom Gesetz nicht geschützt (RGZ 120, 170, 174; BGH ZIP 1988, 829, 831; anders beim guten Glauben an das Eigentum des Veräußeres: Rdnr. 27, 590).

224 2. *Abgrenzung*

Die Geschäftsfähigkeit ist von der Ehefähigkeit und Testierfähigkeit, der Deliktsfähigkeit sowie der Rechtsfähigkeit abzugrenzen.

a) *Ehefähigkeit* und *Testierfähigkeit* sind Sonderfälle der Geschäftsfähigkeit. Ehefähigkeit ist die Fähigkeit, eine Ehe wirksam einzugehen; sie tritt grundsätzlich mit der Volljährigkeit ein (§ 1 I EheG). Testierfähigkeit ist die Fähigkeit, ein Testament wirksam zu errichten; sie tritt grundsätzlich mit Vollendung des sechzehnten Lebensjahres ein (§ 2229 I; ErbR Rdnr. 96ff.).

Der 17jährige A und die 16jährige B, die einander heiraten wollen, sind nicht ehefähig. Das Vormundschaftsgericht kann jedoch vom Erfordernis der Ehefähigkeit Befreiung erteilen, wenn der Antragsteller das 16. Lebensjahr vollendet hat und sein künftiger Ehegatte volljährig ist (§ 1 II EheG). Demnach kann die Befreiung erst erteilt werden, wenn A 18 Jahre alt geworden ist. Außerdem bedarf die nicht voll geschäftsfähige B zur Eingehung der Ehe der Einwilligung ihrer Eltern als der gesetzlichen Vertreter (vgl. § 3 EheG). B kann jedoch schon jetzt den A in einem notariellen Testament wirksam zu ihrem Erben einsetzen (vgl. §§ 2229 I, 2233 I; ErbR Rdnr. 96f.).

225 b) Die *Deliktsfähigkeit* ist die Fähigkeit, eine zum Schadensersatz verpflichtende unerlaubte Handlung (§§ 823ff.) zu begehen. Während die Geschäftsfähigkeit Voraussetzung für wirksames rechtsgeschäftliches Handeln ist, ist die Deliktsfähigkeit grundsätzlich Voraussetzung für eine Haftung aus unerlaubter Handlung.

Kauft ein Zwölfjähriger einen Fußball, so richtet sich die Wirksamkeit des Vertrages nach den Vorschriften über die Geschäftsfähigkeit; schießt er mit dem Ball eine Fensterscheibe ein, so hängt seine Haftung wegen unerlaubter Handlung (§ 823) von seiner Deliktsfähigkeit ab.

Die Deliktsfähigkeit ist in §§ 827f. geregelt. Danach ist zu unterscheiden:

(1) *Deliktsunfähig* sind alle Personen vor Vollendung des siebenten Lebensjahres (§ 828 I) sowie diejenigen, die sich im Zustand der Bewußtlosigkeit oder in einem die freie Willensbestimmung ausschließenden Zustand krankhafter Störung der Geistestätigkeit befinden (§ 827, 1; vgl. auch § 827, 2).

(2) *Beschränkt deliktsfähig* sind die Personen, die das siebente, aber nicht das achtzehnte Lebensjahr vollendet haben. Ihnen wird die unerlaubte Handlung nur zugerechnet, wenn sie bei Begehung der schädigenden Handlung die zur Erkenntnis der Verantwortlichkeit erforderliche Einsicht hatten (§ 828 II 1). Das gleiche gilt für Taubstumme (§ 828 II 2).

Der Zwölfjährige, der den Fußball in die Scheibe schießt, ist für den Schaden verantwortlich, wenn er das Unrecht seiner Tat sowie die daraus folgende Haftung nach seiner geistigen Entwicklung verstehen kann.

(3) *Deliktsfähig* sind alle übrigen Personen.

c) Die *Rechtsfähigkeit* ist die Fähigkeit, Träger von Rechten und Pflichten zu sein (Rdnr. 655). Sie steht der Handlungsfähigkeit (Geschäfts- und Deliktsfähigkeit) gegenüber. Rechtsfähig ist jede Person. 226

So können etwa der Säugling und der Geisteskranke zwar keinen Kaufvertrag schließen und nicht wegen unerlaubter Handlung haften, da sie weder geschäfts- noch deliktsfähig sind; aber sie können Grundstückseigentümer oder Schuldner einer Forderung sein.

II. Geschäftsunfähigkeit 227

Geschäftsunfähige können keine wirksamen Rechtsgeschäfte vornehmen.

1. Voraussetzungen

a) *Wer nicht das siebente Lebensjahr vollendet hat*, ist geschäftsunfähig (§ 104 Nr. 1).

b) *Wer sich in einem die freie Willensbestimmung ausschließenden Zustande krankhafter Störung der Geistestätigkeit befindet, sofern nicht der Zustand seiner Natur nach ein vorübergehender ist*, ist geschäftsunfähig (§ 104 Nr. 2). 228

Im Fall a leidet K zwar an einer krankhaften Störung der Geistestätigkeit, nämlich an Schizophrenie. Dieser Zustand ist bei ihm auch von Dauer und nicht nur vorübergehend. Doch befindet er sich nicht in einem die freie Willensbestimmung ausschließenden Zustand, da er in dem lichten Augenblick (lucidum intervallum) in der Lage ist, die Bedeutung der von ihm abgegebenen Willenserklärung einzusehen und nach dieser Einsicht zu handeln. Der Kaufvertrag ist also gültig.

Bei Volltrunkenheit liegt keine Geschäftsunfähigkeit nach § 104 Nr. 2 vor. Die Volltrunkenheit stellt aber eine vorübergehende Störung der Geistestätigkeit dar (vgl. § 105 II; Rdnr. 232). Verschenkt also ein Volltrunkener einen Hundertmarkschein, so ist die Schenkung nicht wirksam, da der Volltrunkene eine wirksame Willenserklärung nicht abgeben kann (vgl. § 105 II; Rdnr. 232).

Wer die Voraussetzungen des § 104 Nr. 2 erfüllt, ist für jedes Rechtsgeschäft geschäftsunfähig. Anerkannt ist aber auch eine *partielle Geschäftsunfähigkeit*, wenn sich der Ausschluß der freien Willensbestimmung lediglich auf bestimmte Lebensbereiche, wie etwa die Führung eines bestimmten Prozesses (»Querulantenwahn«), bezieht; für alle übrigen Geschäfte besteht dann weiter volle Geschäftsfähigkeit. Abzulehnen ist dagegen eine *relative Geschäftsunfähigkeit* für besonders schwierige Geschäfte (so auch BayObLG NJW 1989, 1678); sonst wäre jede klare Abgrenzung ausgeschlossen.

c) Nach § 104 Nr. 3 a. F. war der wegen Geisteskrankheit Entmündigte geschäftsunfähig. Diese Vorschrift ist ebenso wie § 6 a. F., der die Entmündigung betraf, mit Wirkung vom 1. 1. 1992 durch das Betreuungsgesetz–BtG– (Art. 1 229

Nr. 1 u. 2) aufgehoben worden. Dieses Gesetz schaffte die Entmündigung wegen ihrer Auswirkung auf die Geschäftsfähigkeit ab, da ein solcher starrer Eingriff die Restfähigkeiten des Betroffenen nicht ausreichend berücksichtige (vgl. BT-Drucks. 11/4528, S. 49). Die Bestellung eines Betreuers hat keinen Einfluß auf die Geschäftsfähigkeit des Betreuten. Dieser ist nur dann geschäftsunfähig, wenn er sich in einem die freie Willensbestimmung ausschließenden Zustand krankhafter Störung der Geistestätigkeit befindet (vgl. § 104 Nr. 2).

Liegt kein Fall des § 104 Nr. 2 vor, ist der Betreute geschäftsfähig, so daß er etwa einen Kaufvertrag über ein Fernsehgerät wirksam schließen kann. Aber auch der Betreuer ist in der Lage, im Namen des Betreuten einen solchen Vertrag abzuschließen, da er in seinem Aufgabenbereich den Betreuten gerichtlich und außergerichtlich vertritt (§ 1902 n. F.), so daß es zu Doppelverpflichtungen kommen kann (Zimmermann/Damrau, NJW 1991, 538, 539).

230 2. *Folgen*

a) *Die Willenserklärung eines Geschäftsunfähigen ist nichtig* (§ 105 I); der Geschäftsunfähige kann also nicht wirksam rechtsgeschäftlich handeln. Dem Geschäftsunfähigen können auch keine Willenserklärungen wirksam zugehen (vgl. § 131 I; Rdnr. 163).

Wenn K im Fall a beim Vertragsschluß wegen Geisteskrankheit geschäftsunfähig war, konnte er weder ein Kaufangebot abgeben (§§ 105 I, 104 Nr. 2) noch ein Vertragsangebot des V empfangen (§§ 131 I, 104 Nr. 2).

231 b) Da der Geschäftsunfähige rechtsfähig ist, muß er, wenn auch nicht selbst, auf andere Weise am Rechtsverkehr teilnehmen können. *Für den Geschäftsunfähigen handelt sein gesetzlicher Vertreter*. Dies sind für Kinder in der Regel beide Eltern (§ 1629 I 2), für geisteskranke Volljährige deren Betreuer (§ 1902 n. F.). Handelt der gesetzliche Vertreter im Namen des Geschäftsunfähigen, treffen die Rechtsfolgen den vertretenen Geschäftsunfähigen (Rdnr. 487, 489).

232 c) *Nichtig ist auch eine Willenserklärung, die im Zustande der Bewußtlosigkeit oder vorübergehender Störung der Geistestätigkeit abgegeben wird* (§ 105 II). Hierunter können etwa Volltrunkenheit, epileptische Anfälle und sonstige vorübergehende Bewußtseinstrübungen fallen. Durch diesen Zustand allein tritt jedoch keine Geschäftsunfähigkeit ein. Der Unterschied zwischen einer Willensstörung, die zur Geschäftsunfähigkeit führt, und einer solchen nach § 105 II liegt darin, daß dem Bewußtlosen selbst eine Willenserklärung wirksam zugehen kann (vgl. Rdnr. 165).

III. Beschränkte Geschäftsfähigkeit 233

Beschränkt geschäftsfähige Personen können in bestimmtem Umfang selbst Rechtsgeschäfte wirksam vornehmen. Grundsätzlich bedürfen sie aber der Zustimmung ihres gesetzlichen Vertreters; dabei unterscheidet das Gesetz zwischen Verträgen und einseitigen Rechtsgeschäften.

1. Voraussetzungen 234

Beschränkt geschäftsfähig sind:

a) *Minderjährige*, die das siebente Lebensjahr vollendet haben (§ 106), aber noch nicht volljährig (d.h. noch nicht 18 Jahre alt; § 2) sind.

b) Vom 1.1.1992 an gibt es *keinen Volljährigen* mehr, der beschränkt geschäftsfähig wäre; denn § 114 a.F. ist durch Art. 1 Nr. 3 BtG aufgehoben worden. Ein Volljähriger ist also entweder geschäftsunfähig (§ 104 Nr. 2) oder (voll) geschäftsfähig.

Im Fall b kommt es nicht darauf an, ob K geschäftsfähig ist oder nicht; denn selbst im Fall der Geschäftsfähigkeit ist eine Willenserklärung wegen des Einwilligungsvorbehalts (§ 1903 n.F.) nicht wirksam, solange die Einwilligung (richtiger: Zustimmung; vgl. Rdnr. 455) des Betreuers nicht erteilt worden ist (Einzelheiten: Rdnr. 249a).

2. Zustimmungsfreie Rechtsgeschäfte 235

Der beschränkt Geschäftsfähige kann selbst wirksam Rechtsgeschäfte vornehmen, wenn er durch sie *lediglich einen rechtlichen Vorteil* erlangt; bringt ihm das Geschäft einen rechtlichen Nachteil, so ist die Einwilligung des gesetzlichen Vertreters zur Wirksamkeit des Geschäfts erforderlich (§ 107). Ob ein lediglich rechtlicher Vorteil vorliegt, ist allein nach der rechtlichen Wirkung, nicht aber nach dem wirtschaftlichen Erfolg des Geschäfts zu entscheiden. Das Gesetz will nämlich nicht auf den unsicheren Maßstab des wirtschaftlichen Vorteils abstellen.

a) *Verpflichtungsgeschäfte* (Rdnr. 101) sind rechtlich vorteilhaft, wenn der be- 236
schränkt Geschäftsfähige keine rechtsgeschäftlichen Verpflichtungen übernimmt.

(1) Ein *gegenseitiger Vertrag* ist für den beschränkt Geschäftsfähigen niemals lediglich rechtlich vorteilhaft. Ein solcher Vertrag liegt vor, wenn der eine Vertragsteil eine Leistung gerade deshalb verspricht, weil auch der andere sich zu einer Leistung verpflichtet (AS Rdnr. 22). Den beschränkt Geschäftsfähigen trifft also immer eine rechtsgeschäftliche Verpflichtung.

Nicht lediglich rechtlich vorteilhaft sind also etwa der Kauf eines Bildes für 500,– DM, der Tausch eines Fußballs gegen ein Buch oder die Miete eines Zimmers zum Mietzins von 200,– DM, da der beschränkt Geschäftsfähige in allen Fällen zu einer Leistung verpflichtet ist. Dies gilt auch dann, wenn das Geschäft für den beschränkt Geschäftsfähigen wirtschaftlich sehr günstig ist.

237 (2) Auch ein *unvollkommen zweiseitig verpflichtender Vertrag* ist für keine Vertragspartei lediglich rechtlich vorteilhaft. Ein solcher Vertrag liegt vor, wenn für einen Vertragsteil immer Verpflichtungen entstehen, für den anderen Vertragsteil dagegen nur unter bestimmten Voraussetzungen (AS Rdnr. 23). Der beschränkt Geschäftsfähige wird also entweder mit Vertragsschluß schon rechtlich verpflichtet oder kann unter weiteren Voraussetzungen verpflichtet werden.

Gibt etwa der minderjährige A seinen Hund für die Ferien bei B in unentgeltliche Verwahrung (§ 688), so muß A zwar keine Gegenleistung für die Verwahrung erbringen; deshalb handelt es sich nicht um einen gegenseitigen Vertrag. Doch besteht für A die Verpflichtung, dem B Aufwendungen wie Futterkosten für den Hund zu ersetzen (vgl. § 693). Wegen dieser rechtsgeschäftlichen Verpflichtung ist der Vertrag für A nicht lediglich rechtlich vorteilhaft.

238 (3) Bei den *einseitig verpflichtenden Verträgen* wird immer nur eine Vertragspartei verpflichtet (AS Rdnr. 24). Deshalb kann der beschränkt Geschäftsfähige diese Verträge schließen, wenn er nicht der verpflichtete Vertragsteil ist.

Im Fall c kann S das Schenkungsangebot der E auf Übereignung des Grundstücks wirksam annehmen; der schuldrechtliche Schenkungsvertrag ist für S lediglich rechtlich vorteilhaft, da er den Übereignungsanspruch erhält, ohne seinerseits eine rechtsgeschäftliche Verpflichtung zu übernehmen. Hypothekenschuldner wird S erst aufgrund des Verfügungsgeschäfts. – Die Schenkung ist aber rechtlich nachteilig, wenn die Eltern die Schenkung unter der Auflage machen, S müsse ihr Grab pflegen (vgl. § 525; BS Rdnr. 147f.).

239 b) *Verfügungsgeschäfte* (Rdnr. 102ff.) sind rechtlich vorteilhaft, wenn zugunsten des beschränkt Geschäftsfähigen ein Recht übertragen, aufgehoben, verändert oder belastet wird.

Die Übereignung des Grundstücks im Fall c an S ist rechtlich vorteilhaft, da er das Eigentum erwirbt. Zwar wird S Hypothekenschuldner; doch wird das Geschäft dadurch nicht rechtlich nachteilig. S haftet für die Hypotheken nämlich nicht mit seinem sonstigen persönlichen Vermögen, sondern nur mit dem Grundstück. S erlangt also ein um die Hypothekenschulden gemindertes Eigentum im Wert von 50000,– DM. Im denkbar ungünstigsten Fall bringt der Eigentumserwerb weder Vorteile noch Nachteile, wenn nämlich der Wert der Hypotheken den Wert des Grundstücks übersteigt (BGHZ 15, 168). Anders verhält es sich bei der Übertragung von Wohnungseigentum, weil in diesem Fall der Erwerber für seine Verpflichtungen nach dem WEG nicht nur dinglich mit der erworbenen Sache, sondern auch persönlich haftet (vgl. BGHZ 78, 28, 31ff.; Jauernig, JuS 1982, 576). Dagegen machen die auf dem Grundstückseigentum ruhenden öffentlich-rechtlichen Lasten, wie etwa Grundsteuer und Anliegerbeiträge, das Geschäft nicht rechtlich nachteilig, da diese Belastungen nicht auf dem Rechtsgeschäft, sondern auf einem alle Grundstückseigentümer treffenden Gesetz beruhen.

Nach dem Abstraktionsprinzip (Rdnr. 115ff.) sind die Verfügungen als abstrakte Rechtsgeschäfte unabhängig von den ihnen zugrunde liegenden Kausalgeschäften zu beurteilen. Das gilt auch, wenn die Verfügungen der Erfüllung der Kausalgeschäfte dienen.

Beispiele: Der 17jährige K kauft gegen den ausdrücklichen Willen seiner Eltern ein Moped für 500,– DM von V. Es wird ihm gleich übereignet. Da K nicht zahlt, verlangt V das Moped heraus. Ein Herausgabeanspruch nach § 985 steht V nicht zu. Die Übereignung nach § 929, 1 ist nämlich auch ohne Einwilligung der Eltern wirksam, da die Eigentumsübertragung K lediglich rechtlichen Vorteil bringt. K ist also Eigentümer geworden. Er muß das Moped jedoch nach § 812 I 1, 1. Fall zurückgeben, da er »etwas« (= Eigentum und Besitz am Moped) »durch Leistung eines anderen« (= durch Übereignung seitens V) »ohne rechtlichen Grund« (= ohne wirksamen Kaufvertrag) erlangt hat. Der Kaufvertrag ist als gegenseitiger Vertrag nicht lediglich rechtlich vorteilhaft und mangels Einwilligung der Eltern nicht wirksam.

Im Fall c kommt es nicht auf die Frage an, ob durch die Eigentumsübertragung auf S sein Übereignungsanspruch aus dem Schenkungsversprechen erloschen ist (vgl. § 362 I) und ob darin eventuell ein rechtlicher Nachteil der Übereignung liegt. Ob die Verfügung lediglich rechtlich vorteilhaft ist, entscheidet sich unabhängig vom Schicksal des Kausalgeschäfts.

c) Die *Erfüllung eines Anspruchs*, der dem beschränkt Geschäftsfähigen zusteht, ist durch Leistung an ihn nicht möglich, da die Erfüllung (§ 362 I; AS Rdnr. 162ff.) für ihn nicht lediglich rechtlich vorteilhaft ist. Denn durch die Erfüllung erlischt der Anspruch. Deshalb kann der Anspruch des beschränkt Geschäftsfähigen durch Leistung an ihn nur mit Einwilligung des gesetzlichen Vertreters oder durch Leistung an den gesetzlichen Vertreter selbst erfüllt werden. **240**

Beispiele: Hat der 10jährige V einen Vermächtnisanspruch (§ 2174) gegen den Erben E auf Zahlung von 1 000,– DM, so wird V zwar Eigentümer, wenn E ihm die Scheine übereignet, doch erlischt der Anspruch auf 1 000,– DM damit nicht. Macht V aus den Scheinen Wurftauben und läßt sie fliegen, so können seine Eltern in seinem Namen von E nochmalige Zahlung verlangen. Die Verlustgefahr trägt also E, bis das Geld an die Eltern des V oder an diesen mit deren Einverständnis geleistet ist. – Im Fall c ist der Schenkungsanspruch des S erloschen, da S gerade mit Einwilligung seiner Eltern das Hausgrundstück übertragen erhielt.

d) Rechtsgeschäfte, die für den beschränkt Geschäftsfähigen weder rechtlich vorteilhaft noch nachteilig sind (= *neutrale Geschäfte*), kann dieser selbst wirksam vornehmen. Obwohl der Wortlaut des § 107 einen rechtlichen Vorteil verlangt, ist der beschränkt Geschäftsfähige nicht schutzbedürftig, wenn das Geschäft keinen rechtlichen Nachteil mit sich bringt. Neutral sind die Geschäfte, die nur Rechtsfolgen für einen anderen und nicht den beschränkt Geschäftsfähigen selbst haben. **241**

Beispiel: Der beschränkt Geschäftsfähige bestimmt nach § 317 I als an dem Vertrag unbeteiligter Dritter die Höhe des Kaufpreises.

3. *Zustimmungsbedürftige Verträge* **242**

a) *Grundsatz* des Gesetzes ist es, daß der beschränkt Geschäftsfähige zu einer Willenserklärung, durch die er nicht lediglich einen rechtlichen Vorteil erlangt, der *Einwilligung seines gesetzlichen Vertreters* bedarf (§ 107). Einwilligung ist die *vorherige* Zustimmung (vgl. § 183, 1; Rdnr. 455). Hat der beschränkt Geschäftsfähige die Einwilligung des gesetzlichen Vertreters zum Abschluß eines Vertrages erhalten, so ist die von ihm abgegebene Vertragserklärung wirksam. Die Einwilligung ist jedoch grundsätzlich bis zur Vornahme des Rechtsgeschäfts widerruflich (§ 183, 1). Sowohl die Erteilung der Einwilligung als auch ihr Widerruf können dem beschränkt Geschäftsfähigen oder seinem Vertragspartner gegenüber erklärt werden (vgl. § 182 I, § 183, 2).

Beispiel: Geben die Eltern ihrem minderjährigen Sohn K das Geld zum Kauf eines Fahrrads, so liegt darin die Einwilligung zum Fahrradkauf gegenüber K. Dieser kann deshalb selbst mit dem Händler einen wirksamen Kaufvertrag schließen. Bekommen die Eltern Bedenken und widerrufen sie telefonisch dem Händler gegenüber noch vor dem Vertragsschluß, so kann K keine wirksame Willenserklärung zum Abschluß eines Kaufvertrages abgeben.

243 (1) Der *Umfang der Einwilligung* kann verschieden sein. Es ist möglich, sie für ein bestimmtes einzelnes Rechtsgeschäft zu erteilen. Der gesetzliche Vertreter kann aber auch eine generelle Einwilligung zu einem begrenzten Kreis von Rechtsgeschäften erteilen (beschränkter Generalkonsens).

Erhält der minderjährige Fachhochschulstudent von seinen Eltern zur Bestreitung aller Aufwendungen 850,– DM monatlich, so liegt darin die Einwilligung für alle Rechtsgeschäfte, die zur Deckung des Lebensbedarfs und zur Durchführung des Studiums erforderlich sind. Der Student kann also selbständig Lebensmittel und Lehrbücher kaufen.

Die generelle Einwilligung darf allerdings nicht so weit gehen, daß der gesetzliche Vertreter dem beschränkt Geschäftsfähigen im voraus die unbegrenzte Zustimmung zu Geschäften aller Art erteilt und ihn damit wie einen Geschäftsfähigen stellt; das widerspräche der gesetzlichen Regelung.

244 (2) Ein von dem beschränkt Geschäftsfähigen ohne Zustimmung des gesetzlichen Vertreters geschlossener Vertrag gilt als von Anfang an wirksam, wenn er die vertragsmäßige Leistung mit Mitteln bewirkt, die ihm zu diesem Zweck oder zu freier Verfügung von dem Vertreter oder mit dessen Zustimmung von einem Dritten überlassen worden sind (§ 110; *Taschengeldparagraph*). Trotz des Wortlauts (»ohne Zustimmung«) handelt es sich um einen Spezialfall der Einwilligung; sie liegt in der Überlassung der Mittel durch den gesetzlichen Vertreter oder in seiner Zustimmung bei Überlassung durch einen Dritten.

§ 110 verlangt, daß der beschränkt Geschäftsfähige die *vertragsmäßige Leistung tatsächlich bewirkt*; die Leistung muß voll erbracht worden sein.

Im Fall d hat K seine vertragsmäßige Leistung im Zeitpunkt der Einigung noch nicht bewirkt; der Vertrag ist nicht nach § 110 wirksam. § 110 will Ratengeschäfte des beschränkt Geschäftsfähigen verhindern; dieser soll sich von vornherein wirksam nur zur Leistung solcher Mittel verpflichten können, die er schon tatsächlich zur Verfügung hat. Da der Vertrag ohne die erforderliche Einwilligung der Eltern des K abgeschlossen ist, ist er schwebend unwirksam, und seine Wirksamkeit hängt von der Genehmigung der Eltern ab (vgl. § 108 I; Rdnr. 245). Wissen die Eltern jedoch nichts von dem Geschäft und leistet K alle Ratenzahlungen, so ist der Vertrag nach § 110 mit Zahlung der letzten Rate rückwirkend wirksam geworden, da K dann seine vertragsmäßige Leistung bewirkt hat.

Die Mittel müssen dem beschränkt Geschäftsfähigen *vom gesetzlichen Vertreter oder mit dessen Zustimmung zu diesem Zweck oder zu freier Verfügung überlassen* sein. Da § 110 einen Fall der Einwilligung regelt, ist stets zu prüfen, ob sich die in der Überlassung der Mittel liegende Einwilligung gerade auf die Erfüllung des konkreten Vertrages bezieht.

Kauft sich etwa ein Minderjähriger ein Lotterielos für 5,– DM, so ist der Kauf nach § 110 wirksam, da das Geschäft durch die Überlassung des Geldes zur freien Verfügung gedeckt ist. Kauft der Minderjährige mit dem Losgewinn von 5000,– DM ein Motorrad, so wird dieser Kauf von der Einwilligung der Eltern nicht gedeckt (vgl. RGZ 74, 235). Liegt in der Überlassung der Mittel nicht bereits zugleich eine entsprechende Einwilligung des gesetzlichen Vertreters, so bedürfen Rechtsgeschäfte des Minderjährigen über das mit den ihm überlassenen Mitteln Erworbene der Einwilligung des gesetzlichen Vertreters (§ 107).

b) *Die Wirksamkeit eines ohne Einwilligung geschlossenen Vertrages hängt von* **245**
der Genehmigung des gesetzlichen Vertreters ab (§ 108 I). Genehmigung ist die *nachträgliche* Zustimmung (vgl. § 184 I; Rdnr. 455). Bis zur Erteilung oder Verweigerung der Genehmigung tritt ein Schwebezustand ein; der Vertrag ist schwebend unwirksam. Durch die Erteilung der Genehmigung wird der Vertrag wirksam. Sie kann dem beschränkt Geschäftsfähigen sowie dessen Vertragspartner gegenüber erklärt werden (§ 182 I) und wirkt grundsätzlich auf den Zeitpunkt der Vornahme des Rechtsgeschäfts zurück (§ 184 I). Durch die Verweigerung der Genehmigung wird der Vertrag unwirksam.

Im Fall d ist der Kauf zunächst schwebend unwirksam, da die Einwilligung der Eltern sowie die Voraussetzungen des § 110 nicht vorliegen. Erklären die Eltern später gegenüber K oder V die Genehmigung, so wird der Vertrag rückwirkend wirksam; bei einer Verweigerung der Genehmigung bleibt er unwirksam.

Wird der beschränkt Geschäftsfähige geschäftsfähig, während ein von ihm abgeschlossener Vertrag noch schwebend unwirksam ist, so tritt seine Genehmigung an die Stelle der Genehmigung des gesetzlichen Vertreters (vgl. § 108 III).

(1) Der Vertragsgegner hat ein Interesse daran zu wissen, ob der schwebend **246**
unwirksame Vertrag gelten soll oder nicht. Deshalb gibt § 108 II ihm die Möglichkeit, sich hierüber Klarheit zu verschaffen. Der *Vertragsgegner kann den Vertreter zur Erklärung über die Genehmigung auffordern.* Dann kann die Genehmigung nur noch dem Vertragspartner gegenüber erfolgen; eine vor der Aufforderung dem beschränkt Geschäftsfähigen gegenüber erklärte Genehmigung oder Verweigerung wird unwirksam. Denn durch die Aufforderung erlangt der Vertreter erneut Entscheidungsfreiheit, selbst wenn er sich vorher schon gegenüber dem beschränkt Geschäftsfähigen erklärt hat. Erklärt der Vertreter die Genehmigung aber nicht bis zum Ablauf von zwei Wochen nach dem Empfang der Aufforderung, so gilt sie als verweigert, und der Vertrag ist unwirksam.

Haben im Fall d die Eltern gegenüber K die Genehmigung zum Kauf des Radios erteilt, weiß V davon aber nichts und fordert er sie deshalb auf, ihre Zustimmung zu erteilen, so ist der Kaufvertrag von Anfang an unwirksam, wenn die Eltern sich V gegenüber nicht innerhalb von zwei Wochen nach dem Empfang der Aufforderung äußern.

247 (2) Solange der Vertrag zwischen dem beschränkt Geschäftsfähigen und seinem Partner schwebend unwirksam ist, bleibt die endgültige Bindung des beschränkt Geschäftsfähigen bis zur Entscheidung seines gesetzlichen Vertreters offen. Deshalb hat der Vertragspartner ein Interesse, seinerseits nicht an den Vertrag gebunden zu sein, bis der Vertrag auch für den beschränkt Geschäftsfähigen bindend ist. Daher gewährt § 109 ihm ein *Widerrufsrecht*. Danach kann der Vertragspartner bis zur Genehmigung des Vertrages den Widerruf gegenüber dem Vertreter sowie dem beschränkt Geschäftsfähigen erklären (§ 109 I). Der Vertragspartner bedarf jedoch keines Schutzes und hat deshalb auch kein Widerrufsrecht, wenn er die beschränkte Geschäftsfähigkeit seines Partners kannte. Dann mußte er nämlich von der schwebenden Unwirksamkeit des Vertrages ausgehen. Der Vertragspartner, der die beschränkte Geschäftsfähigkeit kannte, kann jedoch widerrufen, wenn der beschränkt Geschäftsfähige der Wahrheit zuwider die Einwilligung des Vertreters behauptet hat; das Widerrufsrecht ist aber ausgeschlossen, wenn ihm das Fehlen der Einwilligung bei Abschluß des Vertrages bekannt war (§ 109 II).

Kannte V im Fall d die Minderjährigkeit des K nicht, so kann V bis zur Genehmigung durch die Eltern widerrufen. Haben die Eltern nur K gegenüber die Genehmigung ausgesprochen und fordert V sie zur Genehmigung ihm gegenüber auf (vgl. § 108 II), so kann V auch dann noch widerrufen, da durch seine Aufforderung die Eltern in ihrer Entscheidung frei sind und die Bindung des K an den Vertrag offen ist.

248 *4. Einwilligungsbedürftige einseitige Rechtsgeschäfte*

a) *Ein einseitiges Rechtsgeschäft* (Rdnr. 97), das der beschränkt Geschäftsfähige *ohne die erforderliche Einwilligung* seines gesetzlichen Vertreters vornimmt, *ist unwirksam* (§ 111, 1). Es kann auch nicht durch Genehmigung wirksam werden. Wirksam ist es also nur, wenn es dem beschränkt Geschäftsfähigen lediglich einen rechtlichen Vorteil bringt (Rdnr. 235 ff.) oder der gesetzliche Vertreter die Einwilligung (= *vorherige* Zustimmung) erklärt hat. Sinn dieser Regelung ist es, für die Personen Klarheit zu schaffen, die durch das Rechtsgeschäft betroffen, aber an seiner Vornahme nicht beteiligt sind. Ihretwegen soll ein Schwebezustand wie bei Verträgen ausgeschlossen sein.

Darüber hinaus dient es der Klarheit, wenn selbst das mit Einwilligung des gesetzlichen Vertreters einem anderen gegenüber vorgenommene Rechtsgeschäft unter der Voraussetzung unwirksam ist, daß der beschränkt Geschäftsfähige die Einwilligung nicht in schriftlicher Form vorlegt und der andere das Rechtsgeschäft aus diesem Grund unverzüglich zurückweist (§ 111, 2). Die Zurückweisung ist aber ausgeschlossen, wenn der gesetzliche Vertreter den anderen von der Einwilligung in Kenntnis gesetzt hat (§ 111, 3).

Im Fall e ist die Kündigung unwirksam, da sie ohne Einwilligung der Eltern des G erklärt wurde. G kann also am 1. 6. keine Zahlung verlangen. – Kündigt er jedoch mit Einwilligung seiner Eltern, ohne aber dem S die Einwilligung in schriftlicher Form nachzuweisen, und rügt S den Mangel des Nachweises erst bei der Zahlungsaufforderung durch G am 1.6., so hat G den Rückzahlungsanspruch; denn die Zurückweisung der nicht schriftlich vorgelegten Einwilligung nach einem Monat erfolgt nicht unverzüglich.

b) *Ausnahmsweise* greift § 111 trotz fehlender Einwilligung des gesetzlichen Vertreters nicht ein. Das ist der Fall, wenn der Betroffene in Kenntnis der beschränkten Geschäftsfähigkeit des Handelnden damit einverstanden ist, daß die Wirksamkeit des Rechtsgeschäfts von der Genehmigung des gesetzlichen Vertreters abhängig ist. Dann greift der Schutzzweck des § 111 nicht ein; vielmehr sind die §§ 108f. entsprechend anwendbar. 249

Ist S im Falle mit der Kündigung am 30.4. einverstanden, so muß er nicht geschützt werden, wenn er die Minderjährigkeit des G kennt. Genehmigen die Eltern des G die Kündigung am 15.5., so wird die Kündigung rückwirkend am 30.4. wirksam (vgl. §§ 108 I, 184 I). G kann am 1.6. Zahlung verlangen.

5. *Anhang: Einwilligungsvorbehalt bei Willenserklärungen eines Betreuten* 249a

Die §§ 108 bis 113 sowie § 131 II und § 206 gelten gem. § 1903 I 2 n.F. entsprechend, wenn »der Betreute zu einer Willenserklärung, die den Aufgabenkreis des Betreuers betrifft, dessen Einwilligung bedarf« (so § 1903 I 1). Mit diesem sog. Einwilligungsvorbehalt hat es folgende Bewandtnis:

a) Wenn ein Volljähriger wegen einer psychischen Krankheit oder einer körperlichen, geistigen oder seelischen Behinderung seine Angelegenheiten ganz oder teilweise nicht besorgen kann, bestellt das Vormundschaftsgericht für ihn einen Betreuer (§ 1896 I 1). Der Betreuer darf nur für solche Aufgabenkreise bestellt werden, in denen die Betreuung erforderlich ist (§ 1896 II 1). In seinem Aufgabenkreis vertritt der Betreuer den Betreuten gerichtlich und außergerichtlich (§ 1902); er hat also eine auf einer gesetzlichen Vorschrift beruhende Vertretungsmacht (Rdnr. 487). Die Betreuerbestellung ändert an der Geschäftsfähigkeit des Betreuten nichts, so daß dieser – sofern er nicht unter § 104 Nr. 2 (Rdnr. 228) fällt – geschäftsfähig ist und deshalb wirksame Rechtsgeschäfte für sich vornehmen kann. Soweit es jedoch zur Abwendung einer erheblichen Gefahr für die Person oder das Vermögen des Betreuten erforderlich ist, ordnet das Vormundschaftsgericht für einen bestimmten Aufgabenkreis des Betreuers einen Einwilligungsvorbehalt an (§ 1903 I 1). Dann bedarf die Willenserklärung des Betreuten, die den genannten Aufgabenkreis betrifft, zu ihrer Wirksamkeit der Einwilligung des Betreuers (§ 1903 I 1). Die Regelung bezweckt den Schutz des Betreuten.

b) Besteht ein solcher Einwilligungsvorbehalt, ist das vom geschäftsfähigen Betreuten in dem bestimmten Bereich vorgenommene Rechtsgeschäft dem Geschäft eines beschränkt Geschäftsfähigen vergleichbar; das zeigt die Verweisung des § 1903 I 2 auf §§ 108 ff. sowie auf § 131 II und § 206. 249b

Daraus ergibt sich:

(1) Schließt der Betreute einen Vertrag ohne die erforderliche Einwilligung des Betreuers, hängt die Wirksamkeit von der Genehmigung des Betreuers ab (vgl. § 108 I; Rdnr. 245). Der Vertragspartner des Betreuten kann den Betreuer zur Erklärung über die Genehmigung auffordern; dann kann die Genehmigung nur dem Vertragspartner gegenüber erfolgen (vgl. § 108 II; Rdnr. 246). Wird der Einwilligungsvorbehalt aufgehoben (§ 1908 d), tritt die Genehmigung des Betreuten an die Stelle der Genehmigung des Betreuers (vgl. § 108 III; Rdnr. 245 a. E.).

249c (2) Bis zur Genehmigung des Vertrages durch den Betreuer ist der Vertragspartner zum Widerruf sowohl gegenüber dem Betreuer als auch gegenüber dem Betreuten befugt (vgl. § 109 I; Rdnr. 247). Jedoch besteht kein Widerrufsrecht, wenn der Vertragspartner die Anordnung des Einwilligungsvorbehalts gekannt hat; allerdings kann der Partner trotzdem widerrufen, sofern der Betreute wahrheitswidrig die Einwilligung des Betreuers behauptet hat; dieses Widerrufsrecht ist aber ausgeschlossen, wenn dem Partner das Fehlen der Einwilligung bei Vertragsschluß bekannt war (vgl. § 109 II; Rdnr. 247).

249d (3) Der vom Betreuten ohne Zustimmung des Betreuers geschlossene Vertrag gilt als von Anfang an wirksam, wenn der Betreute die vertragsmäßige Leistung mit Mitteln bewirkt, die ihm zu diesem Zweck oder zu freier Verfügung von dem Betreuer oder mit dessen Zustimung von einem Dritten überlassen worden sind (vgl. § 110; Rdnr. 244).

249e (4) Ein einseitiges Rechtsgeschäft, das der Betreute ohne die erforderliche Einwilligung des Betreuers vornimmt, ist unwirksam (vgl. § 111, 1; Rdnr. 248; weitere Einzelheiten: Rdnr. 248 f.).

249f (5) Für den selbständigen Betrieb eines Erwerbsgeschäfts sowie die Eingehung, Aufhebung und Erfüllung eines Dienst- oder Arbeitsvertrages durch den geschäftsfähigen Betreuten trotz Einwilligungsvorbehalts gelten § 112 und § 113 entsprechend (siehe dazu Rdnr. 250 und 251).

249g (6) Auf § 107 (Rdnr. 235 ff.) verweist § 1903 I 2 nicht. Jedoch bestimmt § 1903 III 1 ausdrücklich, daß eine Einwilligung des Betreuers trotz Einwilligungsvorbehalts nicht erforderlich ist, wenn die Willenserklärung dem Betreuten lediglich einen rechtlichen Vorteil bringt. Es gilt also hier das zu § 107 Gesagte (Rdnr. 235–241) entsprechend. Nach § 1903 III 2 ist auch dann eine Einwilligung des Betreuers nicht erforderlich, wenn die Willenserklärung eine geringfügige Angelegenheit des täglichen Lebens betrifft, sofern das Gericht nichts anderes angeordnet hat. Gemeint sind alltägliche Bargeschäfte über geringwertige Gegenstände wie der Kauf von Lebensmitteln, soweit diese nach Menge und Wert nicht das übliche Maß übersteigen (BT-Drucks. 11/4528, S. 139).

249h (7) Die Willenserklärung gegenüber einem Betreuten im Falle eines Einwilligungsvorbehalts wird wirksam, wenn sie dem Betreuer zugeht (vgl. § 130 II 1; Rdnr. 164). Jedoch ist die Willenserklärung mit dem Zugang an den Betreuten wirksam, wenn sie ihm einen lediglich rechtlichen Vorteil bringt oder der Betreuer eingewilligt hat (vgl. § 130 II 2; Rdnr. 164).

(8) Die Verjährung von Ansprüchen des Betreuten ist im Falle des Einwilligungsvorbehalts gehemmt, solange der Betreute ohne gesetzlichen Vertreter ist (vgl. § 206; Rdnr. 632). 249i

IV. Teilgeschäftsfähigkeit 250

Die beschränkt Geschäftsfähigen sind für die in §§ 112, 113 geregelten Rechtsgeschäfte voll geschäftsfähig; für alle übrigen Rechtsgeschäfte fehlt ihnen dagegen die volle Geschäftsfähigkeit.

Die beiden Vorschriften sind auch auf Betreute entsprechend anwendbar, soweit diese zur Wirksamkeit ihrer Willenserklärung der Einwilligung des Betreuers bedürfen (§ 1903 I 2 n. F.; Rdnr. 249a).

1. Betrieb eines Erwerbsgeschäfts

Ermächtigt der gesetzliche Vertreter mit Genehmigung des Vormundschaftsgerichts den beschränkt Geschäftsfähigen zum selbständigen Betrieb eines Erwerbsgeschäfts, so ist er für solche Rechtsgeschäfte unbeschränkt geschäftsfähig, welche der Geschäftsbetrieb mit sich bringt (§ 112 I 1). Der beschränkt Geschäftsfähige bedarf dann insoweit nicht mehr der Zustimmung seines gesetzlichen Vertreters; dieser kann auch nicht mehr als gesetzlicher Vertreter für ihn wirksam handeln. Die Teilgeschäftsfähigkeit gilt nicht für Rechtsgeschäfte, zu denen der Vertreter der Genehmigung des Vormundschaftsgerichts bedarf (§§ 112 I 2, 1643, 1821 f.). Die Ermächtigung kann von dem gesetzlichen Vertreter nur mit Genehmigung des Vormundschaftsgerichts zurückgenommen werden (§ 112 II).

Im Fall f betreibt S selbständig ein Lebensmittelgeschäft. Ein solcher Betrieb bringt die geplanten Geschäfte mit sich. Da S das Geschäft mit Einwilligung seiner Eltern und mit Genehmigung des Vormundschaftsgerichts betreibt, ist er insoweit voll geschäftsfähig. Das gilt aber nicht für die Kreditaufnahme, da die Eltern zu einem solchen Geschäft, wenn sie es für S vornehmen wollten, selbst der vormundschaftsgerichtlichen Genehmigung bedürften (§§ 112 I 2, 1643 I, 1822 Nr. 8). Da die Eltern ihre Ermächtigung nur mit vormundschaftsgerichtlicher Genehmigung zurücknehmen können, dies aber nicht getan haben, kann S die Räume mieten und die Verkäuferin einstellen.

2. Dienst- oder Arbeitsverhältnis 251

Wird der beschränkt Geschäftsfähige von seinem gesetzlichen Vertreter ermächtigt, in Dienst oder in Arbeit zu treten, so ist er für solche Rechtsgeschäfte unbeschränkt geschäftsfähig, welche die Eingehung oder Aufhebung eines Dienst- oder Arbeitsverhältnisses der gestatteten Art oder die Erfüllung der sich aus einem solchen Verhältnis ergebenden Verpflichtungen betreffen (§ 113 I 1).

Eine vormundschaftsgerichtliche Genehmigung ist hier im Gegensatz zu § 112 nicht erforderlich. Ausgenommen sind ebenfalls Verträge, zu denen der Vertreter der Genehmigung des Vormundschaftsgerichts bedarf (§§ 113 I 2, 1643, 1821 f.). Die für einen einzelnen Fall erteilte Ermächtigung gilt im Zweifel als allgemeine Ermächtigung zur Eingehung von Arbeitsverhältnissen derselben Art (§ 113 IV). Sie kann von dem Vertreter zurückgenommen oder eingeschränkt werden (§ 113 II). Der Ermächtigte ist im Rahmen des § 113 voll geschäftsfähig; sein gesetzlicher Vertreter verliert insoweit die Vertretungsmacht.

Im Fall g kann S den Arbeitsvertrag mit der Spinnerei ohne Einwilligung seiner Eltern wirksam kündigen, da er zur Aufhebung des Arbeitsverhältnisses, zu dessen Eingehung er von seinen Eltern ermächtigt war, unbeschränkt geschäftsfähig ist (§ 113 I 1). Die Ermächtigung zur Eingehung einer Hilfsarbeitertätigkeit bei einer Spinnerei gilt als allgemeine Ermächtigung zur Eingehung von Arbeitsverhältnissen derselben Art (§ 113 IV). Das Berufsbild als Hilfsarbeiter ist unabhängig davon, ob S diese Tätigkeit in einer Spinnerei oder Ziegelei ausführt. Deshalb kann er das Arbeitsverhältnis bei der Ziegelei selbständig eingehen. Der Beitritt zur Gewerkschaft dient der Erfüllung der sich für S aus dem Arbeitsverhältnis ergebenden Pflichten, da die Gewerkschaft für S unmittelbar die Arbeitsbedingungen aushandelt. S kann deshalb selbständig der Gewerkschaft beitreten (str.; vgl. Gilles/Westphal, JuS 1981, 899, 901 m. w. N.). Die Ermächtigung deckt jedoch nicht den Abschluß eines Arbeitsvertrages als Barmixer, da es sich nicht um ein Arbeitsverhältnis derselben Art (§ 113 IV) handelt (ArbR Rdnr. 55 ff.).

252 § 13 Die Form des Rechtsgeschäfts

Schrifttum: *Bernard*, Formbedürftige Rechtsgeschäfte, 1979; *Böhm*, Das Abgehen von rechtsgeschäftlichen Formgeboten, AcP 179, 425; *Ebnet*, Rechtsprobleme bei der Verwendung von Telefax, NJW 1992, 2985, 2989; *Eisner*, Die Schriftformklausel in der Praxis, NJW 1969, 118; *Gernhuber*, Formnichtigkeit und Treu und Glauben, Festschrift f. Schmidt-Rimpler, 1957, 151; *Häsemeyer*, Die gesetzliche Form der Rechtsgeschäfte, 1971; *ders.*, Die Bedeutung der Form im Privatrecht, JuS 1980, 1; *K. Heldrich*, Die Form des Vertrages, AcP 147, 89; *Holzhauer*, Die eigenhändige Unterschrift, 1973; *Köbl*, Die Bedeutung der Form im heutigen Recht, DNotZ 1983, 207; *Köhler*, Die Problematik automatisierter Rechtsvorgänge, insbesondere von Willenserklärungen, AcP 182, 126; *Lorenz*, Das Problem der Aufrechterhaltung formnichtiger Schuldverträge, AcP 156, 381; *ders.*, Rechtsfolgen formnichtiger Schuldverträge – BGH, NJW 1965, 812, JuS 1966, 429; *Reichel*, Zur Behandlung formnichtiger Verpflichtungsgeschäfte, AcP 104, 1; *D. Reinicke*, Rechtsfolgen formwidrig abgeschlossener Verträge, 1969; *Schmidt-Salzer*, Rechtsprobleme der Schriftformklauseln, NJW 1968, 1257; *Tschentscher*, Beweis und Schriftform bei Telefaxdokumenten, CR 1991, 141.

Fälle:

a) V, Vermieter einer Wohnung, kündigt dem Mieter M durch Telegramm. Wirksam? (vgl. § 564 a I).

b) Die Bank vereinbart mit dem Darlehensschuldner, daß eine Kündigung durch eingeschriebenen Brief erfolgen soll. Sie kündigt das Darlehen durch einen mit Faksimilestempel unterzeichneten Brief, ohne ihn als »Einschreiben« zu schicken. Wirksame Kündigung?

c) V verkauft sein Grundstück durch notariell beurkundeten Kaufvertrag an K. Gleichzeitig vereinbaren sie mündlich, daß K den Kaufpreis in Raten zahlen darf. Wirksam?

d) Rechtsanwalt R verspricht dem Gläubiger G, für die Schuld des S als Bürge zu haften. R weist darauf hin, als Rechtsanwalt brauche er sein Versprechen nicht schriftlich zu erklären (vgl. § 766, 1). Später verlangt G von R Zahlung. Zu Recht?

I. Grundsatz der Formfreiheit

Rechtsgeschäfte sind grundsätzlich formlos wirksam. Der Erklärende ist frei in der Wahl des Erklärungsmittels (z. B. mündliche, schriftliche Äußerung; Gebärde). Der Grundsatz der Formfreiheit soll der Erleichterung des Rechtsverkehrs dienen. Nur ausnahmsweise ist die Einhaltung einer Form erforderlich.

II. Bedeutung der Formbedürftigkeit 253

Die Formbedürftigkeit des Rechtsgeschäfts, die entweder auf Gesetz oder auf Parteivereinbarung beruht, soll sehr verschiedenen Zwecken dienen. So kann die Form Klarheit darüber schaffen, ob und zu welchen Bedingungen ein Vertrag abgeschlossen worden ist; auf diese Weise werden Streitigkeiten darüber vermieden, ob die Parteien lediglich Vorverhandlungen geführt oder bereits einen Vertrag geschlossen haben und welchen Inhalt dieser Vertrag hat. Die Form dient damit auch der Sicherung des Beweises *(Beweisfunktion)*. Durch eine notarielle Beurkundung des Rechtsgeschäfts soll oft auch eine juristische Beratung über die Auswirkungen des Geschäfts erreicht werden *(Beratungsfunktion)*. Nicht zuletzt kann eine Formvorschrift die Warnung vor dem übereilten Abschluß eines wichtigen Rechtsgeschäfts bezwecken *(Warnfunktion)*. Meistens bestehen die Formvorschriften aus mehreren der genannten Gründe.

Beispiele: Nach § 566 bedarf ein Grundstücksmietvertrag, der für länger als ein Jahr geschlossen wird, der Schriftform, damit der Beweis über den Vertragsinhalt gesichert wird (BS Rdnr. 158); das ist besonders bei der Veräußerung des Grundstücks für den Erwerber wichtig, der anstelle des Vermieters in dessen Rechte und Pflichten eintritt (§ 571). – Nach § 766, 1 ist für die Willenserklärung des Bürgen Schriftform erforderlich, um diesen vor Übereilung zu schützen (BS Rdnr. 326). – Nach § 313, 1 bedarf der Kaufvertrag über ein Grundstück der notariellen Beurkundung, um den Grundstückseigentümer und den Erwerber vor Übereilung zu warnen, eine fachkundige Beratung durch einen Notar zu ermöglichen sowie etwaigen Streitigkeiten über Abschluß und Inhalt des Vertrages vorzubeugen (AS Rdnr. 43).

254 III. Arten der Formen

Die gesetzlichen Formen sind abschließend geregelt. Die rechtsgeschäftlich vereinbarten Formen können aufgrund der Privatautonomie frei bestimmt werden; meist wird dabei aber eine der gesetzlichen Formen vereinbart.

1. Schriftform

a) Ist *durch Gesetz* schriftliche Form vorgeschrieben, so muß eine Urkunde erstellt und von dem Aussteller eigenhändig durch Namensunterschrift oder durch notariell beglaubigtes Handzeichen unterzeichnet werden (§ 126 I).

(1) Es muß eine *Urkunde erstellt* werden. Urkunde ist die schriftliche Verkörperung einer Erklärung. Dabei braucht der Text der Urkunde nicht vom Erklärenden selbst niedergelegt zu werden; der Text kann etwa gedruckt, mit der Schreibmaschine oder mit der Hand geschrieben sein.

Hierin unterscheidet sich die einfache Schriftform von der des eigenhändigen Testaments. Dieses muß der Erblasser selbst handschriftlich (= eigenhändig) schreiben und unterschreiben (§ 2247 I).

Ist die Erklärung auf verschiedenen Blättern enthalten, so bilden die einzelnen Seiten grundsätzlich nur dann eine Urkunde, wenn zwischen ihnen eine als dauernd gewollte körperliche Verbindung – wie bei zusammengehefteten Seiten – hergestellt ist (vgl. BGHZ 40, 255; 42, 333).

255 (2) Die *Unterzeichnung* muß den Text der Urkunde räumlich abschließen. Nur das vor der Unterschrift Stehende wird durch die Unterschrift gedeckt. Ein Nachtrag muß daher erneut unterzeichnet werden (BGH DB 1990, 877). Die Unterzeichnung hat also *Abschluß- und Deckungswirkung*. Deshalb genügt eine »Oberschrift« nicht, selbst wenn ein Formular die Zeichnung am oberen Rand vorsieht (BGHZ 113, 48).

Bei einem Vertrag ist die Unterzeichnung der Parteien auf derselben Urkunde erforderlich (§ 126 II 1); die Unterschriften der Parteien müssen den gesamten Inhalt der Erklärung decken. Da jeder Vertragspartner eine Urkunde haben will, gestattet es § 126 II 2 aus Vereinfachungsgründen, daß jeder nur die für den anderen bestimmte Urkunde unterzeichnet. Auch dadurch hat jede Partei die Einigung insgesamt unterschrieben.

Macht V dem M ein Angebot über die fünfjährige Vermietung seines Grundstücks durch Zuschicken eines unterzeichneten Vertragsentwurfs und erklärt M brieflich die Annahme, so ist die Schriftform (vgl. § 566, 1) nicht gewahrt. Die Unterzeichnung des Vertragsentwurfs durch V und die des Briefs durch M deckt nur jeweils das Angebot oder die Annahme, nicht aber die Einigung insgesamt ab. Deshalb müssen V und M den Vertragstext gemeinsam unterzeichnen. Es genügt auch, daß V eine für M bestimmte Urkunde und M eine Urkunde für V unterschreibt.

Zulässig ist auch eine sog. *Blankounterschrift*. Dabei wird ein noch unausgefülltes Blatt unterzeichnet. Der später von der ermächtigten Person darüber gesetzte Text gilt aus Gründen des Vertrauensschutzes auch dann als Erklärung des Unterzeichners, wenn er von dessen Willen abweicht (vgl. Rdnr. 376).

(3) Der Aussteller der Urkunde muß *durch Namensunterschrift oder durch notariell beglaubigtes Handzeichen* unterzeichnen. Dies ist erforderlich, damit der Aussteller zweifelsfrei festgestellt werden kann. Es genügt die Unterzeichnung mit dem Familiennamen oder die Verwendung eines Pseudonyms, wenn der Erklärende dadurch sicher ermittelt werden kann. **256**

(4) Die Unterzeichnung muß von dem Aussteller *eigenhändig* erfolgen. Dadurch übernimmt der Aussteller selbst die Verantwortung für die Erklärung. Eigenhändig bedeutet handschriftlich; eine Unterzeichnung mittels Faksimilestempel oder Schreibmaschinenschrift ist also nicht ausreichend. **257**

Die Kündigung im Fall a bedarf nach § 564 a I 1 der Schriftform. Das Telegramm genügt jedoch der Schriftform nicht, so daß die Kündigung unwirksam ist. Das von V eigenhändig unterschriebene Aufgabetelegramm erfüllt zwar die Voraussetzungen der Schriftform, doch geht dieses M nicht zu (§ 130). Das Ankunftstelegramm ist von V nicht eigenhändig unterzeichnet, so daß die zugegangene Kündigungserklärung nicht schriftlich erfolgt ist (vgl. BGHZ 24, 301). Deshalb genügt auch die Übermittlung einer Urkunde durch Telefax (Rdnr. 150 a.E.) nicht der gesetzlich vorgeschriebenen Schriftform (vgl. BGH NJW 1993, 1126).

Eigenhändig bedeutet nicht, daß Vertretung bei der Unterzeichnung ausgeschlossen ist. Der Vertreter muß seine Vertretung grundsätzlich kenntlich machen, indem er im Namen des Vertretenen handelt (vgl. § 164 I, Rdnr. 481). Deshalb kann er mit seinem Namen und einem seine Vertretung kennzeichnenden Zusatz (»in Vertretung«, »im Auftrag«) unterschreiben. Doch ist es heute gewohnheitsrechtlich anerkannt, daß der Vertreter auch mit dem Namen des Vertretenen eigenhändig unterzeichnen kann (RGZ 74, 72).

b) Ist *durch Rechtsgeschäft* schriftliche Form für ein Rechtsgeschäft bestimmt, so gilt im Zweifel die Vorschrift über die gesetzliche Schriftform (§ 127, 1). Doch sind die Parteien in der Lage, die Anforderungen an die Schriftform zu erleichtern oder zu erschweren; so können sie von der Eigenhändigkeit der Unterzeichnung absehen oder etwa Zustellung des Schriftstückes durch eingeschriebenen Brief vereinbaren. **258**

Soll nach AGB für die Erklärungen gegenüber dem Verwender eine strengere Form als die Schriftform gelten, so ist die Bestimmung unwirksam (§ 11 Nr. 16 AGBG; vgl. Rdnr. 204 o).

Haben die Parteien aber keine Besonderheiten für die Schriftform vorgesehen, so genügt telegraphische Übermittlung und bei einem Vertrag Briefwechsel; wird eine solche Form gewählt, so kann nachträglich eine dem § 126 entsprechende Beurkundung verlangt werden (§ 127, 2).

Im Fall b ist das Kündigungsschreiben nicht eigenhändig unterschrieben. Für die rechtsgeschäftlich vereinbarte Schriftform genügt jedoch die Faksimileunterschrift, wenn kein anderer Wille der Parteien anzunehmen ist. Dies ergibt sich aus § 127, 2; denn bei telegraphischer Übermittlung ist das Ankunftstelegramm ebenfalls nicht eigenhändig unterzeichnet. Die Schriftform ist also gewahrt, doch fehlt es an der Zusendung durch eingeschriebenen Brief (dazu: Rdnr. 271).

Die Formerleichterung des § 127, 2 ist auch auf die modernen Kommunikationsmittel (Rdnr. 150 a. E.) entsprechend anwendbar, da diese erst nach dem Inkrafttreten des BGB entwickelt worden sind und hinsichtlich der gewillkürten Schriftform mit der telegraphischen Übermittlung gleichgesetzt werden können.

259 *2. Öffentliche Beglaubigung*

Ist durch Gesetz für eine Erklärung öffentliche Beglaubigung vorgeschrieben, so muß die Erklärung schriftlich abgefaßt und die Unterschrift oder das Handzeichen des Erklärenden von einem Notar beglaubigt werden (§ 129 I). Die Beglaubigung bezieht sich also nur auf die Unterschrift, nicht auf den Text der Urkunde. Der Notar bestätigt auf der Urkunde, daß die Unterschrift von dem herrührt, der die Erklärung wirklich abgegeben hat, indem er in seinem Beglaubigungsvermerk die Person bezeichnet, welche die Unterschrift vollzogen hat (§ 40 III BeurkG). Demnach dient die Beglaubigung dazu, die Echtheit einer Urkunde zu beweisen. Dies ist oft bei der Abgabe einer Erklärung gegenüber einer Behörde erforderlich.

So bedürfen etwa wichtige Erklärungen gegenüber dem Grundbuchamt (vgl. § 29 GBO) oder Anmeldungen zur Eintragung in das Handelsregister (vgl. § 12 HGB) der notariellen Beglaubigung.

260 *3. Notarielle Beurkundung*

Die notarielle Beurkundung einer Erklärung erfolgt in einem besonderen Verfahren vor dem Notar. Die Erklärung wird nach Beratung durch den Notar diesem gegenüber abgegeben, niedergeschrieben, dem Erklärenden vorgelesen, von ihm genehmigt und unterschrieben; der Notar unterzeichnet anschließend die Niederschrift (vgl. §§ 8 ff. BeurkG). Die Urkunde liefert Beweis dafür, daß der Erklärende die beurkundete Erklärung vor dem Notar abgegeben hat. Die Beurkundung ersetzt auch die schriftliche Form und die öffentliche Beglaubigung (§§ 126 III, 129 II). Die notarielle Beurkundung ihrerseits wird bei einem gerichtlichen Vergleich durch die Aufnahme des Vergleichs in das Gerichtsprotokoll ersetzt (§ 127 a).

Der Beurkundung bedürfen besonders wichtige Verträge, wie etwa ein Verpflichtungsvertrag zur Übereignung eines Grundstücks (vgl. § 313, 1; AS Rdnr. 43) und ein Schenkungsversprechen (vgl. § 518 I; BS Rdnr. 141).

Grundsätzlich ist nicht die gleichzeitige Beurkundung des Angebots und der Annahme erforderlich; es genügt vielmehr, wenn zunächst der Antrag und sodann die Annahme des Antrags beurkundet wird (§ 128; Sukzessivbeurkundung). Dann kommt der Vertrag, wenn die Parteien nichts anderes vereinbart haben, schon mit der Beurkundung der Annahme und nicht erst mit deren Zugang zustande (§ 152; Rdnr. 190).

4. *Abgabe vor einer Behörde* 261

Ist die Abgabe von Erklärungen vor einer Behörde vorgeschrieben, so muß dies in wichtigen Fällen bei gleichzeitiger Anwesenheit aller Beteiligten erfolgen.

So müssen die Eheschließenden die Erklärungen zur Eingehung der Ehe vor dem Standesbeamten bei gleichzeitiger Anwesenheit und persönlich abgeben (§ 13 I EheG). Veräußerer und Erwerber eines Grundstücks müssen die Auflassung bei gleichzeitiger Anwesenheit vor dem Notar erklären (§ 925 I); persönliches Erscheinen ist hier nicht erforderlich.

IV. Rechtsfolgen bei Nichtbeachtung der Form 262

1. *Nichtbeachtung der gesetzlichen Form*

a) *Nichtig* ist ein Rechtsgeschäft, bei dem die durch Gesetz vorgeschriebene Form nicht beachtet ist (§ 125, 1).

Da V im Fall a die Schriftform für die Kündigung nicht eingehalten hat, ist die Kündigung nichtig.

(1) Ist eine *Nebenabrede* eines formbedürftigen Rechtsgeschäfts formlos, der Hauptteil des Geschäfts dagegen formgerecht abgeschlossen, so ist die Nebenabrede nach § 125, 1 nichtig, während sich die Wirksamkeit des Hauptteils nach § 139 (Rdnr. 305) richtet. Danach ist im Zweifel das ganze Rechtsgeschäft nichtig, wenn nicht anzunehmen ist, daß es auch ohne die nichtige Nebenabrede vorgenommen sein würde.

Im Fall c ist die Ratenzahlungsvereinbarung nach § 125, 1 i. V. m. § 313, 1 nichtig. Hätten V und K den Kaufvertrag bei Kenntnis der Nichtigkeit der Ratenvereinbarung nicht geschlossen, weil es ihnen besonders auf die Ratenzahlungen ankam, so ist auch der beurkundete Hauptteil des Vertrages nichtig (§§ 139; 125, 1; 313, 1).

(2) *Abänderungen* eines formbedürftigen Rechtsgeschäfts sind grundsätzlich 263
ebenfalls formbedürftig und deshalb bei Formmangel nichtig. Das gilt nicht, wenn die Verpflichtung desjenigen, der durch die Form geschützt wird, nur eingeschränkt werden soll, weil er dann keines Schutzes bedarf.

Wird etwa ein Bürgschaftsvertrag, durch den der Bürge B verpflichtet ist, für eine Schuld von 1000,– DM einzustehen, so abgeändert, daß B für 1500,– DM haften soll, so bedarf das erweiterte Versprechen der Schriftform, da § 766, 1 den Bürgen schützen will. Wird die Bürgschaftsverpflichtung dagegen auf 700,– DM ermäßigt, so bedarf das Einverständnis des B zur Ermäßigung nicht der Schriftform; B braucht keinen Schutz, da sich seine Verpflichtung verringert.

264 b) Bei bestimmten formbedürftigen Rechtsgeschäften kann eine *Heilung des Formmangels* eintreten. Durch die Heilung wird das formlose Rechtsgeschäft wirksam; bei Grundstücksveräußerungsverträgen (vgl. § 313, 2; AS Rdnr. 43), Schenkungsversprechen (vgl. § 518 II; BS Rdnr. 141) und Bürgschaften (vgl. § 766, 2; BS Rdnr. 326) tritt die Heilung ein, wenn die formlos versprochene Leistung bewirkt worden ist. Grund für die Heilung ist, daß die Warn- und Beweisfunktion bei der Erfüllung entbehrlich ist. Diesen Bestimmungen kann ein allgemeiner Grundsatz der Heilung von Formvorschriften durch Erfüllung nicht entnommen werden.

Beispiel: Wenn V und K im Fall c das Grundstück auflassen und die Eintragung des K als Eigentümer im Grundbuch erfolgt ist (vgl. §§ 873 I, 925 I), kann V von K nicht die Rückübereignung nach § 812 I mit der Begründung verlangen, der Kaufvertrag sei formnichtig und deshalb sei die Übereignung ohne Rechtsgrund erfolgt. Nach § 313, 2 ist nämlich mit Auflassung und Eintragung der Formmangel der Nebenabrede geheilt und damit der Kaufvertrag Rechtsgrund für die Übereignung.

265 c) Im Einzelfall kann es *gegen Treu und Glauben* verstoßen, wenn eine Partei die Nichtigkeit des Rechtsgeschäfts wegen Formmangels geltend macht (vgl. § 242; AS Rdnr. 73 ff.). Die Durchbrechung des Formzwangs aus Gründen der Einzelfallgerechtigkeit muß aber auf wenige Ausnahmen beschränkt bleiben; andernfalls würden die Formvorschriften ausgehöhlt. Dabei ist zwischen schuldrechtlichen Rechtsgeschäften, die grundsätzlich nur die Interessen der Geschäftspartner berühren, und solchen Rechtsgeschäften, wie etwa Verfügungen, zu unterscheiden, die öffentliche Interessen oder Belange Dritter angehen.

266 (1) *Bei schuldrechtlichen Verträgen* hat die Rechtsprechung oft hervorgehoben, daß nur in Ausnahmefällen zur Vermeidung schlechthin untragbarer Ergebnisse aufgrund des § 242 vom Formzwang abgesehen werden könne und daß es nicht genüge, wenn die Ergebnisse für den Betroffenen hart seien (BGHZ 29, 10; 48, 398; BGH NJW 1978, 102; DB 1990, 878). Die Formel ist jedoch zu unklar und führt nicht weiter. Es müssen deshalb Fallgruppen gebildet werden; sie können nicht abschließend sein (Einzelheiten: *Reinicke*, a. a. O., 41 ff.; *Erman/Brox*, § 125, Rdnr. 23 ff.).

267 a) *Haben die Parteien den Mangel der Form gekannt* und dennoch die Formvorschrift nicht beachtet, so ist das Rechtsgeschäft nichtig. Der durch den Formmangel Geschädigte verdient nicht den Schutz, daß das Geschäft als wirksam angesehen wird, da er den Formfehler kannte.

268 b) *Hat eine Partei die andere über die Formbedürftigkeit arglistig getäuscht*, so kann der Täuschende die Erfüllung des Vertrages nicht mit der Begründung verweigern, daß die Form fehle. Verlangt der Getäuschte Erfüllung, so muß der Vertrag im Interesse des Getäuschten als wirksam behandelt werden.

Hat G im Fall d auf das Wort des fachkundigen R vertraut und kannte er die Formbedürftigkeit des Bürgschaftsversprechens nicht, so kann er von R trotz Nichtigkeit der Bürgschaft Zahlung verlangen.

c) Haben die Parteien die Formbedürftigkeit des Vertrages nicht gekannt und *beruht die Nichtbeachtung der Form auf Fahrlässigkeit*, so kann der Vertrag grundsätzlich nicht als wirksam behandelt werden. 269

Verkauft V sein Grundstück mündlich an K und vergessen die Parteien, die notarielle Beurkundung des Vertrages nachzuholen (vgl. § 313, 1), so ist der Vertrag nichtig; V und K verdienen keinen Schutz. Daran ändert sich nichts, wenn nur V die Formbedürftigkeit infolge von Fahrlässigkeit nicht kannte, K aber auf die Erklärungen des V vertrauen durfte. K kann dann aber einen Schadensersatzanspruch gegen V wegen Pflichtverletzung beim Zustandekommen des Vertrages haben (culpa in contrahendo; AS Rdnr. 55ff.).

(2) Bei *Verfügungen* (Rdnr. 102) kann der Formzwang nicht durch § 242 durchbrochen werden. Denn die Verfügungen wirken absolut und berühren deshalb Interessen Dritter; hier geht das Interesse an der Verkehrssicherheit vor. 270

2. *Nichtbeachtung der rechtsgeschäftlichen Form* 271

a) Das Recht der Parteien, durch Rechtsgeschäft die Einhaltung einer Form zu vereinbaren, beruht auf der Privatautonomie (Rdnr. 24). Deshalb richten sich die Rechtsfolgen bei Nichteinhaltung einer vereinbarten Form ebenfalls nach dem Willen der Parteien. Dieser ist durch Auslegung zu ermitteln. Kann insoweit kein Wille festgelegt werden, greift § 125, 2 ein. Danach hat *der Mangel der durch Rechtsgeschäft bestimmten Form im Zweifel Nichtigkeit zur Folge*.

Die Auslegung kann ergeben, daß die Parteien die vereinbarte Form als *Wirksamkeitsvoraussetzung* des Rechtsgeschäfts *oder* nur als *Beweissicherungsmittel* gewollt haben. Im ersten Fall wird erst durch die Einhaltung der Form das Rechtsgeschäft wirksam (= konstitutive Wirkung); die Nichteinhaltung der Form hat Nichtigkeit zur Folge. Im zweiten Fall dient die Form nur der Sicherung des Beweises (= deklaratorische Wirkung); ihre Nichtbeachtung beeinträchtigt die Wirksamkeit nicht.

Im Fall b ist die Formabrede, die Kündigung als Einschreiben zugehen zu lassen, nicht beachtet. Mit dem Einschreibebrief wollen die Parteien meistens erreichen, daß die Erklärung dem Empfänger sicher zugeht und der Nachweis des Zugangs leicht erbracht werden kann. Deshalb dient die Form der Beweissicherung und berührt die Wirksamkeit der Kündigung nicht, wenn sie auf andere Weise tatsächlich zugegangen ist.

Haben die Parteien eine Beurkundung des Vertrages vereinbart, ist der Vertrag im Zweifel nicht geschlossen, bis die Beurkundung erfolgt ist (§ 154 II; Rdnr. 218).

b) Eine *Vereinbarung der Form* kann von den Parteien jederzeit wieder *aufgehoben werden*. Dies ist ausdrücklich, aber auch stillschweigend möglich, indem die Parteien das Rechtsgeschäft formlos abschließen und damit die Aufhebung der Formvereinbarung zu erkennen geben. 272

Beispiel: Wollen V und K den Kaufvertrag über einen Pkw schriftlich abschließen, tun sie es aber nicht, sondern übereignen sie sofort den Pkw gegen Barzahlung, so ist der Kaufvertrag wirksam. Die beiderseitige Erfüllung spricht dafür, daß die Parteien die Formabrede abbedungen haben.

273 § 14 Inhaltliche Schranken des Rechtsgeschäfts

Schrifttum: *Arzt*, Die Ansicht aller billig und gerecht Denkenden, 1962; *Beer*, Die relative Unwirksamkeit, 1975; *Bülow*, Grundfragen der Verfügungsverbote, JuS 1994, 1; *Canaris*, Gesetzliches Verbot und Rechtsgeschäft, 1983; *Coing*, Allgemeine Rechtsgrundsätze in der Rechtsprechung des Reichsgerichts zum Begriff der »guten Sitten«, NJW 1947/48, 213; *Damm*, Kontrolle von Vertragsgerechtigkeit durch Rechtsfolgenbestimmung, JZ 1986, 913; *H. Dilcher*, Rechtsgeschäfte auf verfassungswidriger Grundlage, AcP 163, 193; *Giesen*, Grundsätze der Konfliktlösung bei fehlerhaften Rechtsgeschäften, Jura 1981, 561; 1990, 169; *Hackl*, Die guten Sitten als Kontrollinstrument für Kreditgeschäfte, DB 1985, 1327; *H. Honsell*, Die Zivilrechtliche Sanktion der Sittenwidrigkeit, JA 1986, 573; *U. Hübner*, Personale Relativierung der Unwirksamkeit von Rechtsgeschäften nach dem Schutzzweck der Norm, Festschrift f. H. Hübner, 1984, 489; *Kreft*, Privatautonomie und persönliche Verschuldung, WM 1992, 1425; *Larenz*, Grundsätzliches zu § 138 BGB, JurJB, 7. Band, 1966/67, 98; *Lindacher*, Grundsätzliches zu § 138 BGB, AcP 173, 124; *Mayer-Maly*, Das Bewußtsein der Sittenwidrigkeit, 1971; *ders.*, Die guten Sitten als Maßstab des Rechts, JuS 1986, 596; *Müssigbrodt*, Sittenwidrigkeit und Wucher beim Darlehensvertrag, JA 1980, 697; *Otte*, Die Nichtigkeit letztwilliger Verfügungen wegen Gesetzes- oder Sittenwidrigkeit, JA 1985, 192; *Paulus*, Schranken des Gläubigerschutzes aus relativer Unwirksamkeit, Festschrift f. Nipperdey, Bd. I, 1965, 909; *Reifner*, Neuere Rechtsprechung zum Ratenkredit – und kein Ende, VuR 1991, 15; *Rittner*, Zur Sittenwidrigkeit von Teilzahlungskrediten, DB 1981, 1381; *Ruhwedel*, Grundlagen und Rechtswirkungen sogenannter relativer Verfügungsverbote, JuS 1980, 161; *Sandkühler*, Konsumentenratenkredite in der gerichtlichen Praxis, JA 1988, 1; *Scholz*, Zum groben Mißverhältnis der Leistung bei Konsumenten-Ratenkrediten, MDR 1983, 451; *Seiler*, Über verbotswidrige Rechtsgeschäfte (§ 134 BGB), Gedächtnisschrift f. W. Martens, 1987, 719; *Simitis*, Gute Sitten und ordre public, 1960; *Steinmetz*, Sittenwidrige Ratenkreditverträge in der Rechtspraxis auf der Grundlage der BGH-Rechtsprechung, NJW 1991, 881; *Strohal*, Über relative Unwirksamkeit, 1911; *Taupitz*, Berufsständische Satzungen als Verbotsgesetze im Sinne des § 134 BGB, JZ 1994, 221; *Teichmann*, Die Gesetzesumgehung, 1962; *Teubner*, Standards und Direktiven in Generalklauseln, 1971; *Timm*, Außenwirkungen vertraglicher Verfügungsverbote?, JZ 1989, 13; *Zimmermann*, Sittenwidrigkeit und Abstraktion, JR 1985, 48.

Fälle:

a) Bäckermeister B kündigt seinem Gesellen, weil dieser der Gewerkschaft beigetreten ist, und verkauft Brötchen unter Verstoß gegen das Ladenschlußgesetz nach Ladenschluß. Gültig?

b) Weil dem Gastwirt W die Erlaubnis zum Betrieb einer Gaststätte wegen Trunksucht entzogen worden ist, verkauft er die Gaststätte an K und vereinbart mit ihm, als dessen Geschäftsführer die Wirtschaft zu führen. Gültig?

c) Die Bank B vereinbart mit ihrem stark verschuldeten Kunden K, daß dieser alle seine Maschinen an B zwecks Sicherung eines Kredits zu Eigentum übertragen soll, um dadurch B zum Nachteil der übrigen Gläubiger besonders abzusichern. Entsprechend dieser Verpflichtung übereignet K die Maschinen an B. Wirksam?

d) Der inhaftierte G verspricht dem nikotinsüchtigen Mithäftling H seine Zigarettenration, wenn H aus der Kirche austrete. Kann H nach erfolgtem Kirchenaustritt von G die Zigaretten verlangen?

e) A gibt dem B, der zuvor seine äußerst prekäre finanzielle Lage geschildert hat, ein Darlehen, das mit 10 % pro Monat verzinst werden soll.

Rechtsgeschäfte müssen einen zulässigen Inhalt haben, um wirksam zu sein. Der Schutz überragender Interessen der Allgemeinheit gebietet eine Beschränkung der Möglichkeit, den Inhalt von Rechtsgeschäften frei zu gestalten. Diesen Schutz verfolgen die §§ 134, 138. Danach sind Rechtsgeschäfte nichtig, deren Inhalt gegen ein gesetzliches Verbot oder gegen die guten Sitten verstößt.

Abgesehen davon kann eine Einzelperson ein Interesse daran haben, daß ihre Rechtsstellung nicht durch Rechtsgeschäfte eines anderen beeinträchtigt wird. Ihrem Schutz dienen die §§ 135ff.

I. Gesetzliche Verbote 274

Nach § 134 ist ein Rechtsgeschäft, das gegen ein gesetzliches Verbot verstößt, nichtig, wenn sich nicht aus dem Gesetz ein anderes ergibt. Danach muß zum einen ein Verbotsgesetz vorliegen und zum anderen der Verstoß gegen das Verbot zur Nichtigkeit des Rechtsgeschäfts führen. Ob eine Rechtsnorm ein gesetzliches Verbot enthält und ob bei einem Gesetzesverstoß die Rechtsfolge der Nichtigkeit des Geschäfts eingreift, läßt sich jedoch aus § 134 nicht entnehmen. Vielmehr muß dies durch Auslegung nach Sinn und Zweck der einzelnen Gesetzesvorschrift ermittelt werden.

1. Verbotsgesetze 275

Da »Gesetz« im Sinne des BGB jede Rechtsnorm ist (vgl. Art. 2 EGBGB), können nicht nur formelle Gesetze wie etwa das BGB, sondern auch Rechtsverordnungen (Rdnr. 5), autonome Satzungen (Rdnr. 6) und das Gewohnheitsrecht (Rdnr. 7) Verbotsgesetze enthalten. Die Auslegung der Rechtsnorm kann ergeben, daß ein Rechtsgeschäft wegen der besonderen Umstände, unter denen es vorgenommen wird, wegen seines Inhalts oder wegen seines bezweckten Rechtserfolges untersagt ist. Dabei bietet der Gesetzeswortlaut einen Anhaltspunkt. Zwar enthalten die meisten Verbotsbestimmungen nicht Ausdrücke wie »verbieten« oder »untersagen«; jedoch deuten in der Regel die Formulierungen »darf nicht«, »ist unzulässig«, »ist nicht übertragbar« darauf hin, daß die Rechtsordnung die Vornahme eines bestimmten Rechtsgeschäfts mißbilligt.

Beispiele: § 259 StGB (Ankauf gestohlener Sachen); § 284 I StGB (verbotenes Glücksspiel); § 334 I StGB (Schenkung zur Bestechung eines Amtsträgers); § 12 UWG (Bestechung eines Angestellten zu Wettbewerbszwecken). Einzelfälle: *Erman/Brox*, § 134, Rdnr. 19ff.

276 2. *Folgen des Verstoßes gegen ein Verbotsgesetz*

Nicht jeder Verstoß gegen ein gesetzliches Verbot führt zur Nichtigkeit des Rechtsgeschäfts. Nach § 134 ist nämlich ein Rechtsgeschäft wegen eines Gesetzesverstoßes nur dann nichtig, wenn sich aus der Verbotsnorm nicht ein anderes ergibt.

277 a) Es gibt Verbotsgesetze, die sich nur gegen die Art und Weise wenden, in der das Rechtsgeschäft abgeschlossen wird (*Ordnungsvorschriften*). Sie wollen den Erfolg des Rechtsgeschäfts nicht verhindern. Deshalb führt ein Verstoß gegen eine solche Ordnungsvorschrift nicht zur Nichtigkeit des Rechtsgeschäfts.

So will das Ladenschlußgesetz nicht verhindern, daß B im Fall a überhaupt Brötchen verkauft. Vielmehr soll ein Verkauf aus Gründen des Schutzes der Arbeitnehmer nur zu bestimmten Zeiten erfolgen. Die Gültigkeit eines Lebensmittelverkaufs außerhalb der Ladenzeiten will das Ladenschlußgesetz jedoch nicht ausschließen.

278 b) Andere Verbotsnormen wollen Rechtsgeschäfte wegen ihres Inhalts verhindern. Bei einem Verstoß gegen ein solches *Inhaltsverbot* tritt als Rechtsfolge regelmäßig die Nichtigkeit des Geschäfts ein.

279 (1) Wendet sich das Verbotsgesetz jedoch nur gegen das Verhalten *einer* Partei des Rechtsgeschäfts, so ist besonders zu prüfen, ob das Rechtsgeschäft nichtig oder ob es im Interesse der redlichen Partei gültig sein soll.

Beispiele: Kommt ein Kaufvertrag durch Betrug des Verkäufers zustande, so verstößt das Rechtsgeschäft gegen § 263 StGB. Obwohl dem Verkäufer ein Verstoß gegen ein gesetzliches Verbot vorzuwerfen ist, kann der redliche Käufer ein Interesse daran haben, daß der Kaufvertrag dennoch gültig bleibt; dieser ist daher nicht von vornherein nichtig, sondern nur durch Anfechtung des Käufers wegen arglistiger Täuschung (§ 123; Rdnr. 401) vernichtbar. – Verstößt beim Abschluß eines Werkvertrages der Unternehmer gegen das Gesetz zur Bekämpfung der Schwarzarbeit und kennt der Besteller den Verstoß nicht, so gebieten es die Interessen des gesetzestreuen Bestellers, ihm seine Erfüllungs- und Gewährleistungsansprüche zu belassen; deshalb ist der Vertrag nicht nach § 134 nichtig (BGHZ 89, 373).

280 (2) Richtet sich das Verbotsgesetz gegen den Inhalt des Rechtsgeschäfts, führt ein Gesetzesverstoß grundsätzlich zur Nichtigkeit nur des Verpflichtungsgeschäfts. Die in Erfüllung des nichtigen Verpflichtungsgeschäfts erfolgten Verfügungen bleiben wirksam, können aber über die Regeln der ungerechtfertigten Bereicherung nach §§ 812ff. (BS Rdnr. 386) rückabgewickelt werden (beachte aber § 817; BS Rdnr. 403ff.).

Beispiel: Vor der Währungsreform waren zum Schutze der Geldstabilität die Preise gesetzlich gestoppt. Verkaufte V einen kunstgewerblichen Gegenstand zu einem unzulässigen Preis, so war der Kaufvertrag wegen Verstoßes gegen die Preisvorschrift nichtig. Da damit aber die Übertragung solcher Gegenstände nicht unterbunden werden sollte, war das Verfügungsgeschäft trotz Nichtigkeit des Kausalgeschäfts wirksam.

(3) Wenn durch das Verbotsgesetz nicht allein der Inhalt des Verpflichtungsge- 281
schäfts mißbilligt, sondern darüber hinaus auch eine Verschiebung der Güter untersagt wird, dann ist außer dem Verpflichtungs- auch das Verfügungsgeschäft nichtig. In diesen Fällen bleibt der über sein Eigentum Verfügende weiterhin Eigentümer; er kann sein Eigentum nach § 985 herausverlangen.

Beispiele: In der Nachkriegszeit bedurfte die Veräußerung von Lebensmitteln kraft Gesetzes einer Genehmigung (Bezugsschein, Lebensmittelkarte). Zum Schutze der allgemeinen Versorgung waren Verfügungen über Lebensmittel außerhalb des zugelassenen Rahmens gesetzlich verboten. Deshalb war bei einem Kauf ohne Bezugsschein nicht nur das Verpflichtungs-, sondern auch das Verfügungsgeschäft nichtig. – Verspricht A dem Finanzbeamten B einen Geldbetrag, wenn B die Steuerschuld des A zu niedrig festsetze, so ist nicht nur die Verpflichtung des A, sondern auch die Übereignung des Geldes wegen Verstoßes gegen § 333 I StGB nach § 134 nichtig.

3. *Umgehungsgeschäfte* 282

Die Rechtsfolge des § 134 erfaßt auch die sog. Umgehungsgeschäfte. Darunter versteht man Rechtsgeschäfte, die den vom Verbotsgesetz mißbilligten Erfolg auf einem Weg zu erreichen suchen, den die Verbotsnorm nicht erfaßt. Für diese Geschäfte gilt die Folge des § 134 aber nur dann, wenn die Verbotsbestimmung den Erfolg des Rechtsgeschäfts schlechthin verhindern will, unabhängig von dem Weg, auf dem die Parteien dieses Ziel erreichen wollen. Das Verbotsgesetz muß dann über seinen Wortlaut hinaus auch auf die Fälle angewandt werden, auf die es nach der im Gesetz enthaltenen Wertung angewandt werden soll.

Im Fall b ergibt sich aus dem Verbotscharakter der Bestimmungen des Gaststättengesetzes, daß W keinen Gaststättenbetrieb führen darf. Dieses gesetzliche Verbot würde umgangen, wenn W durch eine Vereinbarung mit K in der Lage wäre, dennoch eine Gastwirtschaft zu leiten. Deshalb ist der Vertrag des W mit K, daß W als Geschäftsführer für K den Gaststättenbetrieb führe (sog. Kastellanvertrag), wegen Umgehung eines Verbotsgesetzes nach § 134 nichtig (vgl. OLG Hamm NJW 1986, 2440f.).

II. Verstoß gegen die guten Sitten 283

1. *Tatbestand*

Ein Rechtsgeschäft, das gegen die guten Sitten verstößt, ist nach § 138 I nichtig.

a) Der Ausdruck *gute Sitten* ist ein wertausfüllungsbedürftiger Begriff. Was zu den guten Sitten gehört, ist in Anlehnung an die Entstehungsgeschichte und die höchstrichterliche Rechtsprechung nach dem »Rechts- und Anstandsgefühl aller billig und gerecht Denkenden« zu bestimmen (vgl. Mot. II, 727; RGZ 48, 124;

BGHZ 52, 20). Diese Umschreibung ist ebenfalls ausfüllungsbedürftig. Sie verdeutlicht jedoch, daß hier nicht an die Sitte (Rdnr. 2), sondern an die bestehende Sozialmoral (Rdnr. 3) anzuknüpfen ist. Dabei ist nicht auf die moralisch besonders hochstehende Anschauung bestimmter Kreise abzustellen. Ebensowenig sind besonders laxe Ansichten und Unsitten, selbst wenn sie weit verbreitet sind, maßgeblich. Vielmehr kommt es auf die Auffassung des »anständigen Durchschnittsmenschen« an, die oft schwer festzustellen ist. Häufig bleibt daher nur der Weg, das Unwerturteil durch Interessenabwägung zu ermitteln.

Beispiel: Ein Leihmuttervertrag ist sittenwidrig, wenn das Kind zum Gegenstand eines Rechtsgeschäfts gemacht und damit zur Handelsware degradiert wird (OLG Hamm NJW 1986, 782); die Ersatzmuttervermittlung wird durch das Adoptionsvermittlungsgesetz (i.d.F. v. 27.11.1989) verboten.

284 b) Der Tatbestand des § 138 verlangt einen *Verstoß gegen die guten Sitten.*

(1) Die Sittenwidrigkeit eines Rechtsgeschäfts setzt einmal *objektiv* voraus, daß *ein Sittenverstoß vorliegt*. Zum anderen ist *subjektiv* erforderlich, daß der Handelnde *die Umstände kennt*, aus denen sich die Sittenwidrigkeit ergibt; nicht erforderlich ist es dagegen, daß er sein Handeln für sittenwidrig hält.

Beispiel: Verpflichtet eine Brauerei einen Gastwirt, für die Hingabe eines Darlehens 30 Jahre lang sein Bier ausschließlich von ihr zu einem überhöhten Preis zu beziehen, verstößt dieser Vertrag gegen die guten Sitten, weil die wirtschaftliche Bewegungsfreiheit des Gastwirts über Gebühr beschränkt wird. Selbst wenn die Parteien den Vertrag als gerecht ansehen, verstößt das Rechtsgeschäft gegen die guten Sitten, da die Vertragsparteien die Umstände, aus denen sich die Sittenwidrigkeit ergibt, kennen.

285 (2) *Grundsätzlich* müssen bei einem Vertrag *beide Parteien sittenwidrig handeln.* Wenn nur einer Vertragspartei ein Sittenverstoß zur Last gelegt werden kann, ist der Vorwurf des sittenwidrigen Handelns gegenüber der redlichen Partei nicht gerechtfertigt. Diese kann ein berechtigtes Interesse haben, daß das Rechtsgeschäft trotz des vorwerfbaren Verhaltens der anderen Partei wirksam ist.

Beispiel: Kauft K von V ein giftiges Pflanzenschutzmittel, um seine Ehefrau zu vergiften, so verstößt der Kaufvertrag nicht gegen die guten Sitten, wenn V vom Vorhaben des K nichts weiß. Kennt V jedoch den Plan des K, handeln beide bei Abschluß des Kaufvertrages sittenwidrig.

Ausnahmsweise reicht ein *einseitiger Sittenverstoß* aus, wenn die Sittenwidrigkeit gerade in dem Verhalten gegenüber dem Geschäftspartner zum Ausdruck kommt (wie im Brauereifall).

286 c) Für die Frage des Sittenverstoßes ist regelmäßig auf den *Zeitpunkt des Geschäftsabschlusses* abzustellen. Eine spätere Änderung der Moralanschauung hat keinen Einfluß auf die Wirksamkeit eines Rechtsgeschäfts, wenn es sofort abgewickelt wird. Wandelt sich die Moralauffassung in der Zeitspanne zwischen Geschäftsabschluß und Eintritt des Rechtserfolges, so ist der letztere Zeitpunkt maßgebend. Denn § 138 will nicht eine verwerfliche Gesinnung bestrafen, sondern einen zu mißbilligenden Rechtserfolg verhindern. Auch bei Änderung der tatsächlichen Verhältnisse ist der Zeitpunkt maßgebend, in dem der Rechtserfolg eintritt (vgl. *Erman/Brox*, § 138, Rdnr. 43, 50ff.; str.).

Beispiel: Setzt der Erblasser E in einem Testament seine Geliebte G zur Belohnung des ehebrecherischen Verhältnisses als Alleinerbin ein, verstößt die Verfügung von Todes wegen gegen § 138. Heiratet E später die G, liegt beim Tod des E kein Grund mehr vor, die Erbeinsetzung der G als sittenwidrig anzusehen.

2. *Rechtsfolgen* 287

a) Ein Verstoß gegen die guten Sitten führt zur *Nichtigkeit des Rechtsgeschäfts*.

(1) Nichtig ist *grundsätzlich nur das Verpflichtungsgeschäft*, nicht auch das Verfügungsgeschäft. Dies ist nämlich in aller Regel wertneutral, weil es lediglich auf eine Änderung der Güterzuordnung abzielt.

(2) Liegt jedoch der Sittenverstoß gerade in der Veränderung der Güterzuordnung, so ist auch das Verfügungsgeschäft nichtig. 288

So ist im Fall c nicht nur die schuldrechtliche Verpflichtung zur Sicherung, sondern auch die Übereignung sittenwidrig und damit nichtig; denn die sittenwidrige Gefährdung der übrigen Gläubiger wird gerade durch den Verlust des Eigentums beim Schuldner bewirkt.

b) Darüber hinaus hat der durch das sittenwidrige Rechtsgeschäft Geschädigte, dem selbst kein Verstoß gegen die guten Sitten vorgeworfen werden kann, einen *Schadensersatzanspruch* gegen den Schädiger nach § 826 (BS Rdnr. 470ff.). 289

3. *Fallgruppen* 290

Die Generalklausel des § 138 ist im Laufe der Zeit durch die Rechtsprechung ausgefüllt worden. Dabei haben sich einige typische Fallgruppen herausgebildet, die jedoch keinesfalls als abschließend zu verstehen sind (Einzelfälle: *Erman/Brox*, § 138, Rdnr. 56ff.).

a) Manche Rechtsgeschäfte sind schon allein *wegen ihres Inhalts sittenwidrig*, weil sie auf die Vornahme von allgemein mißbilligten Handlungen gerichtet sind. 291

Beispiele: A verspricht dem B eine Belohnung dafür, daß dieser eine strafbare Handlung (Mord, Diebstahl) begeht. – Im Fall d kann H die Zigarettenration von G nicht verlangen; denn man kann sein weltanschauliches Bekenntnis nicht verkaufen (Rdnr. 28).

b) Sittenwidrig sind die *sog. Knebelungsverträge*. Darunter versteht man Verträge, die einen Vertragspartner in seiner persönlichen oder wirtschaftlichen 292

Freiheit übermäßig beschränken und ihn damit dem anderen mehr oder weniger ausliefern.

Beispiele: Eine Brauerei verpflichtet den Gastwirt, in seiner Gastwirtschaft 30 Jahre lang ausschließlich die Erzeugnisse der Brauerei auszuschenken (sittenwidriger Bierbezugsvertrag; BGHZ 74, 293, 298; BGH NJW 1979, 865). – Ein Gastwirt verpflichtet sich gegenüber einem Automatenaufsteller, bei Eröffnung eines weiteren Lokals wiederum Automatenaufstellungsverträge mit ihm abzuschließen (vgl. BGH NJW 1983, 159). – Dafür, daß der Verleger V das Erstlingswerk des Schriftstellers S veröffentlicht, verpflichtet sich dieser, in Zukunft sämtliche Arbeiten ausschließlich dem V zu überlassen; dieser entscheidet darüber, ob die Arbeiten gedruckt werden (BGHZ 22, 347).

293 c) Die *übermäßige Ausnutzung einer Monopolstellung* kann gegen die guten Sitten verstoßen. Eine Monopolstellung darf nicht dazu ausgenutzt werden, um dem Vertragspartner, der ohnehin schon in der freien Wahl seines Geschäftsgegners beschränkt ist, unbillige und unverhältnismäßig strenge Vertragsbedingungen vorzuschreiben. Diese Fallgruppe hat jedoch wegen der Regelung des § 26 GWB an Bedeutung verloren.

294 d) Die *übermäßige Sicherung* eines Gläubigers verstößt gegen die guten Sitten, wenn dadurch andere Gläubiger benachteiligt werden. Insbesondere ist eine Sicherungsübereignung (Fall c) sittenwidrig, wenn den übrigen Gläubigern sämtliche Haftungsobjekte entzogen werden und darüber hinaus gegenüber neuen Gläubigern die Kreditunwürdigkeit des Schuldners verschleiert wird (vgl. BGHZ 109, 240; BGH NJW-RR 1990, 1459; 1991, 625).

295 e) Rechtsgeschäfte können deshalb sittenwidrig sein, weil sie *gegen die Ehe- und Familienordnung* verstoßen.

Beispiele: Jemand bedenkt seine Geliebte testamentarisch, damit sie die ehewidrigen Beziehungen zu ihm fortsetzt. — Eheleute vereinbaren für den Fall der Ehescheidung einen Verzicht auf nachehelichen Unterhalt und führen dadurch bewußt eine Unterstützungsbedürftigkeit zu Lasten der Sozialhilfe herbei (vgl. BGH NJW 1992, 3164).

295a f) Ein *Mißverhältnis zwischen Leistung und Gegenleistung* allein reicht für eine Sittenwidrigkeit nach § 138 I nicht aus; vielmehr muß eine verwerfliche Gesinnung des Begünstigten hinzukommen. Auf eine solche kann jedoch bei einem groben (krassen) Mißverhältnis geschlossen werden, wenn etwa der Wert der Leistung knapp doppelt so hoch ist wie der Wert der Gegenleistung (BGH NJW 1992, 899; NJW—RR 1993, 198).

295b g) Auch die *Herbeiführung einer Überschuldung unbemittelter Personen* kann zur Sittenwidrigkeit führen. Zwar darf die Wirksamkeit eines Vertrages nicht bei jeder Störung des Verhandlungsgleichgewichts in Frage gestellt werden. Hat jedoch eine Vertragspartei ein so starkes Übergewicht, daß sie den Vertragsinhalt faktisch einseitig bestimmt, bewirkt das für die andere Partei eine Fremdbestimmung (BVerfGE 81, 242, 255). Bei ausgeprägter Unterlegenheit einer Partei kommt es für die Sittenwidrigkeit entscheidend darauf an, wie der Vertrag zustande gekommen ist und insbesondere wie die überlegene Partei sich verhalten hat (BVerfG ZIP 1993, 1275; BGH ZIP 1994, 520).

Beispiel: Die Ehefrau oder ein gerade volljähriges Kind verbürgt sich für die Schuld des Ehemannes/Vaters oder übernimmt dessen Schuld. Hier kann es für die Sittenwidrigkeit entscheidend sein, ob das Familienmitglied die übernommene Verpflichtung voraussichtlich niemals wird erfüllen können, ob es sich dessen nicht hinreichend bewußt ist und ob die kreditgebende Bank das alles erkennt und eine entsprechende Aufklärung unterläßt.

4. Wucherische Rechtsgeschäfte 296

Ein Sonderfall des sittenwidrigen Rechtsgeschäfts ist das wucherische Geschäft (§ 138 II: »insbesondere«). Diese Sonderregelung schließt allerdings einen Rückgriff auf § 138 I nicht aus.

Liegen z. B. die subjektiven Voraussetzungen des § 138 II nicht vor, kann ein wucherähnliches Rechtsgeschäft nach § 138 I nichtig sein. Das ist insbesondere bei unangemessenen Ratenkreditbedingungen von Bedeutung (vgl. dazu BGHZ 80, 153; BGH NJW 1987, 183, 2220; 1988, 696 u. 1659; *Erman/Brox*, § 138, Rdnr. 72–72h; BS Rdnr. 229m ff.).

a) Das wucherische Geschäft setzt *objektiv* ein *auffälliges Mißverhältnis von Leistung und Gegenleistung* voraus. Wann ein solches Mißverhältnis vorliegt, kann nicht einheitlich bestimmt werden. Vielmehr sind bei jedem Rechtsgeschäft sämtliche Umstände des Einzelfalles zu berücksichtigen (z. B. Risikoverteilung, Spekulationscharakter des Geschäfts, allgemeine Marktlage, Marktüblichkeit).

Im Fall e steht eine Forderung von monatlich 10 % Zinsen trotz des von A eingegangenen Verlustrisikos in keinem angemessenen Verhältnis zur Darlehenshingabe des A.

b) *Subjektiv* erfordert § 138 II, daß der Wucherer die *Zwangslage, die Uner-* 297
fahrenheit, den Mangel an Urteilsvermögen oder die erhebliche Willensschwäche eines anderen ausbeutet.

Unter *Ausbeuten* versteht man das bewußte Ausnutzen der schlechten Situation des Geschäftsgegners, um einen übermäßigen Gewinn zu erzielen. Dabei ist es unerheblich, ob das Anerbieten zum Abschluß des Geschäfts vom Bewucherten selbst ausgeht (BGH NJW 1985, 3006 f.). Der Wucherer muß nicht nur das auffällige Mißverhältnis der vereinbarten Leistungen, sondern auch die Zwangslage, die Unerfahrenheit, den Mangel an Urteilsvermögen oder die erhebliche Willensschwäche des Vertragspartners kennen. Ein Indiz dafür ist regelmäßig in dem übermäßigen Mißverhältnis von Leistung und Gegenleistung zu sehen.

(1) Eine *Zwangslage* liegt vor, wenn wegen einer augenblicklichen dringenden, meist wirtschaftlichen Gefahrenlage ein zwingendes Bedürfnis nach Sach- und Geldleistungen besteht.

Beispiele: Fall e (Kreditwucher). – Dem illegal in Deutschland arbeitenden Ausländer A werden für eine Unterkunft in einem Mehrbettzimmer 300,– DM Monatsmiete abverlangt (Mietwucher; vgl. BGH NJW 1982, 896).

(2) *Unerfahrenheit* bedeutet einen Mangel an Lebens- oder Geschäftserfahrung.

Beispiel: Ein Aussiedler, der mit den hiesigen wirtschaftlichen Verhältnissen nicht vertraut ist, erhält von A als »Starthilfe« ein monatlich mit 10 % zu verzinsendes Darlehen.

(3) Ein *Mangel an Urteilsvermögen* besteht, wenn jemandem (meist infolge einer Verstandesschwäche) in erheblichem Maße die Fähigkeit fehlt, sich bei seinem rechtsgeschäftlichen Handeln von vernünftigen Beweggründen leiten zu lassen oder die beiderseitigen Leistungen und die wirtschaftlichen Folgen des Geschäfts richtig zu bewerten.

Beispiel: Der einfältige X läßt sich zum Kauf eines 20-bändigen Werkes über Atomphysik überreden.

(4) Unter einer *erheblichen Willensschwäche* ist eine verminderte Widerstandsfähigkeit zu verstehen.

Beispiel: Ein Drogenabhängiger, der bereits unter schweren Entzugserscheinungen leidet, nimmt ein Darlehen zu 50 % Zinsen auf, weil er dringend Geld für neue Drogen benötigt.

298 c) *Rechtsfolge* des Wuchers ist die Nichtigkeit des Rechtsgeschäfts. Nach dem Wortlaut des § 138 II (»versprechen oder gewähren läßt«) ist nicht nur das Verpflichtungsgeschäft, sondern auch das Verfügungsgeschäft nichtig.

Im Fall e steht dem Rückforderungsanspruch des A aus § 812 I 1, 1. Fall die Vorschrift des § 817, 2 nicht entgegen, da dem B nur die Nutzung des Geldes überlassen war. Nach richtiger Ansicht kann A das Darlehen aber nicht sofort, sondern erst nach Ablauf der vereinbarten Darlehenszeit zurückverlangen; das folgt aus Sinn und Zweck des § 817, 2. Für diese Zeit steht dem A nicht der Wucherzins, wohl aber ein angemessener Zins zu (a. A. RGZ 161, 52, 57 f.; BGH NJW 1983, 1420, 1422 f.).

Außerdem steht dem Bewucherten unter den Voraussetzungen des § 823 II (BS Rdnr. 465 ff.) oder des § 826 (BS Rdnr. 469 ff.) ein Schadensersatzanspruch zu.

299 III. Veräußerungsverbote

Veräußerungsverbote (Verfügungsverbote, Verfügungsbeschränkungen) untersagen eine sonst zulässige Verfügung. Man unterscheidet absolute und relative Veräußerungsverbote.

1. Absolute Veräußerungsverbote

Absolute Veräußerungsverbote dienen dem Schutz überragender Interessen der Allgemeinheit. Deshalb wirken sie gegenüber jedermann (= absolut); daher sind Verfügungen, die gegen ein solches Verbot verstoßen, nach § 134 nichtig.

Absolute Veräußerungsverbote sind selten; sie fanden sich in den Vorschriften über Beschlagnahmen und Bewirtschaftungen von Gütern in der Kriegs- und Nachkriegszeit. Heute bestehen sie etwa bei der Veräußerung gesundheitsgefährdender Lebens- und Arzneimittel (vgl. §§ 8f. LMBG; §§ 43ff. ArzneimittelG).

2. *Relative Veräußerungsverbote* 300

a) Der *Sinn* relativer Veräußerungsverbote besteht darin, *bestimmte Personen* (nicht die Allgemeinheit) *zu schützen*. Diese Verbote sollen verhindern, daß der Rechtsinhaber (z.B. der Eigentümer einer Sache) durch eine Verfügung die Rechtsstellung einer schutzbedürftigen Einzelperson beeinträchtigt. Deshalb verbieten sie dem Rechtsinhaber eine Verfügung zum Nachteil der geschützten Person.

b) Ein relatives Veräußerungsverbot besteht *kraft Gesetzes* (§ 135) oder *kraft* 301 *gerichtlicher oder behördlicher Anordnung* (§ 136). Hauptanwendungsfall der schwer verständlichen Regelung ist die vom Gericht erlassene einstweilige Verfügung, durch die ein relatives Veräußerungsverbot ausgesprochen wird.

Beispiel: V hat sein Gemälde für 1200,– DM an K 1 verkauft, aber noch nicht übereignet. Dann verkauft er es noch einmal für 1500,– DM an K 2. Da K 1 befürchten muß, daß V das Bild dem K 2 übereignet, dieser dadurch Eigentümer wird und K 1 damit von V kein Eigentum mehr erwerben kann, beantragt K 1 beim Amtsgericht den Erlaß einer einstweiligen Verfügung (vgl. §§ 935, 938 II ZPO; ZVR Rdnr. 1580ff.). Durch die einstweilige Verfügung wird dem V verboten, über das Bild zum Nachteil des K 1 zu verfügen.

Beachtet V das Verbot, ist K 1 hinreichend geschützt. Hält V sich dagegen nicht an das Verbot und übereignet er das Gemälde dennoch an K 2, wird dieser zwar Eigentümer des Bildes; denn das Verfügungsgeschäft ist nicht etwa nichtig. Aber die Verfügung ist gegenüber dem K 1 (= relativ) unwirksam (§§ 136, 135 I 1). K 2 erwirbt also das Eigentum, das er allen gegenüber geltend machen kann, nur nicht dem K 1 gegenüber.

Dem durch das relative Veräußerungsverbot geschützten K 1 gegenüber ist die Verfügung des V unwirksam. Nur dem K 1 gegenüber ist V trotz der Übereignung an K 2 nach wie vor Eigentümer des Gemäldes. Deshalb kann K 1 von V aus dem Kaufvertrag gem. § 433 I 1 Übereignung des Bildes verlangen. Diese Übereignung kann zwar nicht nach § 929, 1 durch Einigung und Übergabe erfolgen, da V das Bild nicht mehr in Besitz hat; aber V kann den K 1 nach § 931 durch Einigung und Abtretung des Herausgabeanspruchs gegen K 2 zum Eigentümer des Bildes machen. In den Besitz des Bildes kommt K 1 dadurch, daß er (als Eigentümer) es von K 2 (als Besitzer) nach § 985 herausverlangt.

Auf der anderen Seite ist aber K 2 schutzwürdig, wenn er beim Erwerb des Bildes von der einstweiligen Verfügung nichts weiß und ihm deren Bestehen auch nicht infolge grober Fahrlässigkeit verborgen geblieben ist. In diesem Falle erwirbt er (auch gegenüber K 1) vollwirksames Eigentum (§§ 136, 135 II, 932 II). Dann kann K 1 von V kein Eigentum an dem Bild erwerben; ihm steht aber ein Schadensersatzanspruch wegen Nichterfüllung des Kaufvertrages gegen V zu (§§ 440, 325; BS Rdnr. 25).

c) *Rechtsfolge* des relativen Veräußerungsverbots ist es, daß der Rechtsinhaber 302 über den Gegenstand nicht zum Nachteil des durch das Verbot Geschützten verfügen darf.

(1) Setzt sich der Rechtsinhaber über das relative Veräußerungsverbot hinweg, ist die Verfügung gegenüber der Person unwirksam, zu deren Gunsten das Verbot besteht (§ 135 I 1).

Die Verfügung ist also nicht schlechthin nichtig. Vielmehr kann sich ein Dritter, der nicht durch das Veräußerungsverbot geschützt wird, nicht auf den Verbotsverstoß berufen; er muß das Rechtsgeschäft als gültig gegen sich gelten lassen. Nur demjenigen gegenüber, zu dessen Gunsten das Verfügungsverbot besteht, ist die Verfügung rechtlich bedeutungslos. Der Verstoß gegen ein relatives Veräußerungsverbot führt daher zur *relativen Unwirksamkeit der Verfügung*.

Da der durch ein relatives Veräußerungsverbot Begünstigte die Folgen einer verbotswidrigen Verfügung nicht gegen sich gelten zu lassen braucht, bleibt für ihn der bisherige Eigentümer trotz der Verfügung weiterhin Eigentümer der Sache. Der durch das Verbot Geschützte, der einen Anspruch auf Eigentumsübertragung gegen den Eigentümer hat, kann von diesem Übereignung der Sache (regelmäßig nach § 931; anders BGH JZ 1991, 40, m. abl. Anm. *Mayer-Maly* u. *Kohler*, Jura 1991, 349) verlangen. Der Dritte, der durch eine verbotswidrige Verfügung des Eigentümers Eigentum an der Sache erlangt hat, muß diese dem Begünstigten (nach § 985) herausgeben.

(2) Andererseits kann die relative Unwirksamkeit den Interessen dessen zuwiderlaufen, der die Sache durch verbotswidrige Verfügung erworben hat. Grundsätzlich darf er von der Verfügungsmacht des Rechtsinhabers ausgehen. Dieses Vertrauen würde mißachtet, wenn der Begünstigte in jedem Fall den Rechtserwerb eines gutgläubigen Dritten rückgängig machen könnte. Deshalb bestimmt § 135 II, daß der verbotswidrige Erwerb einer Sache grundsätzlich auch gegenüber dem durch das Verbotsgesetz Geschützten wirksam bleibt.

Jedoch verdient der bösgläubige Erwerber keinen Schutz. Bösgläubig ist, wer beim Erwerb einer beweglichen Sache das Verfügungsverbot kennt oder infolge grober Fahrlässigkeit nicht kennt (§ 135 II i. V. m. § 932 II).

303 d) *Durch Rechtsgeschäft kann ein relatives Veräußerungsverbot nicht begründet werden*. Im Interesse des Rechtsverkehrs kann die Verfügungsbefugnis über ein veräußerliches Recht durch Rechtsgeschäft nicht ausgeschlossen oder beschränkt werden (§ 137, 1). Ein durch Rechtsgeschäft begründetes Veräußerungsverbot macht eine Verfügung nicht relativ unwirksam.

Beispiel: Vereinbart V mit K, daß dieser das von V erworbene Grundstück nicht an einen Dritten übertragen solle, so ist dieses rechtsgeschäftliche Veräußerungsverbot nach § 137, 1 unwirksam. Verfügt K über das Grundstück, steht dem die mit V getroffene vertragliche Abrede nicht entgegen; die Verfügung ist wirksam.

Ein rechtsgeschäftliches Veräußerungsverbot ist jedoch rechtlich nicht ohne jede Bedeutung. Es begründet nämlich eine wirksame schuldrechtliche Verpflichtung, eine Verfügung zu unterlassen (§ 137, 2).

Im Beispielsfall ist K dem V zum Schadensersatz verpflichtet, wenn er über das Grundstück verfügt.

§ 15 Teilnichtigkeit, Umdeutung und Bestätigung

Schrifttum: *Battes*, Rechtsformautomatik oder Willensherrschaft, AcP 174, 429; *Bürck*, Umdeutung eines Vertrages bei Ausfall einer Vertragsbedingung – BGH, NJW 1971, 420, JuS 1971, 571; *Canaris*, Gesamtunwirksamkeit und Teilgültigkeit rechtsgeschäftlicher Regelungen, Festschrift f. Steindorff, 1990, 519; *v. Esch*, Teilnichtige Rechtsgeschäfte, 1968; *Krampe*, Die Konversion des Rechtsgeschäfts, 1980; *ders.*, Aufrechterhaltung von Verträgen und Vertragsklauseln, AcP 194, 1; *Mayer-Maly*, Über die Teilnichtigkeit, Gedenkschrift f. Gschnitzer, 1965, 265; *Sandrock*, Subjektive und objektive Gestaltungskräfte bei der Teilnichtigkeit von Rechtsgeschäften, AcP 159, 481; *Siller*, Die Konversion (§ 140 BGB), AcP 138, 144; *Tiedtke*, Teilnichtigkeit eines sittenwidrigen Rechtsgeschäfts, ZIP 1987, 1089; *Ulmer*, Offene Fragen zu § 139 BGB, Festschrift f. Steindorff, 1990, 799. 304

Fälle:

a) V vermietet dem M sein Grundstück schriftlich und räumt ihm gleichzeitig in derselben Urkunde das Vorkaufsrecht ein. Wirksamer Mietvertrag?

b) Um von V Waren auf Kredit zu erhalten, tritt ihm K zur Sicherung des Kaufpreises mehrere Forderungen ab. Als K später erfährt, daß die Abtretungen wegen Knebelung nichtig sind, hält er den ganzen Vertrag für nichtig und verweigert die Bezahlung der Waren.

c) A, B und C gründen eine offene Handelsgesellschaft zum gemeinsamen Betrieb einer Arztpraxis. Der OHG-Vertrag ist nichtig, da kein Handelsgewerbe betrieben wird. Besteht ein Gesellschaftsverhältnis?

d) Der geisteskranke V schließt am 1. 1. mit M einen Mietvertrag. Am 1. 2. erklären der Betreuer des V und M übereinstimmend, daß der Vertrag gültig sein soll. Muß M die Miete für den Monat Januar bezahlen?

Ein nichtiges Rechtsgeschäft hat von Anfang an keine Rechtswirkungen. Es fragt sich, ob die Nichtigkeit nur eines Teiles des Rechtsgeschäfts auch die übrigen, an sich gültigen Teile des Rechtsgeschäfts ergreift und damit das ganze Rechtsgeschäft nichtig ist oder ob nicht wenigstens die übrigen Teile wirksam sind (zur Teilnichtigkeit: § 139). Ferner taucht das Problem auf, ob das nichtige Rechtsgeschäft in ein anderes, gültiges Rechtsgeschäft umgedeutet werden kann, so daß der mit dem nichtigen Geschäft bezweckte Erfolg auf diese Weise ganz oder wenigstens teilweise erreicht werden kann (zur Umdeutung: § 140). Schließlich ist zu erörtern, ob derjenige, der ein nichtiges Rechtsgeschäft vorgenommen hat, durch Bestätigung dem Geschäft den Makel der Nichtigkeit nehmen kann (zur Bestätigung: § 141).

I. Teilnichtigkeit 305

Ist ein Teil eines Rechtsgeschäfts nichtig, so ist nach § 139 das ganze Rechtsgeschäft nichtig, wenn nicht anzunehmen ist, daß es auch ohne den nichtigen Teil vorgenommen sein würde. Demnach muß zunächst geprüft werden, ob ein Teil eines einheitlichen Rechtsgeschäfts nichtig ist. Alsdann ist durch (ergänzende) Auslegung zu ermitteln, ob das restliche Rechtsgeschäft trotz der Teilnichtigkeit gültig oder wegen der Teilnichtigkeit auch nichtig sein soll. Ergibt die Auslegung kein klares Bild, greift die Auslegungsregel des § 139 ein; danach ist das ganze Rechtsgeschäft nichtig.

306 *1. Voraussetzungen für die Auslegung*

a) Es muß ein *einheitliches Rechtsgeschäft* vorliegen. Auch wenn es sich um mehrere Geschäfte handelt, kann § 139 anwendbar sein, sofern sie nicht selbständig nebeneinander stehen. Entscheidend ist der Wille der Beteiligten (vgl. Mot. I, 222). Ein Anhaltspunkt für ein einheitliches Rechtsgeschäft kann in der gleichzeitigen Vornahme oder in der Unterzeichnung einer einheitlichen Urkunde liegen. Auch eine enge wirtschaftliche Verflechtung kann für eine geschäftliche Einheit sprechen.

Beispiele: In einem Kaufvertrag wird vereinbart, welches Gericht für Streitigkeiten aus dem Vertrag zuständig sein soll (= Gerichtsstandsvereinbarung). Ein Arbeitsvertrag enthält ein Wettbewerbsverbot. Mehrere Vertragstypen werden aus wirtschaftlichen Gründen miteinander verbunden (Fälle a und b). Mehr als zwei Personen schließen einen Gesellschaftsvertrag. – Pacht und Kauf stellen ein einheitliches Geschäft dar, wenn A dem B sein Lebensmittelgeschäft verpachtet und ihm das Inventar und den Warenbestand verkauft; das ist selbst dann anzunehmen, wenn zunächst nur der Pachtvertrag und einige Tage später erst der Kaufvertrag geschlossen wird. Kein einheitliches Geschäft liegt vor, wenn Pacht und Kauf nichts miteinander zu tun haben, weil das Geschäft in Köln verpachtet und das Landhaus in Bayern verkauft wird; daran ändert sich auch nichts, wenn beide Verträge in einer einzigen notariellen Urkunde enthalten sind. – Der Kaufvertrag und die zu seiner Erfüllung vorgenommene Übereignung bilden – wegen des Abstraktionsprinzips – kein einheitliches Rechtsgeschäft (Rdnr. 120).

307 b) Das einheitliche Geschäft muß *teilbar* sein. »Erforderlich ist, daß das Rechtsgeschäft dergestalt teilbar ist, daß nach Abtrennung des unwirksamen Teils ein Rest zurückbleibt, der als selbständiges Rechtsgeschäft bestehen kann« (RGZ 93, 338); nur dann taucht überhaupt die Frage auf, ob der verbleibende Rest als Rechtsgeschäft gültig bleibt. Rechtsgeschäfte können hinsichtlich ihres Inhalts, hinsichtlich der Beteiligten, aber auch hinsichtlich der Zeitabschnitte, in denen sie Rechtswirkungen hervorrufen sollen, teilbar sein.

Beispiele: In den Fällen a und b sind die Verträge in Teile zerlegbar. Bei einem Kaufvertrag über mehrere Sachen zu einem Gesamtpreis ist der Vertragsgegenstand (mehrere Sachen, Kaufpreis) teilbar, wenn der Gesamtpreis nach den verkauften Sachen aufgeschlüsselt werden kann (vgl. BGH BB 1957, 164). – Bei übermäßig langer Dauer eines Bierlieferungsvertrages kann dieser in entsprechender Anwendung des § 139 mit verkürzter Laufzeit aufrechterhalten werden; BGH NJW 1992, 2145). – Haben A, B und C einen Gesellschaftsvertrag geschlossen und ist die Willenserklärung des C wegen Geschäftsunfähigkeit nichtig, dann kann der Vertrag zwischen A und B bestehen bleiben, weil die Willenserklärung des C vom einheitlichen Geschäft abteilbar ist (vgl. RGZ 141, 108). Haben dagegen nur zwei Personen einen Vertrag abgeschlossen und ist die Erklärung der einen Person nichtig, so ist das Rechtsgeschäft (der Vertrag) nicht teilbar, da die (gültige) Willenserklärung der anderen Person allein keinen Vertrag darstellt.

c) Ein *Teil* des einheitlichen Rechtsgeschäfts muß *nichtig* sein. Dabei spielt es keine Rolle, auf welchem Grund die Nichtigkeit beruht (z. B. Geschäftsunfähigkeit, Formmangel, Verstoß gegen § 134 oder § 138). 308

Im Fall a ist die Bestellung des Vorkaufsrechts wegen Formmangels (§ 125, 1; § 313, 1), im Fall b die Sicherungsabtretung wegen Sittenwidrigkeit (§ 138) nichtig.

2. Auslegung 309

Ist ein Teil eines Rechtsgeschäfts nichtig, so kommt es auf den Willen der Beteiligten an, ob der Rest des Geschäfts gültig oder nichtig sein soll. Dieser Wille ist durch Auslegung zu ermitteln.

a) Die Auslegung kann ergeben, daß die Beteiligten mit der Möglichkeit einer Teilnichtigkeit gerechnet und für diesen Fall eine *Regelung darüber getroffen haben, ob der Rest Rechtsfolgen auslösen soll.*

So findet man am Ende eines umfangreichen Gesellschaftsvertrages oft die Klausel: »Sollte ein Teil dieses Vertrages unwirksam sein, so soll davon die Gültigkeit des übrigen Vertrages nicht berührt werden«.

b) Enthält das Rechtsgeschäft keine Regelung für den Fall einer Teilnichtigkeit, ist es insoweit lückenhaft. Diese Lücke muß dann durch *ergänzende Auslegung* (Rdnr. 136 ff.) geschlossen werden. Maßgebend ist, welche Entscheidung die Beteiligten vernünftigerweise nach Treu und Glauben unter Berücksichtigung der Verkehrssitte getroffen hätten. Dabei sind alle Umstände des Falles (Motive, Verkehrssitten, Interessenlage, verfolgter Zweck) zu berücksichtigen. 310

Beispiele: Haben A, B und C einen Gesellschaftsvertrag geschlossen und stellt sich heraus, daß die Willenserklärung des C wegen Geschäftsunfähigkeit nichtig war, so ist der ganze Vertrag nichtig, wenn sich ergibt, daß A und B nur mit Rücksicht auf die hohe Kapitaleinlage des C den Vertrag geschlossen haben. Dagegen bleibt die Gültigkeit des Geschäfts A–B von der Nichtigkeit der Erklärung des C unberührt, wenn die Beteiligung des C für A und B nicht entscheidend war. – Im Fall a ist der Mietvertrag trotz Nichtigkeit der Einräumung des Vorkaufsrechts gültig, wenn die Auslegung ergibt, daß es dem M entscheidend nur um den Mietvertrag, nicht auch um das Vorkaufsrecht ging. Spielte dagegen das Vorkaufsrecht eine entscheidende Rolle, was sich etwa in der Höhe der Gegenleistung des M niederschlug, ist der ganze Vertrag nichtig.

Für eine Teilnichtigkeit und damit gegen eine Gesamtnichtigkeit *können insbesondere folgende Umstände sprechen*: 311

(1) *Ist nur ein geringfügiger Teil des Geschäfts nichtig*, kann es sinnlos sein, auch den für die Beteiligten im Vordergrund stehenden, überwiegenden Teil des Geschäfts als nichtig anzusehen. Das gilt vor allem dann, wenn für die nichtige Nebenabrede eine gesetzliche Regelung eingreift.

Beispiel: Die bei einem Haustürgeschäft (Rdnr. 203 a ff.) getroffene Vereinbarung, daß für Streitigkeiten das Gericht am Wohnsitz der Vertragspartei des Kunden zuständig sein soll, ist wegen § 7 HausTWG nichtig. Das Haustürgeschäft bleibt davon unberührt. Zuständig ist das Gericht am Wohnsitz des Kunden (§ 7 I HausTWG).

312 (2) *Sollte der nichtige Teil des Rechtsgeschäfts allein oder vorwiegend den Interessen eines Beteiligten dienen und würde sich die Gesamtnichtigkeit zugunsten eines anderen Beteiligten auswirken*, dann ist diese Rechtsfolge durch den hypothetischen Parteiwillen ausgeschlossen. Denn der Beteiligte, zu dessen Gunsten die (nichtige) Bestimmung nicht getroffen wurde, erleidet keinen Nachteil, wenn das Geschäft ohne den für einen anderen günstigen Teil wirksam bleibt (vgl. RG JW 1916, 391).

Im Fall b ist die nichtige Sicherungsabtretung zugunsten des V getroffen worden. Es ist nicht zu dulden, daß K »aus der Nichtigkeit der Sicherung Kapital schlägt, um sich der Erfüllung überhaupt zu entziehen« (so RG a. a. O.). K muß zahlen.

313 (3) *Wird die Nichtigkeit eines Teils des Geschäfts überhaupt nicht bedeutsam*, besteht kein Anlaß, daß aus der Teilnichtigkeit die Gesamtnichtigkeit folgt. Ist das Geschäft abgewickelt, ohne daß es auf die nichtige Bestimmung angekommen wäre, dann entspricht es den Interessen der Beteiligten, den abgewickelten, gültigen Teil aufrechtzuerhalten.

Sind im Fall a der Mietvertrag und das Vorkaufsrecht auf 10 Jahre begrenzt, so kann nach Ablauf der Zeit die Nichtigkeit des Vorkaufsrechts nicht zur Nichtigkeit der Miete führen, wenn der Vorkaufsfall (§ 504) überhaupt nicht eingetreten ist.

314 c) Ist ein Teil eines einheitlichen Rechtsgeschäfts nichtig und führt die Auslegung nicht zu dem Ergebnis, daß der Rest des Rechtsgeschäfts gültig sein soll, greift die *Auslegungsregel des § 139* ein; danach ist dann das ganze Rechtsgeschäft nichtig.

Kann im Fall a nicht ermittelt werden, daß der Mietvertrag trotz der Nichtigkeit der Einräumung des Vorkaufsrechts gültig sein soll, dann ist nach § 139 auch der Mietvertrag nichtig.

315 *3. Ausnahmen von § 139*

§ 139 ist nicht anwendbar, wenn eine im Gesetz enthaltene spezielle Auslegungsregel für die Behandlung eines teilnichtigen Rechtsgeschäfts anwendbar ist oder wenn sich aus dem Sinn und Zweck einer Gesetzesbestimmung ergibt, daß keine Gesamtnichtigkeit eintreten soll.

a) Eine *spezielle Auslegungsregel* enthält § 2085 für das Testament: Ist in einem Testament eine von mehreren Verfügungen nichtig, so bewirkt das nach § 2085 im Zweifel nicht die Nichtigkeit der übrigen Verfügungen. Anders als § 139 stellt § 2085 also eine widerlegbare Vermutung für die Wirksamkeit der übrigen Verfügungen auf. Das dürfte regelmäßig dem Interesse des Erblassers entsprechen; die Errichtung eines neuen Testaments scheidet aus, da der Erblasser tot ist, wenn sein Testament Rechtsfolgen auslöst.

Beispiel: Hat E den A und die B zu seinen Erben eingesetzt und ist die Einsetzung der B wegen Sittenwidrigkeit (§ 138 I) nichtig, führt das regelmäßig nicht zur Nichtigkeit der Erbeinsetzung des A.

b) Bei Nichtigkeit oder Teilnichtigkeit von *Allgemeinen Geschäftsbedingungen* bleibt der Vertrag nach § 6 I AGBG im übrigen wirksam; an die Stelle der nichtigen Bestimmungen treten nach § 6 II AGBG die gesetzlichen Vorschriften. Dagegen ist der ganze Vertrag nach § 6 III AGBG unwirksam, wenn das Festhalten an dem Vertrag für eine Partei eine unzumutbare Härte darstellen würde (Rdnr. 204 r).

c) *Aus dem Zweck einer Gesetzesbestimmung* kann sich ergeben, daß § 139 nicht anwendbar ist. 316

(1) So ist nach § 476 eine Vereinbarung, durch die der Verkäufer nicht für Sachmängel der Kaufsache einzustehen hat, nichtig, wenn der Verkäufer den Mangel der Kaufsache arglistig verschweigt. Danach soll nur diese sog. Freizeichnungsklausel, nicht aber der ganze Kaufvertrag nichtig sein. Andernfalls würde der durch § 476 geschützte Käufer alle Ansprüche gegen den Verkäufer verlieren, was nicht dem Schutzzweck der Bestimmung entspräche.

(2) Für die Kündigung des Vermieters schreibt § 565 II bei der Wohnraummiete zum Schutz des Mieters zwingende Mindestfristen vor; die Vereinbarung einer kürzeren Frist ist nichtig. Hätte das die Nichtigkeit des ganzen Mietvertrages zur Folge, wäre der Mieter ganz schutzlos, da er ohne Kündigung sofort räumen müßte. Damit würde der Sinn der Bestimmung ins Gegenteil verkehrt.

II. Umdeutung 317

Entspricht ein nichtiges Rechtsgeschäft den Erfordernissen eines anderen (gültigen) Rechtsgeschäfts, so gilt nach § 140 dieses Geschäft, wenn anzunehmen ist, daß dessen Geltung bei Kenntnis der Nichtigkeit gewollt sein würde. Die Umdeutung (= Konversion) dient also der Aufrechterhaltung des nichtigen Geschäfts. Nach § 140 ist zu prüfen, ob ein nichtiges Rechtsgeschäft vorliegt, in diesem ein wirksames Geschäft enthalten ist und die Beteiligten dieses wirksame Geschäft geschlossen hätten, wenn sie die Nichtigkeit des geschlossenen Geschäfts gekannt hätten.

1. Voraussetzungen für die Auslegung 318

a) Es muß ein *nichtiges Rechtsgeschäft* vorliegen. Dabei ist es gleichgültig, aus welchem Grunde das Rechtsgeschäft nichtig ist.

b) In dem nichtigen Rechtsgeschäft muß ein *wirksames Ersatzgeschäft* enthalten sein. 319

(1) Nur wenn das Ersatzgeschäft ein Weniger gegenüber dem Mehr des nichtigen Geschäfts darstellt, kommt eine Umdeutung in Betracht. Mit dem Ersatzgeschäft muß der durch das nichtige Geschäft bezweckte Erfolg ganz oder teilweise erreicht werden können; denn durch die Umdeutung soll der Wille der Beteiligten aufrechterhalten werden. Andersartige oder weiterreichende Rechts-

folgen entsprechen nicht dem Gewollten und können daher durch eine Umdeutung nicht begründet werden.

Beispiele: Die Übertragung eines Nießbrauchs ist nach § 1059, 1 nichtig. In dem nichtigen Rechtsgeschäft sind alle Merkmale einer Überlassung des Nießbrauchs zur Ausübung als ein Minus enthalten; dieses Geschäft ist nach § 1059, 2 wirksam. – Die nichtige außerordentliche Kündigung enthält als ein Minus eine wirksame ordentliche Kündigung zum nächstzulässigen Termin. – Dagegen ist eine nichtige Pfandrechtsbestellung nicht als eine gültige Eigentumsübertragung aufrechtzuerhalten, da diese gegenüber der Pfandrechtsbestellung ein Mehr darstellt (Einzelfälle: *Erman/Brox*, § 140, Rdnr. 19ff.).

320 (2) Das Ersatzgeschäft selbst darf nicht an einem Nichtigkeitsgrund leiden.

Deshalb scheidet bei einer Nichtigkeit wegen Geschäftsunfähigkeit eine Umdeutung aus, da auch das andere Geschäft mit diesem Nichtigkeitsgrund behaftet ist. Dagegen ist die Umdeutung eines Rechtsgeschäfts, das wegen Verstoßes gegen ein gesetzliches Verbot oder gegen die guten Sitten nichtig ist, möglich, sofern das Ersatzgeschäft dem Zweck des Verbots nicht widerspricht.

321 2. *Auslegung*

Ist nach dem Gesagten eine Umdeutung des nichtigen Rechtsgeschäfts in ein anderes Geschäft möglich, dann ist umzudeuten, wenn dies dem Willen der Beteiligten entspricht; das ist durch Auslegung zu ermitteln.

a) *Haben die Beteiligten* für den Fall der Nichtigkeit *eine Ersatzregelung vorgesehen, greift diese ein.*

322 b) In der Regel haben die Beteiligten *an eine Nichtigkeit nicht gedacht*; dann ist nicht ihr wirklicher, sondern ihr *mutmaßlicher Wille zu erforschen*. Das geschieht durch *ergänzende Auslegung* (Rdnr. 136ff.). Dabei ist zu ermitteln, ob die Beteiligten bei Kenntnis der Nichtigkeit des Rechtsgeschäfts den Abschluß des Ersatzgeschäfts gewollt oder von einem Abschluß abgesehen hätten.

Im Fall c kann die ergänzende Auslegung ergeben, daß der nichtige OHG-Vertrag in einen gültigen Vertrag zur Errichtung einer Gesellschaft des bürgerlichen Rechts (vgl. §§ 705ff.) umzudeuten ist. Möglich ist aber auch, daß A, B und C nur eine offene Handelsgesellschaft und – wenn das nicht möglich sein sollte – überhaupt keine Gesellschaft gründen wollten; dann bleibt es bei der Nichtigkeit des Vertrages.

323 **III. Bestätigung**

Die Beteiligten können ein nichtiges Rechtsgeschäft durch Bestätigung (§ 141) zu einem gültigen machen. Die Bestätigung ist eine Neuvornahme des Rechtsgeschäfts (§ 141 I).

1. Voraussetzungen

a) Es muß ein *nichtiges Rechtsgeschäft* vorliegen, gleichgültig, um welchen Nichtigkeitsgrund es sich handelt.

b) Das nichtige Rechtsgeschäft muß *bestätigt* werden: **324**

(1) Zunächst ist ein *Bestätigungswille* erforderlich. Das setzt Kenntnis der Nichtigkeit voraus. Aber auch Zweifel an der Gültigkeit des Geschäfts reichen aus, wenn es darum geht, die Wirksamkeit auf alle Fälle zu sichern (RGZ 150, 388).

Erfüllen die Parteien ihre Pflichten, die in einem nichtigen Vertrag festgelegt sind, so liegt darin mangels Bestätigungswillens keine Bestätigung, wenn sie von der Gültigkeit des Vertrages ausgehen.

(2) *Der Bestätigungswille muß erklärt werden.* Das ist die *erneute Vornahme* des Rechtsgeschäfts. Sie kann ausdrücklich, aber auch konkludent erfolgen. Jedoch muß das neue Geschäft sämtlichen Wirksamkeitsvoraussetzungen entsprechen.

Erfüllen die Parteien in Kenntnis der Nichtigkeit des Vertrages ihre Vertragspflichten, liegt darin eine konkludente Bestätigung des nichtigen Vertrages. Bedarf der Vertrag einer Form (z. B. der notariellen Beurkundung), muß auch die Neuvornahme diese Form wahren. Das gilt auch dann, wenn die Nichtigkeit des Vertrages nicht auf einem Formmangel beruht (BGH WM 1985, 1000).

Im Fall d ist durch die Bestätigung des M und des Betreuers des V am 1. 2. erstmalig ein Mietvertrag zustande gekommen.

2. Folgen **325**

a) Durch die Bestätigung wird das nichtige Rechtsgeschäft nicht rückwirkend von Anfang an wirksam. Vielmehr *entsteht erst durch die Neuvornahme ein wirksames Rechtsgeschäft.*

Im Fall d ist der Mietvertrag erst vom 1. 2. an gültig.

b) Bei Verträgen begründet die Bestätigung im Zweifel die *schuldrechtliche* **326**
Verpflichtung der Parteien, einander zu gewähren, was sie haben würden, wenn der Vertrag von Anfang an gültig gewesen wäre (§ 141 II). Das entspricht regelmäßig den Interessen der Vertragsparteien. Durch die Bestätigung soll nämlich die ursprüngliche (nichtige) Vereinbarung wenigstens in schuldrechtlicher Beziehung der Vertragsparteien zueinander Bedeutung erlangen. Wenn ein Vertragspartner diese Verpflichtung nicht will, muß er dies bei der Bestätigung zum Ausdruck bringen. Sonst gilt die Auslegungsregel des § 141 II (»Im Zweifel«).

Im Fall d ist M, wenn nichts anderes vereinbart wird, verpflichtet, auch für Januar die Miete zu zahlen. – Wird dagegen ein nichtiges sachenrechtliches Geschäft, wie eine Übereignung (§ 929), erneut vorgenommen, geht das Eigentum erst bei der Neuvornahme über.

Viertes Kapitel Die Willensmängel

327 § 16 Überblick über die gesetzliche Interessenbewertung bei Willensmängeln

I. Ausgangslage

1. Mangelfreie Willenserklärung

Eine Willenserklärung (Rdnr. 80ff.) entsteht auf folgende Weise: Jemand gelangt aufgrund einer Reihe von Beweggründen (Motiven) zu dem Willen, eine bestimmte Rechtsfolge herbeizuführen. Entsprechend diesem sog. Geschäftswillen gibt er seine Erklärung ab.

Beispiel: K will seiner Freundin zu ihrem Geburtstag am 1. 6. ein Geschenk machen. Er geht davon aus, daß die Freundin Schmuck liebt und daß er 500,– DM für den Kauf eines Schmuckstücks zur Verfügung hat. Den ihm von V vorgelegten Ring hält er für golden. Aus den genannten Gründen will er den Ring für 500,– DM kaufen. Dementsprechend erklärt er dem V: »Ich kaufe diesen Ring für 500,– DM«. Nimmt V dieses Angebot an, ist ein Kaufvertrag über den Ring zum Preise von 500,– DM zustande gekommen.

Im Ideal- und Regelfall kommt die Willensbildung fehlerfrei zustande und wird der Geschäftswille fehlerfrei erklärt.

328 *2. Mangelhafte Willenserklärung*

a) Die Verfasser des BGB hatten Regelungen für *drei Gruppen von Willensmängeln* zu treffen:

(1) Ein *Fehler bei der Willensbildung* liegt vor, wenn der Erklärende von einem unrichtigen Beweggrund ausgeht.

Die Freundin des K hat erst am 1. 12. Geburtstag; sie hat für Schmuck nichts übrig; K kann für das Geschenk nur 300,– DM aufwenden; der Ring ist nicht aus Gold, sondern nur vergoldet.

329 (2) Ein *Fehler bei der Erklärung* liegt vor, wenn die Erklärung von dem Geschäftswillen abweicht; es besteht eine dem Erklärenden *unbewußte Diskrepanz von Wille und Erklärung*.

K will den Ring für 500,– DM kaufen, verspricht sich aber und erklärt: »Ich kaufe diesen Ring für 600,– DM«.

(3) Der Erklärende handelt ohne Geschäftswillen (Rdnr. 84). Er erklärt ohne Fehler, was er erklären will; jedoch will er, daß das Erklärte nicht gelten soll. Es besteht also eine dem Erklärenden *bewußte Diskrepanz zwischen diesem Willen und der Erklärung*. 330

K erklärt in Gegenwart seiner Freundin, der er imponieren will, er kaufe den Ring für 500,– DM, obwohl er dies in Wirklichkeit gar nicht will.

b) Zur Regelung der Rechtsfolgen mangelhafter Willenserklärungen boten sich den Verfassern des BGB vornehmlich *zwei Theorien* an. 331

(1) Die *Willenstheorie* stellte entscheidend auf den Willen des Erklärenden ab und kam infolgedessen zu dem Ergebnis, daß eine Erklärung, die nicht durch einen entsprechenden Willen gedeckt sei, keine Rechtswirkung entfalte. Diese Meinung wirkt sich zugunsten des Erklärenden und zuungunsten des Erklärungsempfängers aus.

Danach wäre die Erklärung des K, er kaufe den Ring für 600,– DM, nichtig, wenn K nur 500,– DM bieten will und sich verspricht.

(2) Die *Erklärungstheorie* hielt das Erklärte für entscheidend. Infolgedessen sollte das Erklärte auch dann Rechtsfolgen auslösen, wenn ein entsprechender Wille fehlt. Diese Auffassung wirkt sich zugunsten des Erklärungsempfängers und zuungunsten des Erklärenden aus. 332

Danach wäre die Erklärung des K, er kaufe den Ring für 600,– DM, auch dann gültig, wenn K nur 500,– DM bieten will und sich verspricht.

II. Interessenbewertung 333

Der Gesetzgeber ist keiner der genannten Theorien gefolgt. Er hat vielmehr für einzelne Fallgruppen unter Abwägung der sich gegenüberstehenden Interessen von Erklärendem und Erklärungsempfänger ihm interessengerecht erscheinende Lösungen gesucht. Dabei hat er *drei verschiedene Lösungen* gefunden, die an je einem Beispielsfall erläutert werden sollen:

1. Gültigkeit der Willenserklärung 334

Bestimmte Willensmängel sind nach dem BGB unbeachtlich. Deshalb sind die Willenserklärungen trotz des Willensmangels gültig. Damit schützt das Gesetz – wie die Erklärungstheorie – den Erklärungsempfänger in seinem Vertrauen auf das Erklärte.

Würde beispielsweise *jeder* Fehler bei der Willensbildung zur Nichtigkeit der Willenserklärung führen, wäre die Verkehrssicherheit gefährdet. Im Interesse des Erklärungsempfängers und der Rechtssicherheit muß ein Motivirrtum des Erklärenden grundsätzlich unbeachtlich und die Willenserklärung deshalb gültig sein.

Die Erklärung des K, er kaufe den Ring für 500,– DM, ist und bleibt gültig, auch wenn K sich über den Geburtstag seiner Freundin, ihre Einstellung zum Schmuck oder seine finanziellen Verhältnisse irrt.

335 *2. Nichtigkeit der Willenserklärung*

Es gibt Willensmängel, die das Gesetz für so beachtlich hält, daß die mit einem solchen Mangel behafteten Willenserklärungen keine Rechtsfolgen auslösen sollen. Deshalb sind die Willenserklärungen wegen des Willensmangels nichtig; sie entfalten von vornherein keine Rechtswirkung, ohne daß der Erklärende etwas tun muß, um die Nichtigkeit seiner Erklärungen herbeizuführen. Damit schützt das Gesetz – wie die Willenstheorie – den Erklärenden.

So ist beispielsweise eine empfangsbedürftige Willenserklärung, die mit Einverständnis des Erklärungsempfängers nur zum Schein abgegeben wird, nach § 117 I nichtig. Diese Entscheidung zugunsten des Erklärenden und zuungunsten des Erklärungsempfängers wird deshalb getroffen, weil der Erklärungsempfänger nicht schutzbedürftig ist, da die Erklärung mit seinem Einverständnis nur zum Schein abgegeben wird.

K, der seiner Freundin imponieren will, läßt diese bei V ein Schmuckstück aussuchen. Sie entscheidet sich für einen Ring zu 500,– DM. K erklärt dem V, er kaufe diesen Ring für 500,– DM. In Wirklichkeit will er aber nicht kaufen. Er hatte sich schon vorher mit V telefonisch geeinigt, daß seine Erklärungen keine Rechtsfolgen auslösen sollen.

336 *3. Vernichtbarkeit der Willenserklärung*

Bei den meisten Willensmängeln, die das Gesetz für beachtlich hält, wird ein Mittelweg zwischen Gültigkeit und Nichtigkeit der Erklärung eingeschlagen, um sowohl den Interessen des Erklärenden als auch denen des Erklärungsempfängers Rechnung zu tragen: Die Willenserklärung ist gültig, aber vernichtbar; sie kann durch *Anfechtung* vernichtet werden.

Will beispielsweise der Erklärende eine Erklärung dieses Inhalts überhaupt nicht abgeben, weil er sich verspricht, so ist die Erklärung wegen Erklärungsirrtums nach § 119 I 2. Fall anfechtbar.

K will den Ring für 500,– DM kaufen, verspricht sich und erklärt, er kaufe den Ring für 600,– DM.

337 a) Die *Gültigkeit der anfechtbaren Willenserklärung dient dem Erklärungsempfänger*, der sich auf das Erklärte verlassen können muß.

Nimmt V das irrtümlich von K erklärte Angebot zum Kauf des Ringes für 600,– DM an, ist ein Kaufvertrag über den Ring für 600,– DM zustande gekommen.

338 b) Die *Anfechtbarkeit der Willenserklärung kommt dem Erklärenden zugute.* Er hat nämlich die Wahlmöglichkeit, ob es bei dem (irrtümlich) Erklärten bleiben oder ob das Erklärte wieder »aus der Welt geschafft« werden soll.

(1) Soll es bei dem Erklärten bleiben, braucht der Erklärende nichts zu tun.

Unternimmt K nichts gegen seine mangelhafte Erklärung, ist und bleibt der Vertrag über den Kauf des Rings für 600,– DM gültig.

(2) Will der Erklärende seine mangelhafte Erklärung vernichten, muß er eine Anfechtungserklärung gegenüber dem Erklärungsempfänger abgeben. *Damit ist das Rechtsgeschäft als von Anfang an nichtig anzusehen* (§ 142 I).

Erklärt K dem V, er habe sich bei seinem Angebot versprochen und deshalb fechte er es an, ist der Kaufvertrag von Anfang an nichtig.

c) Weil das Gesetz dem Erklärenden eine Wahlmöglichkeit zwischen Gültig- 339
keit und Vernichtung der Willenserklärung einräumt, entsteht für den Erklärungsempfänger eine Ungewißheit, ob es bei der Willenserklärung bleibt oder ob sie vernichtet wird. Dieser Schwebezustand muß *im Interesse des Erklärungsempfängers* möglichst bald beendet werden; der Erklärungsempfänger soll möglichst schnell wissen, woran er ist. Deshalb muß der Erklärende *in einer bestimmten Frist* anfechten; bei einem Erklärungsirrtum etwa muß die Anfechtung unverzüglich, d. h. ohne schuldhaftes Zögern, erfolgen, nachdem der Erklärende vom Anfechtungsgrund Kenntnis erlangt hat (§ 121 I 1).

Erfährt K bei Zusendung der Rechnung von seinem »Versprecher«, darf er nicht wochenlang überlegen, ob er anfechten soll. Ficht er nicht unverzüglich nach Kenntnis von seinem Irrtum an, verliert er sein Anfechtungsrecht, und der geschlossene Vertrag bleibt gültig.

d) Hat der Erklärende seine Erklärung wirksam angefochten und damit das 340
Rechtsgeschäft vernichtet, können dem Erklärungsempfänger dadurch Schäden entstanden sein, daß er auf die Gültigkeit der Erklärung vertraut hat. Deshalb muß der Erklärende *dem Erklärungsempfänger grundsätzlich dessen sog. Vertrauensschaden ersetzen* (§ 122 I). Der Erklärungsempfänger braucht jedoch dann nicht geschützt zu werden, wenn er etwa die Anfechtbarkeit kannte oder kennen mußte (§ 122 II).

Hat V dem K auf dessen Bitten den Ring durch die Post zugesandt und wird das Geschäft von K wegen Erklärungsirrtums angefochten, dann hat K dem V die Portokosten zu ersetzen. Denn V hat nur im Vertrauen auf die Gültigkeit des Kaufs den Ring per Post versandt, und dadurch sind ihm die Portokosten entstanden.

III. Gesetzliche Regelung 341

1. Anfechtbare Willenserklärungen

Die wichtigsten Tatbestände sind die anfechtbaren Willenserklärungen. Dazu gehören:

a) von den Fällen des *unbewußten Abweichens* von Wille und Erklärung
(1) der Erklärungsirrtum (§ 119 I 2. Fall; Rdnr. 365),
(2) der Inhaltsirrtum (§ 119 I 1. Fall; Rdnr. 366),
(3) die unrichtige Übermittlung der Willenserklärung (§ 120; Rdnr. 367);

b) von den *Fehlern bei der Willensbildung*
(1) der Irrtum über eine verkehrswesentliche Eigenschaft der Person oder Sache (§ 119 II; Rdnr. 370),
(2) die arglistige Täuschung (§ 123; Rdnr. 401),
(3) die widerrechtliche Drohung (§ 123; Rdnr. 414).

342 2. *Nichtige Willenserklärungen*

Zu den nichtigen Willenserklärungen gehören die meisten Fälle, in denen ein *bewußtes Abweichen* von Wille und Erklärung vorliegt, nämlich
a) die Scheinerklärung (§ 117; Rdnr. 354 ff.),
b) die Scherzerklärung (§ 118; Rdnr. 349 ff.),
c) die Willenserklärung mit geheimem Vorbehalt, den der Erklärungsempfänger kennt (§ 116, 2; Rdnr. 348).

343 3. *Gültige Willenserklärungen*

Alle anderen Willensmängel berühren die Gültigkeit der Willenserklärung nicht. Das Gesetz erwähnt nur den geheimen Vorbehalt (§ 116, 1; Rdnr. 345 ff.).

344 § 17 Bewußtes Abweichen von Wille und Erklärung

Schrifttum: *Bär*, Scheingeschäfte, 1931; *Coester-Waltjen*, Die fehlerhafte Willenserklärung, Jura 1990, 362; *Kallimopoulos*, Die Simulation im bürgerlichen Recht, 1966; *Kramer*, Das Scheingeschäft des Strohmanns – BGH, NJW 1982, 569, JuS 1983, 423; *Michaelis*, Scheingeschäft, verdecktes Geschäft und verkleidetes Geschäft im Gesetz und in der Rechtspraxis, Festschrift f. Wieacker, 1978, 444; *K. Wolff*, Mentalreservation, JherJb 81, 53.

Fälle:

a) V kündigt dem M das Mietverhältnis über ein Ladenlokal zum Ende des Jahres, obwohl er das in Wirklichkeit nicht will. Er will vielmehr erreichen, daß M zu Kreuze kriecht und ihn anfleht, das Mietverhältnis fortzusetzen. Wirksame Kündigung?

b) Wie, wenn M im Fall a vor der Kündigung durch V von einem Dritten erfahren hatte, daß V ihm kündigen werde, ohne damit eine Beendigung des Mietverhältnisses zu wollen?

c) Wie, wenn V am Biertisch, nachdem er sich schon mit allerlei Heldentaten gerühmt hatte, die Kündigungserklärung aus Scherz unter Augenzwinkern gegenüber M abgibt?

d) Im Fall c verlangt M, der die Kündigung als ernst aufgefaßt und infolgedessen in einer Zeitungsanzeige einen anderen Laden gesucht hat, von V Ersatz der Inseratskosten. Mit Recht?

e) Wie, wenn V die Kündigungserklärung im Einverständnis des M nur deshalb abgibt, um D darüber zu täuschen, daß der Laden zum Jahresende frei wird, mit ihm sofort einen Mietvertrag abzuschließen und von ihm eine Mietvorauszahlung zu kassieren?

f) V und K wollen einen Kaufvertrag über ein Hausgrundstück zum Preis von 500 000,– DM schließen. Im notariell beurkundeten Kaufvertrag wird ein Kaufpreis von nur 400 000,– DM angegeben; dadurch wollen V und K Kosten und Steuern sparen. Gültig?

Den Tatbeständen der §§ 116–118 ist – im Gegensatz zu den Regelungen über die anderen Willensmängel – gemeinsam, daß der Erklärende ohne Geschäftswillen (Rdnr. 84) handelt. Er will die von ihm erklärte Rechtsfolge nicht. Seine Erklärung weicht bewußt von seinem Willen ab (Rdnr. 330).

I. Geheimer Vorbehalt 345

1. Voraussetzungen

Ein geheimer Vorbehalt (= Mentalreservation) liegt vor, wenn der Erklärende eine Willenserklärung abgibt und *sich insgeheim vorbehält, das Erklärte nicht zu wollen* (§ 116, 1).

a) Erforderlich ist also einmal, daß die Erklärung *vom Erklärenden nicht ernst gemeint ist* und sich sein Vorbehalt gerade auf die erklärte Rechtsfolge bezieht.

b) Hinzukommen muß der *Wille des Erklärenden, daß der andere* (also der 346
Erklärungsempfänger bei der empfangsbedürftigen Willenserklärung) *den geheimen Vorbehalt nicht kennt*; dabei ist das Motiv des Erklärenden (z. B. Täuschung des Partners, Beruhigung eines Schwerkranken) ohne Bedeutung. Geht der Erklärende davon aus, der andere werde die Nichternstlichkeit der Erklärung erkennen, handelt es sich nicht um einen Fall des § 116, sondern um eine Scherzerklärung nach § 118 (Rdnr. 349ff.).

In den Fällen a und b will V nicht, daß M den geheimen Vorbehalt erkennt. Er will M vielmehr hereinlegen. Dieser »böse Scherz« erfüllt den Tatbestand des § 116.

2. Folgen 347

Die Rechtsfolgen des geheimen Vorbehalts richten sich danach, ob dem anderen der Vorbehalt unbekannt oder bekannt ist.

a) Bei *Unkenntnis des Vorbehalts* ist die Erklärung im Interesse des Unwissenden *gültig* (§ 116, 1). Der Erklärende muß sich an seiner Erklärung festhalten lassen; deshalb ist sein geheimer Vorbehalt rechtlich bedeutungslos.

Im Fall a ist die Kündigung wirksam.

b) Bei *Kenntnis des Vorbehalts* bedarf der Erklärungsempfänger nach der Wer- 348
tung des Gesetzes keines Schutzes. Deshalb ist in diesem Falle die Willenserklärung *nichtig* (§ 116, 2).

Im Fall b ist die Kündigung als böser Scherz, den M durchschaut, nach § 116, 2 nichtig.

349 II. Scherzerklärung

1. Voraussetzungen

Eine Scherzerklärung liegt vor, wenn der Erklärende *eine nicht ernstlich gemeinte Willenserklärung in der Erwartung abgibt, der Mangel der Ernstlichkeit werde nicht verkannt werden* (§ 118).

a) Die Erklärung ist – wie bei § 116 – *vom Erklärenden nicht ernsthaft gemeint.*

350 b) Im Unterschied zu § 116 setzt § 118 voraus, daß der *Erklärende davon ausgeht, der andere werde die Nichternstlichkeit der Erklärung erkennen.* Dabei spielt das Motiv des Erklärenden (z. B. Scherz, Prahlerei) keine Rolle; deshalb ist die Bezeichnung als Scherzerklärung zu eng. Entscheidend ist allein, daß der Erklärende ohne Täuschungsabsicht handelt. Für den Tatbestand des § 118 kommt es auch nicht darauf an, ob der andere die Nichternstlichkeit erkennt oder wenigstens erkennen kann.

In den Fällen c und d liegt eine Scherzerklärung vor, da V erwartet, M werde die Nichternstlichkeit erkennen (»guter Scherz« im Gegensatz zum »bösen Scherz« in den Fällen a und b).

351 *2. Folgen*

a) Jede Scherzerklärung ist *nichtig* (§ 118; Fälle c und d). Das gilt auch dann, wenn der andere die Erklärung für »bare Münze« hält. Zwar ist er schutzwürdig, wenn er die Nichternstlichkeit ohne Fahrlässigkeit nicht kennt; dem trägt das Gesetz aber auf andere Weise Rechnung (§ 122).

In den Fällen c und d ist die Kündigungserklärung nach § 118 nichtig.

352 b) Die nichtige Scherzerklärung löst für den anderen, der auf die Gültigkeit der Erklärung vertraut, einen *Anspruch gegen den Erklärenden auf Ersatz des Vertrauensschadens* aus (§ 122 I; Einzelheiten: Rdnr. 395 ff.). Voraussetzung ist, daß die Scherzerklärung für einen Vertrauensschaden des anderen ursächlich ist.

Dieser *Schadensersatzanspruch* ist jedoch zum einen *ausgeschlossen*, wenn der andere die Nichternstlichkeit *kennt* (§ 122 II); denn dann hat er nicht auf die Gültigkeit vertraut. Zum anderen versagt § 122 II einen Schadensersatzanspruch auch dann, wenn der andere die Nichternstlichkeit *infolge von (leichter) Fahrlässigkeit nicht kennt*; das gilt nach dem Willen des Gesetzes auch dann, wenn der Erklärende etwa infolge grober Fahrlässigkeit erwartet, der andere werde die Nichternstlichkeit erkennen.

Im Fall d sind dem M, der die Kündigung als ernst auffaßte, im Vertrauen auf die Gültigkeit der Kündigungserklärung die Kosten für die Zeitungsanzeige entstanden. Er kann sie jedoch nicht ersetzt verlangen, da er die Nichternstlichkeit infolge Fahrlässigkeit nicht kannte. Denn bei gehöriger Aufmerksamkeit hätte er den Scherz des V erkennen können (Biertisch, Prahlerei, Augenzwinkern).

c) *Erkennt der Erklärende, daß seine Scherzerklärung von dem anderen als ernst aufgefaßt worden ist,* so ist er nach Treu und Glauben verpflichtet, den anderen unverzüglich über diesen Irrtum aufzuklären; andernfalls täuscht er ihn durch Unterlassen. Dann ist es interessengerecht, wenn seine Erklärung als gültig behandelt wird. Das ergibt sich aus der Wertung des § 116, 1; danach soll derjenige, der etwas für sich behält, was er offenbaren müßte, aus seinem Verhalten keinen Vorteil ziehen. Der Erklärende handelt arglistig, wenn er sich auf die Nichternstlichkeit beruft. 353

Sieht V im Fall d die Zeitungsanzeige des M, muß er daraus schließen, daß M die Kündigung als ernst angesehen hat. Klärt V den M nicht ohne Zögern auf, kann er sich später nicht darauf berufen, seine Erklärung sei als Scherz nichtig gewesen; vielmehr muß er die Kündigung als wirksam gegen sich gelten lassen.

III. Scheinerklärung 354

1. *Voraussetzungen*

a) Eine Scheinerklärung (= *simulierte Erklärung*) liegt vor, wenn der Erklärende eine empfangsbedürftige Willenserklärung mit Einverständnis des Erklärungsempfängers nur zum Schein abgibt (§ 117 I).

(1) Es muß sich um eine *empfangsbedürftige Willenserklärung* (Rdnr. 90) handeln; andernfalls fehlte es an einem Erklärungsempfänger, der mit dem Schein einverstanden sein könnte.

(2) Durch das *Einverständnis des Erklärenden und des Erklärungsempfängers,* daß das Geschäft nicht gelten soll, unterscheidet sich die Scheinerklärung vom geheimen Vorbehalt und der Scherzerklärung. Der Beweggrund für eine Scheinerklärung kann sehr verschiedener Art sein; jedoch scheidet hier die Absicht des Erklärenden, den Erklärungsempfänger zu täuschen, wegen des erforderlichen Einverständnisses des Erklärungsempfängers als Motiv aus. Meist geht es beiden darum, einen Dritten zu täuschen (Fall e).

b) Das Scheingeschäft (simuliertes Geschäft) verdeckt oft ein anderes, ernstlich gewolltes (dissimuliertes) Geschäft (§ 117 II). Bei einem *dissimulierten Geschäft* will der Erklärende im Einverständnis mit dem Erklärungsempfänger zwar nicht die erklärte, aber doch eine andere Rechtsfolge. 355

Beispiele: Die Parteien erklären Angebot und Annahme zu einem Kaufvertrag, wollen in Wirklichkeit Miete oder Schenkung. – Im Fall f schließen V und K einen Kaufvertrag zu einem von ihnen nicht gewollten Preis von 400 000,– DM, während sie einen Kaufpreis von 500 000,– DM wollen; durch Täuschung des Notars, des Gerichts und des Finanzamtes sollen Notariatsgebühren, Gerichtsgebühren und Grunderwerbsteuern gespart werden.

356 2. *Folgen*

a) Eine *simulierte Erklärung ist nichtig* (§ 117 I). Diese Entscheidung des Gesetzes zugunsten des Erklärenden und zuungunsten des Erklärungsempfängers ist berechtigt, weil der Erklärungsempfänger nicht schutzbedürftig ist, da die Erklärung mit dessen Einverständnis nur zum Schein abgegeben wird. Die Nichtigkeit der Scheinerklärung wirkt auch gegenüber einem getäuschten Dritten.

Im Fall e ist die Kündigung nach § 117 I nichtig. D kann seinen Schaden von V und K ersetzt verlangen (§ 823 II i. V. m. § 263 StGB; § 826).

357 b) Auf das hinter einem simulierten Geschäft steckende *dissimulierte Geschäft* finden die für dieses geltenden Vorschriften Anwendung (§ 117 II). Das versteckte Geschäft ist also *gültig, wenn es allen Gültigkeitserfordernissen entspricht*. Verstößt es z. B. gegen ein gesetzliches Verbot (§ 134), ist es sittenwidrig (§ 138) oder entbehrt es der vorgeschriebenen Form (§ 125), ist auch das versteckte Geschäft nichtig.

Im Fall f ist das Erklärte (Kauf zu 400 000,– DM) nicht gewollt, also als Scheingeschäft nach § 117 I nichtig; das Gewollte (Kauf zu 500 000,– DM) ist nicht beurkundet, also wegen Formmangels nichtig (§ 125, 1; § 313, 1). Dieses Ergebnis widerspricht der Regel, daß eine falsche Bezeichnung (falsa demonstratio) nicht schadet, wenn beide Parteien übereinstimmend etwas anderes gewollt haben (Rdnr. 131). Danach müßte der Grundstückskaufvertrag mit dem Preis von 500 000,– DM gültig sein, da beide Parteien diesen Preis übereinstimmend gewollt haben. Es ist jedoch zu berücksichtigen, daß V und K den Kaufvertrag hinsichtlich des Preises nicht versehentlich, sondern bewußt unrichtig haben beurkunden lassen. Die falsa-demonstratio-Regel würde hier eine bewußte Umgehung der Formvorschrift begünstigen. Deshalb bleibt es hier bei der Nichtigkeit des verdeckten Geschäfts wegen Formmangels. Dieser kann jedoch durch Auflassung und Eintragung des K im Grundbuch geheilt werden; damit wird das gewollte und nicht beurkundete Geschäft gültig (§ 313, 2; Rdnr. 264).

358 3. *Abgrenzungen*

Das Scheingeschäft ist vom Treuhand-, Strohmann- und Umgehungsgeschäft zu unterscheiden. Während beim Scheingeschäft nach dem übereinstimmenden Willen von Erklärendem und Erklärungsempfänger die Erklärung nicht ernst gemeint ist, soll bei den genannten Geschäften nach dem Willen der Beteiligten die Rechtsfolge der Willenserklärung eintreten. Das Besondere dieser Geschäfte liegt darin, daß von dem gewollten Rechtserfolg der damit bezweckte wirtschaftliche Erfolg nach dem Willen der Beteiligten bewußt abweicht.

Beispiel für *Treuhandgeschäft*: Ein Arzt (Treugeber) überträgt seine Forderungen gegen seine Patienten (durch Abtretung; § 398; Rdnr. 103) an eine ärztliche Verrechnungsstelle (Treuhänderin) »zu treuen Händen« (sog. Inkassozession). Dadurch wird die Verrechnungsstelle Gläubigerin der Forderungen. Gegenüber dem Arzt ist sie verpflichtet, die Forderungen einzuziehen und die dadurch erlangten Beträge an ihn abzuführen (AS Rdnr. 393).

Beispiel für *Strohmanngeschäft*: H möchte ein wertvolles Bild für sich erwerben, aber nicht selbst als Käufer auftreten, sondern im Hintergrund bleiben. Deshalb veranlaßt er den K (Strohmann), das Bild im eigenen Namen zu erwerben. K schließt als Käufer mit dem Verkäufer V einen Kaufvertrag und läßt sich das Bild übereignen. K allein ist also der Vertragspartner des V; er schuldet dem V den Kaufpreis; er wird durch Übereignung Eigentümer des Bildes. Aufgrund der Vereinbarung zwischen K und H ist K verpflichtet, dem H das Bild zu übereignen, und ist H verpflichtet, ihm das für den Erwerb des Bildes verauslagte Geld zu ersetzen.

Beispiel für *Umgehungsgeschäft* (Rdnr. 282): Der Arbeitnehmer N schließt mit dem Arbeitgeber G einen Arbeitsvertrag. Darin wird bestimmt, daß N keinen Lohn erhält, sondern der Frau N Zahlungsansprüche gegen G zustehen sollen. Diese Vereinbarung wird deshalb geschlossen, weil der überschuldete N befürchten muß, daß seine Lohnforderungen von seinen Gläubigern gepfändet werden. Zur Vermeidung solcher Pfändungen werden Lohnansprüche des N ausgeschlossen und Forderungen der Frau N eingeräumt. Das ist von den Parteien des Arbeitsvertrages ernstlich gewollt (sog. Lohnschiebungsvertrag; vgl. § 850 h ZPO).

§ 18 Der Irrtum

359

Schrifttum: *Adams*, Irrtümer und Offenbarungspflichten im Vertragsrecht, AcP 186, 453; *Brauer*, Der Eigenschaftsirrtum, 1941; *Brox*, Die Einschränkung der Irrtumsanfechtung, 1960; *Coester-Waltjen*, Die fehlerhafte Willenserklärung, Jura 1990, 362; *Flad*, Der Geschäftsirrtum in der neueren Rechtsprechung des Reichsgerichts, Festschrift f. Bumke, 1939, 233; *Flume*, Eigenschaftsirrtum und Kauf, 1948; *Giesen*, Zur Relevanz des Kalkulationsirrtums, JR 1971, 403; *ders.*, Grundsätze der Konfliktlösung bei fehlerhaften Rechtsgeschäften, Jura 1984, 505; 1985, 1, 57; *Grundmann*, Zur Anfechtbarkeit des Verfügungsgeschäfts, JA 1985, 80; *P. Haupt*, Die Entwicklung der Lehre vom Irrtum beim Rechtsgeschäft seit der Reception, 1941; *Jahr*, Geltung des Gewollten und Geltung des Nicht-Gewollten – Zu Grundfragen des Rechts empfangsbedürftiger Willenserklärungen, JuS 1989, 249; *John*, Auslegung, Anfechtung, Verschulden beim Vertragsschluß und Geschäftsgrundlage beim sog. Kalkulationsirrtum – BGH, NJW 1981, 1551, JuS 1983, 176; *Kipp*, Über Doppelwirkungen im Recht, insbesondere über die Konkurrenz von Nichtigkeit und Anfechtbarkeit, Festschrift f. v. Martitz, 1911, 211; *Koch*, Grundprobleme der Abstandnahme vom Vertrag, JuS 1983, 489; *Köhler*, Die Problematik automatisierter Rechtsvorgänge, insbesondere von Willenserklärungen, AcP 182, 126; *Kornblum*, Die überzähligen Klorollen – LG Hanau, NJW 1979, 721, JuS 1980, 258; *Heinr. Lange*, Die Neugestaltung der Anfechtung und das Vertragsverhältnis, JherJb 89, 277; *Leenen*, Die Anfechtung von Verträgen, Jura 1991, 393; *Lenel*, Der Irrtum über wesentliche Eigenschaften, AcP 123, 161; *Leßmann*, Irrtumsanfechtung nach § 119 BGB, JuS 1969, 478, 525; *Loewenheim*, Irrtumsanfechtung bei Allgemeinen Geschäftsbedingungen, AcP 180, 433; *Marburger*, Absichtliche Falschübermittlung und Zurechnung von Willenserklärungen, AcP 173, 137; *J. Mayer*, Der Rechtsirrtum und seine Folgen im bürgerlichen Recht, 1989; *Mayer-Maly*, Rechtsirrtum und Rechtsunkenntnis als

Probleme des Privatrechts, AcP 170, 133; *Probst*, Zur »Eindeutigkeit« von Anfechtungserklärungen, JZ 1989, 878; *Raape*, Sachmängelhaftung und Irrtum beim Kauf, AcP 150, 481; *Rothoeft*, System der Irrtumslehre als Methodenfrage der Rechtsvergleichung, 1968; *A. Säkker*, Irrtum über den Erklärungsinhalt, 1985; *Schlachter*, Irrtum, Dissens und kaufrechtliche Gewährleistungsansprüche, JA 1991, 105; *Schloßmann*, Der Irrtum über wesentliche Eigenschaften der Person und der Sache nach dem Bürgerlichen Gesetzbuch, 1903; *Schmidt-Rimpler*, Eigenschaftsirrtum und Erklärungsirrtum, Festschrift f. Lehmann, Bd. I, 1956, 213; *Schmiedel*, Der allseitige Irrtum über die Rechtslage bei der Neuregelung eines Rechtsverhältnisses, Festschrift f. v. Caemmerer, 1978, 231; *Singer*, Geltungsgrund und Rechtsfolgen der fehlerhaften Willenserklärungen, JZ 1989, 1030; *Spieß*, Zur Einschränkung der Irrtumsanfechtung, JZ 1985, 593; *Titze*, Die Lehre vom Mißverständnis, 1910; *ders.*, Vom sogenannten Motivirrtum, Festschrift f. Heymann, 1940, 72; *H. Westermann*, Einheit und Vielfalt der Wertungen in der Irrtumslehre, JuS 1964, 169; *Wieser*, Der Kalkulationsirrtum, NJW 1972, 708; *Wurm*, Blanketterklärung und Rechtsscheinshaftung, JA 1986, 577; *Zitelmann*, Irrtum und Rechtsgeschäft, 1879.

Fälle:

a) V will dem K eine Maschine für 11 000,– DM anbieten; er verschreibt sich und verlangt 10 000,– DM. K weiß aus der Vorkorrespondenz, daß V 11 000,– DM haben will, und nimmt das Angebot an. Kann V wegen Erklärungsirrtums (§ 119 I, 2. Fall) anfechten?

b) Wie, wenn K im Fall a keine Anhaltspunkte für den wirklichen Willen des V hatte?

c) Wie, wenn V im Fall b statt 11 000,– DM irrtümlich 12 000,– DM schreibt und K das Angebot annimmt?

d) V versendet an seine Kunden einen Warenkatalog über Uhren und Schmuck. K sucht die unter Nr. 55 aufgeführte Uhr aus, deren Preis im Katalog irrtümlich mit 560,– DM angegeben ist; die Preisangabe hätte richtig 650,– DM lauten sollen. K schreibt an V: »Ich bestelle hiermit die Uhr Nr. 55«. V übersendet dem K ohne weitere Bemerkung die Uhr. Anfechtbar? Von wem? Weshalb?

e) V vermietet eine Wohnung in seinem Zweifamilienhaus an M. Später erfährt er, daß der im Haushalt des M lebende Sohn mehrfach wegen Diebstahls vorbestraft ist. Kann V den Vertrag deshalb anfechten?

f) Im Fall b hat V sein Angebot wegen des Schreibfehlers unmittelbar nach Kenntnis des Fehlers angefochten. Kann er die bereits gelieferte Maschine von K zurückverlangen und muß er den Kaufpreis zurückzahlen?

g) M bestellt bei V eine Ferienwohnung für einen Monat zu 3 000,– DM. Er will für Juli mieten, schreibt aber versehentlich »Juni«. Als er seinen Irrtum entdeckt, ficht er seine Erklärung an. V verlangt von M Ersatz seiner Portokosten von 6,– DM und Zahlung von 2 800,– DM, die ihm dadurch entgangen sind, daß er einem anderen Interessenten abgesagt hat, der für Juni zu 2 800,– DM mieten wollte.

I. Verhältnis der Anfechtung zur Auslegung

1. *Anfechtung*

Ist dem Erklärenden bei seiner Willenserklärung ein Irrtum unterlaufen, so räumt das Gesetz (§§ 119 ff.) ihm unter bestimmten Voraussetzungen ein Anfechtungsrecht ein. Damit wird ihm die Möglichkeit gegeben, seine auf einem Irrtum beruhende Willenserklärung wieder »aus der Welt zu schaffen«, sie rechtlich zu vernichten (Rdnr. 336ff.). Vor allem bei den Fällen des unbewußten Abweichens von Wille und Erklärung, wie beim Inhalts- und Erklärungsirrtum (§ 119 I; Rdnr. 329, 341), steht dem Erklärenden ein Anfechtungsrecht zu. Diese Regelung beruht auf der Erwägung, daß der Erklärende nicht gegen seinen Willen an einer Erklärung festgehalten werden soll, die seinem Geschäftswillen nicht entspricht. Die Anfechtung setzt also voraus, daß beim Abweichen von Wille und Erklärung nicht das Gewollte, sondern das Erklärte gilt, wenn der Erklärungsempfänger in seinem Vertrauen auf das Erklärte zu schützen ist (Rdnr. 130). Ob der Erklärungsempfänger in seinem Vertrauen auf das Erklärte schutzwürdig ist, hängt davon ab, wie er die Willenserklärung aufgefaßt hat und wie er sie bei Anwendung der ihm zumutbaren Sorgfalt auffassen mußte (Rdnr. 131f.). Das ist durch Auslegung der Willenserklärung zu ermitteln. Demnach muß die Auslegung der Willenserklärung vorangehen, bevor geprüft wird, ob dem Erklärenden ein Anfechtungsrecht zusteht.

2. *Auslegung* 360

a) Auslegung bedeutet, daß zunächst der hinter der Erklärung stehende wirkliche Wille des Erklärenden zu ermitteln ist (Rdnr. 128). Wenn der Erklärungsempfänger erkennt oder bei Anwendung der ihm zumutbaren Sorgfalt hätte erkennen können, was der Erklärende mit seiner Erklärung gewollt hat, dann gilt das vom Erklärenden Gewollte (Rdnr. 131f.). Da das vom Gewollten abweichende Erklärte nicht gilt, besteht für den Erklärenden kein Grund, seine Erklärung durch Anfechtung zu vernichten. Denn er wird so gestellt, wie er stehen würde, wenn er seinen Willen irrtumsfrei erklärt hätte.

Im Fall a ist ein Kaufvertrag zum Preise von 11000,– DM zustande gekommen. Der Erklärungsirrtum des V wirkt sich also nicht aus. V kann nicht anfechten.

b) Kann der Erklärungsempfänger bei der Auslegung der Erklärung des Erklä- 361
renden auch bei Anwendung der ihm zumutbaren Sorgfalt den wirklichen Willen nicht erkennen, ist durch normative Auslegung die objektive Bedeutung der Erklärung zu ermitteln (Rdnr. 133f.). Diese Auslegung nach dem Empfängerhorizont kann zu dem Ergebnis führen, daß der so ermittelte Wille von dem wirklichen Willen des Erklärenden abweicht. Wegen dieser Diskrepanz kommt eine Anfechtung durch den Erklärenden in Betracht.

Da K im Fall b den wirklichen Willen des V (11000,– DM) nicht kannte und ihn auch nicht ermitteln konnte, gilt das Erklärte (10000,– DM). V kann wegen Erklärungsirrtums anfechten.

Aber auch in diesen Fällen kann ausnahmsweise eine Anfechtung ausgeschlos- 362
sen sein:

(1) Führt die normative Auslegung dazu, daß der ermittelte Wille zwar vom wirklichen Willen abweicht, der so ermittelte Wille für den Erklärenden aber günstiger ist als das, was er wirklich gewollt hat, dann ist deshalb kein Raum für eine Anfechtung, weil der Irrende durch seine irrtümliche Erklärung nicht schlechter gestellt wird. Er hat keinen vernünftigen Grund, seine Erklärung durch Anfechtung zu vernichten (vgl. RGZ 128, 121).

Im Fall c ist ein Kaufvertrag zu 12 000,– DM zustande gekommen. V steht mit Irrtum besser da als ohne Irrtum. Er kann nicht anfechten.

363 (2) Auch dann darf dem Erklärenden das Anfechtungsrecht nicht zustehen, wenn die normative Auslegung zwar eine Diskrepanz von Wille und Erklärung ergibt und das Erklärte für den Erklärenden ungünstiger ist als das Gewollte, der Erklärungsempfänger aber nach Aufdeckung des Irrtums damit einverstanden ist, daß das vom Erklärenden Gewollte statt des von ihm Erklärten gelten solle. Durch dieses Entgegenkommen des Erklärungsempfängers wird der Erklärende so gestellt, wie er ohne Irrtum stehen würde. Deshalb muß der Erklärende sich an dem von ihm Gewollten festhalten lassen. Er darf seinen Irrtum nicht dazu benutzen, um von seiner Erklärung loszukommen, weil er auch das von ihm Gewollte – etwa infolge inzwischen eingetretener Preissteigerungen – jetzt bereut; er will die Anfechtung zu einem »Reurecht« ausnutzen; damit setzt er sich in Widerspruch zu seinem früheren Verhalten.

Beispiel: V bietet dem K die Maschine statt wie gewollt für 11 000,– DM für 10 000,– DM an. Als er wegen des Irrtums anficht, erklärt K, er zahle auch 11 000,– DM. V läßt sich darauf nicht ein, weil er die Maschine jetzt für 14 000,– DM verkaufen kann. Die Anfechtung des V greift nicht durch, weil er durch K so gestellt wird, als sei der Irrtum nicht geschehen.

364 (3) Die normative Auslegung der beiden zum Vertragsschluß führenden Willenserklärungen kann zu dem Ergebnis führen, daß beide Willenserklärungen mehrdeutig sind (z. B. Währungsfälle in Rdnr. 214). Dann kommt wegen Dissenses (Rdnr. 212 ff.) kein Vertrag zustande; eine Anfechtung scheidet aus, weil kein Rechtsgeschäft (Vertrag) vorhanden ist, das zu vernichten wäre.

Zusammenfassend kann gesagt werden: *Auslegung geht der Anfechtung vor.* Eine Anfechtung darf also immer erst geprüft werden, nachdem zuvor die Willenserklärung ausgelegt worden ist.

365 II. Irrtumstatbestände

1. Irrtum bei der Willensäußerung

Ein Irrtum bei der Willensäußerung liegt vor, wenn die Erklärung unbewußt vom Geschäftswillen abweicht. Das Gesetz behandelt den Erklärungs- und Inhaltsirrtum (§ 119 I) sowie die unrichtige Übermittlung der Erklärung (§ 120).

a) Ein *Erklärungsirrtum* (= Irrtum in der Erklärungshandlung, Irrung) liegt vor, wenn der Erklärende bei der Abgabe einer Willenserklärung *»eine Erklärung dieses Inhalts überhaupt nicht abgeben wollte«* (§ 119 I 2. Fall). Der Erklärende erklärt nicht das, was er erklären will; er verspricht, verschreibt, vergreift sich.

Beispiel: V will dem K ein Bild für 700,– DM zum Kauf anbieten; er schreibt irrtümlich »600,– DM«.

b) Ein *Inhaltsirrtum* ist gegeben, wenn der Erklärende *»bei der Abgabe einer Willenserklärung über deren Inhalt im Irrtume war«* (§ 119 I 1. Fall). Der Erklärende erklärt zwar, was er erklären will; aber er irrt über die rechtliche Bedeutung seiner Erklärung; er mißt seiner Erklärung einen anderen Sinn bei, als sie in Wirklichkeit hat. 366

Im Fall d stellt das Übersenden des Katalogs eine Aufforderung zur Offerte (Rdnr. 170) dar. Das Schreiben des K ist das Angebot; es ist dahin aufzufassen, daß K die Uhr zu dem im Katalog genannten Preis, also zu 560,– DM, kaufe. In dem Übersenden der Uhr durch V liegt dessen Annahmeerklärung, die als »Verkauf der Uhr zum Katalogpreis« auszulegen ist. Angebot und Annahme decken sich; es ist ein Kaufvertrag über die Uhr zum Katalogpreis (560,– DM) zustande gekommen. V befindet sich bei Abgabe der Annahmeerklärung in einem Inhaltsirrtum: Er legt seiner Erklärung die Bedeutung bei, er verkaufe für 650,– DM; diese Bedeutung hat seine Erklärung in Wirklichkeit nicht. V verschreibt sich bei der Annahmeerklärung nicht. Er weiß, *was* er erklärt; er weiß aber nicht, was er *damit* erklärt. V kann also wegen Inhaltsirrtums anfechten.

Der Inhaltsirrtum unterscheidet sich also vom Erklärungsirrtum: Beim Erklärungsirrtum benutzt der Erklärende ein Erklärungszeichen, das er nicht benutzen will (z. B. er verschreibt sich). Beim Inhaltsirrtum gebraucht der Erklärende ein Erklärungszeichen, das er auch benutzen will; aber er irrt sich über Sinn und Bedeutung dieses Zeichens.

Übersendet V im Fall d dem K keinen Katalog (= Aufforderung zur Offerte), sondern ein Vertragsangebot mit der falschen Preisangabe (560,– DM statt 650,– DM) und schreibt K, er nehme das Angebot an, dann ist auch ein Vertrag über die Uhr zu 560,– DM zustande gekommen. Nur hat sich V bei Abgabe des Angebots in einem Erklärungsirrtum befunden.

Inhalts- und Erklärungsirrtum werden in § 119 I gleichbehandelt; in beiden Fällen weicht die Erklärung vom Geschäftswillen ab.

c) Ein Irrtum bei der Willensäußerung liegt auch bei der *unrichtigen Übermittlung des Willens* vor. 367

(1) Der Erklärende bedient sich zur Übermittlung seiner Erklärung einer Person (eines Boten) oder einer Anstalt (z. B. der Post), und die *Willenserklärung wird durch die »Person oder Anstalt unrichtig übermittelt«* (§ 120).

Beispiele: V trägt seinem Boten B auf, dem K zu übermitteln, daß V ihm die Uhr zu 650,– DM zum Kauf anbiete. Der unaufmerksame B überbringt dem K die Erklärung, V wolle ihm die Uhr für 560,– DM verkaufen. – V will dem K telegraphisch das Angebot machen, die Uhr für 650,– DM zu verkaufen; er füllt auch das Aufgabeformular entsprechend seinem Willen aus. Das bei K ankommende Telegramm enthält als Kaufpreis »560,– DM«. In beiden Fällen will V ein Angebot dieses Inhalts (560,– DM) nicht abgeben.

368 (2) Die unrichtige Übermittlung der Erklärung wird *wie ein Erklärungsirrtum behandelt* (§ 120). In beiden Tatbeständen weichen Wille und Erklärung voneinander ab. Beim Erklärungsirrtum erklärt der Erklärende seinen Willen selbst (er verschreibt, verspricht sich); beim Tatbestand des § 120 benutzt er eine Übermittlungsperson oder Anstalt als sein Erklärungswerkzeug, dessen unrichtiges Funktionieren er sich zurechnen lassen muß. Es gilt das irrtümlich Erklärte, aber der Erklärende kann anfechten.

Nimmt K in den Beispielsfällen das Angebot des V an, ist ein Kaufvertrag über die Uhr zu 560,– DM zustande gekommen. V kann nach § 120 anfechten.

369 (3) *§ 120 setzt voraus:*

a) Zur Übermittlung der Willenserklärung muß eine Person oder Anstalt tätig werden *(Erklärungsbote)*. Der Bote überbringt keine eigene Willenserklärung, sondern die des Geschäftsherrn. Nicht hierher gehört die Tätigkeit eines Stellvertreters; dieser erklärt seine eigene Willenserklärung im Namen und mit Wirkung für den Geschäftsherrn (Rdnr. 475 f.).

b) Der Bote muß die Erklärung *unbewußt unrichtig übermitteln*. Dabei spielt es keine Rolle, worauf das Versehen des Boten zurückzuführen ist (z. B. Versprechen, Verwechseln, unrichtige Erinnerung an den Auftrag des Erklärenden). Selbst wenn er eine ganz andere Erklärung übermittelt (z. B. statt Kaufangebot für eine Uhr Mietangebot für ein Ferienheim), gilt das Erklärte (h. M.; *Soergel/Hefermehl*, § 120, Rdnr. 5 m. N.); denn der Erklärende trägt die Gefahr der Übermittlung. Er kann nach § 120 anfechten.

Übermittelt der Bote dagegen *bewußt* eine unrichtige Erklärung, so ist dem Erklärenden diese Erklärung nicht zuzurechnen; die Erklärung ist dem Erklärungsempfänger also überhaupt nicht zugegangen, so daß es keiner Anfechtung bedarf (h. M.; *Erman/Brox*, § 120, Rdnr. 3; a. A. *Marburger*, AcP 173, 137). Vertraut der Erklärungsempfänger auf die Erklärung und entsteht ihm dadurch ein Schaden, so kommen Ansprüche gegen den Boten (analog § 179; vgl. Rdnr. 552 ff.) oder gegen den Erklärenden (analog § 122) in Betracht.

370 2. *Irrtum bei der Willensbildung*

Ein Irrtum bei der Willensbildung (Motivirrtum) liegt vor, wenn der Erklärende irrtümlich von einem falschen Umstand ausgeht, der für den Geschäftswillen bedeutsam ist. Ein solcher Irrtum ist grundsätzlich unbeachtlich. Nach § 119 II berechtigt aber *»auch der Irrtum über solche Eigenschaften der Person oder der Sache, die im Verkehr als wesentlich angesehen werden«*, zur Anfechtung. Bei diesem *Eigenschaftsirrtum* handelt es sich um einen Spezialfall des Motivirrtums (h. M.; *Larenz*, § 20 II b; vgl. Prot. I, 114). Es besteht keine Diskrepanz von Wille und Erklärung; dem Erklärenden ist bei der Willensbildung ein Irrtum unterlaufen.

Beispiel: V bietet dem K einen Ring zu einem Kaufpreis von 90,– DM an; er hält den Ring nur für vergoldet, während dieser in Wirklichkeit aus Gold ist. Hätte V das gewußt, hätte er den Ring nicht für 90,– DM an K verkauft, sondern von einem Verkauf abgesehen oder jedenfalls 500,– DM für den Ring verlangt.

a) § 119 II setzt einen *Irrtum über eine verkehrswesentliche Eigenschaft der Person oder der Sache* voraus: 371

(1) *Eigenschaften einer Person:*

(a) *Person* kann außer den Geschäftsparteien auch ein Dritter sein; Voraussetzung ist aber, daß das Rechtsgeschäft sich auf ihn bezieht.

Da im Fall e auch die zum Haushalt des M gehörenden Personen die Wohnung benutzen dürfen, kann der Irrtum des V über eine Eigenschaft des Sohnes nach § 119 II erheblich sein.

(b) *Eigenschaften* können z. B. Alter, Geschlecht, Konfession, politische Einstellung, Vorstrafen (Fall e), berufliche Fähigkeiten, Kreditwürdigkeit sein; erheblich ist die Eigenschaft jedoch nur, wenn sie in unmittelbarer Beziehung zum Geschäftsinhalt steht.

Bei der Einstellung als Maurermeister ist die Eigenschaft des Arbeitnehmers als geprüfter Maurermeister, nicht aber dessen Parteizugehörigkeit eine wesentliche Eigenschaft. Andererseits ist der Arbeitsvertrag des Verlegers mit einem Redakteur für den politischen Teil einer Zeitung anfechtbar, wenn sich herausstellt, daß der Redakteur einer politischen Partei angehört, die nicht mit der Tendenz der Zeitung übereinstimmt. Die Kreditwürdigkeit des Käufers ist beim Kauf auf Kredit eine wesentliche Eigenschaft, nicht dagegen beim Barkauf.

(2) *Eigenschaften einer Sache:* 372

(a) *Sache* ist nicht nur ein körperlicher (§ 90), sondern jeder Gegenstand (Rdnr. 733); es muß sich aber um den Gegenstand des Geschäfts handeln.

(b) *Eigenschaften* sind alle wertbildenden Faktoren. Dazu gehören nicht nur die auf der natürlichen Beschaffenheit beruhenden Merkmale, sondern auch die tatsächlichen und rechtlichen Verhältnisse des Gegenstandes, die infolge ihrer Beschaffenheit und Dauer auf die Brauchbarkeit und den Wert von Einfluß sind (BGHZ 34, 41).

Eigenschaften eines Grundstücks können z. B. sein: Lage, Grenzen, Beschaffenheit des Bodens, Bebaubarkeit.

Keine Eigenschaft ist der Wert oder Preis eines Gegenstandes (BGHZ 16, 57); denn der Wert oder Preis ist selbst kein wertbildender Faktor, sondern von den Gegebenheiten des Marktes abhängig. Irrt der Erklärende beim Irrtum über den Wert in Wirklichkeit aber über einen wertbildenden Faktor, kann eine Anfechtung wegen dieses Eigenschaftsirrtums in Betracht kommen.

V irrt über den Wert des Ringes, den er für 90,– DM zum Verkauf anbietet, weil er ihn irrtümlich nur für vergoldet hält, während der Ring in Wirklichkeit aus Gold ist. V kann sein Angebot nach § 119 II anfechten.

373 (3) *Verkehrswesentlichkeit*

Nach § 119 II kommen nur solche Eigenschaften in Betracht, »die im Verkehr als wesentlich angesehen werden«. Damit sollen solche Eigenschaften ausgeschlossen werden, die nur vom Standpunkt des Erklärenden, also subjektiv und nicht objektiv, erheblich sind. Danach ist auf den typischen wirtschaftlichen Zweck des Geschäfts abzustellen.

Andererseits muß aber auch der Irrtum über eine nur subjektiv erhebliche Eigenschaft zur Anfechtung berechtigen, wenn diese Eigenschaft zum Inhalt der Erklärung gehört (Geschäftswesentlichkeit), was durch Auslegung zu ermitteln ist.

Beispiel: Ist dem Verkäufer eines Grundstücks erkennbar, daß der Käufer es bebauen will, dann ist die Bebaubarkeit des Grundstücks eine verkehrswesentliche Eigenschaft i. S. des § 119 II.

374 b) Selbst wenn die Voraussetzungen des § 119 II erfüllt sind, kann die Anfechtung *durch Rechtsgeschäft oder Gesetz ausgeschlossen* sein:

(1) Kauft K von V ein Bild, das er für ein Original hält, zu einem Preis, der den Bedenken gegen die Echtheit Rechnung trägt, so kann er nicht wegen Eigenschaftsirrtums anfechten, wenn sich später herausstellt, daß es sich doch nur um eine Kopie handelt. Hier ist K ein riskantes Geschäft eingegangen; durch den für ein Original zu niedrigen Kaufpreis hat er sich (konkludent) sein Anfechtungsrecht wegen Irrtums über die Echtheit »abkaufen« lassen.

(2) Der Bürge B, der sich für die Erfüllung der Verbindlichkeit des Schuldners S gegenüber dem Gläubiger G durch Bürgschaftsvertrag mit G verbürgt (§ 765 I), kann richtiger Ansicht nach nicht wegen Irrtums über die Zahlungsfähigkeit des S anfechten, da es der Sinn der Bürgschaft ist, daß der Bürge dieses Risiko trägt.

(3) Bei einem Irrtum des Käufers über eine verkehrswesentliche Eigenschaft der Kaufsache können auch die Sachmängelvorschriften (§§ 459ff.) eingreifen. In diesen Fällen gehen die §§ 459ff. als Spezialvorschriften vor, so daß dem Käufer eine Anfechtung nach § 119 II verwehrt ist (BS Rdnr. 95ff.).

(4) Auch der Verkäufer, der sich über einen Sachmangel geirrt hat, kann nicht nach § 119 II anfechten, da er sich auf diese Weise der Sachmängelhaftung entzöge.

Dagegen steht ihm ein Anfechtungsrecht zu, sofern sich der Eigenschaftsirrtum nicht auf einen Sachmangel bezieht; denn insoweit scheidet eine Konkurrenz zu §§ 459ff. aus. Die Anfechtung ist auch zulässig, wenn sicher ist, daß der Käufer keine Mängelansprüche geltend machen wird (BGH NJW 1988, 2597: das als Werk eines unbekannten Malers verkaufte Bild erweist sich als wertvolles Meisterwerk; dazu: *Köhler/Fritzsche*, JuS 1990, 17).

375 3. *Einzelfälle*

a) Der *Irrtum beim Unterschreiben einer nicht gelesenen Urkunde* berechtigt nur in besonderen Fällen zur Anfechtung. Man muß unterscheiden:

(1) Haben die Parteien sich über den Inhalt eines Geschäfts mündlich geeinigt und soll das Vereinbarte schriftlich niedergelegt werden, dann mag in der unter-

schriebenen Urkunde stehen, was will: Es gilt das Gewollte, nicht das Erklärte, da eine falsche Bezeichnung nicht schadet (Rdnr. 131); eine Anfechtung scheidet also aus (*Erman/Brox*, § 119, Rdnr. 35; a. A. h. M.).

(2) Nimmt der Unterzeichner einer Urkunde im Bewußtsein, eine rechtsgeschäftliche Erklärung abzugeben, von dem Inhalt der Urkunde keine Kenntnis und macht er sich davon auch keine Vorstellung, scheidet eine Anfechtung mangels Irrtums aus. Da sich der Unterzeichner bei der Abgabe der Erklärung keine Vorstellung macht, weicht sein Wille nicht von der Erklärung ab. Er ist nicht schutzbedürftig, da er mit seinem Verhalten zu erkennen gibt, daß er die ungelesene Erklärung gegen sich gelten lasse.

(3) Ist der Unterzeichner bei der Unterschrift der irrigen Meinung, es handele sich um die Urkunde A, während er in Wahrheit die Urkunde B unterschreibt, weichen Wille und Erklärung unbewußt voneinander ab. Deshalb steht ihm nach h. M. ein Anfechtungsrecht wegen Erklärungsirrtums zu (vgl. *Soergel/Hefermehl*, § 119, Rdnr. 13).

(4) Dasselbe gilt, wenn der Unterzeichner eine von ihm selbst oder nach seinem Diktat fehlerhaft abgefaßte Urkunde ungelesen unterschreibt.

b) Unterschreibt jemand ein *Blankettformular*, das dann abredewidrig ausgefüllt wird, liegt ein Erklärungsirrtum vor, da der Unterzeichner eine andere Erklärung wollte. **376**

Beispiel: K kauft bei V Möbel für 5000,– DM. Er unterzeichnet ein Darlehensformular, das V vereinbarungsgemäß mit »5000,– DM« ausfüllen soll. V schreibt jedoch »7000,– DM«.

Eine Anfechtung ist nach richtiger Ansicht ausgeschlossen. Es sind zwei Fallgruppen zu unterscheiden:

(1) Hat der Erklärungsempfänger (V) das Formular abredewidrig ausgefüllt und macht er selbst Rechte gegen den Unterzeichner geltend, kann er sich nicht auf den Text der (ausgefüllten) Urkunde berufen, da er in seinem Vertrauen auf den Text nicht schutzwürdig ist. Es gilt das Gewollte.

Ist der Darlehensvertrag zwischen K und V geschlossen, gilt das Gewollte (5000,– DM).

(2) Ein anderer, der das Formular nicht ausgefüllt hat, ist im Vertrauen auf das Erklärte zu schützen, wenn er die abredewidrige Ausfüllung weder kennt noch kennen muß.

Handelt es sich bei dem von K unterschriebenen Formular um einen Darlehensantrag an die Bank B, den V abredewidrig mit »7000,– DM« ausfüllt, und nimmt die Bank den Antrag an, ist ein Vertrag über 7000,– DM zustande gekommen.

Obwohl also ein Erklärungsirrtum vorliegt, kann der Erklärende nicht anfechten. Er ist nicht schutzwürdig, weil er bei Unterzeichnung damit rechnen mußte, daß das Formular abredewidrig ausgefüllt werde. Die Interessenlage entspricht der bei der Erteilung einer Vollmachtsurkunde. Nach §§ 172 II, 173 bleibt die Vollmacht dem gutgläubigen Dritten gegenüber bis zur Zurückgabe oder Kraftloserklärung der Urkunde bestehen (Rdnr. 516). Entsprechend dieser Wertung des Gesetzes kann sich auch der Unterzeichner einer Blanketturkunde gegenüber einem gutgläubigen Dritten nicht darauf berufen, die Urkunde sei abredewidrig ausgefüllt (vgl. BGHZ 40, 68, 305).

K kann gegenüber der Bank seine Willenserklärung nicht anfechten. Er schuldet ihr nach dem Vertrag 7000,– DM.

377 c) Beim *Rechtsfolgeirrtum* irrt der Erklärende über eine Rechtsfolge, die seine Willenserklärung auslöst. Hierbei kann es sich um einen unbeachtlichen Motivirrtum oder um einen beachtlichen Inhaltsirrtum handeln.

(1) Wenn die Rechtsfolge *vom Gesetz* an die Willenserklärung geknüpft wird und der Erklärende über diese Rechtsfolge im Irrtum ist, besteht keine Diskrepanz von Wille und Erklärung, sondern nur ein unbeachtlicher Motivirrtum.

V verkauft dem K seinen Pkw. Im Vertrag steht nichts über die Sachmängelhaftung des V; diese ergibt sich aus dem Gesetz (§§ 459 ff.). Meint V irrtümlich, er brauche bei Sachmängel nicht einzustehen, weil er im Vertrag keine entsprechende Zusage gemacht habe, liegt ein Motiv- und kein Inhaltsirrtum vor.

(2) Wenn die Rechtsfolge dagegen den *Inhalt der Erklärung* bildet und der Erklärende sich darüber irrt, weicht seine Erklärung von seinem Willen ab, da sie einen anderen Sinn hat, als er damit verbindet (Inhaltsirrtum).

Heißt es in dem Kaufvertrag über den Pkw, die Rechtsmängelhaftung des Verkäufers sei ausgeschlossen, und meint V irrtümlich, damit sei auch die Haftung für Sachmängel gemeint, dann irrt er über die Bedeutung seiner Erklärung, weshalb er wegen Inhaltsirrtums anfechten kann.

378 d) Beim *Kalkulationsirrtum* irrt der Erklärende über einen Umstand (Rechnungsfaktor), den er seiner Berechnung (z. B. des Preises, der Menge) zugrunde legt.

Das Angebot des Malermeisters M, dem Hauseigentümer E bestimmte Anstreicherarbeiten zu einem Gesamtpreis von 4000,– DM zu erbringen, beruht darauf, daß M von einer zu kleinen Quadratmeterzahl der Wandflächen oder von zu niedrigen Stundenlöhnen ausgegangen ist oder daß er sich beim Zusammenzählen der einzelnen Posten zu seinen Ungunsten verrechnet hat.

(1) Ist die Kalkulationsgrundlage dem Geschäftspartner nicht offengelegt, handelt es sich beim Kalkulationsirrtum nur um einen Motivirrtum, der nicht zur Anfechtung berechtigt.

Gibt M dem E nur den Gesamtbetrag von 4000,– DM an, scheidet also eine Anfechtung aus.

(2) Ist die Kalkulation dem Geschäftspartner erkennbar, soll dem Erklärenden nach der Ansicht des Reichsgerichts ein beachtlicher Inhaltsirrtum unterlaufen sein, da die Kalkulation dann Inhalt der Erklärung geworden sei (vgl. RGZ 64, 268; 162, 201; offengelassen in BGH NJW 1981, 1551). Diese Ansicht wird mit Recht fast allgemein abgelehnt (vgl. *Larenz*, § 20 II a m. N.). Der Erklärende erklärt nicht etwas anderes, als er zu erklären meint. Wille und Erklärung stimmen

vielmehr überein. Lediglich zwischen dem gewollt Erklärten und dem richtigen Rechenergebnis besteht eine Diskrepanz. Das Ziel des Reichsgerichts, den Erklärenden zu schützen, kann in machen Fällen aber auf andere Weise erreicht werden.

Enthält etwa die dem Erklärungsempfänger mitgeteilte Rechnung einen für diesen erkennbaren Rechenfehler bei der Addition der einzelnen Rechnungsposten, kann es sich bei der Gesamtsumme um eine Falschbezeichnung handeln, so daß der richtige Gesamtbetrag vereinbart ist; dann hilft also schon die Auslegung.

Stellt der Motivirrtum einen Eigenschaftsirrtum dar, kann eine Anfechtung nach § 119 II helfen.

Hat der Erklärungsgegner selbst bei dem Erklärenden den Kalkulationsirrtum hervorgerufen, dann kann er aus culpa in contrahendo (AS Rdnr. 55) verpflichtet sein, den Erklärenden von der Rechtsbindung seiner Erklärung zu befreien oder sonst Schadensersatz zu leisten.

Geht nicht nur der Erklärende, sondern auch der Erklärungsempfänger von demselben unrichtigen Motiv aus (z. B. beim Kaufvertrag über Aktien legen beide Parteien einen falschen Börsenkurs der Berechnung des Kaufpreises zugrunde), liegt ein beiderseitiger Motivirrtum vor (Rdnr. 426).

e) Von manchen Autoren wird versucht, *einen Motivirrtum, der nicht schon* 379
unter § 119 II fällt, zum Inhaltsirrtum zu machen, um dadurch dem Irrenden ein Anfechtungsrecht nach § 119 I zu geben. Man begründet das damit, daß die Vorstellung von einem bestimmten Umstand Bestandteil des Geschäftswillens sei.

Diese Auffassung widerspricht der Wertung des Gesetzes, wonach nur bei einem Abweichen von Wille und Erklärung (§ 119 I) und bei einem Spezialfall des Motivirrtums, dem Eigenschaftsirrtum (§ 119 II), eine Anfechtung möglich sein soll. Durch »Hochstilisierung« des Motivirrtums zu einem Inhaltsirrtum wird die scharfe Grenze des Gesetzes zwischen beachtlichen und unbeachtlichen Irrtümern verwischt. Wenn jedes Motiv zum Geschäftswillen gehörte, so könnte auf diesem Wege ein Motivirrtum das Rechtsgeschäft wegen Inhaltsirrtums nach § 119 I anfechtbar machen.

Kauft der Brautvater K wegen der bevorstehenden Hochzeit seiner Tochter Möbel bei V, dann ist die Hochzeit eines der Motive für K, mit V einen Kaufvertrag über Möbel zu schließen. Selbst wenn K dem V sagt, daß er die Möbel wegen der Hochzeit seiner Tochter kaufen wolle, wird dieses Motiv nicht zum Inhalt des Kaufvertrages; es handelt sich nur um die Mitteilung seines Beweggrundes zum Kauf. Fällt die Hochzeit aus, kann K nicht wegen des (bloßen) Motivirrtums anfechten.

M. E. muß unterschieden werden:

(1) Ein bestimmter Umstand kann dazu dienen, den Geschäftspartner oder den 380
Geschäftsgegenstand zu kennzeichnen (zu identifizieren). Meint der Erklärende eine andere Person oder einen anderen Gegenstand, als sich aus seiner Erklärung für den Erklärungsempfänger entnehmen läßt, liegt ein *Identitätsirrtum* vor, der nach § 119 I zur Anfechtung berechtigt.

Beispiele: K gerät versehentlich in eine Pferdemetzgerei und bestellt dort »ein Kilo Filet«; seine Erklärung ist am Erklärungsort als »Filet vom Pferd« aufzufassen. Will K aber Rindsfilet kaufen, so ist dieser Wille Teil des Geschäftswillens, weil er zur Identifizierung des Kaufgegenstands nötig ist. Es liegt also ein Inhaltsirrtum vor.

X will den Handwerksmeister M 1, der schon oft in seinem Haus gearbeitet hat, bestellen. Er findet im Telefonbuch einen anderen Handwerksmeister mit demselben Namen. Diesen M 2 ruft er an und erteilt ihm den Auftrag in der Annahme, es handele sich um den ihm bekannten M 1. Die Erklärung des X: »Ich erteile Ihnen den Auftrag« ist vom Empfängerhorizont aus dahin auszulegen, daß X erklärt: »Ich erteile Herrn M 2 den Auftrag«. Diesen Sinn will X seiner Erklärung nicht beilegen; vielmehr soll M 1 den Auftrag bekommen.

381 (2) Wenn der Erklärende die Person oder den Gegenstand richtig identifiziert, aber über einen anderen Umstand irrt, der ihn zu der Willenserklärung veranlaßt, handelt es sich nicht um einen Inhalts-, sondern um einen Motivirrtum.

Sucht K in der Pferdemetzgerei ein auf der Theke liegendes Filetstück aus, dann ist dieses Stück gekauft. Durch das Zeigen auf ein Stück ist dieses genau bestimmt. Wille und Erklärung decken sich. K irrt über eine Eigenschaft des Fleisches. Er kann nach § 119 II anfechten.

X will mit dem Handwerksmeister M 2, den er anruft, den Vertrag schließen. Er meint nur irrtümlich, M 2 gehöre zu seinen Kunden, weshalb er ihn mit den Arbeiten beauftragt. Es liegt kein Inhaltsirrtum vor; X irrt auch nicht über eine *verkehrswesentliche* Eigenschaft.

f) Liegt trotz *fehlenden Erklärungsbewußtseins* (Rdnr. 83) eine Willenserklärung vor, weil der Erklärungsempfänger die Handlung des Erklärenden als Willenserklärung auffassen mußte, steht dem Erklärenden ein Anfechtungsrecht zu (Rdnr. 135).

g) Besonderheiten ergeben sich in Fällen des *Irrtums bei der Stellvertretung*: Rdnr. 491 ff., 523 ff.

382 III. Voraussetzungen der Irrtumsanfechtung

Die Irrtumsanfechtung hat folgende Voraussetzungen:

1. Irrtum

Es muß ein in §§ 119 f. genannter Irrtum vorliegen (Rdnr. 365 ff.).

383 *2. Kausalzusammenhang zwischen Irrtum und Willenserklärung*

Der Irrtum muß für die Willenserklärung ursächlich sein. Die Kausalität spielt in zweifacher Hinsicht eine Rolle:

a) Es muß anzunehmen sein, daß der Erklärende die Willenserklärung *»bei Kenntnis der Sachlage«* nicht abgegeben haben würde (§ 119 I). Diese *subjektive Erheblichkeit* des Irrtums ist zu verneinen, wenn der Erklärende auch ohne den Irrtum die Erklärung abgegeben hätte.

Beispiel: Will X bei dem ihm bekannten Gasthaus für seinen Urlaub das Zimmer Nr. 31 bestellen und schreibt er irrtümlich »Zimmer Nr. 35«, so liegt zwar ein Erklärungsirrtum vor. Aber X kann sich nicht durch Anfechtung vom Vertrage lossagen, wenn das Zimmer Nr. 35 ebensogut ausgestattet, ebenso preiswert und mindestens so ruhig gelegen ist wie Zimmer Nr. 31, worauf es dem geräuschempfindlichen X besonders ankommt. In diesem Falle hätte X auch bei Kenntnis der Sachlage die Willenserklärung über Zimmer Nr. 35 abgegeben.

b) Ferner muß anzunehmen sein, daß der Erklärende die Willenserklärung *»bei verständiger Würdigung des Falles«* nicht abgegeben hätte (§ 119 I). Durch dieses Erfordernis der *objektiven Erheblichkeit* des Willens will das Gesetz die Anfechtungsmöglichkeit einschränken; entscheidend ist, ob der Irrende als ein verständiger Mensch und »frei von Eigensinn, subjektiven Launen und törichten Anschauungen« (RGZ 62, 206) die Abgabe der Willenserklärung unterlassen hätte. 384

Bestellt X im Gasthaus statt des Zimmers Nr. 31 das »Zimmer Nr. 13« und will er aus Aberglauben dieses Zimmer nicht beziehen, so liegt zwar ein subjektiv erheblicher Erklärungsirrtum vor, der jedoch mangels objektiver Erheblichkeit des Irrtums nicht zur Anfechtung berechtigt, weil den Erklärenden als verständigen Menschen die Bezeichnung des Zimmers mit der Nr. 13 nicht gestört hätte.

3. *Anfechtungserklärung* 385

a) Die Anfechtung muß erklärt werden. Sie ist ein *einseitiges, empfangsbedürftiges Rechtsgeschäft* (§ 143 I). Sie braucht nicht den Ausdruck »anfechten« zu enthalten; es genügt, daß der Erklärungsempfänger aus der Erklärung entnehmen kann, der Erklärende wolle ein bestimmtes Rechtsgeschäft wegen eines Willensmangels von Anfang an beseitigen.

Beispiel: Im Fall b schreibt V an K: »Da ich mich in meinem Kaufangebot beim Kaufpreis verschrieben habe, annulliere ich hiermit den Kaufvertrag«.

Zur Wirksamkeit der Anfechtungserklärung ist nicht erforderlich, daß der Anfechtungsgrund in der Erklärung angegeben wird (RGZ 65, 86, 88; a. A. *Lent*, AcP 152, 401). Zwar hat der Anfechtungsgegner ein Interesse daran, den Anfechtungsgrund zu erfahren. Nur dann kann er beurteilen, ob er die Anfechtung gelten lassen oder dagegen vorgehen soll. Aufgrund dieses Interesses ist es jedoch nicht erforderlich, die Wirksamkeit der Anfechtungserklärung von der Angabe des Anfechtungsgrundes abhängig zu machen. Wenn dem Anfechtungsgegner der Anfechtungsgrund nicht erkennbar ist, hat er die Möglichkeit, sich beim Anfechtenden zu erkundigen. Antwortet der Anfechtende nicht oder macht er falsche Angaben über den Anfechtungsgrund, dann muß er den dem Anfechtungsgegner daraus erwachsenden Nachteil tragen (vgl. *Erman/Brox*, § 143, Rdnr. 1).

b) Die Anfechtung hat der Anfechtungsberechtigte gegenüber dem Anfechtungsgegner zu erklären. 386

(1) *Anfechtungsberechtigt* ist, wer die auf dem Willensmangel beruhende Willenserklärung abgegeben hat, also in den Fällen des § 119 der Irrende, im Fall des § 120 der Geschäftsherr und nicht die Übermittlungsperson.

(2) *Anfechtungsgegner* ist derjenige, dem gegenüber die Anfechtungserklärung abzugeben ist. Das ist bei einem Vertrag der Vertragspartner (§ 143 II; im Fall b: K); bei einem mehrseitigen Vertrag sind es alle Beteiligten, die von der Anfechtung berührt werden (BGHZ 96, 302; dazu *Dörner*, NJW 1986, 2916). Bei einem einseitigen, empfangsbedürftigen Rechtsgeschäft (z. B. einer Kündigungserklärung) ist Anfechtungsgegner die Person, der gegenüber die Erklärung abzugeben war (§ 143 III 1; z. B. der Empfänger der Kündigungserklärung). Da bei einem einseitigen, nicht empfangsbedürftigen Rechtsgeschäft kein Erklärungsempfänger vorhanden ist, muß gegenüber dem angefochten werden, der aufgrund des Rechtsgeschäfts unmittelbar einen rechtlichen Vorteil erlangt hat (§ 143 IV 1).

Hat X, der das Eigentum an seinem Buch A aufgeben wollte, sich vergriffen und sein Buch B in der Absicht, auf das Eigentum zu verzichten, weggeworfen (vgl. § 959; Rdnr. 585), kann er seine nicht empfangsbedürftige Willenserklärung wegen Erklärungsirrtums anfechten. Anfechtungsgegner ist nach § 143 IV 1 der Y, der sich das herrenlose Buch B inzwischen angeeignet hat (vgl. § 958 I; Rdnr. 585). Wenn dagegen das Buch B noch nicht angeeignet worden, also noch herrenlos ist, bedarf es keiner Anfechtung; X kann das Buch B wieder in seinen Besitz nehmen.

Zur Anfechtung einer Willenserklärung, die gegenüber einer Behörde abzugeben war, vgl. einerseits § 143 III 2, andererseits § 143 IV 2.

387 *4. Unverzüglichkeit der Anfechtung*

Die Anfechtung muß unverzüglich erfolgen (§ 121 I 1). Dadurch soll der ungewisse Schwebezustand im Interesse des Erklärungsempfängers abgekürzt werden.

a) »Unverzüglich« heißt nach der gesetzlichen Definition, daß die Anfechtung *ohne schuldhaftes Zögern* erfolgen muß, nachdem der Anfechtungsberechtigte von dem Anfechtungsgrund Kenntnis erlangt hat. Die Frist beginnt erst, wenn der Berechtigte zuverlässige Kenntnis vom Anfechtungsgrund erhalten hat (z. B. er entdeckt den Schreibfehler in seinem Angebot). Auch dann muß nicht »sofort« angefochten werden; vielmehr ist unter Würdigung der Umstände des Einzelfalles zu ermitteln, welche Frist dem Anfechtungsberechtigten nach den besonderen Verhältnissen zuzubilligen ist (z. B. Überlegungszeit, Beratung durch einen Rechtsanwalt).

b) Zwar wird die einem Abwesenden gegenüber erfolgte Anfechtung erst mit ihrem Zugang wirksam (§ 130 I 1; Rdnr. 152); jedoch *genügt es für die Rechtzeitigkeit der Anfechtung, daß die Anfechtungserklärung unverzüglich abgesandt worden ist* (§ 121 I 2). Eine Verzögerung zwischen Absendung und Zugang der Anfechtungserklärung geht also nicht zu Lasten des Anfechtenden, wenn diesen an der Verzögerung kein Verschulden trifft.

5. Fehlen eines Ausschlußgrundes 388

Nur dann kann eine auf einem Irrtum beruhende Willenserklärung wirksam angefochten werden, wenn kein Grund vorliegt, der die Anfechtung ausschließt. Abgesehen von dem Fall, daß die Anfechtungsfrist nach § 121 I verstrichen ist, nennt das Gesetz folgende Ausschließungsgründe:

a) *Wenn seit der Abgabe der anfechtbaren Willenserklärung 30 Jahre verstrichen sind*, ist die Anfechtung ausgeschlossen (§ 121 II). Ist also innerhalb dieser Ausschlußfrist die Anfechtungserklärung dem Anfechtungsgegner nicht zugegangen, scheidet eine Anfechtung aus; das gilt auch dann, wenn der ansonsten zur Anfechtung Berechtigte erst nach Ablauf dieser Frist vom Anfechtungsgrund Kenntnis erlangt hat.

b) *Wenn das anfechtbare Rechtsgeschäft von dem Anfechtungsberechtigten* 389
bestätigt wird, ist die Anfechtung ebenfalls ausgeschlossen (§ 144 I). Die Bestätigung ist eine nicht empfangsbedürftige Willenserklärung des Anfechtungsberechtigten, wodurch dieser auf sein Anfechtungsrecht verzichtet. Sie setzt Kenntnis vom Anfechtungsgrund voraus und bedarf nach § 144 II nicht der für das Rechtsgeschäft bestimmten Form.

Verlangt K, obwohl er soeben erfahren hat, daß er sich bei Abschluß des notariell beurkundeten Grundstückskaufvertrages mit V in einem Inhaltsirrtum befunden hat, von V die Auflassung des Grundstücks, so ist in diesem Verlangen konkludent eine Bestätigung des anfechtbaren Kaufvertrages zu erblicken. Die Bestätigung des anfechtbaren Geschäfts ist – anders als die Bestätigung eines nichtigen Geschäfts (§ 141 I; Rdnr. 323 ff.) – nicht als Neuvornahme des Geschäfts zu beurteilen und bedarf daher keiner Form. Mit der Bestätigung ist eine Anfechtung ausgeschlossen, selbst wenn eine nach § 121 I fristgerechte Anfechtungserklärung noch möglich wäre.

Hat K dagegen wegen des Inhaltsirrtums angefochten, ist der Kaufvertrag nichtig. Nunmehr ist eine Bestätigung des nichtigen Geschäfts nur noch nach § 141 I, also durch Neuvornahme, möglich. K muß mit V einen neuen notariellen (§ 313, 1) Kaufvertrag über das Grundstück schließen.

IV. Folgen der Irrtumsanfechtung 390

1. Nichtigkeit des Rechtsgeschäfts

a) Wird ein anfechtbares Rechtsgeschäft wirksam angefochten, so ist es *als von Anfang an nichtig anzusehen* (§ 142 I).

(1) Die Anfechtung bewirkt also nicht, daß an die Stelle des mangelhaften Rechtsgeschäfts das Rechtsgeschäft tritt, das ohne den Irrtum zustande gekommen wäre. Vielmehr wird durch die Anfechtung das mangelhafte Geschäft nur *kassiert, nicht reformiert*.

Die Anfechtung vernichtet nur einen Teil eines Rechtsgeschäfts, wenn sich der Willensmangel nur auf diesen Teil bezieht und der verbleibende Rest nach § 139 (Rdnr. 305 ff.) aufrechterhalten werden kann.

(2) Die Nichtigkeit des angefochtenen Rechtsgeschäfts tritt nicht erst mit dem Zeitpunkt der Anfechtungserklärung (ex nunc) ein, so daß es bis zu diesem Zeitpunkt gültig bliebe; vielmehr vernichtet die Anfechtung das Geschäft *von Anfang an (rückwirkend; ex tunc)*. Das Rechtsgeschäft wird so angesehen, als sei es überhaupt nicht vorgenommen worden.

Die rückwirkende Vernichtung führt bei Dauerrechtsverhältnissen (z. B. Arbeits- oder Gesellschaftsverhältnissen), die bereits in Vollzug gesetzt worden sind, zu Abwicklungsschwierigkeiten; so ist z. B. die geleistete Arbeit nicht mehr rückgängig zu machen. Der Gesetzgeber hat diese Probleme nicht gesehen. Die gesetzliche Lücke ist dahin zu schließen, daß in diesen Fällen die Anfechtung nur ex nunc wirkt (Einzelheiten: *Brox*, a. a. O., 214ff.; AS Rdnr. 49).

391 b) Die Anfechtung bewirkt nicht nur die Nichtigkeit eines einseitigen Rechtsgeschäfts, sondern führt auch zur Nichtigkeit von Verträgen. Anfechtbar ist zwar nicht der ganze Vertrag, wohl aber die einzelne, mit einem Irrtum behaftete Willenserklärung; so kann der Antragende seinen Antrag, der Annehmende seine Annahmeerklärung anfechten. Wird eine dieser beiden Willenserklärungen wirksam angefochten, fehlt eine der für den Vertrag erforderlichen Willenserklärungen, so daß damit der *Vertrag selbst hinfällig* ist.

Im Fall f ist infolge der Anfechtung durch V dessen Angebot rückwirkend vernichtet. Damit fehlt es für einen Kaufvertrag zwischen V und K an einer Willenserklärung des V.

392 c) Die anfechtbare Willenserklärung kann Teil des *schuldrechtlichen Kausalgeschäfts*, aber auch des *dinglichen Erfüllungsgeschäfts* sein.

(1) Ist *nur die zum schuldrechtlichen Vertrag gehörende Willenserklärung anfechtbar und angefochten*, ist dieser Vertrag hinfällig, so daß keine Verpflichtungen der Parteien bestehen. Hat eine Partei bereits erfüllt, so bleibt wegen des Abstraktionsprinzips (Rdnr. 115ff.) die Gültigkeit des Erfüllungsgeschäfts von der Nichtigkeit des Kausalgeschäfts unberührt. Das Geleistete kann wegen Fehlens des Rechtsgrundes aus ungerechtfertigter Bereicherung (§ 812; BS Rdnr. 397) zurückgefordert werden.

Im Fall f braucht K wegen Nichtigkeit des Kaufvertrages den Kaufpreis nicht zu zahlen. Die Übereignung der Maschine (§ 929, 1) ist trotz Nichtigkeit des Kaufvertrages gültig. V hat also gegen K keinen Herausgabeanspruch nach § 985, wohl aber einen Bereicherungsanspruch nach § 812 auf Rückübereignung der Maschine. Hat K die Maschine inzwischen an D weiterverkauft und übereignet, so hat D nach § 929, 1 vom Eigentümer K das Eigentum an der Maschine erworben; V kann sie auch von D nicht herausverlangen. K hat dem V nach §§ 812, 818 II Wertersatz zu leisten (BS Rdnr. 428).

(2) Das *Erfüllungsgeschäft* – und nicht auch das Kausalgeschäft – *kann angefochten werden, wenn es mit einem erheblichen Willensmangel behaftet ist.*

Beispiel: Zur Erfüllung eines nicht anfechtbaren Kaufvertrages übereignet der Verkäufer V infolge Vergreifens dem Käufer K eine nicht geschuldete Sache. Ficht V die Einigung über den Eigentumsübergang an, wird K rückwirkend Nichteigentümer. V kann die Sache von K nach § 985 herausverlangen. V ist aufgrund des gültigen Kaufvertrags weiterhin verpflichtet, dem K die verkaufte Sache zu übereignen und zu übergeben.

(3) Schließlich sind *das schuldrechtliche und auch das Erfüllungsgeschäft anfechtbar, wenn beide Geschäfte an demselben Willensmangel leiden.*

Beispiel: Beruht der Willensmangel des V auf einer arglistigen Täuschung (§ 123; Rdnr. 401) des K, vernichtet die Anfechtungserklärung des V sowohl den Kauf- als auch den Übereignungsvertrag.

d) Besondere Probleme treten bei der durch Anfechtung bewirkten Nichtigkeit eines Erfüllungsgeschäfts auf, *wenn der Anfechtungsgegner vor der Anfechtung an einen Dritten weiterverfügt hat.* 393

(1) Wenn der Dritte die *Anfechtbarkeit des Verfügungsgeschäfts kannte oder kennen mußte*, wird er nach erfolgter Anfechtung so behandelt, wie wenn er die Nichtigkeit des Rechtsgeschäfts gekannt hätte oder hätte kennen müssen (§ 142 II).

Zum Verständnis dieser Vorschrift ist von folgendem Fall auszugehen: Der minderjährige V verkauft und übereignet ohne Zustimmung seiner Eltern eine ihm gehörende Sache (Gemälde, Grundstück) an K. Dieser erwirbt mangels wirksamer Einigung (§ 929, 1; §§ 873, 925) kein Eigentum an der Sache. Veräußert K die Sache an D weiter, so wird dieser nur dann Eigentümer der Sache, wenn er an das Eigentum des K glaubt. Zum gutgläubigen Erwerb vom Nichtberechtigten sind Rdnr. 27 (für Grundstücke) und Rdnr. 590 (für bewegliche Sachen) nachzulesen. Kennt D die Nichtigkeit der Übereignung von V an K, scheidet ein gutgläubiger Erwerb des D aus.

Ist V dagegen volljährig, seine Einigungserklärung aber mit einem zur Anfechtung berechtigenden Irrtum behaftet, erwirbt K das Eigentum an der Sache, solange V seine Einigungserklärung noch nicht angefochten hat. Auch D erwirbt das Eigentum, und zwar in diesem Falle vom Berechtigten (dem Eigentümer K). Ficht nun V seine Einigungserklärung wirksam an, wird die Einigung rückwirkend vernichtet und damit K rückwirkend zum Nichteigentümer, so daß D nur kraft guten Glaubens vom Nichtberechtigten (K) das Eigentum erworben haben kann. Für diesen Gutglaubenserwerb kann es aber nicht auf den guten Glauben des D an das Eigentum des K ankommen, da dieser im Zeitpunkt der Übereignung mangels Anfechtungserklärung des V noch Eigentümer der Sache war. Hier greift § 142 II ein: Kannte D die Anfechtbarkeit der Übereignung oder mußte er sie kennen, dann mußte er mit der Anfechtung und der dadurch bewirkten Nichtigkeit der Übereignung rechnen. Deshalb muß er sich so behandeln lassen, wie wenn er die Nichtigkeit des Geschäfts gekannt hätte oder hätte kennen müssen. Kannte D also die Anfechtbarkeit der Übereignung von V an K, war er bösgläubig, so daß er die von K erworbene Sache nach erfolgter Anfechtung an den Eigentümer V herausgeben muß (§ 985). Der Kenntnis der Anfechtbarkeit steht die Kenntnis der Tatsachen gleich, welche die Anfechtbarkeit begründen (BGH LM Nr. 1 zu § 142). Die Bösgläubigkeit richtet sich beim Erwerb von Grundstücken nach § 892 I 2 (Rdnr. 27; Kenntnis schadet) und beim Erwerb von beweglichen Sachen nach § 932 II (Rdnr. 590; Kenntnis und grobfahrlässige Unkenntnis schaden).

(2) Wegen der Regelung des § 142 II kann es erforderlich sein, auch ein nichtiges Rechtsgeschäft anzufechten. Das verwundert zunächst, weil nicht recht einzusehen ist, weshalb ein bereits nichtiges Rechtsgeschäft noch durch eine 394

Anfechtung vernichtet werden sollte. Es gibt Fälle, in denen ein Bedürfnis für die Anfechtung eines nichtigen Rechtsgeschäfts besteht. Dadurch erhält die heute anerkannte Lehre über die »Doppelwirkungen im Recht« ihre Rechtfertigung.

Beispiel: Der minderjährige V übereignet ohne Zustimmung seiner Eltern eine ihm gehörende Sache an K, wobei die Einigungserklärung des V mit einem zur Anfechtung berechtigenden Irrtum behaftet ist. K erwirbt mangels wirksamer Einigung nicht das Eigentum. Veräußert K die Sache an D weiter, sind zwei Fälle zu unterscheiden:

Kennt D die Minderjährigkeit des V, so kennt er die Nichtigkeit der Übereignung von V an K und damit die Nichtberechtigung des K, so daß ein gutgläubiger Erwerb des D ausscheidet. V kann von D nach § 985 die Sache herausverlangen.

Kennt D die Minderjährigkeit des V nicht, wohl aber die Anfechtbarkeit der Einigungserklärung des V, dann kann V die Sache von D nur dann herausverlangen, wenn er die Einigung anficht, da D hinsichtlich der Anfechtbarkeit bösgläubig war (§ 142 II).

395 2. *Schadensersatzpflicht*

Die Anfechtung nach §§ 119f. löst eine Schadensersatzpflicht aus (§ 122). Entsprechendes gilt für eine (nichtige) Scherzerklärung nach § 118 (Rdnr. 349ff.).

a) *Verpflichteter* ist derjenige, der die mangelhafte Erklärung abgegeben hat (§ 122 I). Dieser haftet ohne Verschulden (Veranlassungshaftung).

396 b) *Berechtigter* ist bei einer empfangsbedürftigen Willenserklärung der Erklärungsempfänger, bei einer anderen Willenserklärung jeder betroffene Dritte.

Geschützt wird aber nur der, welcher auf die Gültigkeit der Erklärung vertraut hat und auch darauf vertrauen durfte. Deshalb ist nicht schutzwürdig, wer den Grund der Anfechtbarkeit (oder der Nichtigkeit der Scherzerklärung) kannte oder infolge von Fahrlässigkeit nicht kannte (= kennen mußte; § 122 II); in diesen Fällen tritt eine Schadensersatzpflicht nicht ein.

397 c) Der *Umfang* des Schadensersatzanspruchs ist in zweifacher Hinsicht begrenzt:

(1) Zu ersetzen ist nur der *Vertrauensschaden* (§ 122 I), nicht der Erfüllungsschaden.

(a) *Vertrauensschaden* (= Vertrauens- oder negatives Interesse) ist der Schaden, den der Anspruchsberechtigte dadurch erleidet, »daß er auf die Gültigkeit der Erklärung vertraut« (§ 122 I). Er muß so gestellt werden, wie er stünde, wenn er von dem Geschäft nichts gehört hätte (AS Rdnr. 321).

Im Fall g gehören die Portokosten des V zum Vertrauensschaden. Das gilt auch für die 2800,– DM, die dem V dadurch entgangen sind, daß er mit Rücksicht auf seinen Vertrag mit M ein anderes Mietangebot für Juni zu 2800,– DM Mietzins abgelehnt hat.

(b) *Nicht zu ersetzen ist der Erfüllungsschaden* (= Erfüllungs- oder positives Interesse). Darunter versteht man den Schaden, der jemandem dadurch entstanden ist, daß der andere nicht erfüllt hat. Der Geschädigte muß so gestellt werden, wie er stünde, wenn erfüllt worden wäre (AS Rdnr. 321).

(2) Die zweite Grenze des Schadensersatzanspruchs wird von § 122 I dadurch gezogen, daß der *Vertrauensschaden nur bis zur Höhe des Erfüllungsschadens* zu ersetzen ist. 398

Hätte V im Fall g im Vertrauen auf die Gültigkeit des Mietvertrages mit M einen anderen Interessenten abgelehnt, der 3500,– DM zu zahlen bereit war, dann ist auch das sein Vertrauensschaden. Dieser übersteigt jedoch das Erfüllungsinteresse des V, der bei Gültigkeit des Mietvertrages mit M nur einen Anspruch auf Zahlung von 3000,– DM gehabt hätte. Deshalb ist der Vertrauensschaden nur bis zur Höhe von 3000,– DM zu ersetzen.

Der Ersatz des Vertrauensschadens wird deshalb auf den Betrag des Erfüllungsinteresses begrenzt, weil der Anspruchsberechtigte durch die Vernichtung der Willenserklärung nicht besser gestellt werden darf, als er bei Gültigkeit der Erklärung gestanden hätte. Dem Anspruchsverpflichteten brächte das ihm vom Gesetz eingeräumte Anfechtungsrecht mehr Schaden als Nutzen, wenn er auch den Vertrauensschaden zu ersetzen hätte, der über das Erfüllungsinteresse hinausgeht.

V. Sonderfälle des Irrtums 399

1. Irrtum bei der Testamentserrichtung

Ein Irrtum des Erblassers bei der Errichtung seines Testaments kann zur Anfechtung des Testaments nach §§ 2078 ff. berechtigen. Diese Spezialvorschriften weichen in folgenden Punkten von den allgemeinen Regeln der §§ 119 ff. ab (Einzelheiten: ErbR Rdnr. 226 ff.):

a) Zur Anfechtung berechtigt – abgesehen vom Erklärungs- und Inhaltsirrtum (§ 2078 I) – *jeder Motivirrtum* des Erblassers (§ 2078 II). Diese Erweiterung der Anfechtungsgründe ist berechtigt, weil es beim Testament auf die Verkehrssicherheit nicht ankommt und kein Erklärungsempfänger vorhanden ist, der zu schützen wäre (vgl. Rdnr. 129).

b) Der Irrtum muß zwar für die Verfügung des Erblassers ursächlich gewesen sein. Es genügt aber die subjektive Erheblichkeit des Irrtums (»bei Kenntnis der Sachlage«; § 2078 I). *Nicht erforderlich ist die objektive Erheblichkeit*; die in § 119 I genannte Voraussetzung »bei verständiger Würdigung des Falles« wird in § 2078 I nicht genannt. Das Gesetz stellt also allein auf den Willen und die Eigenarten des Erblassers ab.

c) *Anfechtungsberechtigt ist nicht der Erblasser*, der das Testament jederzeit widerrufen kann (§§ 2253 ff.), sondern derjenige, dem die Aufhebung unmittelbar zustatten käme (§ 2080 I).

d) Die *Anfechtungserklärung* ist *gegenüber dem Nachlaßgericht* abzugeben (§ 2081 I); dadurch soll der Anfechtungsberechtigte der Mühe enthoben werden, die durch das Testament Begünstigten zu ermitteln.

e) Die Anfechtung braucht *nicht unverzüglich* zu erfolgen; § 2082 bestimmt eine Frist von einem Jahr.

f) Die *Anfechtung löst keinen Anspruch auf Ersatz des Vertrauensschadens* aus (§ 2078 III), da ein testamentarisch Bedachter in seinem Vertrauen auf die Gültigkeit des Testaments nicht schutzwürdig ist.

400 *2. Irrtum bei der Eheschließung*

Auch die Erklärung vor dem Standesbeamten, mit dem Partner die Ehe eingehen zu wollen (§ 13 I EheG), kann auf einem Irrtum vor allem über eine persönliche Eigenschaft des Gatten beruhen (vgl. §§ 31 f. EheG).

Beispiel: Die Frau erfährt nach der Eheschließung, daß ihr Mann bereits bei der Heirat an einer unheilbaren Krankheit litt.

In diesen Fällen kann die Ehe nicht durch Anfechtungserklärung rückwirkend vernichtet werden. Vielmehr ist derjenige Gatte, der sich bei der Eheschließung in einem nach §§ 31 f. EheG erheblichen Irrtum befunden hat, in der Lage, eine Klage auf Aufhebung der Ehe gegen seinen Ehepartner zu erheben. Gibt das Gericht der Klage statt, dann ist die Ehe mit der Rechtskraft des Urteils (ex nunc) aufgelöst. Das Aufhebungsurteil wirkt also wie ein Scheidungsurteil (§ 37 I EheG); Einzelheiten: *Beitzke/Lüderitz*, Familienrecht, § 11 IV; *Henrich*, Familienrecht, § 6 II; *Schlüter*, Familienrecht, § 3).

401 § 19 Arglistige Täuschung und widerrechtliche Drohung

Schrifttum: *Coester-Waltjen*, Die fehlerhafte Willenserklärung, Jura 1990, 362; *Henle*, Drohung im Anfechtbarkeits- und Erpressungstatbestand (§ 123 BGB, § 253 StGB), 1925; *Immenga*, Der Begriff des »Dritten« nach § 123 Abs. 2 BGB beim finanzierten Beitritt zu einer Abschreibungsgesellschaft, BB 1984, 5; *Karakatsanes*, Die Widerrechtlichkeit in § 123 BGB, 1974; *v. Lübtow*, Zur Anfechtung von Willenserklärungen wegen arglistiger Täuschung, Festschrift f. Bartholomeyczik, 1973, 249; *Neumann-Duesberg*, Rechtswidrigkeitserfordernis und Rechtswidrigkeitsausschluß (Notwehr) im Tatbestand des § 123 BGB, JR 1967, 1; *Nipperdey*, Grenzlinien der Erpressung durch Drohung, 1917; *Schubert*, Unredliches Verhalten Dritter bei Vertragsabschluß, AcP 168, 470.

Fälle:

a) Kann K den Kaufvertrag anfechten, wenn V ihm seinen Kraftwagen wahrheitswidrig als »Vorführwagen« verkauft hat?

b) Wie, wenn der Wagen 60 000 km gelaufen, der Kilometerzähler jedoch infolge eines Defektes bei 7 000 km stehengeblieben ist, was V dem K verschweigt?

c) Wie, wenn V bei den Kaufverhandlungen nicht erwähnt, daß der Wagen einen schweren Unfall hatte?

d) Nach einem Verkehrsunfall, den B verschuldet hat, legt der geschädigte A dem B eine Erklärung zur Unterschrift vor; darin bekennt der Unterzeichner, den Unfall verschuldet zu haben, und verpflichtet sich zum Schadensersatz. B unterschreibt, weil A ihm androht, ihn sonst zusammenzuschlagen. Kann B seine Erklärung anfechten?

e) Wie, wenn B im Fall d unterschreibt, weil A damit droht, sonst die Polizei zum Unfallort zu rufen, die dann den Alkoholgenuß des B feststellen und diesem den Führerschein abnehmen würde?

f) Wie, wenn A dem B mit Strafanzeige droht, falls dieser ihm nicht dabei helfe, die Versicherung zu betrügen?

g) Wie, wenn A von B Bezahlung des ihm von B zugefügten Schadens verlangt, andernfalls er ihn wegen einer schon früher begangenen Fahrerflucht anzeigen werde?

I. Arglistige Täuschung

Nach § 123 I berechtigt ein Motivirrtum zur Anfechtung der Willenserklärung, wenn er auf einer arglistigen Täuschung beruht. Damit soll die Freiheit der Willensentschließung geschützt werden.

1. *Täuschungshandlung*

Es muß eine Täuschungshandlung vorliegen. Darunter versteht man – wie beim Betrug (§ 263 StGB) – ein Verhalten, das darauf abzielt, in einem anderen eine unrichtige Vorstellung hervorzurufen, zu bestärken oder zu unterhalten.

a) Die Täuschungshandlung kann in einem *positiven Tun* liegen. In Betracht kommen (ausdrückliche oder konkludente) wahrheitswidrige Behauptungen bedeutsamer Umstände.

Beispiele: Unrichtige Bezeichnung des verkauften Wagens als Vorführwagen (Fall a); Zurückdrehen des Kilometeranzeigers bei einem zum Verkauf stehenden Pkw; falsche Beantwortung der Frage nach Krankheiten bei Abschluß einer Lebensversicherung.

Die wahrheitswidrige Behauptung muß sich nicht in jedem Fall auf eine Tatsache, sie kann sich auch auf andere objektiv nachprüfbare Umstände beziehen; bloße Anpreisungen und subjektive Werturteile, die als solche erkennbar sind, reichen allerdings nicht aus.

b) Die Täuschungshandlung kann auch in einem bloßen *Unterlassen* (Ver- 402
schweigen) liegen; eine solche Unterlassung ist aber nur dann beachtlich, wenn eine Rechtspflicht zur Aufklärung besteht. Diese ist gegeben, wenn eine Mitteilung des Umstandes nach Treu und Glauben und den im Verkehr herrschenden Anschauungen geboten ist. Dabei ist auf die besonderen Umstände des Einzelfalles abzustellen. Bei dem Bestehen oder der Begründung eines besonderen Vertrauensverhältnisses (z. B. eines Gesellschaftsverhältnisses) geht die Offenbarungspflicht weiter als etwa bei Umsatzgeschäften. So ist bei Kaufverhandlungen nicht jedes Verschweigen eines negativen Umstandes als eine Täuschungshandlung anzusehen, zumal hier ein Interessengegensatz zwischen Verkäufer und Käufer

nicht ganz außer acht gelassen werden darf. Jedenfalls sind solche Umstände zu offenbaren, die für den Partner erkennbar von besonderer Bedeutung sind.

Bei falscher Kilometeranzeige (Fall b) ist der Verkäufer verpflichtet offenzulegen, wieviel Kilometer das Fahrzeug in Wirklichkeit gelaufen ist; denn der Kilometerstand ist für den Käufer eines Gebrauchtwagens (insbes. hinsichtlich des Kaufpreises) von erheblicher Bedeutung. Der Hinweis darauf, daß es sich um einen Unfallwagen handelt (Fall c), ist jedenfalls dann geboten, wenn der Käufer danach fragt, da dadurch dem Verkäufer erkennbar wird, daß es dem Käufer auf diesen Umstand entscheidend ankommt. Aber auch ohne eine entsprechende Frage ist in der Regel eine Pflicht zur Offenbarung über die Unfallbeteiligung zu bejahen (vgl. BGHZ 29, 150; BGH NJW 1977, 1914, 1915).

403 *2. Kausalität*

Die Täuschungshandlung muß für die Willenserklärung ursächlich sein (»zur Abgabe der Willenserklärung durch arglistige Täuschung ... bestimmt«; § 123 I). Erforderlich ist also, daß die Täuschung zu einem Irrtum des Getäuschten führt und dieser Irrtum für die Abgabe der Willenserklärung ursächlich ist.

a) Die Täuschungshandlung muß zu einem Irrtum des Getäuschten führen. Unerheblich ist es, worauf der Irrtum sich bezieht. Meist bewirkt die Täuschung einen Irrtum des Getäuschten über eine verkehrswesentliche Eigenschaft der Person oder Sache (§ 119 II). Es genügt aber auch jeder Motivirrtum, der auf der Täuschung beruht.

So ist die Zahlungsfähigkeit der Mieter eines verkauften Mietshauses keine Eigenschaft dieses Hauses; jedoch kann die Täuschung über die Zahlungsfähigkeit zur Anfechtung nach § 123 I berechtigen.

Der Kausalzusammenhang zwischen Täuschung und Irrtum ist nicht nur dann gegeben, wenn eine falsche Vorstellung durch die Täuschung hervorgerufen wird, sondern auch dann, wenn sie durch die Täuschung aufrechterhalten wird.

Es genügt, daß K, der beim Kauf des Mietshauses irrtümlich von der Zahlungsfähigkeit der Mieter ausgeht, in dieser falschen Vorstellung von V bestärkt wird.

An einem ursächlichen Zusammenhang fehlt es, wenn derjenige, der getäuscht werden soll, den wahren Sachverhalt kennt. Dagegen kommt es nicht darauf an, ob der Getäuschte seinen Irrtum durch Anwendung der im Verkehr erforderlichen Sorgfalt hätte vermeiden können.

Weiß der Käufer des Mietshauses, daß die Mieter zahlungsunfähig sind, fehlt es an einem Irrtum, so daß eine Anfechtung ausscheidet. Hätte er die Frage der Zahlungsfähigkeit unschwer selbst aufklären können, unterläßt er das aber, ändert das an seinem Irrtum und damit an der Anfechtbarkeit nichts.

b) Der Irrtum des Getäuschten muß für die abgegebene Willenserklärung ursächlich sein. Entscheidend ist, daß der Getäuschte ohne den Irrtum die Willenserklärung überhaupt nicht oder nicht zu der Zeit oder nur mit anderem Inhalt abgegeben hätte. Es genügt, daß der durch die Täuschungshandlung hervorgerufene Irrtum für die Willenserklärung mitbestimmend gewesen ist.

Hätte K gewußt, daß es sich um einen Unfallwagen handelte (Fall c), hätte er vom Kauf dieses Wagens abgesehen oder einen niedrigeren Preis geboten. – Wenn K das Mietshaus kauft, um Einnahmen zu erzielen, ist sein Irrtum über die Zahlungsfähigkeit der Mieter ursächlich für den Kauf. Will er das Haus aber abreißen, um ein Geschäftshaus auf dem Grundstück zu errichten, ist sein Irrtum für die Abgabe der Willenserklärung nicht bestimmend.

3. Widerrechtlichkeit 404

Die Täuschung muß widerrechtlich sein. Das ergibt sich – anders als bei der Drohung – nicht aus dem Gesetzeswortlaut. Der Gesetzgeber ging nämlich davon aus, eine arglistige Täuschung sei stets widerrechtlich; er übersah, daß in Ausnahmefällen die Widerrechtlichkeit fehlen kann. Hier muß eine Anfechtung wegen arglistiger Täuschung ausgeschlossen sein.

Beispiel: Der Arbeitgeber fragt den Stellenbewerber nach dessen bereits im Strafregister gelöschten Vorstrafen. Wenn der Bewerber, der sich nach § 51 I Bundeszentralregistergesetz als unbestraft bezeichnen darf, die Beantwortung der Frage verweigert oder wahrheitsgemäß gelöschte Vorstrafen angibt, wird er im Regelfall die Stelle nicht bekommen. Die Chance, eingestellt zu werden, hat er nur, wenn er die (unzulässige) Frage wahrheitswidrig beantwortet. Wird der Arbeitsvertrag abgeschlossen, kann dieser vom Arbeitgeber nicht wegen arglistiger Täuschung wirksam angefochten werden, weil die Täuschung rechtmäßig war.

4. Arglist 405

Für die Arglist des Täuschenden ist (nur) Vorsatz erforderlich. Dieser muß sich auf die Tatbestandsmerkmale Täuschungshandlung, Irrtumserregung und Willenserklärung beziehen. Der Täuschende muß also wissen und wollen, daß der andere durch die Täuschung zu einer Willenserklärung bestimmt wird, die er ohne Täuschung möglicherweise nicht oder nicht so abgeben würde.

Geht V irrig davon aus, K wisse, daß der Wagen einen Unfall hatte, fehlt es am Vorsatz des V. Eine Anfechtung nach § 123 scheidet aus, selbst wenn die Unkenntnis des V auf grober Fahrlässigkeit beruht.

Ein arglistiges Verhalten ist auch zu bejahen, wenn der Erklärungsempfänger »ins Blaue« hinein falsche Angaben macht (vgl. BGHZ 63, 382, 388; 74, 383, 391 f.). Er handelt dann jedenfalls mit bedingtem Vorsatz.

Da der objektive Tatbestand des § 123 I – anders als § 263 StGB – keinen Vermögensschaden des Getäuschten verlangt, braucht auch der Wille des Täuschenden nicht darauf gerichtet zu sein, dem Getäuschten einen Vermögensschaden zuzufügen. Eine Absicht des Täuschenden, sich oder einem anderen einen rechtswidrigen Vermögensvorteil zu verschaffen, ist ebenfalls nicht erforderlich.

§ 123 bezweckt nicht den Schutz des Vermögens, sondern den der Entschließungsfreiheit. Deshalb kommt es auch nicht auf den Beweggrund des Täuschenden an; selbst wenn er mit seiner Täuschung nur das Beste des Getäuschten will, kann eine Arglist i. S. des § 123 I gegeben sein (a. A. BGH LM Nr. 9 zu § 123).

406 *5. Person des Täuschenden*

Bei der Frage, *von wem die arglistige Täuschung verübt sein muß*, differenziert das Gesetz:

a) Bei einer *nicht empfangsbedürftigen Willenserklärung* (Rdnr. 91; z. B. Auslobung, Dereliktion) spielt es keine Rolle, wer arglistig täuscht (vgl. § 123 II).

407 b) Bei einer *empfangsbedürftigen Willenserklärung* (Rdnr. 90) ist zu unterscheiden:

(1) Täuscht der *Erklärungsempfänger* (V in den Fällen a–c), kann der Getäuschte seine Willenserklärung in jedem Falle anfechten (vgl. § 123 II).

408 (2) Verübt ein *anderer als der Erklärungsempfänger* die Täuschung, soll der Erklärungsempfänger in seinem Vertrauen auf die Willenserklärung des Getäuschten grundsätzlich geschützt werden.

Nicht schutzwürdig ist der Empfänger in zwei Fällen:

(a) Dem *bösgläubigen Erklärungsempfänger* gegenüber ist die Willenserklärung stets anfechtbar; bösgläubig ist er, wenn er die Täuschung kannte oder kennen mußte (§ 123 II 1).

Macht der an dem Geschäft völlig unbeteiligte Dritte dem K vor, der zum Kauf stehende Pkw sei ein Vorführwagen mit Luxusausstattung, kann K den mit V geschlossenen Kaufvertrag nach § 123 nur dann anfechten, wenn V bei Kaufabschluß wußte oder infolge von Fahrlässigkeit nicht wußte, daß der Dritte den K täuschte, und die Täuschung für die Willenserklärung des K ursächlich war.

(b) Auch ein *gutgläubiger Erklärungsempfänger* ist nicht schutzwürdig, wenn die Täuschung zwar durch einen anderen verübt wurde, der Erklärungsempfänger sich aber dessen Verhalten zurechnen lassen muß. § 123 enthält darüber keine Regelung. Es entspricht aber einer gerechten Interessenabwägung, dem Erklärungsempfänger die Täuschung durch einen anderen zuzurechnen, wenn dieser bei dem Geschäft Hilfsperson des Erklärungsempfängers ist. Deshalb ist z. B. der Vertreter des Erklärungsempfängers nicht Dritter i. S. d. § 123 II 1. Auch eine Täuschung durch eine Person, die dem Erklärungsempfänger näher steht als dem Getäuschten, ist als Täuschung des Erklärungsempfängers selbst zu behandeln.

Hat der von V beauftragte Makler M den K über die Bebaubarkeit des Grundstücks arglistig getäuscht, kann K auch dann anfechten, wenn V die Täuschung weder kannte noch kennen mußte. § 123 II 1 greift nicht ein.

(3) Selbst wenn der Erklärungsempfänger in bezug auf die von einem Dritten verübte Täuschung gutgläubig ist und deshalb eine Anfechtung nach § 123 II 1 ausscheidet, kann dem Erklärenden ein Anfechtungsrecht zustehen. § 123 II 2 läßt

eine Anfechtung zu, wenn *ein anderer aus der Erklärung unmittelbar ein Recht erworben hat* und dieser *Begünstigte die Täuschung kannte oder kennen mußte.* Die Anfechtung ist dem Begünstigten gegenüber zu erklären und wirkt nur ihm gegenüber. Diese Regelung gilt vor allem für den Vertrag zugunsten Dritter (§ 328; AS Rdnr. 364ff.; z. B. Lebensversicherungsvertrag).

Hier sind folgende *Fallgruppen* zu unterscheiden:

(a) Täuschte der Erklärungsempfänger selbst oder eine Person, deren Verhalten dem Erklärungsempfänger zuzurechnen ist, greift § 123 II nicht ein. Die Anfechtung richtet sich nach § 123 I.

Täuschte der Ehemann (M) bei Abschluß einer Lebensversicherung zugunsten seiner Frau (F) die Versicherungsgesellschaft (V) arglistig (etwa durch falsche Beantwortung der Frage nach überstandenen Krankheiten), so täuschte der Erklärungsempfänger selbst (Rdnr. 407). Die V kann nach § 123 anfechten, ohne daß es darauf ankommt, ob F die Täuschung durch M kannte oder kennen mußte.

(b) Täuschte ein Unbeteiligter und kannte der Erklärungsempfänger die Täuschung oder mußte er sie kennen, ist eine Anfechtung nach § 123 II 1 gegenüber dem Erklärungsempfänger möglich.

Täuschte der unbeteiligte D die Versicherung V und kannte der Vertragspartner der V (nämlich der Ehemann M) die Täuschung oder mußte er diese kennen, kann V gegenüber M nach § 123 II 1 anfechten, selbst wenn die begünstigte Frau F gutgläubig war.

(c) Im Regelfall des § 123 II 2 sind vier Personen beteiligt: Der Erklärende gab gegenüber dem Erklärungsempfänger eine Erklärung ab, wodurch ein »anderer« unmittelbar ein Recht erwarb. Diese Erklärung beruhte auf der arglistigen Täuschung eines Unbeteiligten. Der Erklärende kann nach § 123 II 2 gegenüber dem begünstigten »anderen« anfechten, soweit dieser die Täuschung kannte oder kennen mußte.

Der unbeteiligte D verübte die arglistige Täuschung gegenüber der Versicherung V. Aus dem zwischen M und V geschlossenen Lebensversicherungsvertrag erwarb F unmittelbar ein Recht. V kann gegenüber F anfechten, wenn diese die Täuschung kannte oder kennen mußte (§ 123 II 2).

(d) Täuschte der begünstigte »andere« selbst den Erklärenden, kann dieser erst recht nach § 123 II 2 anfechten.

Täuschte F selbst die V arglistig, kann diese anfechten, selbst wenn M die Täuschung weder kannte noch kennen mußte.

6. *Rechtzeitige Anfechtungserklärung* 409

Der Anfechtungsberechtigte muß rechtzeitig anfechten.

a) Für die *Anfechtungserklärung* gilt § 143 (Rdnr. 385). Anfechtungsberechtigt ist derjenige, der die auf der arglistigen Täuschung beruhende Willenserklärung abgegeben hat. Den Anfechtungsgegner bestimmt § 143 II–IV (Rdnr. 386). Im

Falle des § 123 II 2 (Rdnr. 408) muß die Anfechtungserklärung gegenüber dem erfolgen, der aus dem Vertrag unmittelbar ein Recht erworben hat (§ 143 II).

b) Die *Anfechtungsfrist* beträgt *ein Jahr* nach Entdeckung der Täuschung durch den Anfechtungsberechtigten (Einzelheiten: § 124). Im Gegensatz zu § 121 (Rdnr. 387) ist die Frist deshalb länger, weil der Getäuschte hier besser gestellt werden soll und der Täuschende oder der Bösgläubige keinen Schutz verdient. Andererseits soll das Geschäft im Interesse des Rechtsverkehrs nicht allzulange in der Schwebe bleiben.

Die Anfechtung ist ausgeschlossen, wenn seit der Abgabe der Willenserklärung 30 Jahre verstrichen sind (§ 124 III; vgl. Rdnr. 388) oder wenn der Anfechtungsberechtigte das anfechtbare Rechtsgeschäft bestätigt hat (§ 144; Rdnr. 389).

410 *7. Rechtsfolgen der Anfechtung*

a) Das angefochtene Rechtsgeschäft ist *als von Anfang an nichtig anzusehen* (§ 142 I; Rdnr. 390). Derjenige, der die Anfechtbarkeit kannte oder kennen mußte, wird so behandelt, wie wenn er die Nichtigkeit gekannt hätte oder hätte kennen müssen (§ 142 II; Rdnr. 393).

b) Der wegen arglistiger Täuschung Anfechtende ist – anders als der nach §§ 119f. Anfechtende (Rdnr. 395) – *nicht zum Ersatz des Vertrauensschadens verpflichtet*. Das ergibt sich aus dem Wortlaut und der Stellung des § 122 (vor § 123). Es würde der Gerechtigkeit Hohn sprechen, wenn der Täuschende noch mit einem Schadensersatzanspruch belohnt würde.

411 *8. Konkurrenzen*

a) Ein Sachverhalt kann sowohl den Tatbestand der arglistigen Täuschung als auch den des *Irrtums nach § 119* erfüllen, wenn z. B. die arglistige Täuschung zu einem Irrtum über eine verkehrswesentliche Eigenschaft nach § 119 II führt. Dann hat der Anfechtungsberechtigte die Wahl, auf welche Bestimmung er die Anfechtung stützen will. § 123 ist für den Anfechtenden günstiger, weil dieser eine längere Anfechtungsfrist hat und nicht nach § 122 schadensersatzpflichtig ist. Andererseits muß der Anfechtende im Fall des § 123 bei Bestreiten des Gegners beweisen, daß dieser ihn arglistig getäuscht hat; gelingt der Beweis nicht, kann die Anfechtung nach § 119 begründet sein.

412 b) Beim Verkauf einer mangelhaften Sache kann gleichzeitig der Tatbestand der arglistigen Täuschung erfüllt sein. Auch hier mag der Getäuschte wählen, ob er nach § 123 anfechten oder die *Sachmängelansprüche des Kaufrechts* geltend machen will (BS Rdnr. 97). Da bei einer arglistigen Täuschung neben dem Kaufvertrag in der Regel auch das Erfüllungsgeschäft anfechtbar ist, kann eine Anfechtung für den Käufer günstiger sein als eine Wandlung mit ihren schwächeren (nur schuldrechtlichen) Wirkungen. Hat der Käufer wirksam angefochten, scheiden Sachmängelansprüche aus, da der Vertrag durch die Anfechtung vernichtet ist.

c) Mit § 123 BGB können schließlich auch *Schadensersatzansprüche* konkurrieren. 413

Bei einer arglistigen Täuschung ist oft der Straftatbestand des Betruges (§ 263 StGB) gegeben. Dann kommt ein *Schadensersatzanspruch aus unerlaubter Handlung* nach § 823 II wegen Verletzung eines Schutzgesetzes in Betracht (BS Rdnr. 464 ff.). Selbst wenn Betrug nicht vorliegt, kann ein Schadensersatzanspruch wegen vorsätzlicher sittenwidriger Schädigung (§ 826; BS Rdnr. 469 ff.) gegeben sein. Ein Schadensersatzanspruch aus unerlaubter Handlung hängt nicht davon ab, ob der Getäuschte wirksam angefochten hat. Dieser wird deshalb Schadensersatz nach §§ 823 II, 826 besonders dann verlangen, wenn eine Anfechtung nicht mehr möglich ist, weil die Anfechtungsfrist des § 124 verstrichen ist.

Meist werden bei einer unter § 123 fallenden Täuschung gleichzeitig auch die Voraussetzungen für einen *Schadensersatzanspruch aus culpa in contrahendo* (AS Rdnr. 55 ff.) erfüllt sein. Nach der Rechtsprechung soll eine solche Haftung, die von der Rechtsfolge her ebenfalls auf die Aufhebung des Vertrages geht, neben der Anfechtung aus § 123 bestehen können (BGH NJW 1979, 1983; WM 1981, 309, 310). Dem ist jedoch nicht zu folgen, weil sonst die in § 123 BGB vorgesehene Beschränkung der Anfechtung auf arglistiges Verhalten und die Regelung des § 124 BGB ausgehöhlt würden (vgl. auch *Erman/Brox*, § 123, Rdnr. 8).

Würde man neben § 123 einen Anspruch aus culpa in contrahendo auf Aufhebung eines abgeschlossenen Vertrages zulassen, dann könnte der Getäuschte schon bei fahrlässiger Irreführung über einen Schadensersatzanspruch die gleichen Rechtsfolgen wie bei der Anfechtung herbeiführen. Das wäre sogar noch möglich, wenn die in § 124 BGB genannte Anfechtungsfrist von einem Jahr schon längst verstrichen ist, da Ansprüche aus culpa in contrahendo grundsätzlich erst nach 30 Jahren verjähren. Neben § 123 kann ein Schadensersatzanspruch aus culpa in contrahendo allenfalls insoweit bejaht werden, als er sich nicht auf den im Abschluß des Vertrages liegenden Schaden bezieht.

II. Widerrechtliche Drohung 414

Der Tatbestand der widerrechtlichen Drohung (§ 123 I) unterscheidet sich von allen bisher erörterten Tatbeständen dadurch, daß hier kein Irrtum des Erklärenden vorliegt. Die widerrechtliche Drohung berechtigt zur Anfechtung der Willenserklärung, weil damit – wie bei der Anfechtung wegen arglistiger Täuschung – die Freiheit der Willensentschließung geschützt werden soll.

1. Drohung

Unter einer Drohung versteht man das *Inaussichtstellen eines zukünftigen Übels*, auf dessen Eintritt der Drohende Einfluß zu haben vorgibt (BGHZ 2, 295; LM Nr. 23 zu § 123).

a) Als *Übel* genügt jeder Nachteil; dieser braucht nicht besonders schwer zu sein.

Beispiele: Drohung mit Strafanzeige, mit herabsetzender Pressenotiz, Kündigung eines Darlehens, Verprügeln.

Durch das Inaussichtstellen des Übels soll in dem Bedrohten Furcht vor dem künftigen Übel erregt werden. Deshalb setzt § 123 I eine *psychische Zwangslage* (vis compulsiva) voraus. Bei physischem, unwiderstehlichem Zwang (vis absoluta) liegt keine Willenserklärung vor, die angefochten werden könnte.

Wenn A dem B, der den ihm vorgelegten Vertrag nicht unterschreiben will, bei der Unterschrift mit Gewalt die Hand führt, liegt überhaupt keine Willenserklärung des B vor, die anzufechten wäre. Denn es fehlt der Handlungswille (Rdnr. 82) des B.

Andererseits ist eine Willensbeeinflussung gegeben, wenn die Drohung gar nicht ernst gemeint ist, der Bedrohte sie aber *für ernst gemeint* hält (vgl. BGH NJW 1982, 2301, 2302).

Beispiel: A droht dem B mit einer Strafanzeige, die er gar nicht erstatten will, um den B zur Unterschriftsleistung zu bewegen. B unterschreibt, um die Strafanzeige, mit der er rechnet, zu vermeiden.

415 b) Das künftige Übel muß *aus der Sicht des Bedrohten vom Willen des Drohenden abhängig* sein. Der Hinweis auf eine vom Willen des Drohenden unabhängige Zwangslage genügt nicht (BGH WM 1988, 1156).

Wenn der Vermieter V dem Mieter M ankündigt, er werde ihn wegen Diebstahls anzeigen, sofern M nicht mit der sofortigen Beendigung des Mietverhältnisses einverstanden sei, liegt eine Drohung vor. Dagegen ist eine Drohung nicht gegeben, wenn V den M darauf hinweist, daß ein Strafverfahren gegen M anhängig sei und dieser mit seiner Verhaftung rechnen müsse.

416 2. *Kausalität*

Die Drohung muß für die Furcht des Bedrohten und diese für dessen Willenserklärung ursächlich sein. Die Kausalität ist nicht vom Standpunkt eines vernünftigen Beobachters aus zu beurteilen; sie hängt entscheidend von der psychischen Verfassung des Bedrohten ab.

So kann ein und dieselbe Drohung bei dem nervenstarken A lediglich ein müdes Lächeln und bei dem zartbesaiteten B ein ängstliches Zittern und dadurch die Abgabe der geforderten Willenserklärung bewirken.

417 3. *Widerrechtlichkeit*

Der Bedrohte muß zur Abgabe seiner Willenserklärung »widerrechtlich durch Drohung bestimmt worden« sein (§ 123 I). Die Rechtswidrigkeit kann sich aus dem angedrohten Übel, dem erstrebten Erfolg oder aus dem Verhältnis von angedrohtem Übel und erstrebtem Erfolg ergeben.

a) Die Drohung mit einer widerrechtlichen Handlung (= *Widerrechtlichkeit des Mittels*) macht die Bestimmung zur Abgabe der Willenserklärung stets widerrechtlich. Der Einsatz eines widerrechtlichen Mittels ändert an der Widerrechtlichkeit des Verhaltens des Drohenden selbst dann nichts, wenn mit dem Mittel ein erlaubter Zweck erreicht werden soll. 418

Beispiele: Drohung mit Tötung, Körperverletzung (Fall d), Sachbeschädigung. Im Fall e ist es das gute Recht des A, die Polizei an die Unfallstelle zu rufen. Deshalb ist die angedrohte Handlung nicht widerrechtlich.

b) Die Bestimmung zur Abgabe einer Willenserklärung ist auch dann widerrechtlich, wenn der damit erstrebte Erfolg widerrechtlich ist (= *Widerrechtlichkeit des Zwecks*). Das gilt selbst dann, wenn das eingesetzte Mittel nicht zu beanstanden ist. 419

Im Fall f ist die angedrohte Handlung (Strafanzeige) rechtmäßig, nicht aber der erstrebte Erfolg (Beihilfe zum Betrug).

c) Selbst wenn sowohl das Mittel als auch der Zweck rechtmäßig sind, so kann doch der Einsatz *dieses* Mittels zur Erreichung *dieses* Erfolgs rechtswidrig sein, wenn nämlich die Verbindung *dieses* Mittels mit *diesem* Zweck widerrechtlich ist (= *Widerrechtlichkeit der Mittel-Zweck-Relation*). 420

Im Fall g kann A von B Schadensersatz nach § 823 I verlangen. Er ist auch berechtigt, B wegen einer früheren Straftat anzuzeigen. Aber die Verknüpfung des Mittels (Anzeige einer früheren Straftat) mit dem verfolgten Zweck (Bezahlung des Schadens) ist rechtlich zu mißbilligen; denn diese Schadensersatzforderung hat mit dem früheren Unfall nichts zu tun.

Im Fall e ist die Mittel-Zweck-Relation nicht zu beanstanden. Zwar hat A keinen Anspruch auf die Verpflichtungserklärung des B. Aber auch bei Fehlen eines Rechtsanspruchs kann eine Bestimmung durch Drohung rechtmäßig sein, wenn der Drohende an der Erreichung des von ihm erstrebten Erfolges ein berechtigtes Interesse hat und die Drohung nach der Auffassung aller billig und gerecht Denkenden ein angemessenes Mittel zur Erreichung des nicht zu mißbilligenden Zwecks ist (BGHZ 25, 220).

4. Subjektiver Tatbestand 421

Aus der Formulierung des § 123 I, wonach der Erklärende zur Abgabe einer Willenserklärung bestimmt worden sein muß, folgt, daß der Drohende den *Willen* haben muß, *den Willen des Bedrohten zu bestimmen*.

Dagegen kommt es auf das Bewußtsein der Rechtswidrigkeit und auf ein Verschulden des Drohenden nach richtiger Ansicht nicht an. Denn es geht bei § 123 I nicht darum, dem Drohenden einen Vorwurf zu machen, sondern darum, die Entschließungsfreiheit des Bedrohten zu schützen (anders: BGHZ 25, 224).

422 5. *Person des Drohenden*

Im Gegensatz zur Anfechtung wegen arglistiger Täuschung ist es für die Anfechtung wegen widerrechtlicher Drohung gleichgültig, ob der Erklärungsempfänger oder ein Dritter droht. Selbst bei Gutgläubigkeit des Erklärungsempfängers ist die Willenserklärung anfechtbar. Das ist dem Umkehrschluß aus § 123 II zu entnehmen.

423 6. *Rechtzeitige Anfechtungserklärung*

Es gilt das zur arglistigen Täuschung Gesagte (Rdnr. 409). Die Anfechtungsfrist beginnt mit dem Zeitpunkt, in dem die Zwangslage aufhört (§ 124 II 1).

424 7. *Rechtsfolgen der Anfechtung*

Insoweit wird ebenfalls auf das zur arglistigen Täuschung Gesagte verwiesen (Rdnr. 410).

425 8. *Konkurrenzen*

Sofern der Tatbestand der Nötigung (§ 240 StGB) oder der Erpressung (§ 253 StGB) erfüllt ist, kommt auch ein Schadensersatzanspruch aus § 823 II, bei vorsätzlicher sittenwidriger Schädigung ein solcher aus § 826 in Betracht (vgl. Rdnr. 413). Zum Anspruch aus c. i. c.: Rdnr. 413.

426 § 20 Beiderseitiger Motivirrtum

Schrifttum: *Brox*, Die Einschränkung der Irrtumsanfechtung, 1960; *Goltz*, Motivirrtum und Geschäftsgrundlage im Schuldvertrag, 1973; *Köhler*, Grundprobleme der Lehre von der Geschäftsgrundlage, JA 1979, 498; *Krückmann*, Irrtum, veränderte Umstände und Geschäftsgrundlage, LZ 1933, 481; *Heinr. Lange*, Ausgangspunkte, Wege und Mittel zur Berücksichtigung der Geschäftsgrundlage, Festschrift f. Gieseke, 1958, 21; *Larenz*, Geschäftsgrundlage und Vertragserfüllung, 3. Aufl., 1963; *Littbarski*, Neuere Tendenzen zum Anwendungsbereich der Lehre von der Geschäftsgrundlage, JZ 1981, 8; *Nicklisch*, Ergänzende Vertragsauslegung und Geschäftsgrundlagenlehre – ein einheitliches Rechtsinstitut zur Lückenausfüllung?, BB 1980, 949; *Oertmann*, Die Geschäftsgrundlage als neuer Rechtsbegriff, 1921; *Schmidt-Rimpler*, Zum Problem der Geschäftsgrundlage, Festschrift f. Nipperdey, 1955, 1; *Schmiedel*, Der allseitige Irrtum über die Rechtslage bei der Neuregelung eines Rechtsverhältnisses, Festschrift f. v. Caemmerer, 1978, 231; *Wieacker*, Gemeinsamer Irrtum der Vertragspartner und clausula rebus sic stantibus, Festschrift f. Wilburg, 1965, 229; *Windscheid*, Die Voraussetzung, AcP 78, 161.

Fälle:

a) V verkauft an K Aktien. Bei der Berechnung des Kaufpreises gehen beide von dem in der Zeitung falsch ausgedruckten, zu niedrigen Tageskurs der Aktien aus. Kann V sich von dem Vertrag lossagen?

b) Nachdem der Brautvater die Möbel für die Aussteuer gekauft hat, wird das Verlöbnis gelöst. Deshalb will er vom Kauf loskommen.

I. Problematik

Fehler bei der Willensbildung sind grundsätzlich unbeachtlich (Rdnr. 334); geht also der Erklärende von einem unrichtigen Beweggrund (Motiv) aus, so hat das keinen Einfluß auf die Gültigkeit der Willenserklärung, weil der Erklärungsempfänger in seinem Vertrauen auf den Inhalt und die Gültigkeit der Erklärung geschützt werden soll. Nur wenn der Motivirrtum einen Eigenschaftsirrtum (§ 119 II) darstellt oder auf arglistiger Täuschung (§ 123 I) beruht, ist der Erklärende zur Anfechtung seiner Willenserklärung berechtigt.

Gesetzlich nicht geregelt ist der Fall, daß bei einem Vertragsabschluß *beide* Vertragspartner von einem bestimmten unrichtigen Motiv ausgehen. Hier ist kein Raum für den Vertrauensschutz einer Partei. Die Parteien hätten ohne den beiderseitigen Motivirrtum den Vertrag überhaupt nicht oder jedenfalls nicht zu den vereinbarten Bedingungen geschlossen. Da beide von einem falschen Motiv ausgegangen sind, muß der Grundsatz der Vertragstreue durchbrochen werden; denn eine Vertragspartei verstieße gegen den Grundsatz von Treu und Glauben, wenn sie die andere Partei trotz des gemeinsamen Irrtums an den vereinbarten Bedingungen des Vertrages festhielte. Es ist gerechter, wenn der Vertrag wegen des beiderseitigen Irrtums aufgelöst oder dahin »korrigiert« wird, wie er von den Parteien gestaltet worden wäre, wenn sie vom richtigen Motiv ausgegangen wären.

Im Fall a haben beide Parteien den Kaufpreis der Aktien aufgrund des falschen Börsenkurses berechnet. K kann V nicht an dem Vertrag mit dem zu niedrig berechneten Kaufpreis festhalten. Entweder muß der Vertrag aufgelöst oder der Kaufpreis danach berichtigt werden, was die Parteien vereinbart hätten, wenn sie vom richtigen Börsenkurs ausgegangen wären.

II. Lösungswege 427

Zur Lösung des aufgezeigten Problems wird die Lehre von der Geschäftsgrundlage herangezogen. Diese Lehre ist vor allem in der Zeit nach dem ersten Weltkrieg entwickelt worden, um bestehende Vertragsverhältnisse den einschneidenden wirtschaftlichen Verhältnissen der Inflationszeit anpassen zu können.

Beispiele: Bei einem langfristigen Mietvertrag, der in normalen Zeiten abgeschlossen worden ist, führt die nicht vorhersehbare Geldentwertung dazu, daß die vereinbarte Höhe des Mietzinses in einem groben Mißverhältnis zum Wert der Gebrauchsüberlassung steht.

Die Lehre von der Geschäftsgrundlage erfaßt die Auswirkungen von sozialen Katastrophen etwa bei Krieg oder Inflation. Sie soll auch in den Fällen der übermäßigen Leistungserschwerung, der Zweckvereitelung, der Äquivalenzstörung und des beiderseitigen Motivirrtums eingreifen (Einzelheiten: *Medicus*, BürgR, Rdnr. 151ff.).

Beispiele: Die verpflichtete Sängerin tritt wegen schwerer Erkrankung ihres Kindes nicht auf (= Leistungserschwerung); der liegengebliebene Pkw springt wieder an, bevor der bestellte Abschleppwagen kommt (= Zweckvereitelung); infolge einer erheblichen Erhöhung der Branntweinsteuer reicht der im Kaufvertrag über Branntwein vereinbarte Kaufpreis nicht einmal aus, um davon die Steuern zu bezahlen (= Äquivalenzstörung); V und K irren im Fall a über den Börsenkurs (= beiderseitiger Motivirrtum).

Hier ist nur der beiderseitige Motivirrtum von Bedeutung. M. E. läßt sich diese Problematik durch ergänzende Auslegung des konkreten Vertrages lösen (*Brox*, a. a. O., 72ff.; 180ff.).

428 III. Anpassung durch ergänzende Auslegung

1. Voraussetzung

Bei ihrer Willensbildung *müssen beide Parteien von demselben unrichtigen Umstand ausgegangen sein.* Dabei spielt es keine Rolle, ob sie sich von dem Umstand eine Vorstellung gemacht haben (Irrtum) oder ob sie unbewußt von dem falschen Umstand ausgegangen sind; entscheidend ist nur, daß der *Umstand für ihren Willen ausschlaggebend* war. Es ist auch unerheblich, ob es sich um einen gegenwärtigen oder um einen zukünftigen Umstand handelt.

Bei *beiden* Parteien muß der falsche Umstand für die Willenserklärung ursächlich sein. Genügte das unrichtige Wertungsmoment nur einer Partei, wäre die Sicherheit des Rechtsverkehrs gefährdet. Deshalb muß ein einseitiges unrichtiges Wertungsmoment aus Gründen des Vertrauensschutzes grundsätzlich unbeachtlich bleiben, wie auch das BGB den Spezialfall des unrichtigen Wertungsmoments, nämlich den Motivirrtum, grundsätzlich unbeachtet wissen will.

Ob beide Parteien von demselben unrichtigen Umstand ausgegangen sind, ist *durch ergänzende Auslegung* ihrer Willenserklärungen zu ermitteln (Rdnr. 136f.).

Im Fall b war die Hochzeit der Tochter zwar für den Vater, nicht aber für den Möbelhändler das Motiv des Vertragsschlusses. Deshalb muß der Vater die gekauften Möbel abnehmen und bezahlen.

Im Fall a legten beide Parteien einen falschen Börsenkurs ihrer Berechnung des Kaufpreises zugrunde (vgl. RGZ 116, 15).

2. *Anpassung* 429

Liegen die genannten Voraussetzungen vor, dann ist durch Lückenausfüllung (Rdnr. 138ff.) zu ermitteln, was die Parteien gewollt hätten, wenn sie nicht von einem falschen Umstand ausgegangen wären und die Gebote von Treu und Glauben sowie der Verkehrssitte beachtet hätten (vgl. § 157). Das kann dazu führen, daß der Vertrag entsprechend korrigiert, notfalls aufgelöst wird (AS Rdnr. 84). Durch eine Anpassung des Vertrages wird eine Vernichtung – wie bei der Anfechtung – vermieden.

Im Fall a kann die ergänzende Auslegung ergeben, daß die Parteien bei Kenntnis des richtigen Börsenkurses den Kaufpreis danach berechnet hätten. Dann ist der Kaufvertrag zwar nach wie vor wirksam, aber hinsichtlich des Kaufpreises entsprechend zu korrigieren.

Fünftes Kapitel Bedingte, befristete und zustimmungsbedürftige Rechtsgeschäfte

430 § 21 Bedingte und befristete Rechtsgeschäfte

Schrifttum: *A. Blomeyer*, Die Anwartschaft aus bedingtem Rechtsgeschäft, 1937; *ders.*, Studien zur Bedingungslehre I, 1938; II, 1939; *Brecht*, Bedingung und Anwartschaft, JherJb 61, 263; *Brox*, Das Anwartschaftsrecht des Vorbehaltskäufers, JuS 1984, 657; *Enneccerus*, Rechtsgeschäft, Bedingung und Anfangstermin, 1888/9; *Henke*, Bedingte Übertragungen im Rechtsverkehr und im Rechtsstreit, 1959; *Oertmann*, Die Rechtsbedingung, 1924; *Schreiber*, Die bedingte Übereignung, NJW 1966, 2333; *Walsmann*, Ein Beitrag zur Lehre von der Wollensbedingung, JherJb 54, 197; sowie die Literatur zum Eigentumsvorbehalt: BS Rdnr. 107.

Fälle

a) Der Vormund V übereignet ein Grundstück seines Mündels M an den Käufer K durch Auflassung und Eintragung im Grundbuch (§§ 925, 873). In der Auflassungserklärung heißt es: »Die Auflassung erfolgt unter der Bedingung, daß das Vormundschaftsgericht genehmigt«. Später meint V unter Hinweis auf § 925 II, die Auflassung sei unwirksam, weil sie unter einer Bedingung erfolgt sei. Mit Recht?

b) K möchte das ihm von V für 5000,– DM angebotene Kraftfahrzeug kaufen. Da ihm das Geld fehlt, schließen beide am Samstagnachmittag einen Kaufvertrag »unter der Bedingung, daß K bei der heutigen Lottoausspielung mindestens 5000,– DM gewinnt«. Bei der Ziehung der Lottozahlen hat K »6 Richtige«. Rechtslage?

c) Wie, wenn V und K im Fall b den Vertrag am Sonntagmorgen schließen, beide aber noch nichts vom Glück des K wissen?

d) V will an K ein Fernsehgerät für 1500,– DM, zahlbar in monatlichen Raten zu 100,– DM, verkaufen. K soll das Gerät sofort geliefert bekommen; andererseits will V auf das Gerät zurückgreifen können, wenn K seine Ratenzahlungen nicht einhält. Wie können V und K diese Ziele erreichen? (vgl. § 455).

e) K bringt im Fall d das ihm unter Eigentumsvorbehalt verkaufte Fernsehgerät zur Überprüfung in das Geschäft des V. Dieser veräußert das Gerät für 1600,– DM an D. K will wissen, ob er von V Schadensersatz fordern oder von D das Gerät herausverlangen kann.

I. Begriff, Bedeutung und Zulässigkeit

1. Begriff

a) Das *bedingte* Rechtsgeschäft enthält eine Bestimmung, welche die Wirkungen des Geschäfts *von einem zukünftigen, ungewissen Ereignis abhängig* macht (vgl. § 158).

Das Gesetz verwendet den Begriff »Bedingung« in zweifachem Sinne: Einmal ist damit die entsprechende Bestimmung des Rechtsgeschäfts gemeint, wonach dessen Geltung von einem zukünftigen ungewissen Ereignis abhängig gemacht wird (§ 158: »Wird ein Rechtsgeschäft unter einer ... Bedingung vorgenommen«). Zum anderen wird damit das Ereignis selbst bezeichnet (§ 158 II: »... mit dem Eintritte der Bedingung ...«).

(1) Das Gesetz regelt nur die *rechtsgeschäftlich* begründete Bedingung und 431
nicht die sog. Rechtsbedingung. Unter einer Rechtsbedingung ist eine Voraussetzung zu verstehen, die von einer Rechtsnorm für die Wirksamkeit des Rechtsgeschäfts gefordert wird.

Im Fall a bedarf V zur Verfügung über das Grundstück der Genehmigung des Vormundschaftsgerichts (§ 1821 I Nr. 1). Dabei handelt es sich um eine Rechtsbedingung. Denn die vormundschaftsgerichtliche Genehmigung ist kraft Gesetzes erforderlich, auch wenn davon nichts in der Auflassungserklärung steht. Da also keine rechtsgeschäftliche Bedingung vorliegt, ist § 925 II nicht verletzt. Genehmigt das Vormundschaftsgericht, ist K durch Auflassung und Eintragung Eigentümer des Grundstücks geworden.

Aber nicht jede rechtsgeschäftliche Bestimmung, die nach dem Sprachgebrauch als Geschäfts- oder Vertragsbedingung bezeichnet wird, ist eine Bedingung i. S. der §§ 158 ff. Viele dieser Bestimmungen machen die Wirksamkeit des Rechtsgeschäfts nicht von einem zukünftigen, ungewissen Ereignis abhängig.

Beispiele: Lieferbedingungen, Zahlungsbedingungen, Allgemeine Geschäftsbedingungen (Rdnr. 204 ff.).

(2) Bei der Bedingung im Sinne des Gesetzes handelt es sich um ein *zukünftiges,* 432
ungewisses Ereignis.

An der *Ungewißheit* fehlt es bei der »notwendigen Bedingung«. Diese macht den Eintritt der Rechtswirkung von einem notwendigerweise eintretenden Ereignis abhängig. Es handelt sich um eine Befristung, die – im Unterschied zu der Bedingung – ein zukünftiges, gewisses Ereignis darstellt (Rdnr. 433).

Beispiel: A verspricht dem B, ihm oder seinen Erben monatlich 400,– DM zu zahlen, wenn der Vater des B stirbt. Der Tod des Vaters ist gewiß; ungewiß ist nur der Zeitpunkt des Todes.

Ein *zukünftiges* Ereignis ist nicht gegeben, wenn die »Bedingung« auf ein gegenwärtiges oder gar bereits vergangenes Ereignis abstellt. In diesen Fällen liegt nach h. M. keine Bedingung vor, selbst wenn den am Rechtsgeschäft Beteiligten das (objektiv gewisse) Ereignis subjektiv ungewiß ist (*Palandt/Heinrichs*, Einf v § 158, Rdnr. 6).

M. E. können die Vorschriften der §§ 158 ff. analog angewandt werden, wenn die Parteien nicht auf das bereits Geschehene, sondern auf ihre zukünftige Kenntnis von dem bereits Geschehenen abstellen. In diesem Falle entspricht die Interessenlage derjenigen, die gegeben ist, wenn das Geschehene noch in der Zukunft läge, da in beiden Fällen eine gleiche Ungewißheit für die Parteien besteht.

Danach gibt es keinen einleuchtenden Grund, den Fall c im Ergebnis anders zu behandeln als den Fall b, in dem eine objektive Ungewißheit und damit eine echte Bedingung vereinbart wird. Solange V und K im Fall c noch nicht wissen, ob K gewonnen hat, soll die Wirkung des Vertrages in der Schwebe bleiben.

433 b) Das *befristete* Rechtsgeschäft enthält eine Bestimmung, welche die Wirkungen des Geschäfts von dem Eintritt eines bestimmten Termins abhängig macht (vgl. § 163). Bei der Befristung geht es also um ein *zukünftiges, gewisses Ereignis*. Das kann ein bestimmter Kalendertag, aber auch etwa der Todestag einer bestimmten Person sein. In beiden Fällen ist der Eintritt des Ereignisses gewiß, im letzteren nur der Zeitpunkt des Eintritts ungewiß. Dagegen ist ein bestimmter Geburtstag einer Person als Bedingung aufzufassen, da es unbestimmt ist, ob die Person diesen Tag erlebt.

Verspricht A dem B, an ihn – nicht auch an dessen Erben – monatlich 400,– DM zu zahlen, wenn der Vater des B stirbt, so hängt die Verpflichtung nicht nur vom Tod des Vaters, sondern auch davon ab, daß B seinen Vater überlebt. Das ist ungewiß; deshalb handelt es sich um eine Bedingung. Soll A verpflichtet sein, an B oder dessen Erben zu zahlen, kommt es nur auf den Tod des Vaters des B, also auf ein gewisses Ereignis, an.

434 2. *Bedeutung*

a) Eine *Bedingung* wird meist deshalb in das Rechtsgeschäft aufgenommen, um schon bei Geschäftsabschluß einem möglichen künftigen Umstand Rechnung zu tragen und das *Geschäft der zukünftigen Entwicklung anzupassen*.

Beispiele: Der Erblasser bestimmt in seinem Testament, daß die Erbfolge sich zugunsten seiner Kinder und zuungunsten seiner Ehefrau ändern soll, wenn diese wieder heiratet.

Im Fall b möchte K nur dann zur Kaufpreiszahlung verpflichtet sein, wenn er einen entsprechenden Lottogewinn macht. Er könnte mit dem Abschluß des (unbedingten) Kaufvertrages warten, bis sich herausstellt, ob er gewonnen hat. Aber er will durch den schon vorher abgeschlossenen (bedingten) Kaufvertrag verhindern, daß V sich später anders besinnt; dieser soll mit Eintritt der Bedingung (Lottogewinn) ohne weiteres zur Übereignung des Kraftwagens an K verpflichtet sein.

Im Fall d werden V und K einen (unbedingten) Kaufvertrag schließen. Außerdem wird V das Gerät durch Einigung und Übergabe (§ 929, 1) an K übereignen; jedoch soll das Eigentum an dem Gerät erst dann auf K übergehen, wenn dieser die letzte Kaufpreisrate zahlt. Deshalb wird in die Einigung die Bedingung vollständiger Kaufpreiszahlung aufgenommen (vgl. § 455; Kauf unter Eigentumsvorbehalt; BS Rdnr. 107ff.). Dadurch bleibt V bis zur Zahlung der letzten Rate Eigentümer des Geräts, so daß er hinreichend gesichert ist; zahlt K nicht, kann V von ihm nach § 985 das Gerät herausverlangen. Sobald dagegen die letzte Rate gezahlt wird, tritt die Bedingung ein; damit geht das Eigentum ohne weiteres auf K über.

Die Aufnahme einer Bedingung in das Rechtsgeschäft kann ferner dazu dienen, auf den durch das Geschäft Begünstigten einzuwirken, daß dieser sich im Sinne der Bedingung verhält.

Beispiele: A verspricht dem B, ihm seinen Pkw zu schenken, wenn B sein Examen besteht. – B soll das Geschenk zurückgeben müssen, wenn er wieder straffällig wird.

b) Eine *Befristung* wird in das Geschäft aufgenommen, wenn das Geschäft nur **435**
von einem bestimmten Zeitpunkt an wirksam sein oder nur bis zu einem bestimmten Termin gelten soll.

V und M schließen am 2. 1. einen Mietvertrag über eine Maschine, beginnend ab 1. 4. und endend am 31. 10.

3. Zulässigkeit **436**

a) Bedingungen und Befristungen sind *grundsätzlich zulässig*; das gilt sowohl für Verpflichtungs- (Fall b) wie für Verfügungsgeschäfte (Fall d).

b) *Ausnahmsweise* sind Bedingungen und Befristungen *unzulässig*: **437**

(1) Im *öffentlichen Interesse* bestimmt das Gesetz in einer Reihe von Fällen die Unzulässigkeit. *Bedingungs- und befristungsfeindliche Rechtsgeschäfte* sind vor allem einige familienrechtliche Verträge wie die Eheschließung (§ 13 II EheG). Aber auch gewisse vermögensrechtliche Geschäfte wie die Auflassung (§ 925 II) gehören hierher; die Rechtsklarheit, der die Eintragung im Grundbuch dient, würde beeinträchtigt, wenn eine Bedingung oder Befristung zulässig wäre.

Demnach sind die Eheschließung auf Zeit sowie die Auflassung unter Eigentumsvorbehalt unzulässig.

(2) *Wegen der Interessen des Erklärungsempfängers* sind einseitige Rechtsge- **438**
schäfte, die in fremde Vermögensverhältnisse eingreifen, bedingungs- und befristungsfeindlich. Das bestimmt § 388, 2 für die Aufrechnungserklärung. Die Aufrechnung soll vor allem im Interesse des Erklärungsempfängers klare Verhältnisse schaffen; er soll wissen, woran er ist (AS Rdnr. 185). Dieser Grund trifft gleichermaßen für die Ausübung anderer Gestaltungsrechte (Rdnr. 580) zu. Deshalb sind auch die Anfechtungs-, Kündigungs- und Rücktrittserklärung bedingungs- und befristungsfeindlich, obwohl das Gesetz dies nicht ausdrücklich sagt.

Da die Unzulässigkeit einer Bedingung oder Befristung in diesen Fällen dem Schutz des Erklärungsempfängers dient, sind bedingte oder befristete Gestaltungserklärungen jedoch dann zulässig, wenn der Empfänger auf seinen Schutz verzichtet oder ausnahmsweise nicht schutzbedürftig ist. Das ist der Fall, wenn die Parteien die Zulässigkeit einer Bedingung (Befristung) vereinbart haben oder wenn diese allein von einer Handlung des Empfängers abhängt; kommt es nur auf eine bestimmte Handlung des Empfängers an, besteht nämlich für ihn keine Unklarheit über die Rechtslage (vgl. BGH NJW 1986, 2245).

Beispiel: V kündigt den Mietvertrag über eine Maschine unter der Bedingung, daß M nicht bereit ist, monatlich 50,– DM mehr Mietzins zu zahlen (sog. Änderungskündigung).

439 II. Arten

1. *Aufschiebende und auflösende Bedingung*

a) Die *aufschiebende* Bedingung (Suspensivbedingung) macht das Wirksam*werden* des Rechtsgeschäfts von dem Eintritt des künftigen, ungewissen Ereignisses abhängig (§ 158 I). Bis zum Eintritt dieses Ereignisses besteht ein Schwebezustand; erst mit dem Eintritt entsteht die Rechtswirkung des Rechtsgeschäfts.

Beispiele: Kaufvertrag unter der Bedingung, daß K im Lotto gewinnt (Fall b); bedingte Übereignung beim Kauf unter Eigentumsvorbehalt (Fall d).

440 b) Die *auflösende* Bedingung (Resolutivbedingung) macht das Wirksam*bleiben* von dem Nichteintritt des künftigen, ungewissen Ereignisses abhängig (§ 158 II). Die Rechtswirkung des Rechtsgeschäfts entsteht sofort, aber sie endet mit dem Eintritt des Ereignisses.

Beispiel: A übereignet dem B sein Kraftfahrzeug. Das Eigentum soll automatisch wieder an A zurückfallen, wenn A das ihm von B gewährte Darlehen zurückzahlt. Hier steht die Übereignung unter der auflösenden Bedingung der Rückzahlung des Darlehens.

441 Zu a) und b): Die Feststellung, ob eine aufschiebende oder eine auflösende Bedingung vorliegt, ist für die Rechtsfolgen von entscheidender Bedeutung. Im Einzelfall kann es zweifelhaft sein, ob eine aufschiebende oder eine auflösende Bedingung gewollt ist. Durch Auslegung ist zu ermitteln, welche Wirkung die Bedingung nach der Vereinbarung der Parteien haben soll. Wenn erst das künftige, ungewisse Ereignis die Wirkungen des Vertrages auslösen soll, handelt es sich um eine aufschiebende Bedingung; sollen die Wirkungen bereits mit Vertragsschluß entstehen und bei Eintritt des Ereignisses enden, liegt eine auflösende Bedingung vor.

Vereinbaren die Parteien beim Kauf unter Eigentumsvorbehalt, daß das Eigentum an der Kaufsache erst bei Zahlung der letzten Rate auf den Käufer übergehen soll, steht die Einigung über den Eigentumsübergang unter der aufschiebenden Bedingung der Zahlung der letzten Rate. Soll dagegen das Eigentum sofort auf den Käufer übergehen, jedoch automatisch wieder an den Verkäufer zurückfallen, wenn der Käufer mit der Zahlung einer Rate länger als eine Woche im Rückstand ist, so ist die Einigung unter einer auflösenden Bedingung erfolgt.

Ist durch Auslegung nicht zu ermitteln, ob die Parteien eine aufschiebende oder eine auflösende Bedingung gewollt haben, hilft das Gesetz in einigen Fällen mit Auslegungsregeln weiter.

So ist beim Kauf unter Eigentumsvorbehalt nach § 455 *im Zweifel* anzunehmen, daß die Übertragung des Eigentums unter der *aufschiebenden* Bedingung vollständiger Zahlung des Kaufpreises erfolgt. – Beim Kauf auf Probe (§ 495; BS Rdnr. 124) ist der Kauf *im Zweifel* unter der *aufschiebenden* Bedingung der Billigung durch den Käufer geschlossen (§ 495 I 2).

2. Anfangs- und Endtermin 442

a) Der *Anfangstermin* macht das Wirksamwerden des Rechtsgeschäfts vom Eintritt eines zukünftigen, gewissen Ereignisses abhängig. Hinsichtlich der Wirkung besteht eine Parallele zur aufschiebenden Bedingung. Deshalb finden die Regeln über die aufschiebende Bedingung entsprechende Anwendung (§ 163).

b) Der *Endtermin* macht das Ende der Wirkung des Rechtsgeschäfts vom Eintritt eines zukünftigen, gewissen Ereignisses abhängig. Hier sind die Vorschriften über die auflösende Bedingung entsprechend anwendbar (§ 163).

Zu a) und b): Ob der festgelegte Zeitpunkt als Anfangs- oder Endtermin gemeint ist, muß durch Auslegung ermittelt werden. Wenn in den folgenden Erörterungen von der aufschiebenden und der auflösenden Bedingung die Rede ist, gilt in der Regel Entsprechendes für den Anfangs- und Endtermin.

III. Rechtsfolgen des Eintritts oder Ausfalls der Bedingung 443

1. Eintritt der Bedingung

a) Tritt das zukünftige, ungewisse Ereignis ein, *ändert sich die Rechtslage*: Bei der *aufschiebenden* Bedingung entsteht die Rechtswirkung des Rechtsgeschäfts, bei der *auflösenden* Bedingung endet sie. In beiden Fällen bedarf es keiner neuen Willensäußerung.

b) Die Rechtslage ändert sich *erst vom Zeitpunkt des Eintritts der Bedingung* 444 *ab* (Wirkung ex nunc); das Gesetz kennt keine Rückwirkung auf den Zeitpunkt des Abschlusses des Rechtsgeschäfts. Das ergibt sich schon aus dem Wortlaut des § 158 (§ 158 I: »mit dem Eintritte der Bedingung«; § 158 II: »mit diesem Zeitpunkte«) und ist außerdem aus § 159 zu entnehmen. Danach können die Parteien zwar vereinbaren, daß die an den Eintritt der Bedingung geknüpften Folgen zurückbezogen werden sollen. Diese Vereinbarung hat aber keine dingliche, sondern lediglich eine schuldrechtliche Wirkung; die Parteien haben bei einer solchen Vereinbarung einander zu gewähren, was sie haben würden, wenn die Folgen in dem früheren Zeitpunkt eingetreten wären.

Beispiele: Hat V dem K eine Kuh verkauft und unter der *aufschiebenden* Bedingung vollständiger Kaufpreiszahlung übereignet, so wird K Eigentümer der Kuh erst im Zeitpunkt der Zahlung der letzten Rate und nicht schon (rückwirkend) vom Zeitpunkt der bedingten Übereignung an. Wenn die Kuh im Zeitraum zwischen bedingter Übereignung und Zahlung der letzten Kaufpreisrate kalbt, dann gehört das Kalb nach § 953 dem V als dem Eigentümer der Kuh. Ist aus der Vereinbarung der Parteien zu entnehmen, daß der Eintritt der Bedingung auf den Vertragsabschluß zurückwirken soll, so hat das auf die dingliche Rechtslage keinen Einfluß. V ist Eigentümer des Kalbes geworden. Aber er ist nach der Vereinbarung schuldrechtlich verpflichtet, den K so zu stellen, wie wenn die Bedingung schon bei Geschäftsabschluß eingetreten wäre (§ 159). V muß also das ihm gehörende Kalb dem K übereignen.

Hat A dem B die Kuh unter einer *auflösenden* Bedingung übereignet, so ist B bis zum Eintritt der Bedingung Eigentümer der Kuh. Kalbt die Kuh vor Eintritt der auflösenden Bedingung, gehört das Kalb dem B als Eigentümer der Kuh (§ 953). Daran ändert sich nichts, wenn die Bedingung eintritt. Ist eine Rückwirkung der Bedingung vereinbart, muß B dem A das Kalb übereignen (§ 159).

445 c) *Dem Eintritt der Bedingung gleichgestellt* wird der Fall, daß eine Partei, zu deren Nachteil der Eintritt gereichen würde, wider Treu und Glauben den Eintritt der Bedingung verhindert (§ 162 I). Diese Vorschrift stellt eine Fiktion auf: Die treuwidrig verhinderte Bedingung gilt als eingetreten. Es handelt sich um einen Spezialfall des Grundsatzes von Treu und Glauben (§ 242).

Beispiel: V, der die Kaufsache dem K unter der aufschiebenden Bedingung vollständiger Kaufpreiszahlung übereignet hat, nimmt die letzte Kaufpreisrate nicht an. Nach § 162 I gilt die Bedingung als eingetreten, so daß K Eigentümer der Kaufsache wird.

Ein Verstoß gegen Treu und Glauben liegt nicht vor, wenn eine Partei den Eintritt der Bedingung bewußt verhindert, der Eintritt der Bedingung aber nach der Parteivereinbarung vom freien Willen dieser Partei abhängen soll.

Beispiel: Beim Kauf auf Probe (§ 495; BS Rdnr. 124) billigt der Käufer die Kaufsache nicht.

446 2. *Ausfall der Bedingung*

a) Die Bedingung ist ausgefallen, wenn das *Ereignis nicht mehr eintreten kann.*

Beispiele: Die Bedingung, daß ein bestimmter Geldbetrag innerhalb einer bestimmten Frist gezahlt wird, ist ausgefallen, wenn die Frist abgelaufen ist, ohne daß gezahlt worden ist. Die Bedingung, daß A den B überlebt, kann nicht mehr eintreten, wenn A vor B stirbt.

Ist eine *aufschiebende* Bedingung ausgefallen, kann das Rechtsgeschäft nicht mehr wirksam werden; bei Ausfall einer *auflösenden* Bedingung steht das Wirksambleiben des Geschäfts endgültig fest.

447 b) *Dem Ausfall der Bedingung gleichgestellt* wird der Fall, daß eine Partei, zu deren Vorteil der Eintritt gereicht, diesen wider Treu und Glauben herbeiführt (§ 162 II). Obwohl also die Bedingung eingetreten ist, wird sie von § 162 II als nicht eingetreten behandelt. Auch bei dieser Bestimmung handelt es sich um einen Spezialfall des Grundsatzes von Treu und Glauben (§ 242). Bei § 162 I geht es um die treuwidrige Verhinderung, bei § 162 II um die treuwidrige Herbeiführung des Eintritts der Bedingung.

IV. Schutz des bedingt Berechtigten 448

1. Schutz im Verhältnis zum Geschäftspartner

Solange die Bedingung nicht eingetreten ist, aber noch eintreten kann, müssen die Beteiligten mit der Möglichkeit des Eintritts der Bedingung rechnen. Deshalb haben sie sich so zu verhalten, daß bei Eintritt der Bedingung der von ihnen bezweckte Erfolg auch erreicht wird; insbesondere haben sie alles zu unterlassen, was dem zuwiderliefe.

a) Das *aufschiebend bedingte Rechtsgeschäft* wird zwar erst mit dem Eintritt 449
der Bedingung wirksam (§ 158 I); aber schon vorher wird der unter einer aufschiebenden Bedingung Berechtigte durch § 160 I geschützt. Danach kann er Schadensersatz verlangen, wenn der Geschäftspartner während der Schwebezeit das von der Bedingung abhängige Recht durch sein Verschulden vereitelt oder beeinträchtigt. Ein Schaden entsteht dem Berechtigten aber nur, wenn die Bedingung eintritt, da das Geschäft erst dann Rechtswirkungen entfaltet; deshalb ist der Schadensersatzanspruch nach § 160 I davon abhängig, daß die Bedingung auch eintritt (»im Falle des Eintritts der Bedingung«).

Ist die Verpflichtung des A gegenüber B zur Übereignung einer Sache aufschiebend bedingt und beschädigt oder zerstört A vor Bedingungseintritt schuldhaft die Sache, kann B von A seinen dadurch entstandenen Schaden ersetzt verlangen, wenn die Bedingung eintritt und damit der Anspruch des B gegen A entsteht.

Im Fall e ist V bei der Veräußerung des Fernsehgerätes an D noch Eigentümer des Gerätes. Dennoch ist er dem K nach § 160 schadensersatzpflichtig, wenn mit der Zahlung der letzten Kaufpreisrate die Bedingung eintritt, unter der die Übereignung an K steht.

b) Beim *auflösend bedingten Rechtsgeschäft* ist zwar die Rechtswirkung bereits 450
entstanden; aber der Berechtigte muß damit rechnen, daß die Bedingung eintritt und damit die Rechtswirkung endet. Deshalb macht er sich nach § 160 II schadensersatzpflichtig, wenn er das Recht dessen, »zu dessen Gunsten der frühere Rechtszustand wieder eintritt«, schuldhaft vereitelt oder beeinträchtigt. Auch dieser Schadensersatzanspruch entsteht erst mit dem Eintritt der Bedingung.

Hat A dem B eine Sache unter einer auflösenden Bedingung übereignet, ist B Eigentümer der Sache. Beschädigt B schuldhaft die Sache oder übereignet er sie an einen anderen, vereitelt oder beeinträchtigt er das Recht des A. Dieser kann von B Schadensersatz verlangen, wenn die Bedingung eintritt, weil damit das Eigentum an A zurückfällt.

2. Schutz im Verhältnis zu einem Dritten 451

a) Hat jemand *unter einer aufschiebenden Bedingung über einen Gegenstand verfügt*, soll der bedingt Berechtigte nicht nur durch einen Schadensersatzanspruch nach § 160 I gegen den Verfügenden geschützt werden. Darüber hinaus soll durch § 161 I bewirkt werden, daß der bedingt Berechtigte bei Bedingungseintritt auch dann das Recht erwirbt, wenn der Verfügende nach der Verfügung zugunsten des bedingt Berechtigten und vor dem Eintritt der Bedingung noch einmal zugunsten eines Dritten verfügt. Dieses Ziel erreicht das Gesetz dadurch, daß es die Verfügungsmacht des Verfügenden, der bis zum Bedingungseintritt noch Inhaber des Rechtes ist, zugunsten des bedingt Berechtigten beschränkt. Nach § 161 I 1 ist nämlich die erneute Verfügung über den Gegenstand während des Schwebezustandes insoweit unwirksam, als sie im Fall des Eintritts der Bedingung die von dieser abhängige Wirkung vereiteln oder beeinträchtigen würde. Die Vorschrift schützt also den bedingt Berechtigten, der mit dem Rechtsgeschäft ein sog. Anwartschaftsrecht (Rdnr. 564) erworben hat, vor Zwischenverfügungen.

Im Fall e hat K aufschiebend bedingtes Eigentum an dem Fernsehgerät erworben. Da V bis zur Zahlung der letzten Kaufpreisrate noch Eigentümer des Gerätes ist, kann er es nach § 929, 1 an D übereignen, der damit Eigentümer wird. Daran ändert sich auch nichts, wenn die Bedingung ausfällt. Tritt sie aber ein, so ist die Verfügung des V zugunsten des D gem. § 161 I unwirksam (Ausnahme: § 161 III). K kann dann als Eigentümer das Gerät von D als Besitzer nach § 985 herausverlangen.

Der geschilderte Schutz des bedingt Berechtigten greift jedoch nicht ein, wenn der durch die zweite Verfügung begünstigte Dritte von der bedingten Verfügung nichts weiß; hier geht der Schutz des Dritten dem des bedingt Berechtigten vor. Das beruht auf folgender Überlegung: Nach §§ 929, 932 erwirbt jemand das Eigentum an der ihm übereigneten Sache selbst dann, wenn der Veräußerer gar nicht Eigentümer der Sache ist; Voraussetzung eines solchen gutgläubigen Erwerbs vom Nichtberechtigten ist, daß der Erwerber gutgläubig in bezug auf das Eigentum des Veräußerers ist und die Sache dem Eigentümer nicht abhanden gekommen ist (Nachzulesen: Rdnr. 590). Wenn danach ein Gutgläubiger schon von einem Nichteigentümer das Eigentum erwirbt, dann muß es erst recht möglich sein, daß jemand vom Eigentümer erwirbt, wenn dessen Verfügungsmacht wegen der erfolgten aufschiebend bedingten Übereignung nach § 161 I beschränkt ist. Deshalb sind nach § 161 III die Vorschriften zugunsten derjenigen, die Rechte von einem Nichtberechtigten herleiten, entsprechend anwendbar.

Ist D im Fall e gutgläubig in bezug auf die Verfügungsmacht des V, kennt er also die bedingte Verfügung des V nicht und beruht diese Unkenntnis nicht auf grober Fahrlässigkeit (vgl. § 932), dann erwirbt er das Eigentum an dem Fernsehgerät, und er verliert es auch nicht, wenn später die Bedingung (Zahlung der letzten Kaufpreisrate) eintritt. K kann dann das Gerät nicht nach § 985 von D herausverlangen.

452 b) Für die *auflösend bedingte Verfügung* gilt das zur aufschiebend bedingten Verfügung Gesagte entsprechend (§ 161 II, III).

Hat also A dem B eine Sache unter einer auflösenden Bedingung übereignet, wird B zwar Eigentümer der Sache; seine Übereignung der Sache an D ist jedoch unwirksam, wenn die Bedingung eintritt (§ 161 II). Allerdings können auch hier die Gutglaubensregeln zugunsten des D eingreifen (§ 161 III).

§ 22 Zustimmungsbedürftige Rechtsgeschäfte

453

Schrifttum: *v. Blume*, Zustimmung kraft Rechtsbeteiligung und Zustimmung kraft Aufsichtsrechts, JherJb 48, 417; *Giesen*, Grundsätze der Konfliktlösung bei fehlerhaften Rechtsgeschäften, Jura 1989, 57; *Ludewig*, Die Ermächtigung nach bürgerlichem Recht, 1922; *Palm*, Die nachträgliche Erteilung der verweigerten Genehmigung, 1964; *Raape*, Zustimmung und Verfügung, AcP 121, 257; *K. Schmidt*, Beseitigung der schwebenden Unwirksamkeit durch Verweigerung einer Genehmigung, AcP 189, 1; *Thiele*, Die Zustimmung in der Lehre vom Rechtsgeschäft, 1966.

Fälle:

a) Frau F, die mit ihrem Ehemann M im gesetzlichen Güterstand lebt, will ihr Grundstück, das ihr ganzes Vermögen darstellt, für 80000,– DM an K verkaufen. Sie möchte wissen, ob M seine (nach § 1365 I erforderliche) Zustimmung ihr gegenüber oder aber auch dem K gegenüber erklären kann, ob die Zustimmungserklärung des M wegen § 313, 1 der notariellen Beurkundung bedarf und ob die Zustimmung des M bereits bei Abschluß des Grundstückskaufvertrages vorliegen muß oder es ausreicht, daß M nach dem Vertragsschluß zustimmt.

b) Im Fall a schließt F mit K am 1. 2. den Kaufvertrag. Am 1. 3. stimmt M dem Verkauf zu. Ist der Kaufvertrag wirksam, wenn sich herausstellt, daß M (F) seit dem 15. 2. geisteskrank ist?

c) V verkauft und übereignet eine dem E gehörende, diesem gestohlene Uhr an K. Wie kann K Eigentümer der Uhr werden?

I. Bedeutung und Begriff

1. Bedeutung

Normalerweise ist ein Rechtsgeschäft mit seinem Abschluß auch wirksam. In einer Reihe von Fällen macht das Gesetz die Wirksamkeit des Geschäfts aber von der Zustimmung eines Dritten abhängig. Dafür sind letztlich zwei Gründe maßgebend:

a) Die handelnde Person soll geschützt werden; deshalb ist zur Wirksamkeit des Geschäfts die Zustimmung einer Aufsichtsperson erforderlich (*Zustimmung kraft Aufsichtsrechts*).

So hängt die Wirksamkeit des von einem Minderjährigen geschlossenen Kaufvertrages von der Zustimmung seines gesetzlichen Vertreters ab (§ 108; Rdnr. 245).

b) Ein Dritter soll geschützt werden, weil ein Rechtsgeschäft seinen Rechtskreis berührt; deshalb ist seine Zustimmung zur Wirksamkeit des Geschäfts erforderlich (*Zustimmung kraft Rechtsbeteiligung*).

Der Vorerbe V übereignet ein zum Nachlaß gehörendes Grundstück an K. Dadurch wird der Nachlaß zum Nachteil des Nacherben N geschmälert. Deshalb wird die Verfügung unwirksam, wenn der Nacherbfall eintritt (§ 2113 I). N ist jedoch nicht schutzbedürftig, wenn er der Verfügung zustimmt (ErbR Rdnr. 350).

454 2. *Begriff*

Das zustimmungsbedürftige Rechtsgeschäft ist ein Rechtsgeschäft, das kraft Gesetzes zu seiner Wirksamkeit der Zustimmung einer dritten Person bedarf (vgl. § 182 I).

a) Die Zustimmungsbedürftigkeit muß *kraft Gesetzes* bestimmt sein (Rechtsbedingung; Rdnr. 431).

Wenn die Parteien des Rechtsgeschäfts vereinbaren, daß dessen Wirksamkeit von der Zustimmung eines anderen abhängig sein soll, handelt es sich um eine Bedingung (§§ 158 ff.; Rdnr. 430).

b) Es muß sich um die Zustimmung einer *Privatperson* handeln, nicht um das Einverständnis einer Behörde.

Jedoch sind die Vorschriften der §§ 182 ff. bei behördlichen Genehmigungen entsprechend anwendbar, sofern nicht – wie bei der vormundschaftsgerichtlichen Genehmigung in §§ 1828 ff. – Spezialregeln bestehen.

c) Die Zustimmung wird von einem *Dritten* erteilt, der selbst das zustimmungsbedürftige Rechtsgeschäft nicht vorgenommen hat (vgl. § 182 I).

d) Durch die Zustimmung wird das zustimmungsbedürftige Rechtsgeschäft *wirksam*.

455 **II. Zustimmung**

1. *Arten*

a) *Einwilligung* ist die Zustimmung, die dem zustimmungsbedürftigen Geschäft zeitlich vorausgeht (= *vorherige Zustimmung*; § 183, 1).

b) *Genehmigung* ist die Zustimmung, die dem zustimmungsbedürftigen Geschäft zeitlich nachfolgt (= *nachträgliche Zustimmung*; § 184 I).

456 2. *Allgemeine Regeln*

a) Die Zustimmung ist eine empfangsbedürftige Willenserklärung. Auf sie finden also die Regeln über die Willenserklärung Anwendung.

Keine wirksame Zustimmung liegt vor, wenn z. B. der Zustimmende wegen Geisteskrankheit (M im Fall b) keine gültige Willenserklärung abgeben kann oder die Zustimmungserklärung nach §§ 119 ff. wirksam angefochten ist.

b) Die Zustimmung kann vom Zustimmungsberechtigten *»sowohl dem einen als dem anderen Teile gegenüber erklärt werden«* (§ 182 I).

Im Fall a kann M seine Zustimmungserklärung entweder der F oder dem K gegenüber abgeben. – In besonderen Fällen (§ 108 II, Rdnr. 246; § 177 II, Rdnr. 551) muß dagegen die Zustimmung dem anderen Teile gegenüber erklärt werden.

c) Die Zustimmungserklärung bedarf *nicht der für das Rechtsgeschäft bestimmten Form* (§ 182 II). Das wird damit begründet, daß die Zustimmung kein Teil des zustimmungsbedürftigen Rechtsgeschäfts sei; die gesetzliche Regelung ist bedenklich, wenn die vorgeschriebene Form Warnfunktion (Rdnr. 253) hat. 457

Im Fall a ist auch die formlose Zustimmung des M trotz § 313, 1 wirksam. Es genügt also etwa das Kopfnicken auf eine Frage nach der Zustimmung.

d) Das Rechtsgeschäft, das mit Einwilligung des Berechtigten vorgenommen wird, ist sofort *wirksam*. Fehlt die Einwilligung, ist es schwebend unwirksam. Es wird durch die Genehmigung nachträglich wirksam.

3. *Besonderheiten bei der Einwilligung* 458

a) Bei bestimmten zustimmungsbedürftigen *einseitigen Rechtsgeschäften* (z. B. § 111, Rdnr. 248; § 180, Rdnr. 548) kann die Zustimmung wirksam nur vorher (also nur als Einwilligung) erteilt werden. Eine Genehmigung ist im Interesse des Erklärungsempfängers ausgeschlossen, da dieser nicht im unklaren darüber bleiben soll, ob die Erklärung wirksam wird. Bei Verträgen ist dagegen auch eine Genehmigung möglich, da der Vertragspartner nicht schutzbedürftig ist; er braucht sich nicht auf einen Vertrag einzulassen, dessen Wirksamkeit noch von einer Genehmigung abhängig ist.

Im Fall a ist die Zustimmung des M zum Kaufvertrag vor und nach dem Vertragsschluß möglich.

Wenn ein zustimmungsbedürftiges *einseitiges Rechtsgeschäft ohne Vorlage einer schriftlichen Einwilligung* gegeben ist, kann der Erklärungsempfänger das Rechtsgeschäft *unverzüglich zurückweisen* und es dadurch unwirksam machen (§ 182 III i. V. m. § 111, 2 und 3; siehe Rdnr. 248).

b) Die *Einwilligung kann vom Einwilligenden bis zur Vornahme des zustimmungsbedürftigen Rechtsgeschäfts grundsätzlich frei widerrufen werden* (§ 183, 1). Der Widerruf ist eine empfangsbedürftige Willenserklärung, die gegenüber dem einen oder anderen Teil erklärt werden kann (§ 183, 2). Wird das zustimmungsbedürftige Geschäft nach dem Widerruf der Einwilligung vorgenommen, ist es unwirksam. Es kann nur wirksam werden, wenn es zulässigerweise genehmigt wird. 459

Insoweit besteht ein Unterschied zur Genehmigung. Da diese erst nach Vornahme des zustimmungsbedürftigen Rechtsgeschäfts erteilt wird, ist das Geschäft damit wirksam, so daß die Genehmigung unwiderruflich ist.

Auch eine Einwilligung ist ausnahmsweise unwiderruflich, wenn das Gesetz die Widerruflichkeit ausschließt (z. B. § 876, 3), die Einwilligung unwiderruflich erteilt worden ist oder die Unwiderruflichkeit sich aus dem der Erteilung zugrunde liegenden Rechtsverhältnis ergibt (§ 183, 1).

460 *4. Besonderheiten bei der Genehmigung*

a) Die *Genehmigung wirkt*, soweit nichts anderes bestimmt ist, *auf den Zeitpunkt der Vornahme des Rechtsgeschäfts zurück* (§ 184 I). Durch die Wirksamkeit ex tunc will das Gesetz erreichen, daß das zustimmungsbedürftige Geschäft so behandelt wird, als wäre der Mangel der Zustimmung überhaupt nicht vorhanden gewesen.

Deshalb ist im Fall b die nach Abschluß des Kaufvertrages und vor Erteilung der Genehmigung eingetretene Geisteskrankheit der F unerheblich. Entscheidend ist allein, daß F bei Abschluß des Kaufvertrages geistig gesund gewesen ist.

Die Rückwirkung gilt jedoch nicht, sofern etwas anderes (durch Gesetz oder in dem zustimmungsbedürftigen Geschäft) bestimmt ist.

Nach richtiger Ansicht scheidet eine Rückwirkung auch insoweit aus, als es um den Ablauf einer Frist oder den Beginn der Verjährungsfrist geht; anderenfalls würden die Fristen unberechtigterweise verkürzt, was vom Gesetz nicht gewollt ist.

461 b) Die *Rückwirkung darf nicht dazu führen, daß dadurch Verfügungen unwirksam werden, die der Genehmigende vor der Genehmigung über den Gegenstand des Rechtsgeschäfts getroffen hat* (§ 184 II).

Beispiel: Im Fall c kann K dadurch Eigentümer der Uhr werden, daß E die Übereignung genehmigt. Hat E vor der Genehmigung die Uhr an X übereignet, so könnte er, wenn seine Genehmigung zurückwirkte, durch eine Genehmigung der Übereignung an K seine Verfügung zugunsten des X hinfällig machen.

§ 184 II schützt also denjenigen, zu dessen Gunsten der Genehmigende während der Schwebezeit verfügt hat. Diese Verfügung soll nicht durch Genehmigung einer älteren unwirksamen Verfügung außer Kraft gesetzt werden können. Entsprechendes gilt auch für den Schutz des Gläubigers einer Zwangsvollstreckungsmaßnahme, die in der Schwebezeit gegen den Genehmigenden vorgenommen worden ist (§ 184 II).

462 III. Zustimmung bei der Verfügung eines Nichtberechtigten

Verfügt ein Nichtberechtigter über einen Gegenstand (Fall c), kann ein gutgläubiger Erwerb vom Nichtberechtigten in Betracht kommen (Vgl. Rdnr. 27, 590).

Im Fall c scheidet ein solcher Erwerb wegen § 935 I aus, da die Uhr dem E gestohlen worden ist (Rdnr. 590).

1. Einwilligung und Genehmigung

Die Verfügung eines Nichtberechtigten ist auch dann wirksam, wenn der Berechtigte dieser Verfügung zustimmt. Dann ist der Berechtigte nicht schutzbedürftig.

Weil er der Verfügung zustimmt, ist er so zu behandeln, als ob er selbst verfügt hätte. Die Zustimmung kann *vor* der Verfügung (= Einwilligung; § 185 I) und auch *nach* der Verfügung (= Genehmigung; § 185 II, 1, 1. Fall) erfolgen.

§ 185 behandelt nur die Fälle, in denen der Nichtberechtigte *im eigenen Namen* handelt. So ist V im Fall c Partei des Kauf- und Übereignungsvertrages. Tritt V dagegen als Vertreter des E auf, dann schließt er im Namen des E den Kauf- und Übereignungsvertrag; hier kommt es für die Wirksamkeit der Übereignung darauf an, ob V von E zur Übereignung bevollmächtigt war (vgl. etwa § 177 I; Rdnr. 546ff.).

2. *Heilung* **463**

Auch ohne Zustimmung des Berechtigten kann die Verfügung des Nichtberechtigten nach § 185 II in zwei Fällen wirksam werden:

a) Der *Verfügende erwirbt den Gegenstand.* Dadurch wird der Verfügende selbst Berechtigter.

Beispiele: Im Fall c übereignet E die Uhr an V, oder V beerbt als Alleinerbe den E und wird damit nach § 1922 Eigentümer der Uhr.

b) Der *Berechtigte beerbt den Verfügenden und haftet für die Nachlaßverbindlichkeiten unbeschränkt.* Auch in diesem Fall sind Berechtigter und Verfügender identisch.

Beispiel: Im Fall c beerbt E den V. Die Heilung tritt nur dann ein, wenn E für die Nachlaßverbindlichkeiten unbeschränkt haftet. Solange der Erbe seine Haftung für Nachlaßschulden auf den Nachlaß beschränken kann, besteht die Möglichkeit, daß durch Nachlaßverwaltung oder Nachlaßkonkurs das Eigenvermögen des Erben vom Nachlaß des Erblassers getrennt wird und damit Berechtigung und Verfügung nicht in einer Person zusammentreffen (Einzelheiten: ErbR Rdnr. 618, 647ff.).

Zu a) und b): In beiden Fällen tritt die Heilung nur mit *Wirkung ex nunc* ein. Wenn über den Gegenstand mehrere miteinander nicht in Einklang stehende Verfügungen getroffen worden sind, wird nur die frühere Verfügung wirksam (§ 185 II 2).

Beispiel: Hat V die dem E gehörende Uhr zuerst an K 1 und dann an K 2 veräußert und erwirbt er die Uhr dann von E zu Eigentum, dann wird seine Verfügung nur zugunsten des K 1 geheilt. Dieser wird Eigentümer der Uhr.

Sechstes Kapitel Die Stellvertretung

464 § 23 Bedeutung, Interessenlage und Abgrenzung

Schrifttum: *Bettermann*, Vom stellvertretenden Handeln, 1937; *G. Hager*, Die Prinzipien der Mittelbaren Stellvertretung, AcP 180, 239; *Hitzemann*, Stellvertretung beim sozialtypischen Verhalten, 1966; *Lüderitz*, Prinzipien des Vertretungsrechts, JuS 1976, 765; *Müller-Freienfels*, Die Vertretung beim Rechtsgeschäft, 1955; *Schwark*, Rechtsprobleme bei der mittelbaren Stellvertretung, JuS 1980, 777.

I. Bedeutung

Wer eine Willenserklärung abgibt, handelt in der Regel für sich selbst; die Folgen seines rechtsgeschäftlichen Handelns sollen ihn treffen.

Schließt B mit D einen Kaufvertrag über eine Uhr zu 100,– DM, so treffen ihn selbst die Rechtsfolgen aus dem Vertrag; er ist aus dem Vertrag berechtigt und verpflichtet.

Es besteht aber oft ein Bedürfnis dafür, daß jemand für einen anderen rechtsgeschäftlich handelt. So können tatsächliche Gründe (wie Abwesenheit, fehlende Sachkunde, vor allem aber die komplizierte Vielgestaltigkeit des modernen Wirtschaftslebens), aber auch rechtliche Gründe (z. B. Unfähigkeit zur Abgabe gültiger Willenserklärungen) den Abschluß von Rechtsgeschäften durch eine Hilfsperson erforderlich machen.

Beispiele: Der Inhaber eines großen Warenhauses ist tatsächlich nicht in der Lage, alle erforderlichen Wareneinkäufe selbst zu tätigen; deshalb bestellt er einen Angestellten als Einkäufer. Der Inhaber kann erst recht nicht alle Kunden selbst bedienen; deshalb beschäftigt er 100 Verkäuferinnen.

Ein Geschäftsunfähiger, der ein Mietshaus geerbt hat, ist rechtlich nicht in der Lage, die Wohnungen selbst zu vermieten, da er keine gültige Willenserklärung abgeben kann. Für ihn handelt sein gesetzlicher Vertreter (Eltern, Vormund, Betreuer).

Das BGB gibt in §§ 164ff. die Möglichkeit, daß einer für den anderen rechtsgeschäftlich handelt. Obwohl eine Person (als Vertreter) handelt, treffen die Rechtsfolgen die andere Person (den Vertretenen), wie wenn diese Person selbst rechtsgeschäftlich gehandelt hätte.

B bevollmächtigt H, in seinem Namen seine Uhr zu verkaufen. Schließt H im Namen von B mit D einen Kaufvertrag über die Uhr zum Preise von 100,– DM, handelt H für B. Dieser ist Partei des Kaufvertrages; er ist verpflichtet, dem D die Uhr zu übereignen, und berechtigt, von D die Zahlung des Kaufpreises zu verlangen.

Ein rechtsgeschäftliches Handeln für einen anderen liegt nicht nur vor, wenn der Vertreter eine Willenserklärung abgibt (= aktive Stellvertretung; § 164 I 1), sondern auch dann, wenn er die Willenserklärung eines Dritten empfängt (= passive Stellvertretung, Empfangsvertretung; § 164 III). 465

H macht dem D im Namen des B ein Vertragsangebot zum Verkauf der Uhr für 100,– DM (= aktive Stellvertretung). H empfängt im Namen des B die Annahmeerklärung des D (= passive Stellvertretung). – H kündigt im Namen des B dessen Mietvertrag mit D. Er empfängt im Namen des B die Anfechtungserklärung des D.

II. Interessenlage 466

Wird ein Rechtsgeschäft durch einen Stellvertreter geschlossen, stehen sich drei Personen gegenüber: Der Vertreter ist der *Handelnde* (H), der im Namen des Vertretenen die Willenserklärung abgibt. Den Vertretenen sollen die Rechtsfolgen treffen; er soll der durch die Willenserklärung des H *Betroffene* (B) sein. Dem Vertreter H und dem Vertretenen B steht der Erklärungsempfänger als *Dritter* (D) gegenüber.

1. Interessen des Dritten 467

Der Dritte, dem der Handelnde gegenübertritt, muß wissen, wer sein Geschäftspartner ist. Wenn dem Dritten nicht erkennbar ist, daß der Handelnde für einen anderen tätig wird, wird der Dritte davon ausgehen, daß der Handelnde selbst sein Partner sein soll. Den Interessen des Dritten wäre nicht gedient, wenn er später zu seiner Überraschung erfahren müßte, daß sein (Vertrags-)Partner nicht – wie er annehmen durfte – der ihm als zuverlässig und zahlungsfähig bekannte Handelnde, sondern ein anderer ist, der als unzuverlässig und vermögenslos gilt. Deshalb muß es dem Dritten zu seinem Schutz offenkundig sein, daß der Handelnde für einen anderen tätig wird und wer dieser andere ist. Diesem Erfordernis der *Offenkundigkeit* trägt § 164 I Rechnung; diese Vorschrift verlangt nämlich für eine Stellvertretung, daß der Vertreter seine Willenserklärung *»im Namen des Vertretenen«* abgibt (Rdnr. 481 ff.). Ist diese Voraussetzung nicht gegeben, ist der Handelnde selbst Partner des Dritten (Eigengeschäft des Handelnden).

Wenn H in der Buchhandlung des D ein Buch aussucht und dabei erklärt, er kaufe für B, auf dessen Konto der D den Kaufpreis anschreiben möge, ist für D erkennbar, daß H die Kaufofferte für B abgibt und dieser Vertragspartner des D sein soll. Ist dagegen dem D nicht erkennbar, daß ein anderer Vertragspartei sein soll, wird H selbst Käufer des Buches.

2. Interessen des Vertretenen 468

Nicht nur der Dritte, sondern auch der Vertretene muß beim rechtsgeschäftlichen Handeln des Vertreters geschützt werden. Den Interessen des Vertretenen wäre nicht gedient, wenn jede beliebige Person in seinem Namen Rechtsgeschäfte abschließen könnte, deren Rechtsfolgen ihn träfen. Der Vertretene muß davor bewahrt werden, daß irgend jemand, den er vielleicht nicht einmal kennt oder den er als unzuverlässig ansieht, Geschäfte tätigt, die ihn (den Vertretenen) binden. Er ist aber dann hinreichend geschützt, wenn er selbst oder das Gesetz dem Vertreter die Befugnis erteilt, mit Wirkung für den Vertretenen rechtsgeschäftlich zu handeln. Deshalb verlangt § 164 I 1 im Interesse des Vertretenen, daß der Vertreter *»innerhalb der ihm zustehenden Vertretungsmacht«* handelt (Rdnr. 487). Fehlt dem Handelnden die Vertretungsmacht, treffen den Vertretenen nicht die Folgen des in seinem Namen vom Vertreter getätigten Geschäfts.

Hat B den H zum Kauf eines Buches bevollmächtigt (§ 167; Rdnr. 496 ff.) und nimmt D das Angebot des im Namen des B handelnden H an, dann ist ein Kaufvertrag über das Buch zwischen B und D zustande gekommen. B ist aus dem Vertrag berechtigt und verpflichtet. – Ist H dagegen nicht von B bevollmächtigt, fehlt ihm die Vertretungsmacht, so daß B den Kaufpreis nicht zahlen muß.

469 *3. Interessen des Dritten bei Fehlen der Vertretungsmacht*

Schließt der Vertreter zwar im Namen des Vertretenen, aber ohne Vertretungsmacht einen Vertrag, dann verdient nicht nur der Vertretene, sondern auch der Dritte Schutz. Er vertraut auf die Erklärung des Vertreters. Da dieser im Namen des Vertretenen handelt, geht der Dritte davon aus, daß der Vertretene sein Vertragspartner sei. Das ist aber nicht der Fall, weil der Vertrag wegen mangelnder Vertretungsmacht des Vertreters den Vertretenen nicht bindet. Andererseits ist aber auch der Vertreter nicht Vertragspartner des Dritten, weil er erkennbar nicht im eigenen Namen, sondern im Namen des Vertretenen handelt. Dem schutzwürdigen Dritten gibt § 179 einen Erfüllungs- oder Schadensersatzanspruch gegen den Vertreter ohne Vertretungsmacht (Rdnr. 553 ff.). Der Dritte ist allerdings nicht schutzwürdig, wenn er den Mangel der Vertretungsmacht kannte oder kennen mußte (§ 179 III 1; Rdnr. 557).

Hat B den H nicht bevollmächtigt und ist er auch später mit dem Kaufvertrag nicht einverstanden (§ 177 I; Rdnr. 546 ff.), haftet H dem D aus § 179.

470 III. Abgrenzung

Die Stellvertretung ist von der »Vertretung« bei einer Tathandlung, der Abschlußvermittlung, der mittelbaren Stellvertretung, der Botenschaft und dem Handeln unter fremden Namen abzugrenzen.

1. *»Vertretung« bei der Tathandlung*

Da Stellvertretung das *rechtsgeschäftliche* Handeln im Namen eines anderen ist, kommt sie nur bei der Abgabe oder dem Empfang einer Willenserklärung in Betracht. Deshalb scheidet sie bei reinen Tathandlungen (Realakten; Rdnr. 92) aus.

Läßt also der Dachdeckermeister M die von ihm durch Vertrag mit dem Hauseigentümer übernommene Dachreparatur durch seinen Gesellen G ausführen, wird dieser nicht als Vertreter des M tätig, da er nicht rechtsgeschäftlich handelt. Beschädigt G mit der Leiter die Bodenlampe und läßt er aus Versehen einen Dachziegel fallen, wodurch ein Fußgänger verletzt wird, so kommt es für die Frage, ob M den entstandenen Schaden ersetzen muß, u. a. darauf an, ob G Erfüllungshilfe (§ 278; AS Rdnr. 222ff.) oder Verrichtungsgehilfe (§ 831; BS Rdnr. 474ff.) des M ist.

Bei Verfügungsgeschäften (Rdnr. 102ff.) – wie etwa die Übereignung nach § 929, 1 – ist zwar insoweit eine Stellvertretung möglich, als es dabei um die Einigung geht. Die Verfügung setzt aber oft noch weitere Tatbestandsmerkmale voraus (Rdnr. 104). So verlangt die Übereignung außer der Einigung noch die Übergabe, also ein Geben und Nehmen. Dabei handelt es sich um rein tatsächliche Handlungen, so daß insoweit eine Stellvertretung ausscheidet.

Dennoch kann der Vertretene durch das Handeln des Vertreters Eigentum erlangen. Bei der Einigung vertritt dieser als Stellvertreter den Vertretenen. Bei der Übergabe kann der Vertreter für den Vertretenen Besitz an der Sache erlangen, wenn er Besitzdiener des Vertretenen ist (§ 855) oder wenn zwischen Vertretenem und Vertreter ein Besitzmittlungsverhältnis vereinbart worden ist (§ 868). – Dagegen ist Stellvertretung auch beim Besitzerwerb möglich, wenn er durch Einigung nach § 854 II (= Rechtsgeschäft) erfolgt (Einzelheiten: *Hoche* und *H. Westermann*, JuS 1961, 73, 79).

Die geschäftsähnlichen Handlungen wie Mahnungen, Fristsetzungen, Anzeigen (Rdnr. 93) sind keine Willenserklärungen, stehen diesen aber nahe, da sie regelmäßig in dem Bewußtsein vorgenommen werden, eine Rechtswirkung auszulösen. Deshalb sind die Regeln über die Stellvertretung analog anwendbar.

2. *Abschlußvermittlung* 471

Wer den Abschluß eines Rechtsgeschäfts nur vermittelt, ist kein Stellvertreter, weil der Vermittler zwar am Zustandekommen des Geschäfts beteiligt ist, selbst aber keine Willenserklärung abgibt.

Beispiele: Der Wohnungsmakler weist dem Wohnungssuchenden eine Wohnung nach, schließt aber nicht für ihn den Mietvertrag (vgl. §§ 652ff.; BS Rdnr. 310; §§ 93ff. HGB für den Handelsmakler; HR Rdnr. 265ff.).

Der Handelsvertreter (§§ 84ff. HGB; HR Rdnr. 239ff.), der für einen anderen Geschäfte nur vermittelt, ist kein Stellvertreter i. S. der §§ 164ff. Sofern er dagegen im Namen des anderen Geschäfte abschließt, ist er Stellvertreter.

472 *3. Mittelbare Stellvertretung*

Weil eine Stellvertretung nur beim Handeln im *fremden* Namen vorliegt, scheidet sie beim Handeln im *eigenen* Namen aus. Wer im eigenen Namen rechtsgeschäftlich handelt, um auf diese Weise die Interessen seines »Auftraggebers« zu »vertreten«, wird als mittelbarer (verdeckter, indirekter oder stiller) Vertreter bezeichnet.

H kann das von B erstrebte Ziel, mit Hilfe des H ein Buch zu erwerben, auch auf folgende Weise erreichen: H erklärt dem D, daß er das ausgesuchte Buch kaufen wolle. Nimmt D das Angebot des H an, ist zwischen D und H der Kaufvertrag geschlossen. Infolgedessen ist H selbst – nicht B – aus dem Kaufvertrag berechtigt und verpflichtet. Dem H wird das Buch übereignet, er muß es bezahlen. Aufgrund des zwischen H und B bestehenden Vertragsverhältnisses (z. B. Auftrag; §§ 662ff.; BS Rdnr. 291ff.) ist H verpflichtet, dem B das Buch zu übereignen (§ 667); B muß dem H den für das Buch aufgewendeten Kaufpreis ersetzen (§ 670).

Die mittelbare Stellvertretung ist in Wahrheit keine Stellvertretung. Denn der Handelnde tritt im eigenen Namen auf, ihn treffen auch die Rechtswirkungen des Geschäfts, und der andere, für den der Handelnde tätig wird, tritt in keine Rechtsbeziehungen zu dem Dritten. Darin besteht der Unterschied zur Stellvertretung i. S. der §§ 164ff. Diese bezeichnet man im Gegensatz zur mittelbaren Stellvertretung, die im BGB nicht geregelt ist, als unmittelbare (offene oder direkte) Stellvertretung.

Mittelbarer Stellvertreter ist der Kommissionär (HR Rdnr. 402ff.). Darunter versteht § 383 HGB den, der »es gewerbsmäßig übernimmt, Waren oder Wertpapiere für Rechnung eines anderen (des Kommittenten) in eigenem Namen zu kaufen oder zu verkaufen«. Mittelbare Stellvertretung bietet sich dann an, wenn der Geschäftsherr unbekannt bleiben will. Beispiel: B, der sich ohne Aufsehen eine Mehrheitsbeteiligung an einer Aktiengesellschaft verschaffen will, bittet seine Hausbank H, für ihn im eigenen Namen Aktien zu erwerben, damit sein Name an der Börse nicht genannt wird.

4. Botenschaft: Rdnr. 475ff.

5. Handeln unter fremdem Namen: Rdnr. 485f.

473 § 24 Voraussetzungen und Wirkungen der Stellvertretung

Schrifttum: *Börner*, Offene und verdeckte Stellvertretung und Verfügung, Festschrift f. H. Hübner, 1984, 409; *Giesen/Hegermann*, Die Stellvertretung, Jura 1991, 357; *Hoffmann*, Grundfälle zum Recht der Stellvertretung, JuS 1970, 179, 234, 286, 451, 570; *G. Hueck*, Bote – Stellvertreter im Willen – Stellvertreter in der Erklärung, AcP 152, 432; *Larenz*, Verpflichtungsgeschäfte »unter« fremdem Namen, Festschrift f. H. Lehmann, 1956, 234; *Lieb*, Zum Handeln unter fremdem Namen, JuS 1967, 106; *K. Müller*, Das Geschäft für den, den es angeht, JZ 1982, 777; *Ohr*, Zur Anerkennung der verdeckten Stellvertretung in der Rechtsprechung des Reichsgerichts, AcP 150, 525; *Richardi*, Wissensvertretung, AcP 169, 385; *Rosenberg*, Stellvertretung im Prozeß, 1908; *Schilken*, Wissenszurechnung im Zivilrecht, 1983; *K. Schmidt*, Offene Stellvertretung – Der »Offenheitsgrundsatz« als Teil der allgemeinen Rechtsgeschäftslehre, JuS 1987, 425; *M. Schultz*, Zur Vertretung im Wissen, NJW 1990, 477.

Fälle:

a) Der vielbeschäftigte B bittet H, für ihn zum Standesamt zu gehen, um dort im Namen des B mit Fräulein F die Ehe einzugehen. Auf dem Rückweg soll H für B beim Notar ein Testament machen und für B beim Gastwirt D einen Hochzeitsschmaus für 20 Personen bestellten. Möglich?

b) Im Warenhaus des B erklärt die Verkäuferin H dem Kunden D: »Hiermit biete ich Ihnen das beste Radio an, das ich auf Lager habe«. D nimmt das Angebot an. Wer ist sein Vertragspartner?

c) H, der von B bevollmächtigt ist, für ihn ein Gemälde zu kaufen, erklärt dem Verkäufer D, er kaufe als Vertreter ohne Vertretungsmacht das Bild für B zu 3000,– DM. Dieses Angebot nimmt D an. Muß B den Preis zahlen?

d) H, der von B bevollmächtigt ist, für ihn ein Gemälde zu kaufen, erklärt dem Verkäufer D, er kaufe das Bild für 980,– DM. Zu diesem Angebot kommt es, weil H, der nur 890,– DM bieten will, sich verspricht. Was muß B zahlen? Kann er anfechten?

e) Bei der Übereignung des Bildes im Fall d weiß H nicht und kann es auch nicht wissen, daß das Bild dem D nicht gehört und D es von dem Eigentümer E geliehen hat. Der Vertretene B weiß das aber. Erwirbt B das Eigentum am Bild?

I. Voraussetzungen der Stellvertretung

1. Zulässigkeit

Stellvertretung ist nach den allgemeinen Regeln der §§ 164ff. grundsätzlich bei jeder Willenserklärung zulässig. Zu prüfen ist aber, ob nicht in Spezialnormen eine Stellvertretung ausnahmsweise ausgeschlossen ist. Das ist bei den höchstpersönlichen Rechtsgeschäften der Fall, die sich besonders im Familien- und Erbrecht finden.

So ist zur Eheschließung erforderlich, daß die Ehewilligen persönlich und bei gleichzeitiger Anwesenheit vor dem Standesbeamten erklären, die Ehe miteinander eingehen zu wollen (§ 13 I EheG). Der Erblasser kann ein Testament nur persönlich errichten (§ 2064). Deshalb ist im Fall a eine Stellvertretung nur beim Abschluß des Vertrages über das Hochzeitsessen zulässig.

2. Willenserklärung des Vertreters 474

a) Da der Vertreter selbst rechtsgeschäftlich handelt, ist die von ihm oder ihm gegenüber abgegebene Willenserklärung unwirksam, wenn er geschäftsunfähig ist (vgl. §§ 105, 131 I, 165). Es ist aber nicht erforderlich, daß der Vertreter voll geschäftsfähig ist; es genügt *beschränkte Geschäftsfähigkeit* (§ 165), weil die Folgen der Willenserklärung des Vertreters nicht ihn, sondern den Vertretenen treffen, wenn die Erklärung vom Vertreter im Rahmen seiner Vertretungsmacht abgegeben oder empfangen wird. Sofern der beschränkt geschäftsfähige Vertreter ohne Vertretungsmacht handelt, wird er durch § 179 III 2 (Rdnr. 557) hinreichend geschützt.

Andererseits verlangen auch die Interessen des Vertretenen nicht, daß der Vertreter (voll) geschäftsfähig ist; wenn der Vertretene einen nur beschränkt Geschäftsfähigen bevollmächtigt (§ 167; Rdnr. 496 ff.), hat er es sich selbst zuzuschreiben, wenn der Vertreter ungünstige Geschäfte tätigt. Bei gesetzlicher Vertretung (Rdnr. 487) durch Eltern, Vormund oder Betreuer ist die Vertretung durch einen beschränkt Geschäftsfähigen ausgeschlossen oder doch kaum praktisch (vgl. §§ 1673 II, 1781 Nr. 1, 1897 I i. V. m. § 1902).

b) Stellvertretung verlangt ein *eigenes* rechtsgeschäftliches Handeln. Das unterscheidet sie von der Botenschaft. Wer das Geschäft nicht selbst abschließt, sondern nur eine fremde Erklärung überbringt, ist Bote.

475 (1) Der *Unterschied zwischen Stellvertreter und Bote* wird bei der Abgabe einer Willenserklärung deutlich: Der *Stellvertreter* gibt eine *eigene* Willenserklärung ab. Der *Bote* übermittelt nur eine *fremde* Willenserklärung; statt des Boten könnte der Erklärende auch einen Brief mit seiner Erklärung dem Empfänger schicken.

Ob die Hilfsperson Stellvertreter oder Bote ist, könnte sich danach richten, wie sie auf Geheiß des Geschäftsherrn auftreten soll oder wie sie tatsächlich gegenüber dem Dritten auftritt. Im Regelfall wird sich die Hilfsperson so verhalten, wie der Geschäftsherr es will.

Bittet B den H, für ihn bei D einen Kriminalroman zu kaufen und den Kaufpreis auf dem Konto des B anschreiben zu lassen, dann soll H Stellvertreter des B sein; er soll befugt sein, bei D einen Krimi auszuwählen und sein Kaufangebot im Namen des B abzugeben. Sagt H dem D, er kaufe im Namen des B dieses Buch, tritt er auch als Stellvertreter auf.

Gibt B dagegen dem H auf, dem D zu erklären, B ließe bestellen, er möchte den Krimi »Die kalte Hand am Hinterkopf des Bahnwärters« für 9,80 DM kaufen, soll H nur Bote sein; er soll keine eigene Entschließungsfreiheit haben, sondern nur die Offerte des B überbringen. Handelt H gegenüber dem D entsprechend, tritt er auch als Bote auf.

Tritt aber die Hilfsperson anders auf, als sie soll, so kommt es nur darauf an, *wie sie für den Dritten erkennbar auftritt* (h. M.; BGHZ 12, 327, 334; a. A. *Staudinger/Dilcher*, vor § 164, Rdnr. 76). Denn die Willenserklärung ist im Interesse des Erklärungsempfängers vom Empfängerhorizont aus zu betrachten (zur Auslegung des Rechtsgeschäfts: Rdnr. 122 ff.). Bei Auslegung der Willenserklärung sind auch Umstände außerhalb der Erklärung wie die soziale Stellung des Mittlers zum Geschäftsherrn oder seine Qualifikation mitzuberücksichtigen.

Wenn etwa beim Abschluß eines langfristigen Lieferungsvertrages ein leitender Angestellter des B tätig wird, ist das ein Indiz für Stellvertretung. Tritt dagegen ein Pförtner des B auf, wird das für Botenschaft sprechen.

Vielfach ist es jedoch unerheblich, ob die Hilfsperson so auftritt, wie es dem Willen des Geschäftsherrn entspricht. Entscheidend ist nur, ob durch das Verhalten der Hilfsperson das Ergebnis erzielt wird, das der Geschäftsherr erreichen will.

Will B das Buch »Die kalte Hand« von D käuflich erwerben und schickt er deshalb H als seinen Boten zu D, so schadet es nicht, wenn H sich dem D gegenüber als Vertreter des B »aufspielt«, indem er nach längerem Suchen das von B gewünschte Buch auswählt und dem D erklärt, er kaufe es im Namen des B. Wenn nämlich D das Angebot annimmt, ist zwischen D und B ein Kaufvertrag zustande gekommen, da B mit diesem Geschäft einverstanden ist. Dasselbe Ergebnis würde erzielt, wenn H – entsprechend der Weisung des B – als Bote die Willenserklärung des B überbrächte. Den B interressiert nur das Ergebnis, nicht der Weg, auf dem das Ziel (Kaufvertrag zwischen D und B über das gewünschte Buch) erreicht wird.

(2) *Bedeutsam* ist die Unterscheidung von Stellvertretung und Botenschaft in folgenden Fällen: **476**

(a) Bedarf das Rechtsgeschäft einer *Form* (Rdnr. 253 ff.), so muß bei der Stellvertretung die Willenserklärung des Vertreters, bei der Botenschaft die Erklärung des Geschäftsherrn der Form genügen.

Schließt H als Vertreter des B mit D einen Grundstückskaufvertrag, muß – außer der Erklärung des D – die Willenserklärung des H notariell beurkundet werden (§ 313, 1). Wird H als Bote tätig, muß er eine notariell beurkundete Erklärung des B dem D überbringen. Die zur Übertragung des Eigentums an dem Grundstück – außer der Eintragung – erforderliche Einigung des Veräußerers und des Erwerbers (Auflassung) muß bei gleichzeitiger Anwesenheit vor dem Notar erfolgen (§ 925 I). Da § 925 keine persönliche Anwesenheit verlangt, kann jede Partei sich vertreten lassen. Jedoch ist Botenschaft ausgeschlossen, da der Bote keine eigene Erklärung vor dem Notar abgibt, sondern die des Geschäftsherrn überbringt; dieser ist aber bei der Auflassung nicht mit dem Vertragspartner gleichzeitig anwesend.

(b) Ein Unterschied besteht hinsichtlich der *Geschäftsfähigkeit*. Da der Bote nur eine fremde Willenserklärung überbringt, braucht er nicht geschäftsfähig zu sein; auch ein Geschäftsunfähiger (z. B. ein fünfjähriges Kind) kann daher Bote sein. Der Vertreter muß mindestens beschränkt geschäftsfähig sein (§ 165). **477**

(c) *Fehler* bei der Übermittlung und bei der Abgabe einer Willenserklärung werden verschieden behandelt: **478**

Übermittelt der Bote die fremde Willenserklärung unbewußt falsch, ist der Geschäftsherr daran gebunden; jedoch kann er seine unrichtig überbrachte Willenserklärung nach § 120 anfechten. Eine bewußte Falschübermittlung durch den Boten ist für den Geschäftsherrn unverbindlich (Rdnr. 369).

Dagegen gibt der Vertreter eine eigene Willenserklärung ab. Deshalb kommt es für eine Anfechtung der Erklärung darauf an, ob er – und nicht der Vertretene – sich in einem zur Anfechtung berechtigenden Irrtum befand (§ 166 I; Rdnr. 494).

479 (d) Aus den genannten Gründen kommt es für die *Kenntnis* oder das *Kennenmüssen* gewisser Umstände bei der Botenschaft auf die Person des Geschäftsherrn, bei der Stellvertretung dagegen grundsätzlich auf die Person des Vertreters an (Einzelheiten: § 166 I; Rdnr. 494).

480 (e) Beim *Empfang einer Willenserklärung* kann die Mittelsperson des Empfängers (Empfangs-) Bote (Rdnr. 154f.) oder (Empfangs-) Vertreter (§ 164 III) sein. Die Erklärung an den Empfangsboten ist vom Standpunkt des Geschäftsherrn auszulegen; denn der Empfangsbote ist nicht mehr als ein »lebendiger Briefkasten« des Geschäftsherrn. Demgegenüber ist die Willenserklärung an einen Empfangsvertreter von dessen Standpunkt auszulegen.

481 *3. Offenkundigkeit*

a) Der Vertreter muß *»im Namen des Vertretenen«* handeln (§ 164 I 1). Damit soll der Dritte geschützt werden; er soll wissen, wer sein Geschäftspartner ist. Dieser Schutzzweck wird nicht nur dann erreicht, wenn die Erklärung »ausdrücklich im Namen des Vertretenen erfolgt« (z.B.: »Ich kaufe im Namen des B«), sondern auch dann, wenn »die Umstände ergeben, daß sie in dessen Namen erfolgen soll« (§ 164 I 2). Es muß also für den Dritten erkennbar sein, daß der Erklärende für einen anderen handelt. Dazu muß der Erklärungsempfänger die Erklärung auslegen (vgl. BGHZ 36, 33). Weiß er, daß der Erklärende für einen anderen handelt, oder hätte er dies bei Anwendung der ihm zumutbaren Sorgfalt erkennen können, dann ist er nicht schutzwürdig (vgl. Rdnr. 131f.). Ansonsten muß er sich auf das Erklärte verlassen können.

Im Fall b darf D aus der Erklärung der H »Ich biete an ...« nicht entnehmen, daß H ein Geschäft für sich schließen will. Vielmehr ist für den Kunden aus den Umständen erkennbar, daß H für den Inhaber des Warenhauses handeln will. Demnach ist B sein Vertragspartner.

482 b) Will der Vertreter zwar im Namen eines anderen handeln, bringt er dies aber nicht zum Ausdruck und ist dem Dritten die Stellvertretung auch sonst nicht erkennbar, so handelt es sich mangels Offenkundigkeit um ein Eigengeschäft des Vertreters.

Wenn der Vertreter erklären will, daß er in fremdem Namen handele, sich aber verspricht und tatsächlich erklärt, er handele im eigenen Namen, so befindet er sich in einem Erklärungsirrtum nach § 119 I. Dennoch kann er seine Willenserklärung nicht anfechten und damit vernichten, da *§ 164 II eine solche Anfechtung ausschließt*. Nach dieser nur schwer verständlichen Vorschrift kann der Vertreter, dessen Wille, in fremdem Namen zu handeln, in der Erklärung für den Dritten nicht erkennbar zum Ausdruck kommt, sich auf diesen Willensmangel nicht berufen.

483 c) Als *Ausnahme* vom Offenkundigkeitsprinzip wird vielfach das *Geschäft für den, den es angeht*, angesehen. Dabei sind zwei verschiedene Fallgruppen zu unterscheiden:

(1) Der Handelnde tritt im Namen eines anderen auf, ohne daß für den Dritten erkennbar ist, wer der Vertretene ist.

Beim Kauf eines Gemäldes erklärt H, daß er für einen anderen erwerbe. Dieser ist ein Sammler, der ungenannt bleiben möchte, weil er befürchtet, daß der Verkäufer sonst einen wesentlich höheren Preis verlangen werde. H kann auch deshalb ein Interesse daran haben, den Namen des Vertretenen zunächst nicht zu nennen, weil er zwei Kaufwillige »an der Hand« hat.

Hier ist keine Ausnahme vom Offenkundigkeitsprinzip gegeben; denn der Handelnde macht dem Partner deutlich, daß er für einen anderen tätig wird. Der Geschäftspartner ist nicht schutzbedürftig; denn er braucht sich nicht auf ein Geschäft einzulassen, wenn er nicht weiß, wer sein Kontrahent ist.

(2) Der Handelnde macht dem Dritten nicht klar, daß er für einen anderen **484** auftritt, so daß das Offenkundigkeitsprinzip nicht gewahrt ist. Aber bei den Geschäften des täglichen Lebens, die sofort abgewickelt werden, besteht kein Interesse des Dritten daran zu wissen, wer sein Geschäftspartner ist.

H kauft im Lebensmittelgeschäft oder Warenhaus des D Waren, die er sofort bezahlt und mitnimmt. Da der Kaufvertrag sofort erfüllt wird, ist es für D uninteressant, ob H oder dessen »Hintermann« B sein Vertragspartner ist. Dagegen kann es von Bedeutung sein, ob H oder B mit der Aushändigung der gekauften Ware deren Eigentümer wird. Es ist ein Problem des Sachenrechts, ob zunächst H und dann erst B Eigentümer wird (sog. Durchgangserwerb des H) oder ob B direkt Eigentum von D (sog. Direkterwerb des B) erlangt (siehe: *Baur/Stürner*, § 51 VII 3).

d) Kein Handeln in fremdem Namen liegt beim *Handeln unter fremdem* **485** *Namen* vor. In diesem Fall benutzt der Handelnde einen fremden Namen als eigenen. Fraglich ist, ob die Regeln über die Stellvertretung anwendbar sind. Da es beim Offenkundigkeitsprinzip um den Schutz des Erklärungsempfängers geht, ist entscheidend, wie dieser die Erklärung des Handelnden verständigerweise aufzufassen hat (vgl. OLG Düsseldorf NJW 1989, 906). Danach sind folgende Fälle zu unterscheiden:

(1) Will der unter fremdem Namen Handelnde das Geschäft für sich selbst abschließen und versteht der Erklärungsempfänger ihn auch so, dann kommt zwischen beiden das Geschäft zustande (*Eigengeschäft des Handelnden*), wenn dem Erklärungsempfänger der Name des Handelnden gleichgültig ist.

Beispiel: Mietet H unter fremdem Namen ein Hotelzimmer, dann will der Hotelier regelmäßig mit der vor ihm stehenden Person den Vertrag schließen. Demnach kommt ein Mietvertrag zwischen dem Hotelier und dem H (und nicht mit dem, unter dessen Namen H auftritt) zustande.

(2) Kein Eigengeschäft des Handelnden liegt vor, wenn es dem Erklärungs- **486** empfänger entscheidend darauf ankommt, daß er mit dem wirklichen Namensträger abschließt.

Beispiel: Der zahlungsunfähige H kauft unter dem Namen des B bei D auf Kredit; D glaubt, den kreditwürdigen B vor sich zu haben.

In diesen Fällen muß der Erklärungsempfänger, der vom Handelnden über dessen Person getäuscht wird und der mit dem wahren Namensträger abschließen will, geschützt werden, so daß kein Eigengeschäft des Handelnden gegeben ist. Vielmehr liegt ein *Fremdgeschäft für den (wahren) Namensträger* vor. Aber auch diesen dürfen aus dem Geschäft keine Rechtsfolgen treffen. Er ist nur dann nicht schutzwürdig, wenn er von vornherein mit dem Handeln des Handelnden einverstanden ist oder es nachträglich billigt; dann kann er auch aus einem solchen Geschäft Rechte herleiten und in Anspruch genommen werden. Stimmt er dagegen nicht zu, muß der Erklärungsempfänger wenigstens die Möglichkeit haben, sich an den Handelnden zu halten.

Die geschilderte Interessenlage entspricht der, die das Gesetz für den Fall geregelt hat, daß jemand in fremdem Namen, aber ohne Vertretungsmacht handelt. Deshalb können auf ein solches Handeln unter fremdem Namen die Regeln über die Stellvertretung (§§ 164 ff., 177, 179; Rdnr. 473 ff., 546 ff.) angewandt werden (BGHZ 45, 195).

487 *4. Vertretungsmacht*

a) Der Vertreter muß *»innerhalb der ihm zustehenden Vertretungsmacht«* handeln (§ 164 I 1). Das Erfordernis der Vertretungsmacht dient dem Schutz des Vertretenen (Rdnr. 468).

Die Vertretungsmacht kann beruhen:

(1) auf einem entsprechenden *Rechtsgeschäft* des Vertretenen. Die durch Rechtsgeschäft erteilte Vertretungsmacht bezeichnet § 166 II als *Vollmacht* (Einzelheiten: Rdnr. 496 ff.).

(2) auf einer *gesetzlichen Vorschrift*. Das Gesetz räumt eine Vertretungsmacht vor allem in den Fällen ein, in denen eine Person nicht selbständig rechtsgeschäftlich handeln kann.

Beispiele: Vertretungsmacht der Eltern für ihr Kind (§ 1629 I), des Vormunds für sein Mündel (§ 1793), des Betreuers für den Betreuten (§ 1902).

»Die Stellung eines gesetzlichen Vertreters« hat der Vorstand eines Vereins (§ 26 II; Rdnr. 697). Er ist zwar nicht Vertreter im strengen Sinne, sondern Organ des Vereins. Dennoch sind die Regeln über die Vertretung anwendbar.

488 b) Ferner ist es erforderlich, daß der Vertreter *von seiner Vertretungsmacht auch Gebrauch macht*; davon ist im Regelfall auszugehen. Tritt er aber trotz gegebener Vertretungsmacht als Vertreter ohne Vertretungsmacht auf, macht er also von seiner Rechtsmacht keinen Gebrauch, wirkt das Geschäft nicht für und gegen den Vertretenen. Vielmehr hängt die Wirksamkeit des Geschäfts entsprechend § 177 (Rdnr. 546 ff.) von der Genehmigung des Vertretenen ab (OGH NJW 1949, 141).

Im Fall c will H die Wirksamkeit des Vertrages von der Genehmigung des B abhängig machen, etwa deshalb, weil er sich unsicher ist, ob dem B das Bild gefällt. Deshalb tritt H als Vertreter ohne Vertretungsmacht auf. Die Wirkung des Kaufvertrages hängt von der Genehmigung des B ab.

II. Wirkungen der Stellvertretung 489

1. Wirkung für und gegen den Vertretenen

a) Handelt der mindestens beschränkt geschäftsfähige Vertreter rechtsgeschäftlich zulässigerweise im Namen des Vertretenen und innerhalb der ihm zustehenden Vertretungsmacht, so wirkt das Geschäft unmittelbar für und gegen den Vertretenen (§ 164 I 1). Die Rechtsfolgen treffen *allein den Vertretenen, nicht auch den Vertreter*. Die Rechtslage entspricht der, die bestünde, wenn der Vertretene selbst gehandelt hätte.

So ist im Fall b nur B, nicht auch die Verkäuferin H Partei des Kaufvertrages mit D. B ist zur Übereignung und Übergabe des Radios verpflichtet; er ist Gläubiger des Kaufpreisanspruchs.

Keine Ausnahme von dieser Regel stellen die Fälle dar, in denen der Handelnde im Namen des Vertretenen und zugleich im eigenen Namen rechtsgeschäftlich tätig wird. Hier treffen die Wirkungen des Geschäfts den Vertretenen (wegen des Handelns in dessen Namen) und auch den Handelnden (wegen seines Handelns im eigenen Namen).

Mietet Student H für seinen Freund B und für sich eine Studentenbude bei D, dann sind beide Mieter.

Obwohl die Rechtsfolgen des Vertretergeschäfts allein den Vertretenen treffen, kann der Vertreter sich bei Ausübung seiner Tätigkeit persönlich aus culpa in contrahendo (AS Rdnr. 55) schadensersatzpflichtig machen. Eine solche Haftung kommt in Betracht, wenn der Vertreter ein erhebliches unmittelbares – über eine bloße Provision hinausgehendes – Eigeninteresse am Vertragsschluß hat (»Tätigkeit in gleichsam eigener Sache«; BGH ZIP 1988, 1577, NJW 1990, 506) oder wenn er in besonderem Maße persönliches Vertrauen in Anspruch nimmt (vgl. BGHZ 14, 313, 318; 79, 281, 283ff.; 88, 67, 68f.; BGH NJW-RR 1991, 1241, 1242 m.N.).

Beispiele: H, der im Namen seiner Ehefrau ein Grundstück kauft und hieraus wirtschaftliche Vorteile erlangt, weil er später dieses Grundstück selbst erwerben soll, haftet dem Verkäufer dafür, daß diesem die vereinbarten dinglichen Sicherheiten eingeräumt werden; der Gebrauchtwagenhändler, der beim Verkauf des Pkw als Vertreter des bisherigen Eigentümers auftritt, haftet dem Käufer, wenn dieser wegen der besonderen Fachkenntnisse des Händlers auf dessen Angaben und Beratung vertraut.

490 b) *Keine* Rechtswirkungen für und gegen den Vertretenen entfaltet das Rechtsgeschäft in folgenden Fällen:

(1) Ist der Vertreter geschäftsunfähig (z. B. wegen § 104 Nr. 2; Rdnr. 228) oder ist eine Stellvertretung unzulässig (z. B. Testamentserrichtung durch einen Vertreter), dann ist das Geschäft des Vertreters nichtig.

(2) Handelt der Vertreter nicht in fremdem Namen, liegt grundsätzlich ein Eigengeschäft des Vertreters vor, das den Vertretenen nicht berührt.

(3) Fehlt dem Vertreter für das Geschäft die erforderliche Vertretungsmacht, treffen die Rechtsfolgen nicht den Vertretenen; der Vertreter ohne Vertretungsmacht haftet unter den Voraussetzungen des § 179 (Rdnr. 552 ff.) dem Dritten.

491 *2. Folgen eines Fehlers bei der Willenserklärung des Vertreters*

Bei der Abgabe der Willenserklärung kann dem Vertreter ein Fehler unterlaufen. Hinsichtlich der Rechtsfolgen sind folgende Fälle zu unterscheiden:

a) Der Vertreter will sich im Rahmen der Vertretungsmacht halten, verspricht sich aber und überschreitet damit seine Vertretungsmacht.

H, der von B bevollmächtigt ist, für ihn ein Bild bis zum Preise von 1200,– DM zu kaufen, irrt sich und kauft ein Bild für 2100,– DM. Damit überschreitet er seine Vollmacht; für den Kauf eines Bildes zu 2100,– DM fehlt ihm die Vertretungsmacht.

Da der Vertreter bei dem Geschäft ohne Vertretungsmacht des Vertretenen handelt, treffen diesen die Folgen des Geschäfts nicht (Rdnr. 546).

492 b) Der Vertreter will im Namen des Vertretenen handeln, gibt aber bei der Abgabe seiner Willenserklärung dem Erklärungsempfänger nicht zu erkennen, daß er für einen anderen handelt.

H will beim Kauf eines Bildes dem Verkäufer D erklären, daß er für B handele, bringt dies infolge Irrtums jedoch nicht zum Ausdruck.

Mangels Offenkundigkeit wirkt das Geschäft nicht für und gegen den Vertretenen. Es handelt sich um ein Eigengeschäft des Vertreters, der seine Erklärung nicht wegen Irrtums anfechten kann (§ 164 II; Rdnr. 482).

493 c) Der Vertreter, der im Namen und mit Vertretungsmacht des Vertretenen handelt, unterliegt bei der Abgabe der Erklärung einem Irrtum, der nach den §§ 119 ff. zur Anfechtung berechtigt.

Im Fall d liegt ein Erklärungsirrtum des H nach § 119 I vor.

Der Vertretene ist an die irrtümliche Erklärung des Vertreters gebunden. Hätte der Vertretene selbst die Willenserklärung abgegeben, könnte er sie unter den Voraussetzungen der §§ 119 ff. anfechten und damit vernichten. § 166 I stellt nun *hinsichtlich der Voraussetzungen der Anfechtung auf die Person des Vertreters ab*, weil dieser für den Vertretenen die Willenserklärung abgibt. Da den Vertretenen die Folgen der mangelhaften Willenserklärung des Vertreters treffen, ist der Vertretene – und nicht der Vertreter – anfechtungsberechtigt.

Im Fall d hat H sich im Rahmen der Vertretungsmacht gehalten. B muß also den vereinbarten Preis von 980,– DM zahlen. Da aber H bei der Abgabe der Willenserklärung sich in einem Erklärungsirrtum befunden hat, ist B zur Anfechtung berechtigt. H kann seine Erklärung nur als Vertreter des B anfechten. Voraussetzung dafür ist, daß er auch dazu von B bevollmächtigt ist; im Regelfall wird man davon ausgehen können, daß H für alle mit dem Kauf des Gemäldes zusammenhängenden Geschäfte bevollmächtigt ist, so daß er auch im Namen des B anfechten kann.

Das für den Irrtum des Vertreters Gesagte gilt auch für den Fall der widerrechtlichen Drohung.

Hat der Vertreter für den Vertretenen einen Vertrag unter den Voraussetzungen des § 1 I HausTWG geschlossen, steht dem Vertretenen das Widerrufsrecht nach dem HausTWG zu (BGH WM 1991, 860, 861; vgl. Rdnr. 203 ff.).

3. *Folgen bei Kenntnis oder Kennenmüssen bestimmter Umstände* 494

Bei manchen Rechtsgeschäften kommt es auf die Kenntnis oder das Kennenmüssen bestimmter Umstände an. Handelt ein Vertreter für den Vertretenen, ist für die Kenntnis oder das Kennenmüssen grundsätzlich die Person des Vertreters, ausnahmsweise die des Vertretenen maßgebend.

a) Da der Vertreter handelt, stellt § 166 I auch insoweit *grundsätzlich auf die Person des Vertreters* ab.

Im Fall e kann B nur nach den Regeln über den gutgläubigen Erwerb vom Nichtberechtigten (D) Eigentum am Bild erwerben (nachzulesen Rdnr. 590). Nach § 932 II ist der Erwerber nicht in gutem Glauben, wenn ihm bekannt oder infolge grober Fahrlässigkeit unbekannt ist, daß die Sache dem Veräußerer nicht gehört. Beim Handeln durch einen Stellvertreter kommt es nach § 166 I auf dessen guten Glauben an, so daß die Kenntnis des B dem gutgläubigen Eigentumserwerb nicht entgegensteht.

Über den Wortlaut des § 166 I hinaus werden dem Geschäftsherrn auch die Kenntnis und das Kennenmüssen solcher Personen zugerechnet, die auf seiner Seite bei den Vertragsverhandlungen beteiligt gewesen sind und maßgeblichen Einfluß auf den Inhalt des Rechtsgeschäfts genommen haben (vgl. RGZ 131, 343, 357; BGH, LM Nr. 14 zu § 166; BGH NJW 1965, 1174; Waltermann, AcP 192, 181 u. NJW 1993, 889).

b) Die Regel des § 166 I gilt jedoch nicht, wenn der bevollmächtigte Vertreter 495
nach bestimmten Weisungen des Vertretenen (= Vollmachtgebers) gehandelt hat. In einem solchen Fall kann sich der Vertretene hinsichtlich solcher Umstände, die er selbst kannte oder kennen mußte, *nicht darauf berufen, daß der Vertreter diese Umstände nicht kannte oder nicht kennen mußte* (§ 166 II).

Wenn H im Fall e auf Weisung des B das Bild von D erwirbt, so hindert die Kenntnis des B, daß das Bild dem D nicht gehört, den Eigentumserwerb des B. Würde auch in einem solchen Fall die Kenntnis oder das Kennenmüssen des Vertreters entscheidend sein, dann könnte jemand, der genau weiß, daß die Sache nicht im Eigentum des Veräußerers steht, nach §§ 929, 932 das Eigentum dennoch erwerben, indem er einen Gutgläubigen bevollmächtigt, für ihn die Sache zu erwerben. Da ein solches Ergebnis ungerecht wäre, stellt § 166 II beim

Handeln des Bevollmächtigten nach bestimmten Weisungen des Vertretenen für Kenntnis und Kennenmüssen auf die Person des Vollmachtgebers ab.

496 § 25 Die Vollmacht

Schrifttum: *Bader*, Duldungs- und Anscheinsvollmacht, 1979; *Brox*, Die Anfechtung bei der Stellvertretung, JA 1980, 449; *Canaris*, Die Vertrauenshaftung im deutschen Privatrecht, 1971; *v. Craushaar*, Die Bedeutung der Rechtsgeschäftslehre für die Problematik der Scheinvollmacht, AcP 174, 2; *Deggau*, § 174 BGB – eine ungenutzte Vorschrift, JZ 1982, 796; *Eujen/Frank*, Anfechtung der Bevollmächtigung nach Abschluß des Vertretergeschäfts?, JZ 1973, 232; *Fikentscher*, Scheinvollmacht und Vertreterbegriff, AcP 154, 1; *R. Fischer*, Der Mißbrauch der Vertretungsmacht, auch unter Berücksichtigung der Handelsgesellschaften, Festschrift f. Schilling, 1973, 3; *Frotz*, Verkehrsschutz im Vertretungsrecht, 1972; *Gerlach*, Die Untervollmacht, 1967; *Hupka*, Die Vollmacht, 1900; *Joussen*, Die Generalvollmacht im Handels- und Gesellschaftsrecht, WM 1994, 273; *Knoche*, Die Vollmacht und ihr Verhältnis zu den Rechtsbeziehungen zwischen Vollmachtgeber und Vertreter, JA 1991, 281; *Lieb*, Aufgedrängter Vertrauensschutz? – Überlegungen zur Möglichkeit des Verzichts auf Rechtsscheinsschutz, insbesondere bei der Anscheinsvollmacht –, Festschrift f. H. Hübner, 1984, 575; *Mertens*, Die Haftung des Untervertreters nach § 179 II BGB – BGHZ 32, 250, JuS 1961, 315; *Pawlowski*, Anscheinsvollmachten der Erziehungsberechtigten?, MDR 1989, 775; *F. Peters*, Zur Geltungsgrundlage der Anscheinsvollmacht, AcP 179, 214; *Siebenhaar*, Vertreter des Vertreters, AcP 162, 354; *Stüsser*, Die Anfechtung der Vollmacht nach bürgerlichem Recht und Handelsrecht, 1986.

Fälle:

a) B, Inhaber eines Warenhauses, bestellt seinen Angestellten H zum Prokuristen (vgl. § 48 I HGB). Beide vereinbaren, daß H nur Geschäfte bis zu 10000,– DM tätigen und keine Geschäftsgrundstücke verkaufen darf. Dennoch kauft H bei D 1 für das Warenhaus eine Theke zu 15000,– DM und verkauft ein Geschäftsgrundstück an D 2 für 100000,– DM. Rechte des B?

b) B schreibt an den Gemäldehändler D, daß er in den nächsten Tagen H vorbeischicke, der für ihn (B) ein Gemälde kaufen solle. Dann vereinbart er mit dem 17jährigen H, daß dieser kein Bild über 1000,– DM kaufen solle. H kauft bei D für B ein Bild zu 1100,– DM. Rechte des B?

c) B, der gegen mehrere Personen Kaufpreisansprüche hat und der seinerseits dem H 50000,– DM schuldet, erteilt dem H eine Vollmacht zur Einziehung der Forderungen, damit seine Schuld gegenüber H aus den eingezogenen Beträgen gedeckt wird. Nach Einzug von 10000,– DM widerruft B die Vollmacht. Mit Recht?

d) Die als Telefonistin bei B beschäftigte H hat sich seit längerer Zeit angewöhnt, Bestellungen der Kunden selbst anzunehmen, anstatt diese mit dem dazu bevollmächtigten Angestellten A zu verbinden. Der Dauerkunde D verlangt von B Erfüllung des mit H abgeschlossenen Vertrages. B, dem das Verhalten der H zu Ohren gekommen und der aus Nachlässigkeit aber nicht eingeschritten ist, weist darauf hin, daß er die H nicht bevollmächtigt habe.

e) Im Fall d hatte B von dem Verhalten der H nichts erfahren, weil er sich um seinen Betrieb zu wenig kümmerte.

f) B stellt in seinem Warenhaus den H ein und bevollmächtigt ihn zum Einkauf von Herrenoberbekleidung. Als B erfährt, daß dem H die erforderliche Sachkunde im Textilbereich fehlt, ficht er die Bevollmächtigung nach § 119 II an und teilt dies seinen Lieferanten durch Rundschreiben mit. H hält die Anfechtung für unberechtigt und schließt mit dem Lieferanten D einen Kaufvertrag über 100 Anzüge. Muß B die Anzüge bezahlen?

g) Wie, wenn H im Fall f den Vertrag mit D schon vor der Anfechtung der Bevollmächtigung abgeschlossen hätte?

Vollmacht ist die durch Rechtsgeschäft erteilte Vertretungsmacht (§ 166 II).

I. Erteilung der Vollmacht

Die Vollmacht wird durch eine *empfangsbedürftige formfreie Willenserklärung* erteilt (§ 167).

1. *Empfangsbedürftigkeit* 497

Erklärungsempfänger der empfangsbedürftigen Willenserklärung kann der zu Bevollmächtigende oder der Dritte sein, dem gegenüber die Vertretung stattfinden soll (§ 167 I). Demnach sind folgende Fälle zu unterscheiden:

a) Bei der *Innenvollmacht* (internen Vollmacht) erklärt der Vollmachtgeber dem zu Bevollmächtigenden, daß er ihn bevollmächtige (§ 167 I 1. Fall).

B sagt dem H, dieser sei befugt, für ihn bei D ein Gemälde zu kaufen.

b) Bei der *Außenvollmacht* (externen Vollmacht) erklärt der Vollmachtgeber 498
dem Dritten, daß er hiermit eine bestimmte Person bevollmächtige (§ 167 I 2. Fall).

B sagt dem D, daß H befugt sei, für ihn (B) bei D ein Gemälde zu kaufen. – Nicht hierher gehört der Fall, daß B, nachdem der den H bevollmächtigt hat, dem D mitteilt, er habe H bevollmächtigt; denn mit der Erklärung an H ist die (Innen-)Vollmacht bereits erteilt.

Zur Außenvollmacht zählt die h. M. auch die *öffentliche Bekanntmachung* an einen unbestimmten Personenkreis (vgl. *Staudinger/Dilcher*, § 167, Rdnr. 12). M. E. handelt es sich um einen Fall des Rechtsscheinschutzes (Rdnr. 518ff.).

2. *Form* 499

a) Die Erklärung ist *grundsätzlich formlos gültig*; selbst wenn das Rechtsgeschäft, für das die Vollmacht bestimmt ist, einer Form bedarf, so ist diese Form für die Bevollmächtigung nicht erforderlich (§ 167 II).

Obwohl also der Grundstückskaufvertrag nach § 313, 1 notariell beurkundet werden muß, ist die mündliche Bevollmächtigung des H durch B zum Verkauf eines Grundstücks formlos möglich.

Da die Bevollmächtigung keiner Form bedarf, kann sie nicht nur ausdrücklich, sondern auch stillschweigend durch schlüssiges Verhalten erteilt werden. Für die Erteilung einer Prokura sieht aber § 48 I HGB eine ausdrückliche Erklärung vor (HR Rdnr. 203).

500 b) *Ausnahmsweise* verlangt das Gesetz (z. B. für die Bevollmächtigung zur Ausschlagung der Erbschaft; § 1945 III) eine *besondere Form* für die Bevollmächtigung. Außerdem kann sich aus dem Zweck der Formvorschrift für das Geschäft, zu dem jemand bevollmächtigt werden soll, ergeben, daß auch die Vollmachtserteilung dieser Form bedarf.

So hat § 313 eine Warnfunktion (Rdnr. 253). Dieser Zweck muß auch beachtet werden, wenn der Grundstückseigentümer einem anderen eine unwiderrufliche Vollmacht zum Verkauf des Grundstücks erteilt. Denn schon damit bindet sich der Eigentümer wirtschaftlich endgültig zum Grundstücksverkauf.

501 c) Die Erteilung einer *Vollmachtsurkunde* ist *nicht erforderlich*, aber ratsam. Wenn nämlich der Bevollmächtigte ein einseitiges Rechtsgeschäft ohne Vorlage einer Vollmachtsurkunde vornimmt und der Dritte deshalb das Geschäft unverzüglich zurückweist, ist das Geschäft unwirksam, selbst wenn die Vollmacht erteilt worden ist (§ 174, 1). Durch Vorlage der Urkunde soll für den Dritten Klarheit geschaffen werden (vgl. Rdnr. 248). Der Dritte ist aber nicht schutzbedürftig, wenn der Vollmachtgeber ihn von der Bevollmächtigung in Kenntnis gesetzt hatte (§ 174, 2); deshalb darf der Dritte in diesem Fall trotz Nichtvorlage der Vollmachtsurkunde das Rechtsgeschäft nicht zurückweisen.

502 II. Arten der Vollmacht

1. Spezial-, Gattungs- und Generalvollmacht

Nach dem Umfang der Vollmacht unterscheidet man zwischen Spezialvollmacht (für ein bestimmtes Geschäft), Gattungsvollmacht (für eine Gattung von Geschäften) und Generalvollmacht (für alle Geschäfte, bei denen eine Vertretung zulässig ist). Der Umfang der Vollmacht ist nach den allgemeinen Auslegungsregeln (Rdnr. 123 ff.) zu ermitteln. In einigen Fällen bestimmt das Gesetz den Umfang der Vollmacht. So erstreckt sich die Prokura (§ 48 HGB; HR Rdnr. 200 ff.), die eine besondere Vollmacht ist, auf Geschäfte jeglicher Art, die der Betrieb eines Handelsgewerbes mit sich bringt (§ 49 I, II HGB).

503 *2. Einzel- und Gesamtvollmacht*

Soll der Bevollmächtigte allein zur Vertretung befugt sein, erteilt der Vollmachtgeber eine Einzelvollmacht. Sollen dagegen nur mehrere (etwa zwei) Vertreter zusammen den Vollmachtgeber vertreten können, erteilt dieser ihnen gemeinschaftlich eine Gesamtvollmacht. Eine solche sieht § 48 II HGB für die Prokura ausdrücklich vor (»Gesamtprokura«). Ob der Vollmachtgeber eine Einzel- oder Gesamtvollmacht erteilt hat, ist durch Auslegung der Vollmachtserklärung zu ermitteln.

Wenn B etwa drei Personen bevollmächtigt, so ist nicht ohne weiteres eine Gesamtvollmacht anzunehmen. Möglich ist auch, daß jede der drei Personen befugt sein soll, allein den B zu vertreten. Es kann auch sein, daß die erste Person Einzelvollmacht haben soll, während die beiden anderen nur zusammen zur Vertretung des B berechtigt sein sollen.

3. *Haupt- und Untervollmacht* 504

a) Die Vollmacht kann auch die Befugnis des Bevollmächtigten enthalten, seinerseits einen Unterbevollmächtigten zu bestellen. Diese Befugnis ist gegeben, wenn der Geschäftsherr kein erkennbares Interesse an einer persönlichen Wahrnehmung durch den Bevollmächtigten hat (BGH WM 1959, 377). Die Hauptvollmacht, die vom Geschäftsherrn selbst erteilt wird, ist von der Untervollmacht zu unterscheiden, die der Hauptbevollmächtigte erteilt.

b) Zwei Arten der Untervollmacht werden insbesondere von der Rechtsprechung (BGHZ 32, 253; 68, 393) unterschieden:

(1) Der Vertreter räumt *im Namen des Geschäftsherrn* dem Unterbevollmächtigten Vertretungsmacht unmittelbar für den Geschäftsherrn ein. Tritt der Untervertreter im Namen des Geschäftsherrn auf, treffen diesen die Folgen des rechtsgeschäftlichen Handelns. Voraussetzungen dafür sind zwei (gültige) Bevollmächtigungen. Dabei ist vor allem zu prüfen, ob der Hauptbevollmächtigte sich bei der Unterbevollmächtigung im Rahmen der ihm erteilten Vertretungsmacht gehalten hat und ob der Unterbevollmächtigte seinerseits die ihm erteilte Untervollmacht nicht überschritten hat; es kann sein, daß die Untervollmacht weniger weit geht als die Hauptvollmacht.

Bestand eine der beiden Vollmachten nicht, wird der Geschäftsherr nicht gebunden. Der Unterbevollmächtigte haftet als Vertreter ohne Vertretungsmacht nach § 179 (Rdnr. 552ff.). Nach dieser Vorschrift haftet auch der Hauptbevollmächtigte, wenn die Hauptvollmacht nicht besteht.

(2) Der Vertreter bevollmächtigt *im eigenen Namen* den Unterbevollmächtigten, ihn (d. h. den Hauptvertreter) zu vertreten. Tritt der Unterbevollmächtigte im Namen des Hauptvertreters in dessen Eigenschaft als Vertreter des Geschäftsherrn (also als Vertreter des Vertreters) auf, dann treffen die Folgen des rechtsgeschäftlichen Handelns »gleichsam durch den (Haupt-) Vertreter hindurch« mittelbar den Geschäftsherrn (BGHZ 32, 254). Voraussetzung dafür ist auch hier, daß beide Bevollmächtigungen gültig sind.

Der Grund für diese gekünstelt erscheinende Konstruktion liegt darin, die Haftung des Untervertreters, der als solcher auftritt, auf den Bestand der Untervollmacht zu beschränken; er soll nicht für Mängel der Hauptvollmacht nach

§ 179 einzustehen haben. M. E. haftet der Untervertreter nach § 179 auch dann, wenn die Hauptvollmacht nicht bestand. § 179 stellt nicht darauf ab, worauf das Fehlen der Vollmacht beruht, sondern berücksichtigt die mangelnde Kenntnis des Vertreters vom Fehlen der Vertretungsmacht allein durch die Begrenzung des Haftungsmaßstabs auf das negative Interesse (§ 179 II; Rdnr. 556). Der Untervertreter nimmt nämlich nicht allein das Vertrauen des Geschäftsgegners in den Bestand der Untervollmacht in Anspruch, da sein Handeln für den Geschäftsgegner erkennbar Rechtswirkungen in der Person des Geschäftsherrn herbeiführen soll.

Der aus § 179 II in Anspruch genommene gutgläubige Untervertreter hat einen entsprechenden Rückgriffsanspruch gegen den Hauptvertreter aus dem zugrunde liegenden Rechtsverhältnis. Ist der Hauptvertreter zahlungsunfähig, so geht der Untervertreter zwar leer aus. Dieses Ergebnis erscheint aber interessengerechter als die Auffassung, die den Untervertreter von einer Haftung nach § 179 freistellt; danach würde nämlich den Geschäftsgegner das Insolvenzrisiko treffen.

4. *Duldungs- und Anscheinsvollmacht*: Rdnr. 518ff.

505 **III. Vollmacht und Grundverhältnis**

1. *Außen- und Innenverhältnis*

Der Vollmachtserteilung liegt in der Regel ein Vertragsverhältnis zwischen Vollmachtgeber und Bevollmächtigtem zugrunde (Grundverhältnis).

a) Die *Vollmacht* betrifft das *Außenverhältnis* zwischen Vollmachtgeber und Drittem. Sie berechtigt den Bevollmächtigten lediglich und verpflichtet ihn nicht. Als einseitiges Rechtsgeschäft bedarf sie keiner Annahmeerklärung des Bevollmächtigten.

Im Fall a hat der Prokurist H die Macht, für B Geschäfte zu tätigen, die der Betrieb eines Handelsgewerbes mit sich bringt (§ 49 I HGB). Also hat H den B beim Kauf der Theke wirksam vertreten, so daß B dem D 1 den Kaufpreis zahlen muß und die Theke verlangen kann. Zum Verkauf von Grundstücken ist H jedoch nicht befugt, da ihm insoweit keine Vollmacht erteilt worden ist (vgl. § 49 II HGB); deshalb ist kein Kaufvertrag zwischen B und D 2 zustande gekommen. – Im Fall b hat B dem H durch das Schreiben an D Vollmacht zum Kauf eines Gemäldes erteilt (= Außenvollmacht). Deshalb wird B durch den Vertragsschluß von H und D Käufer des Bildes, obwohl H minderjährig ist (§ 165). B kann von D Übereignung des Bildes verlangen und muß den Kaufpreis zahlen.

506 b) Das *Vertragsverhältnis zwischen Vollmachtgeber und Bevollmächtigtem* betrifft das *Innenverhältnis* zwischen diesen beiden Personen. Es verpflichtet den Bevollmächtigten gegenüber dem Vollmachtgeber, für ihn tätig zu werden. Der Vertragsschluß bedarf übereinstimmender Willenserklärungen von Vollmachtgeber und Bevollmächtigtem.

Im Fall a besteht zwischen B und H ein Arbeitsvertrag. Nach den Vereinbarungen ist H gegenüber B verpflichtet, kein Geschäft über 10000,– DM für B abzuschließen. Diese Pflicht hat H verletzt, als er eine Theke für 15000,– DM kaufte. Deshalb kann B von H Ersatz des Schadens verlangen, der ihm durch den Kauf der Theke entstanden ist; der Schaden des B besteht etwa darin, daß er dem D 1 die Theke bezahlen muß, obwohl er mit ihr nichts anfangen kann. – Im Fall b wollten B und H einen Auftragsvertrag schließen. Da dieser dem H nicht lediglich rechtlichen Vorteil bringt (vgl. § 107), weil er verpflichtet ist, das ihm übertragene Geschäft zu besorgen (vgl. § 662), ist der Vertrag wegen der Minderjährigkeit des H mangels Zustimmung des gesetzlichen Vertreters unwirksam. Deshalb scheidet ein vertraglicher Schadensersatzanspruch des B gegen H aus.

2. *Abstraktionsprinzip* 507

Die Bevollmächtigung ist von dem ihr zugrunde liegenden Grundverhältnis streng zu trennen, zu »abstrahieren«. Diese Abstraktion bezweckt, die Bevollmächtigung vom Grundgeschäft unabhängig zu machen; insofern ist das Verhältnis von Bevollmächtigung und Grundgeschäft dem Verhältnis von abstraktem und kausalem Geschäft vergleichbar (Rdnr. 118). Für das Außenverhältnis gegenüber dem Dritten ist im Interesse des Dritten die Vollmacht und ihr Umfang maßgebend; hat der Vertreter im Namen und mit Vollmacht des Vertretenen gehandelt, so wirkt das Geschäft für und gegen diesen (Fall a: Thekenkauf, nicht Grundstücksverkauf; Fall b); das gilt auch dann, wenn der Bevollmächtigte im Innenverhältnis gegenüber dem Vollmachtgeber verpflichtet ist, von der ihm erteilten Vollmacht nur in einem bestimmten Umfang Gebrauch zu machen (Fall a: Geschäfte bis zu 10000,– DM). Die Vollmacht kann auch dann gültig sein, wenn das im Innenverhältnis bestehende Vertragsverhältnis an einem Mangel leidet, etwa nichtig ist (Fall b). Selbst eine sog. isolierte Vollmacht, der keinerlei Vereinbarung zugrunde liegt, ist rechtlich möglich.

Im Fall a *kann* H für B die Theke kaufen, aber er *darf* es wegen der Vereinbarung mit B *nicht*. Im Fall b ist trotz fehlenden Auftrags H zur Vertretung des B beim Gemäldekauf befugt.

Trotz der rechtlichen Trennung von Vollmacht und Grundverhältnis kann zwischen beiden ein gewisser Zusammenhang bestehen. So ergibt sich aus § 168, 1, daß das Ende des Grundgeschäfts das Erlöschen der Vollmacht zur Folge hat.

IV. Erlöschen der Vollmacht 508

1. *Erlöschensgründe*

Die befristete oder auflösend bedingte Vollmacht erlischt mit dem Eintritt des Zeitpunkts oder der Bedingung. Das gleiche gilt, wenn die Vollmacht sich nur auf ein bestimmtes Geschäft bezogen hat und dieses abgewickelt ist.

Im BGB sind folgende Erlöschensgründe genannt:

509 a) Im Regelfall ist anzunehmen, daß mit der *Beendigung des Grundverhältnisses* (z. B. Auftrag, Arbeitsvertrag) auch die Vollmacht enden soll (vgl. § 168, 1 u. 2). Jedoch kann der Vollmachtgeber etwas anderes bestimmt haben.

Endet der Auftrag nach einem halben Jahr, endet damit auch die Vollmacht, sofern der Vollmachtgeber für die Vollmacht nicht eine kürzere oder eine längere Zeit vorgesehen hat. Soll die Vollmacht über das Ende des Vertragsverhältnisses hinaus bestehen bleiben, handelt es sich insoweit um eine zulässige isolierte Vollmacht.

Aus § 672, 1, § 675 ergibt sich, daß bei Tod oder Eintritt der Geschäftsunfähigkeit des Auftraggebers der Vertrag im Zweifel nicht erlischt. Demnach bleibt in diesen Fällen im Zweifel auch die Vollmacht bestehen (= postmortale Vollmacht); der Bevollmächtigte vertritt nach dem Tod des Vollmachtgebers dessen Erben. Demgegenüber erlöschen beim Tod des Bevollmächtigten in der Regel der Vertrag und die Vollmacht; normalerweise ist nicht anzunehmen, daß der Vollmachtgeber eine Vertretung durch den oder die – ihm möglicherweise unbekannten – Erben des Bevollmächtigten will. Wird der Bevollmächtigte geschäftsunfähig, ist von nun an ein rechtsgeschäftliches Handeln für einen anderen ausgeschlossen.

In den Fällen der §§ 674, 729 wird trotz Beendigung des Vertragsverhältnisses dessen Fortdauer zugunsten des Beauftragten oder des Gesellschafters als fortbestehend fingiert. Dann gilt nach § 169 auch die erloschene Vollmacht zugunsten des Dritten als fortbestehend, sofern dieser gutgläubig ist, er also bei Vornahme des Geschäfts das Erlöschen der Vollmacht weder kennt noch kennen muß.

510 b) Selbst wenn das Grundverhältnis fortbesteht, ist ein Erlöschen der Vollmacht durch *Widerruf* möglich (§ 168, 2 u. 3).

(1) Bei der *Zulässigkeit des Widerrufs* sind zwei Fallgruppen zu unterscheiden:

(a) *Regelmäßig* ist eine Vollmacht *frei widerruflich* (vgl. § 168, 2). Es wäre unerträglich, wenn der Vollmachtgeber zulassen müßte, daß der Bevollmächtigte – etwa wegen Fortbestehens des Grundverhältnisses – weiterhin mit Wirkung für und gegen ihn rechtsgeschäftlich handelte, obwohl das Vertrauen des Vollmachtgebers zum Bevollmächtigten inzwischen geschwunden ist.

Selbst wenn der Arbeitgeber das Arbeitverhältnis mit dem Arbeitnehmer nicht kündigen kann, so ist er doch in der Lage, die dem Arbeitnehmer erteilte Vollmacht ohne Grund zu widerrufen.

(b) *Ausnahmsweise* ist ein Widerruf der Vollmacht ausgeschlossen. Eine *Unwiderruflichkeit* der Vollmacht kann sich aus dem Grundverhältnis ergeben (§ 168, 2); dafür kann die Tatsache sprechen, daß die Vollmacht ausnahmsweise nicht nur im Interesse des Vollmachtgebers, sondern auch in dem des Bevollmächtigten erteilt ist.

Im Fall c ist die Vollmacht im Interesse des H erteilt. Aus dieser Interessenlage ist zu entnehmen, daß die Vollmacht solange unwiderruflich sein soll, bis die Schuld des B getilgt ist.

Eine Vollmacht kann nicht unwiderruflich erteilt werden, wenn damit die wirtschaftliche Freiheit des Vollmachtgebers derart eingeschränkt ist, daß der Tatbestand des § 138 erfüllt ist (so bei unwiderruflicher Generalvollmacht). Außerdem ist der Vollmachtgeber berechtigt, eine wirksam erteilte unwiderrufliche Vollmacht zu widerrufen, wenn dafür ein wichtiger Grund (z.B. gröbliche Pflichtverletzung) vorliegt (vgl. BGH WM 1969, 1009; 1985, 646).

Liegt der unwiderruflich erteilten Vollmacht keine Grundvereinbarung zugrunde, ist diese (sog. isolierte) Vollmacht frei widerruflich; denn ohne Grundverhältnis gibt es keinen rechtfertigenden Grund, den Vollmachtgeber an den einseitig erklärten Ausschluß des Widerrufsrechts zu binden (BGH DNotZ 1989, 84; 1991, 374).

(2) Ist der Widerruf zulässig, dann kann er durch *einseitiges Rechtsgeschäft* **511** *gegenüber dem Bevollmächtigten oder dem Dritten* ausgeübt werden (§ 168, 3). Es steht dem Vollmachtgeber frei, wem gegenüber er widerruft, unabhängig davon, ob er die Vollmacht als Innen- oder Außenvollmacht (Rdnr. 497f.) erteilt hatte.

2. Folgen des Erlöschens **512**

a) Ist die Vollmacht erloschen, *fehlt dem bisher Bevollmächtigten die Vertretungsmacht.* Handelt er dennoch im Namen des Vollmachtgebers, wirkt das Rechtsgeschäft grundsätzlich nicht für und gegen den Vollmachtgeber. Vielmehr haftet der Handelnde als Vertreter ohne Vertretungsmacht dem Dritten (§ 179; Rdnr. 552ff.).

b) Von diesem Grundsatz macht das Gesetz in den §§ 170–173 *Ausnahmen* **513** *zugunsten des Dritten*, der bei Vornahme des Rechtsgeschäfts das Erlöschen der Vertretungsmacht weder kennt noch kennen muß (§ 173). Obwohl die Vollmacht erloschen ist, wird es in diesen Fällen im Interesse des gutgläubigen Dritten so angesehen, als ob die Vollmacht weiterbestünde. Die Vorschriften schützen also den Dritten in seinem *guten Glauben an das Fortbestehen einer einmal wirksam erteilten Vollmacht.*

Das Gesetz regelt folgende Fälle:

(1) Die Vollmacht ist durch *Erklärung gegenüber einem Dritten erteilt worden* **514** (= Außenvollmacht). Erlischt sie etwa durch Widerruf gegenüber dem Vertreter, bleibt sie zugunsten des gutgläubigen Dritten in Kraft, bis ihm das Erlöschen der Vollmacht vom Vollmachtgeber angezeigt wird (§§ 170, 173). Dieses Ergebnis kann der Vertretene verhindern, wenn er entweder die Vollmacht durch Erklärung gegenüber dem Dritten widerruft oder diesem das Erlöschen der Vollmacht anzeigt.

(2) Die Bevollmächtigung ist durch *besondere Mitteilung an einen Dritten* oder **515** durch *öffentliche Bekanntmachung* kundgegeben worden. Trotz Erlöschens der Vollmacht wird der gutgläubige Dritte in seinem Vertrauen auf das Bestehen der Vollmacht geschützt (§§ 171 I, 173). Der Vollmachtgeber kann den durch die Mitteilung oder Bekanntmachung erzeugten Rechtsschein dadurch zerstören, daß

er die Kundgebung in derselben Weise, wie sie erfolgt ist, widerruft (§ 171 II); dann ist der Dritte nicht mehr schutzwürdig.

516 (3) Dem Bevollmächtigten ist vom Vollmachtgeber eine *Vollmachtsurkunde ausgehändigt* worden, und der Bevollmächtigte legt sie dem Dritten vor. Wenn die Vollmacht erloschen ist, muß der Dritte in seinem Vertrauen auf die Vollmachtsurkunde geschützt werden (§§ 172 I, 173). Der Vollmachtgeber kann das verhindern, indem er sich nach Erlöschen der Vollmacht die Vollmachtsurkunde vom Bevollmächtigten zurückgeben läßt (vgl. § 172 II). Dieser ist zur Zurückgabe verpflichtet (§ 175). Ihm steht auch wegen eines Anspruchs gegen den Vollmachtgeber kein Zurückbehaltungsrecht (§ 273; AS Rdnr. 145 ff.) an der Vollmachtsurkunde zu (§ 175); durch den Ausschluß des Zurückbehaltungsrechts soll ein Mißbrauch der Urkunde verhindert werden. Ist die Vollmachtsurkunde nicht zu beschaffen, kann der Vollmachtgeber sie für kraftlos erklären (Einzelheiten: § 176).

517 (4) Ist eine *Prokura* erloschen, ist das Erlöschen in das Handelsregister einzutragen (§ 53 III HGB). Erfolgt diese Eintragung nicht, wird der gutgläubige Dritte geschützt (§ 15 I HGB; HR Rdnr. 109 ff.).

518 V. Duldungs- und Anscheinsvollmacht

1. Interessenlage

In den zuvor genannten, gesetzlich geregelten Fällen geht es um den Schutz des guten Glaubens des Dritten an den Fortbestand einer einmal wirksam erteilten, inzwischen aber erloschenen Vollmacht; der Dritte soll auf den Rechtsschein, daß die in Wirklichkeit nicht mehr bestehende Vollmacht noch weiterbesteht, vertrauen dürfen. Darüber hinaus gibt es auch Fälle, in denen eine Vollmacht von vornherein nicht bestand und der Dritte aufgrund des Erscheinungsbildes, das sich ihm darbietet, doch annehmen darf, daß eine Vollmacht erteilt worden sei. Wenn der Vertretene seinerseits, obwohl er den Vertreter nicht bevollmächtigt hat, dazu beigetragen hat, daß sich für den Dritten der Schein einer Vollmacht des Vertreters ergibt, dann ist der Dritte schutzwürdiger als der Vertretene. Deshalb ist es berechtigt, den Vertretenen im Interesse des Dritten so zu behandeln, als ob er den Vertreter bevollmächtigt hätte. Aus diesem Grunde hat die Rechtsprechung die Duldungs- und Anscheinsvollmacht entwickelt. Vor allem aus §§ 170 ff. ist der allgemeine Rechtsgedanke zu entnehmen, daß derjenige, der den Rechtsschein einer Vollmacht veranlaßt hat, das vom Vertreter abgeschlossene Rechtsgeschäft gegen sich gelten lassen muß.

2. *Voraussetzungen* 519

a) Es liegt *keine Vollmacht* vor (Fälle d, e).

b) Der Dritte kann nach Treu und Glauben mit Rücksicht auf die Verkehrssitte *aus dem äußeren Geschehen auf eine Bevollmächtigung schließen* (*Rechtsschein* einer Bevollmächtigung).

In den Fällen d und e meldet sich auf Anruf des D bei der Firma B die H. Diese nimmt die Bestellung des D an. Dieser weiß aus früheren Gelegenheiten, daß die H auch sonst seit längerer Zeit Vertragsangebote für B annimmt. Aus alledem ist sein Schluß berechtigt, B habe H insoweit bevollmächtigt.

c) Der Vertretene muß den Rechtsschein einer Bevollmächtigung *in zurechenbarer Weise* gesetzt haben. Hier ist zwischen Duldungs- und Anscheinsvollmacht zu unterscheiden (vgl. *Erman/Brox*, § 167, Rdnr. 7ff.). 520

(1) Die *Duldungsvollmacht* verlangt, daß der Vertretene *das Verhalten* des für ihn Handelnden *kennt und es duldet* (vgl. BGH LM Nr. 10, 13 zu § 167). 521

Im Fall d weiß B um das Verhalten der H. Er schreitet aus Nachlässigkeit nicht ein, obwohl er dazu in der Lage ist.

Die Abgrenzung der Duldungsvollmacht von der stillschweigend erteilten Vollmacht ist nicht immer leicht, praktisch aber unerheblich, da in beiden Fällen den Vertretenen die Rechtsfolgen des Geschäfts treffen. Teilweise wird in der Literatur die Duldungsvollmacht als konkludent erteilte Vollmacht angesehen (*Flume*, § 49, 3).

(2) Die *Anscheinsvollmacht* verlangt, daß der Vertretene *das Verhalten* des für ihn Handelnden *nicht kennt, es aber bei pflichtgemäßer Sorgfalt erkennen und verhindern könnte* (vgl. BGH LM Nr. 3, 4, 15, 17 zu § 167). 522

Im Fall e weiß B nichts vom Verhalten der H. Hätte er sich aber um seinen Betrieb selbst gekümmert oder hätte er damit einen zuverlässigen Mitarbeiter betraut, wäre H »aufgefallen« und hätte ihr Verhalten abgestellt werden können.

Die Anscheinsvollmacht wird in der Literatur teilweise abgelehnt, weil ein schuldhaftes Verhalten einer Willenserklärung nicht gleichzusetzen sei und nur eine Schadensersatzpflicht auslösen könne (*Flume*, § 49, 4).

Die Anscheinsvollmacht darf aber nicht den Schutz der nicht (voll)geschäftsfähigen Personen vereiteln; diesen ist der Rechtsschein einer Vollmacht nicht zuzurechnen.

d) Der Dritte muß auf den geschaffenen Rechtsschein *vertraut* haben. Hierfür ist erforderlich, daß er von den rechtsscheinbegründenden Tatsachen Kenntnis erlangt hat. Das Vertrauen muß für den Geschäftsabschluß ursächlich gewesen sein. Ausnahmsweise ist das Vertrauen nicht schutzwürdig, wenn der Dritte die fehlende Vollmacht hätte erkennen können.

Weiß D im Fall d nichts davon, daß H seit längerer Zeit Bestellungen ohne Beanstandung angenommen hat, darf er nicht darauf vertrauen, daß eine Vollmacht vorliegt.

523 VI. Willensmängel bei der Vollmachtserteilung

Ist dem Vollmachtgeber bei der Vollmachtserteilung ein Irrtum unterlaufen, der nach §§ 119ff. zur Anfechtung berechtigt, so muß zunächst danach unterschieden werden, ob der Bevollmächtigte von seiner Vollmacht inzwischen schon Gebrauch gemacht hat oder nicht.

524 *1. Rechtslage vor Gebrauch der Vollmacht*

Für eine Anfechtung vor Gebrauch der Vollmacht kommt es darauf an, ob die Vollmacht widerruflich oder unwiderruflich ist:

a) Eine *widerrufliche* Vollmacht kann der Vollmachtgeber jederzeit auch ohne Grund widerrufen (§ 168, 2), so daß es einer Anfechtung nicht bedarf.

Im Fall f hat H von der Vollmacht noch keinen Gebrauch gemacht. Die Erklärung ist als Widerruf der Vollmacht aufzufassen, da sich aus ihr ergibt, daß B die Vollmacht des H »beseitigen« will. Demnach handelt H später gegenüber D als Vertreter des B ohne Vertretungsmacht. Ein Gutglaubensschutz ist durch das Rundschreiben ausgeschlossen.

525 b) Wenn eine *unwiderrufliche Vollmacht* nicht widerrufen werden kann, ist Raum für eine Anfechtung. Liegt ein Anfechtungsgrund nach §§ 119ff. vor, kann der Vollmachtgeber die Bevollmächtigung anfechten und diese damit vernichten. Interessen des Dritten sind nicht zu berücksichtigen, da der Bevollmächtigte von seiner Vollmacht noch keinen Gebrauch gemacht hat. Oft wird ein Willensmangel auch einen wichtigen Grund darstellen, der zum Widerruf der unwiderruflichen Vollmacht berechtigt (Rdnr. 510).

Handelt der Vertreter trotz wirksamer Anfechtung weiterhin im Namen des Vertretenen, kommt ein Schutz des gutgläubigen Dritten in Betracht. Deshalb ist es für den Vollmachtgeber ratsam, den Rechtsschein einer bestehenden Vollmacht (etwa durch Rundschreiben) zu zerstören.

526 *2. Rechtslage nach Gebrauch der Vollmacht*

Nach Gebrauch der Vollmacht kann der Vollmachtgeber durch einen – nur ex nunc wirkenden – Widerruf nicht erreichen, daß die vom Bevollmächtigten schon abgeschlossenen Geschäfte keine Rechtsfolgen für ihn (den Vollmachtgeber) haben; denn der Vertreter handelte mit Vertretungsmacht. Hier könnte dem Vollmachtgeber eine Anfechtung helfen, da diese die Vollmachtserteilung von Anfang an – ex tunc – vernichtet (§ 142 I; Rdnr. 390f.).

a) Wegen dieser Rückwirkung würde der Vertreter hier ohne Vertretungsmacht handeln, so daß das vom Vertreter abgeschlossene Geschäft nicht für und gegen den Vertretenen wirkt. Der Dritte hätte einen Schadensersatzanspruch nach § 179 II (Rdnr. 556) gegen den Vertreter, und dieser könnte seinen Schaden nach § 122 (Rdnr. 395ff.) vom Vollmachtgeber ersetzt verlangen.

Im Fall g führte die Anfechtung wegen mangelnder beruflicher Fähigkeiten des H nach § 119 II (Rdnr. 371) zur Vernichtung der Vollmacht. B wäre damit aus dem Vertrag mit D nicht berechtigt und nicht verpflichtet. H müßte dem D dessen Vertrauensschaden (z. B. Telefon- und Portokosten) ersetzen (§ 179 II). Den Ersatz dieses Schadens könnte H von B verlangen (§ 122 I).

b) Dieses interessengemäß erscheinende Ergebnis begegnet aber schon dann **527**
Bedenken, wenn der Schadensersatzanspruch des Dritten gegen den Vertreter oder der des Vertreters gegen den Vertretenen – etwa wegen Zahlungsunfähigkeit – nicht durchsetzbar ist; im ersten Fall bliebe der Schaden beim Dritten, im zweiten beim Vertreter »hängen«. Interessengerechter wäre es, wenn der Vertretene, der sich geirrt hat, letzten Endes den durch ihn verursachten Schaden trägt und ein Schadensersatzanspruch des geschädigten Dritten sich unmittelbar gegen den Vertretenen richtet. Dieses Ergebnis läßt sich dadurch erreichen, daß man das Ziel der Anfechtung beachtet: Es geht dem Vertretenen nicht darum, der Vollmachtserteilung für die Zukunft die Wirkung zu nehmen; dazu genügte ein Widerruf der Vollmacht. Durch die Anfechtung der Vollmachtserteilung will der Vollmachtgeber vielmehr erreichen, daß das aufgrund der Vollmacht bereits abgeschlossene Geschäft keine Wirkung gegen ihn entfaltet. Deshalb erscheint es sachlich berechtigt, immer den Dritten als Anfechtungsgegner anzusehen, gleichgültig, ob eine Außen- oder Innenvollmacht erteilt wurde. Dann muß auch der Dritte, der im Vertrauen auf die Vollmacht das Geschäft abgeschlossen hat, seinen Schaden vom anfechtenden Vollmachtgeber, in dessen Sphäre der Willensmangel liegt, ersetzt verlangen können (so im Ergebnis: *Flume*, § 52, 5 c).

Danach könnte D im Fall g von B seinen Vertrauensschaden nach § 122 ersetzt verlangen.

Bei dieser Lösung werden also durch die Anfechtung der Vollmacht die Interessen des Vertretenen und des Dritten, nicht aber die des Vertreters geschützt; dieser ist nämlich nach richtiger Ansicht zum Schadensersatz gem. § 179 II selbst dann verpflichtet, wenn der Mangel der Vertretungsmacht außerhalb seiner Erkenntnis- und Beurteilungsmöglichkeit lag (a. A. *Flume*, § 47, 3 c).

c) Deshalb ist m. E. eine Anfechtung der Vollmachtserteilung nach dem Ge- **528**
brauchmachen von der Vollmacht grundsätzlich ausgeschlossen, so daß der Vollmachtgeber trotz eines nach §§ 119ff. beachtlichen Willensmangels das Geschäft mit dem Dritten gegen sich gelten lassen muß. Dafür spricht vor allem der Rechtsscheinsgedanke: Wenn bei der Anscheinsvollmacht der Vertretene, obwohl er das Handeln des Vertreters nicht kennt, sich so behandeln lassen muß, als ob er diesen bevollmächtigt habe, und ihm auch kein Anfechtungsrecht zusteht, dann ist schwerlich einzusehen, weshalb der Vertretene, der tatsächlich bevollmächtigt hat, die Vollmacht durch Anfechtung rückwirkend soll beseitigen können. In beiden Fällen ist der gutgläubige Dritte gleich schutzwürdig; der Vertretene ist im Fall der Erteilung der Vollmacht weniger schutzwürdig als im Fall der Anscheinsvollmacht. Allerdings vermag dieses Argument nur dann zu überzeugen, wenn man mit der Rechtsprechung die Anscheinsvollmacht bejaht.

Aber abgesehen davon ist aus § 166 I zu entnehmen, unter welchen Voraussetzungen das vom Vertreter abgeschlossene Geschäft durch Anfechtung vernichtet werden kann. Damit soll der Vertretene so gestellt werden, wie wenn er selbst das Geschäft abgeschlossen hätte und ihm dabei ein Fehler unterlaufen wäre. Könnte er darüber hinaus auch durch Anfechtung der Bevollmächtigung das vom Vertreter abgeschlossene Geschäft »zu Fall bringen«, stünde er besser, als wenn er selbst das Geschäft getätigt hätte.

Schließlich ist auch die Einschränkung der Anfechtung bei Dauerrechtsverhältnissen u. a. im Interesse des Rechtsverkehrs zu beachten (Rdnr. 390; *Brox*, Die Einschränkung der Irrtumsanfechtung, 214 ff.). Danach kann nicht jeder Willensmangel auch im Verhältnis zu Dritten bedeutsam sein. Deshalb tritt in solchen Fällen bei der Anfechtung an die Stelle einer Vernichtung ex tunc eine solche ex nunc. Dieselbe Interessenlage besteht bei der Anfechtung der Bevollmächtigung, wenn von der Vollmacht schon Gebrauch gemacht worden ist; auch hier ist der Dritte schutzwürdig. Deshalb muß die Anfechtung der Vollmacht mit Ex-tunc-Wirkung ausgeschlossen sein. Mit dem Schutz des Dritten wäre allerdings eine Anfechtung der Vollmacht mit Ex-nunc-Wirkung vereinbar, weil dadurch das zuvor vom Vertreter abgeschlossene Geschäft nicht berührt wird. Einer solchen Anfechtung bedarf es aber nicht, da ein zulässiger Widerruf die gleiche Wirkung hat.

Danach ist im Fall g eine Anfechtung der Vollmachtserteilung mit rückwirkender Vernichtung der Vollmacht ausgeschlossen.

Die Auffassung vom Ausschluß der Anfechtung einer bereits vollzogenen Vollmacht schützt die Interessen des Dritten und des Vertreters; sie berücksichtigt aber nicht in allen Fällen berechtigte Interessen des Vertretenen. Es besteht kein Grund, den Dritten stärker zu schützen, als er geschützt würde, wenn der Vertretene selbst den Vertrag geschlossen hätte. Sofern der zur Anfechtung berechtigende Willensmangel bei der Bevollmächtigung auf den Inhalt des vom Vertreter geschlossenen Geschäfts »durchschlägt«, muß dem Vertretenen die Möglichkeit eingeräumt werden, sich vom Vertretergeschäft zu lösen.

Beispiel: Der Vertretene hat den Vertreter zum Verkauf eines Autos zu einem Mindestpreis von 3500,– DM bevollmächtigen wollen, bei der Bevollmächtigung aber (infolge Versprechens) irrtümlich einen Mindestverkaufspreis von 2500,– DM genannt; der Vertreter schließt im Namen des Vertretenen mit dem Dritten einen Kaufvertrag zu 2500,– DM. Hätte der Vertretene anstelle der Bevollmächtigung selbst die Vertragserklärung abgegeben und sich dabei versprochen, wäre er wegen Erklärungsirrtums zur Anfechtung berechtigt. Deshalb fragt sich, ob der Vertretene auch im ersten Fall wegen seines Irrtums bei der Bevollmächtigung das Vertretergeschäft anfechten kann.

Hier bietet es sich an, den Rechtsgedanken des § 166 II heranzuziehen. Zwar stellt diese Vorschrift nach ihrem Wortlaut nur auf die Kenntnis und das Kennenmüssen tatsächlicher Umstände ab; sie ist aber nach h. M. auch auf Willensmängel des Vertretenen anwendbar (MünchKomm/*Schramm*, § 166, Rdnr. 41). Das rechtfertigt sich schon deshalb, weil die zur Anfechtung berechtigenden Willensmängel – abgesehen vom Fall der Drohung – immer auf einer Verkennung tatsächlicher Umstände beruhen. Daher sind nach dem Rechtsgedanken des § 166 II alle Willensmängel des Vertretenen als für das Vertretergeschäft erheblich anzuerkennen, die sich auf das Vertretergeschäft beziehen und sich auf den vom Vertreter geschlossenen Vertrag ausgewirkt haben. Eine solche Einflußnahme liegt immer dann vor, wenn der Willensmangel des Vertretenen den Inhalt des Vertretergeschäfts beeinflußt hat. Ist also dem Vollmachtgeber bei der Bevollmächtigung ein zur Anfechtung berechtigender Irrtum unterlaufen, so muß geprüft werden, ob ein Anfechtungsrecht auch dann gegeben wäre, wenn der Vertretene selbst die Erklärung gegenüber dem Dritten abgegeben hätte und diese mit dem Willensmangel behaftet wäre, mit der die Bevollmächtigung behaftet ist. Liegen diese Voraussetzungen vor, kann der Vertretene das Vertretergeschäft anfechten (Einzelheiten: *Brox*, JA 1980, 451 f.).

Im Beispielsfall ist also der Vertretene zur Anfechtung des Vertretergeschäfts berechtigt. Entsprechendes gilt, wenn der Vollmachtgeber sich bei der Bevollmächtigung über eine wesentliche Eigenschaft der Kaufsache geirrt und das die Vertretererklärung beeinflußt hat.

Dagegen ist im Fall g eine Anfechtung der Vertretererklärung ausgeschlossen. Denn der Irrtum über eine Eigenschaft des Vertreters betrifft allein das Innenverhältnis zwischen dem Vertretenen und dem Vertreter; er wirkt sich nicht auf das Vertretergeschäft aus. Bei diesem sind für die Bildung des Geschäftswillens nämlich allein die Personen der Vertragsparteien und der Geschäftsgegenstand erheblich. Die Auswahl des Vertreters ist ein typisches Risiko der Bevollmächtigung; ein entsprechender Irrtum kann bei einer Selbstvornahme des Geschäfts durch den Vertretenen nicht vorkommen. Es wäre unbillig, den Vertragspartner mit diesen Risiken der Bevollmächtigung zu belasten, zumal die Bevollmächtigung den Geschäftskreis des Vertretenen erweitert und somit allein für diesen einen Vorteil bringt.

§ 26 Die Begrenzung der Vertretungsmacht 529

Schrifttum: *W. Blomeyer*, Die teleologische Korrektur des § 181 BGB, AcP 172, 1; *Feller*, Teleologische Reduktion des § 181 letzter Halbsatz BGB bei nicht lediglich rechtlich vorteilhaften Erfüllungsgeschäften, DNotZ 1989, 66; *Harder*, Das Selbstkontrahieren mit Hilfe eines Untervertreters, AcP 170, 295; *Heckelmann*, Mitverschulden des Vertretenen bei Mißbrauch der Vertretungsmacht, JZ 1970, 62; *H. Honsell*, Das Insichgeschäft nach 181 BGB: Grundfragen und Anwendungsbereich, JA 1977, 55; *U. Hübner*, Interessenkonflikt und Vertretungsmacht, 1977; *ders.*, Grenzen der Zulässigkeit von Insichgeschäften, Jura 1981, 288; *Kern*, Wesen und Anwendungsbereich des § 181 BGB, JA 1990, 281; *D. Reinicke*, Gesamtvertretung und Insichgeschäft, NJW 1975, 1185; *Reinicke/Tiedtke*, Das Erlöschen der Befreiung von dem Verbot der Vornahme von Insichgeschäften, WM 1988, 441; *Rinck*, Pflichtwidrige Vertretung, 1936; *Schott*, Der Mißbrauch der Vertretungsmacht, AcP 171, 385; *Stoll*, Der Mißbrauch der Vertretungsmacht, Festschrift f. H.

Lehmann, 1937, 115; *Tank*, Der Mißbrauch der Vertretungsmacht und Verfügungsbefugnis, NJW 1969, 6; *H.P. Westermann*, Mißbrauch der Vertretungsmacht, JA 1981, 521.

Fälle:

a) D klagt seinem Freund H, daß er einen Posten unmoderner Kleider nicht absetzen könne, wodurch ihm ein großer Schaden entstehe. H, der bei B Prokurist ist, kauft im Namen des B dem D die Kleider zu einem »anständigen« Preis ab, weil B – wie H dem D erklärt – als reicher Mann eher als D einen solchen Schaden verkraften könne. Muß B die Kleider abnehmen und bezahlen?

b) H kauft als Prokurist des B von D Waren, obwohl er bei seiner Einstellung mit B übereingekommen war, daß er nur für den Verkauf zuständig sein soll; dies weiß D genau. Wird B verpflichtet?

c) Der Prokurist H des B schließt in dessen Namen mit sich einen Vertrag, wonach sein Monatsgehalt um 1000,– DM erhöht wird; außerdem kauft er im Namen des B von D, in dessen Namen er ebenfalls auftritt, Waren. B ist damit nicht einverstanden.

d) Im Grundstückskaufvertrag bevollmächtigen Verkäufer und Käufer den Bürovorsteher H des Notars, demnächst für sie die Auflassungserklärungen abzugeben. Zulässig?

e) Die Eltern möchten ihrem sechsjährigen Kind eine Eisenbahn schenken. Möglich?

Der rechtsgeschäftlichen und gesetzlichen Vertretungsmacht sind in besonderen Fällen Grenzen gesetzt. Einmal handelt der Vertreter, der Vertretungsmacht hat, dann ohne Vertretungsmacht, wenn er diese Macht mißbraucht. Zum anderen fehlt dem Vertreter die Vertretungsmacht grundsätzlich in den Fällen, in denen er nicht nur auf der einen Seite des Geschäfts im Namen des Vertretenen, sondern auch auf der anderen Seite entweder im eigenen Namen oder im Namen eines Dritten auftritt.

530 I. Mißbrauch der Vertretungsmacht

1. Interessenlage

Das Abstraktionsprinzip bezweckt, die Vertretungsmacht im Interesse des Dritten vom Innenverhältnis zwischen Vertreter und Vertretenem unabhängig zu machen (Rdnr. 507). Handelt der Vertreter im Rahmen der Vertretungsmacht, wirkt das Geschäft für und gegen den Vertretenen auch dann, wenn der Vertreter im Innenverhältnis gegenüber dem Vertretenen nicht so handeln darf; der Vertreter kann, darf aber nicht so handeln. Selbst wenn der Vertreter seine Vertretungsmacht mißbraucht, indem er sich bewußt über die ihm im Innenverhältnis auferlegte Bindung pflichtwidrig hinwegsetzt, etwa um dem Vertretenen einen Schaden zuzufügen, hat das Geschäft Rechtsfolgen für den Vertretenen. Diese Regel gilt im Interesse des Dritten. Dieser verdient jedoch ausnahmsweise dann keinen Schutz, wenn ihm der Mißbrauch der Vertretungsmacht bekannt ist oder sich ihm aufdrängen mußte.

2. Fallgruppen 531

Die Rechtsprechung hat zwei Fallgruppen herausgearbeitet.

a) Der Vertreter und der Dritte wirken beim Rechtsgeschäft einverständlich zusammen, um den Vertretenen zu schädigen (Kollusion). Dann ist das Geschäft nach § 138 I nichtig; es trifft den Vertretenen nicht (vgl. MünchKomm/*Schramm*, § 164, Rdnr. 99 m. N.).

Da im Fall a der Kaufvertrag nach § 138 I nichtig ist, braucht B die Kleider nicht abzunehmen und nicht zu bezahlen. Überdies müssen H und D dem B den ihm etwa entstandenen Schaden nach §§ 826, 840 ersetzen. – Entsprechendes gilt, wenn der Vormund im Namen seines Mündels und der Dritte bewußt zur Schädigung des Mündels zusammenwirken.

b) Der Vertreter setzt sich bei Ausübung der Vertretungsmacht über die ihm im Innenverhältnis gesetzte Grenze hinweg, und der Dritte ist bösgläubig. 532

(1) Wenn der Dritte weiß, daß der Vertreter bei Ausübung seiner Vertretungsmacht pflichtwidrig handelt, ist er nicht schutzwürdig, so daß kein Grund für die Abstraktion der Vertretungsmacht vom Innenverhältnis besteht. Deshalb wird gegenüber dem Dritten, der die Begrenzung im Innenverhältnis kennt, die Vertretungsmacht durch das Innenverhältnis begrenzt. Der Vertreter handelt gegenüber diesem Dritten ohne Vertretungsmacht, so daß das Geschäft nicht gegen den Vertretenen wirkt. Dieser kann genehmigen (§ 177; Rdnr. 546 f.).

Im Fall b ist H gegenüber dem wissenden D nur zum Verkauf bevollmächtigt. Deshalb wird B aus dem Einkauf nicht verpflichtet.

(2) Streitig ist, ob nur die Kenntnis oder schon das Kennenmüssen des Dritten zu einer Beschränkung der Vertretungsmacht führt (vgl. *Soergel/Leptien*, § 177, Rdnr. 18 m. N.). Würde sich auch eine fahrlässige Unkenntnis des Dritten (von der Begrenzung der Vertretungsmacht im Innenverhältnis) zu seinen Lasten auswirken, müßte dieser sich zur Vermeidung von Nachteilen über das Innenverhältnis zwischen Vertreter und Vertretenem erkundigen. Das will das Gesetz aber durch die Trennung von Vertretungsmacht und Innenverhältnis gerade nicht; der Dritte soll sich allein auf die Vertretungsmacht und deren Umfang verlassen können, ohne Nachforschungen über das Innenverhältnis anstellen zu müssen. Nur wenn der Dritte die Beschränkung aus dem Innenverhältnis kennt, ist er nicht schutzwürdig. Nun ist allerdings eine positive Kenntnis als rein innere Tatsache dem Dritten schwer nachzuweisen. Deshalb muß es genügen, wenn die Beschränkung im Innenverhältnis für den Dritten offenkundig (evident) ist. Muß sich ihm die Beschränkung geradezu aufdrängen, ist er – um Beweisschwierigkeiten zu vermeiden – so zu behandeln, als ob er die Beschränkung kennt (BGHZ 94, 132, 138; vgl. auch BGH NJW 1990, 387). 533

(3) Teilweise wird für eine Einschränkung der Vertretungsmacht durch das Innenverhältnis verlangt, daß der Vertreter sich bewußt über diese Bindung 534

hinwegsetzt (vgl. *Staudinger/Dilcher*, § 167, Rdnr. 95 m. N.). Dem kann m. E. nicht gefolgt werden. Es geht hier nämlich nicht darum, ob und wie bösgläubig der Vertreter bei Ausübung der Vertretungsmacht handelt, sondern allein um einen Interessenwiderstreit von Vertretenem und Drittem. Hält der Vertreter sich nur aus Fahrlässigkeit oder gar ohne jedes Verschulden nicht an die ihm im Innenverhältnis auferlegte Bindung und weiß der Dritte, daß der Vertreter die im Innenverhältnis gezogene Grenze überschreitet, dann ist der Dritte ebensowenig schutzwürdig, wie wenn der Vertreter bewußt diese Grenze mißachtet. Demnach sollte es für eine Beschränkung der Vertretungsmacht genügen, daß der Vertreter die Begrenzung durch das Innenverhältnis überschreitet und es für den Dritten offenkundig ist, daß der Vertreter diese Grenze nicht einhält (vgl. auch BGH NJW 1988, 3012).

535 II. Insichgeschäft

1. Begriff

Das Insichgeschäft ist ein Rechtsgeschäft, das eine Person gegenüber sich selbst vornimmt. § 181 kennt zwei Arten von Insichgeschäften:

a) Beim *Selbstkontrahieren* nimmt ein Vertreter im Namen des Vertretenen mit sich selbst im eigenen Namen ein Rechtsgeschäft vor (Fall c: Gehaltserhöhung).

Der Begriff »Selbstkontrahieren« ist zu eng, weil es sich nicht um einen »Kontrakt«, also um einen Vertrag, sondern auch um ein einseitiges Rechtsgeschäft wie die Kündigung (des H im Namen des B gegenüber dem H) handeln kann.

b) Bei der *Mehrvertretung* nimmt ein Vertreter im Namen des Vertretenen mit sich im Namen eines Dritten ein Rechtsgeschäft vor (Fall c: Warenkauf).

Beispiel: H, der von B bevollmächtigt ist, ein Grundstück zu verkaufen, und der von D bevollmächtigt ist, ein Grundstück zu kaufen, schließt im Namen des B als Verkäufer mit sich im Namen des D als Käufer den Grundstückskaufvertrag.

536 *2. Rechtsfolgen*

a) Nach § 181 ist ein Insichgeschäft *grundsätzlich verboten.*

(1) Die an sich bestehende *Vertretungsmacht ist begrenzt*; sie umfaßt nicht den Abschluß von Insichgeschäften.

Im Fall c ist der Prokurist H zwar befugt, im Namen des B Arbeitsverträge zu schließen oder Vertragsänderungen zu vereinbaren. Er ist aber nicht bevollmächtigt, mit sich selbst vertragliche Abmachungen zu treffen. Das gleiche gilt für den Einkauf der Waren. Da H im Namen des B und im Namen des D handelt, fehlt ihm zu einem solchen Insichgeschäft die Vertretungsmacht.

(2) Aus dem Wortlaut des § 181 »kann ... nicht vornehmen« könnte entnommen werden, daß das Insichgeschäft unheilbar nichtig sei. Jedoch wird mit Recht allgemein angenommen, daß das Geschäft *nur schwebend unwirksam* ist. Da § 181 die Vertretungsmacht beschränkt, der Vertreter also beim Insichgeschäft ohne Vertretungsmacht handelt, steht dem Vertretenen beim Vertrag die Möglichkeit der Genehmigung offen (vgl. § 177; Rdnr. 546f.). **537**

Ist B im Fall c mit der Gehaltserhöhung einverstanden, kann er genehmigen, so daß der Vertrag gültig ist. Zur Gültigkeit des Kaufvertrages ist eine Genehmigung durch beide Vertretenen (B und D) erforderlich.

b) *Ausnahmsweise* ist das Insichgeschäft nach § 181 *gültig*. Das Gesetz nennt zwei Fälle. **538**

(1) Dem Vertreter ist das *Insichgeschäft gestattet*. Die Gestattung kann auf Gesetz oder Rechtsgeschäft beruhen.

Beispiele: In einer notariellen Urkunde heißt es, daß dem H »Vollmacht unter Ausschluß der Beschränkungen des § 181 erteilt« werde. – Eine solche ausdrückliche Erklärung fehlt zwar im Fall d. Da Verkäufer und Käufer aber den H zur Auflassung bevollmächtigen, ist damit die Vollmacht für dieses Insichgeschäft von beiden Vertragspartnern erteilt.

(2) Das Rechtsgeschäft besteht ausschließlich in der *Erfüllung einer Verbindlichkeit*. **539**

Beispiel: B hat von seinem Prokuristen H eine Sache gekauft. H erfüllt die Pflicht des B zur Kaufpreiszahlung, indem er den von B geschuldeten Betrag aus der Kasse des B nimmt.

3. *Anwendungsbereich des § 181* **540**

Hinsichtlich des Anwendungsbereichs des § 181 ist vieles streitig. Das liegt vor allem daran, daß der Zweck dieser Bestimmung verschieden beurteilt wird.

a) Zwei *gesetzgeberische Gründe* kommen – allein oder zusammen – in Betracht:

(1) *Erkennbarkeit des Rechtsgeschäfts*: Wenn ein und dieselbe Person auf beiden Seiten des Rechtsgeschäfts auftritt, besteht die Gefahr, daß der Geschäftsabschluß nach außen nicht in Erscheinung tritt. Soll § 181 der Kundbarmachung des Geschäfts dienen, dann greift die Bestimmung bei Personenidentität ein.

(2) *Vermeidung einer Interessenkollision*: Der Vertreter hat beim Selbstkontrahieren außer seinen eigenen auch die Interessen des Vertretenen zu wahren. Bei der Mehrvertretung vertritt er die entgegengesetzten Interessen zweier verschiedener Personen. Soll durch § 181 eine naheliegende Schädigung des (oder der) Vertretenen vermieden werden, greift die Bestimmung bei einem Interessenwiderstreit ein.

b) Je nachdem, ob das Gesetz eines oder beide der genannten Ziele verfolgt, ist der *Anwendungsbereich des § 181 verschieden*: **541**

(1) Keine Schwierigkeiten bereiten die *Fälle, in denen beide möglichen gesetzgeberischen Gründe eingreifen*. Geht es sowohl um die Erkennbarkeit als auch um die Vermeidung eines Interessenkonflikts, ist § 181 unbestritten anwendbar.

So besteht im Fall c Personenidentität und eine Interessenkollision.

542 (2) Besteht im konkreten Fall eine *Personenidentität, aber keine Interessenkollision*, soll nach früherer, ständiger Rechtsprechung das Insichgeschäft verboten sein, sofern keine der in § 181 genannten Ausnahmen vorliegt (vgl. BGHZ 21, 230; 50, 11). § 181 wird also streng nach seinem Wortlaut als formale Ordnungsvorschrift aufgefaßt; entscheidend ist danach allein die Art der Vornahme des Rechtsgeschäfts. Ein Interessengegensatz ist zwar gesetzgeberisches Motiv, aber zur Erfüllung des Tatbestandes nicht erforderlich.

Demnach könnten die Eltern im Fall e dem Kind die Eisenbahn nicht dadurch schenken, daß sie im eigenen Namen als Schenker mit sich im Namen des Kindes als des Beschenkten den Schenkungsvertrag schließen und das Spielzeug übereignen (!).

543 Diese formale Auffassung ist inzwischen von der Rechtsprechung mit Recht eingeschränkt worden (vgl. BGHZ 56, 97; 59, 236, 240; 94, 232, 235f.; 112, 341). Danach ist § 181 für bestimmte Fallgruppen nicht anwendbar, in denen eine Interessenkollision und damit eine Gefahr der Benachteiligung des Vertretenen nicht bestehen. Das ist der Fall, wenn das Geschäft des Vertreters dem Vertretenen lediglich rechtlichen Vorteil bringt. Bei der Auslegung des § 181 ist die Wertung des § 107 zu berücksichtigen. Danach wird der Minderjährige vor den schädigenden Auswirkungen eigener Willenserklärungen geschützt; ein Schutz ist jedoch nicht erforderlich, wenn die Willenserklärung dem Minderjährigen lediglich rechtlichen Vorteil bringt. Ähnlich ist die Interessenlage bei § 181: Es werden die Interessen des Vertretenen vor Willenserklärungen des Vertreters geschützt, dessen Urteilsfähigkeit durch seine eigene Beteiligung an dem Rechtsgeschäft beeinträchtigt ist; eines Schutzes des Vertretenen bedarf es aber nicht, wenn durch das Geschäft des Vertreters der Vertretene lediglich einen rechtlichen Vorteil erlangt. Demnach ist § 181 unter Beachtung der Wertung des § 107 einschränkend dahin auszulegen, daß das Verbot des Insichgeschäfts nicht gilt, wenn das Geschäft dem Vertretenen lediglich einen rechtlichen Vorteil bringt.

Im Fall e ist demnach ein Selbstkontrahieren zulässig (vgl. BGHZ 59, 236, 240; 94, 232, 235f.; BGH NJW 1989, 2542). Führt allerdings die Erfüllung eines Schenkungsvertrages auch zu einer persönlichen Belastung des Erwerbers (z. B. in Fällen der Übertragung von Wohnungseigentum), ist das dingliche Erfüllungsgeschäft nachteilig und damit ein Selbstkontrahieren unzulässig (vgl. BGHZ 78, 28, 31ff.; *Jauernig*, JuS 1982, 576). – In BGHZ 56, 101 (anders noch BGHZ 33, 189) ist das Geschäft des geschäftsführenden Alleingesellschafters im Namen der GmbH mit sich selbst als gültig angesehen worden, da ein Interessenwiderstreit ausgeschlossen sei und Belange Dritter nicht berührt würden (vgl. auch BGHZ 75, 358, 359ff.; beachte aber jetzt § 35 IV GmbHG, wonach § 181 anzuwenden ist; dazu *U. Hübner*, Jura 1982, 85).

M. E. sollte die Ansicht aufgegeben werden, bei § 181 handele es sich nur um eine formale Ordnungsvorschrift. In Wahrheit bezweckt die Norm, die Gefahr einer Interessenkollision zu vermeiden (vgl. Prot. I, 175). Es soll einem Vertreter verwehrt sein, einen Interessengegensatz zu Lasten des Vertretenen auszunutzen. Dieser soll vor einer Schädigung geschützt werden. 544

Wenn § 181 entscheidend auf die Erkennbarkeit des Rechtsgeschäfts abstellen würde, hätte die Bestimmung vorsehen müssen, daß sie nicht eingreife, sofern dem Erfordernis der Kundbarmachung des Rechtsgeschäfts in irgendeiner Form – etwa durch eine Urkunde – Genüge getan sei. Statt dessen macht § 181 andere Ausnahmen: Sofern das Insichgeschäft ausschließlich in der Erfüllung einer Verbindlichkeit besteht, ist es zulässig; damit wird dem Gedanken Rechnung getragen, daß hier keine Gefahr einer unzumutbaren Schädigung des Vertretenen vorliegt. Denn zu seinen Lasten geschieht nur das, wozu er ohnehin verpflichtet ist; der Vertretene verdient also keinen Schutz. Ist ferner bei Gestattung des Insichgeschäfts dieses erlaubt, ist der Vertretene ebenfalls nicht schutzwürdig; denn bei einer rechtsgeschäftlichen Gestattung ist der Vertretene damit einverstanden, und bei einer gesetzlichen Gestattung wahrt das Gesetz die Interessen des Vertretenen hinreichend. Gerade aus den gesetzlich vorgesehenen Ausnahmen ist zu entnehmen, daß der Schutz des Vertretenen bezweckt ist.

Dieser Schutzzweck ist in § 181 nicht genügend zum Ausdruck gekommen. Da die Gefahr einer Interessenkollision regelmäßig bei einer Personenidentität gegeben ist, stellt der Wortlaut des § 181 auf die leicht erkennbare Personenidentität ab. Er geht aber zu weit, wenn er bei Personenidentität ohne Interessenkollision eingreift; in diesen Fällen muß er einschränkend ausgelegt werden. Liegt also trotz Personenidentität im konkreten Einzelfall eine Interessenkollision nicht vor, ist das Geschäft gültig.

(3) Besteht *keine Personenidentität, wohl aber eine Interessenkollision*, greift nach ständiger Rechtsprechung § 181 nicht ein (vgl. RGZ 108, 407; 157, 31). Hier ist aber zu prüfen, ob nicht eine unzulässige Umgehung des § 181 oder ein Mißbrauch der Vertretungsmacht vorliegt. 545

Beispiele: H, der im Namen des B mit sich selbst ein Rechtsgeschäft abschließen will, bestellt X als seinen Untervertreter, der im Namen des B handelt. Dadurch ist eine Personenidentität vermieden, ohne daß sich an der Interessenkollision etwas ändert. In Wahrheit wird hier durch einen juristischen »Kniff« § 181 umgangen; diese Bestimmung ist anzuwenden. Entsprechendes gilt, wenn auf der einen Seite des Geschäfts H als Vertreter des B auftritt und auf der anderen Seite H durch den von ihm bevollmächtigten X vertreten wird.

H schließt im Namen und mit Vollmacht des B mit seinem (des H) Gläubiger einen Bürgschaftsvertrag (§§ 765 ff.). Hier liegt ein Mißbrauch der Vertretungsmacht vor, so daß B nicht als Bürge in Anspruch genommen werden kann.

546 ## § 27 Die Vertretung ohne Vertretungsmacht

Schrifttum: *Ballerstedt*, Zur Haftung für culpa in contrahendo bei Geschäftsabschluß durch Stellvertreter, AcP 151, 501; *Bühler*, Grundsätze und ausgewählte Probleme der Haftung des ohne Vertretungsmacht Handelnden, MDR 1987, 985; *Gerhardt*, Teilweise Unwirksamkeit beim Vertragsschluß durch falsus procurator, JuS 1970, 326; *N. Hilger*, Zur Haftung des falsus procurator, NJW 1986, 2237; *Hupka*, Die Haftung des Vertreters ohne Vertretungsmacht, 1903; *Jauernig*, Zeitliche Grenzen für die Genehmigung von Rechtsgeschäften eines falsus procurators?, Festschrift f. Niederländer, 1991, 285; *Kipp*, Zur Lehre von der Vertretung ohne Vertretungsmacht, RG-Festschrift, II, 1929, 273; *Litterer*, Vertragsfolgen ohne Vertrag, 1979; *K. Müller*, Gesetzliche Vertretung ohne Vertretungsmacht, AcP 168, 113; *Prölss*, Vertretung ohne Vertretungsmacht, JuS 1985, 577; *ders.*, Haftung bei der Vertretung ohne Vertretungsmacht, JuS 1986, 169; *Reinicke/Tiedtke*, Die Haftung des Vertreters ohne Vertretungsmacht bei Widerruf des Rechtsgeschäfts, DB 1988, 1203; *Schimikowski*, Eigenhaftung des Stellvertreters und des Verhandlungsgehilfen, JA 1986, 345; *K. Schmidt*, Falsus-procurator-Haftung und Anscheinsvollmacht, Festschrift f. Gernhuber, 1993, 435; *Tiedtke*, Zugang und Zugangsbedürftigkeit der notariell beurkundeten Genehmigung, BB 1989, 924; *van Venrooy*, Zur Dogmatik von § 179 Abs. 3 Satz 2 BGB, AcP 181, 220.

Fälle:

a) H kauft im Namen des B ohne Vollmacht bei D ein Fernsehgerät. Als er dem B davon erzählt, erklärt dieser sich mit dem Geschäft einverstanden. Später kann B das gleiche Gerät bei einem anderen Händler preisgünstiger kaufen. Deshalb verweigert er gegenüber D die Abnahme und Bezahlung des Geräts, weil H keine Vollmacht gehabt habe. Mit Recht?

b) Wie, wenn D im Fall a den B zur Genehmigung des Kaufs schriftlich auffordert und B den Brief nicht beantwortet?

c) H kündigt namens des Vermieters B ohne dessen Vollmacht dem Mieter D den Mietvertrag über eine Maschine. B genehmigt die Kündigung dem H gegenüber. D möchte aber die Maschine weiter benutzen.

d) Wie, wenn im Fall c der Mieter D weiß, daß H nicht bevollmächtigt ist, und ihm erklärt, die Kündigung komme ihm sehr gelegen, weil er die Maschine nicht mehr benötige?

e) H hat im Namen des B ohne Vertretungsmacht bei D eine Maschine für 10000,– DM gekauft, und B hat die Genehmigung verweigert. D möchte wissen, ob er nunmehr von H die Zahlung von 10000,– DM verlangen kann. Hilfsweise macht er 1000,– DM als Differenz von Kaufpreis und Wert der Maschine (9000,– DM) geltend. Sofern auch das nicht möglich sei, begehrt er Ersatz seiner Telefonkosten von 50,– DM.

I. Rechtsverhältnis zwischen Vertretenem und Drittem

Das rechtsgeschäftliche Handeln des Vertreters ohne Vertretungsmacht (falsus procurator) wirkt nicht für und gegen den Vertretenen.

1. Recht des Vertretenen zur Genehmigung

Der Vertretene kann ein Interesse daran haben, das vom Vertreter ohne Vertretungsmacht abgeschlossene Geschäft »an sich zu ziehen«, wenn er es etwa für günstig hält. Das Gesetz räumt ihm diese Möglichkeit bei Verträgen ein (§ 177 I) und schließt sie bei einseitigen Rechtsgeschäften grundsätzlich aus (§ 180).

a) Für *Verträge* gelten §§ 177ff., die den §§ 108ff. (Rdnr. 245ff.) entsprechen. **547**
Danach hat der Vertretene das Recht, den Vertrag zu *genehmigen* (§ 177 I). Die Genehmigung kann er gegenüber dem Vertreter oder dem Dritten erklären (§ 182 I; Rdnr. 456). Sie wirkt auf den Zeitpunkt des Vertragsschlusses zurück (§ 184 I; Rdnr. 460). Damit wird der Vertretene aus dem Vertrag genauso berechtigt und verpflichtet, wie wenn der Vertreter von vornherein Vertretungsmacht gehabt hätte. Bis zur Genehmigung bleibt also die Wirksamkeit des Vertrages in der Schwebe; er ist schwebend unwirksam. Lehnt der Vertretene die Genehmigung ab, ist der Vertrag endgültig unwirksam.

Im Fall a ist der schwebend unwirksame Kaufvertrag durch die Genehmigung des B gegenüber H wirksam geworden. B muß das Gerät dem D abnehmen und bezahlen (§ 433 II).

Die Genehmigung heilt nur die fehlende Vertretungsmacht, nicht auch andere Mängel des Vertrages.

Hat etwa der vollmachtlose H im Namen des B dem D schriftlich ein Grundstück verkauft, so ist der Vertrag wegen Formmangels (§ 313, 1) nichtig. Daran ändert auch eine Genehmigung des B nichts.

b) Für *einseitige Rechtsgeschäfte* (Rdnr. 97) gilt § 180, der teilweise dem § 111 **548**
(Rdnr. 248) entspricht.

(1) Da ein vom Vertreter ohne Vertretungsmacht vorgenommenes *einseitiges Rechtsgeschäft* nach § 180, 1 grundsätzlich unzulässig ist, kann es vom Vertretenen *grundsätzlich nicht genehmigt* werden. Dadurch soll im Interesse des Dritten, der – anders als beim Vertrag – an dem Geschäft allenfalls als Erklärungsempfänger passiv beteiligt ist, ein Schwebezustand und damit eine für den Dritten unklare Rechtslage vermieden werden.

Die Kündigung im Fall c ist trotz Genehmigung des B nichtig.

(2) *Ausnahmsweise* kann aber auch ein *einseitiges, empfangsbedürftiges Rechts-* **549**
geschäft (Rdnr. 90) vom Vertretenen *genehmigt* werden (§ 180, 2 u. 3) Hier wird ein Schwebezustand vom Gesetz in Kauf genommen, weil der Dritte weniger schutzwürdig ist.

Das Gesetz nennt drei Fälle:

(a) Der Dritte ist damit einverstanden gewesen, daß der Vertreter ohne Vertretungsmacht handelte (§ 180, 2).

Da D im Fall d zu erkennen gibt, daß er mit dem Handeln des H ohne Vertretungsmacht einverstanden ist, kann B die Kündigung genehmigen. Mit der Genehmigung des B gegenüber H ist die Kündigungserklärung wirksam.

(b) Der Dritte hat die vom Vertreter behauptete Vertretungsmacht nicht beanstandet (§ 180, 2).

»Beanstandet« ist gleichbedeutend mit »zurückweist« in § 111, 2 und § 174, 1. Erfolgt etwa die Kündigungserklärung brieflich, genügt es, daß der Dritte die behauptete Vertretungsmacht unverzüglich (vgl. § 121) beanstandet.

(c) Ein einseitiges Rechtsgeschäft ist gegenüber einem Vertreter ohne Vertretungsmacht mit dessen Einverständnis vorgenommen worden (§ 180, 3).

Beispiel: Käufer D will den mit B geschlossenen Kaufvertrag wegen Irrtums anfechten. Er gibt die Anfechtungserklärung gegenüber dem von B nicht bevollmächtigten H (= Empfangsvertreter) ab, der damit einverstanden ist. Es liegt bei B, ob er genehmigt oder nicht.

550 *2. Gestaltungsrechte des Dritten*

In allen Fällen, in denen der Vertretene zur Genehmigung berechtigt ist (§ 177 I; § 180, 2 u. 3), besteht ein Schwebezustand; der Dritte weiß nicht, ob der Vertretene genehmigt und damit das Geschäft gültig ist oder ob er die Genehmigung verweigert und damit das Geschäft endgültig unwirksam ist. Um dem Dritten Klarheit zu verschaffen, räumt ihm das Gesetz folgende Rechte ein:

a) Der Dritte kann *widerrufen* (§ 178) und so selbst das Geschäft unwirksam machen. Voraussetzung ist, daß der Vertrag noch nicht genehmigt worden ist (§ 178, 1). Hat der Vertretene schon genehmigt, ist das Geschäft gültig; ein späterer Widerruf kann daran nichts mehr ändern. Ein Widerruf des Dritten ist ferner ausgeschlossen, wenn der Dritte den Mangel der Vertretungsmacht bei Vertragsschluß gekannt hat (§ 178, 1); dann ist der Dritte nicht schutzbedürftig, weil er in Kenntnis dieses Mangels den Vertrag geschlossen hat.

Der Widerruf kann sowohl gegenüber dem Vertretenen als auch gegenüber dem Vertreter erfolgen (§ 178, 2).

551 b) Der Dritte kann den Vertretenen *zur Erklärung über die Genehmigung auffordern* (§ 177 II). Dadurch wird seine Ungewißheit über die Wirksamkeit des Geschäfts zwar noch nicht beendet; das Gesetz knüpft aber an diese Aufforderung Rechtsfolgen: Der Vertretene kann seine Erklärung nunmehr nur noch gegenüber dem Dritten (nicht gegenüber dem Vertreter) abgeben (§ 177 II 1). Vor allem aber läuft vom Zugang der Aufforderung eine Frist von zwei Wochen, innerhalb der die Genehmigung zu erklären ist; wird sie nicht erklärt, gilt sie als verweigert (§ 177 II 2). Durch diese Fiktion wird der Schwebezustand im Interesse des Dritten beendet; das Geschäft ist endgültig unwirksam, woran auch eine spätere Genehmigung nichts mehr ändert.

Da der Dritte Bescheid wissen soll, wie es mit der Gültigkeit des Geschäfts steht, ist es, wenn der Vertretene zur Genehmigung aufgefordet wird, unerheblich, daß dieser schon gegenüber dem Vertreter genehmigt oder die Genehmigung verweigert hat; vielmehr wird durch die Aufforderung eine zuvor dem Vertreter gegenüber erklärte Genehmigung oder Verweigerung der Genehmigung unwirksam, so daß mit der Aufforderung wieder ein Schwebezustand besteht (vgl. § 108 II; Rdnr. 246).

Im Fall b wird die gegenüber H erklärte Genehmigung des B (§§ 177 I, 182 I) durch die Aufforderung des D unwirksam (§ 177 II 1). Sie gilt durch das Schweigen des B innerhalb der Zweiwochenfrist als verweigert (§ 177 II 2). Demnach besteht kein gültiger Kaufvertrag zwischen D und B.

Der Schutz des Dritten durch § 177 II greift dagegen nicht ein, wenn der Vertretene gegenüber dem Dritten genehmigt hat oder die Genehmigung verweigert hat; denn damit ist die Rechtslage für den Dritten klar. Das gleiche muß nach dem Sinn des Gesetzes auch dann gelten, wenn die Genehmigung oder Verweigerung zwar gegenüber dem Vertreter erfolgt ist, der Dritte davon aber zuverlässige Kenntnis hat.

II. Das Rechtsverhältnis zwischen Vertreter und Drittem 552

Ist das vom Vertreter ohne Vertretungsmacht geschlossene Geschäft endgültig unwirksam, muß der Dritte geschützt werden, wenn er auf die Gültigkeit des Geschäfts vertraute. Andererseits ist der Vertreter grundsätzlich nicht schutzwürdig, da er durch sein Handeln im Namen des Vertretenen bei dem Dritten den Eindruck erweckte, es komme ein Geschäft mit dem Vertretenen zustande. Zum Ausgleich muß deshalb der Dritte Rechte gegen den Vertreter haben. Dem trägt § 179 Rechnung.

Die gesetzliche Haftung aus § 179 kann durch AGB nicht erweitert werden (§ 11 Nr. 14 b AGBG; Rdnr. 204 o).

1. Anspruch aus § 179 I 553

a) *Voraussetzung* für einen Anspruch aus § 179 I ist, daß der Vertreter in fremdem Namen, aber ohne Vertretungsmacht gehandelt hat.

Selbst beim Fehlen der Vertretungsmacht ist ein Anspruch aus § 179 I nicht gegeben, wenn der Vertretene sich das Rechtsgeschäft nach den Grundsätzen der Rechtsscheinsvollmacht zurechnen lassen muß. Der Dritte hat nicht die Wahl, ob er sich an den Vertretenen oder den Vertreter halten will. Er darf nicht besser stehen als der, welcher mit einem Vertreter abgeschlossen hat, dem »normale« Vertretungsmacht zusteht (*Erman/Brox*, § 179, Rdnr. 3; BGHZ 86, 273).

Das vom Vertreter getätigte Geschäft muß ferner genehmigungsfähig sein; das ist nicht nur beim Vertrag (§ 177 I), sondern ausnahmsweise auch beim einseitigen empfangsbedürftigen Rechtsgeschäft (§ 180, 2; Rdnr. 549) der Fall. Schließlich muß der Vertretene die Genehmigung verweigert haben.

Eine Bestimmung in AGB, daß der Vertreter dem Verwender gegenüber stets (also auch, wenn er mit Vertretungsmacht gehandelt hat) zur Mithaftung verpflichtet sein soll, ist unwirksam (§ 11 Nr. 14 a AGBG; Rdnr. 204 o).

554 b) Als *Rechtsfolge* bestimmt § 179 I ein Wahlrecht des Dritten (vgl. §§ 262 ff.; AS Rdnr. 94 ff.). Er kann vom Vertreter *Erfüllung oder Schadensersatz wegen Nichterfüllung* verlangen. Die Wahl erfolgt durch Erklärung des Dritten gegenüber dem Vertreter (§ 263 I).

(1) Wählt der Dritte *Erfüllung*, entsteht kraft Gesetzes zwischen ihm und dem Vertreter ein Schuldverhältnis, wie es mit dem Vertretenen zustande gekommen wäre, wenn der Vertreter Vertretungsmacht gehabt hätte.

Erfüllung bedeutet im Fall e, daß D von H nicht nur Abnahme der Maschine und Zahlung des Kaufpreises von 10 000,– DM verlangen kann (§ 433 II), sondern daß D seinerseits dem H die Maschine übergeben und übereignen muß (§ 433 I 1).

555 (2) Wählt der Dritte *Schadensersatz wegen Nichterfüllung*, ist der Vertreter verpflichtet, dem Dritten den Schaden in Geld zu ersetzen, der dem Dritten dadurch entstanden ist, daß das Geschäft nicht mit Wirkung für und gegen den Vertretenen wirksam geworden ist. Beim gegenseitigen Vertrag (z. B. Kauf) berechnet sich der Schaden aus der Differenz von Leistung und Gegenleistung (AS Rdnr. 268).

Im Fall e beträgt der Wert der Leistung, die D hätte fordern können, 10 000,– DM. Davon ist ein Betrag von 9 000,– DM als Wert der Maschine, die D nicht zu leisten braucht, abzuziehen. Demnach beläuft sich der Schaden des D auf 1 000,– DM.

556 *2. Anspruch aus § 179 II*

Nach § 179 II ist die Rechtsstellung des Vertreters besser, wenn die Voraussetzungen des § 179 I vorliegen und der Vertreter den Mangel der Vertretungsmacht bei Abschluß des Geschäfts *nicht gekannt hat*. Dann ist er nur zum Ersatz des *Vertrauensschadens bis zur Höhe des Erfüllungsschadens* verpflichtet (§ 179 II). Hinsichtlich der Rechtsfolge entspricht die Regelung der des § 122 I (Einzelheiten: Rdnr. 397 f.).

Im Fall e sind die Telefonkosten, die D im Vertrauen auf die Wirksamkeit des Kaufvertrages mit B aufgewandt hat, sein Vertrauensschaden. Nur sie kann D von H ersetzt verlangen, wenn dieser den Mangel der Vertretungsmacht nicht gekannt hat. Andernfalls kann D zwischen Erfüllung und Schadensersatz wegen Nichterfüllung nach § 179 I wählen.

3. *Ausschluß der Ansprüche aus § 179* 557

Der Dritte hat gegen den Vertreter keine Ansprüche aus § 179, wenn sein Vertrauen auf die Wirksamkeit des Geschäfts keinen Schutz verdient.

a) Wenn dem Dritten bei Vertragsschluß *bekannt war, daß der Vertreter keine Vertretungsmacht hatte*, wußte er, worauf er sich beim Abschluß des Vertrages einließ, so daß er auf die Gültigkeit des Vertrages nicht vertraute. Entsprechendes muß gelten, wenn der Dritte den Mangel der Vertretungsmacht hätte kennen müssen; er ist dann nicht schutzwürdig (§ 179 III 1).

Zur Haftung des Vertreters einer später nicht zustande gekommenen Bauherrengemeinschaft vgl. BGH WM 1988, 1831.

b) Wenn der Vertreter nur *beschränkt geschäftsfähig* war, geht sein Schutz dem des Dritten vor (§ 179 III 2); das gilt jedoch nicht, wenn der beschränkt Geschäftsfähige mit Zustimmung seines gesetzlichen Vertreters gehandelt hat (§ 179 III 2); dann treffen ihn wie auch sonst die negativen Folgen seiner Erklärung (vgl. § 107).

c) Wenn der Dritte *von seinem Widerrufsrecht nach § 178 Gebrauch machte*, hat er es sich selbst zuzuschreiben, daß der Vertretene den Vertrag nicht durch seine Genehmigung doch noch gültig machen konnte.

d) Hat der Vertreter ohne Vertretungsmacht einen Vertrag geschlossen, der unter § 1 I HausTWG (Rdnr. 203 ff.) fällt, und hat der Vertretene die Genehmigung verweigert, kann der Vertreter das *Widerrufsrecht nach dem HausTWG* ausüben und dadurch einen Anspruch des Dritten aus § 179 ausschließen (BGH WM 1991, 860, 861).

4. *Beweislastverteilung nach § 179* 558

Die Verteilung der Beweislast ist aus der Formulierung des § 179 zu entnehmen:

a) Klagt der Dritte gegen den Vertreter auf Erfüllung oder Schadensersatz wegen Nichterfüllung, dann muß er behaupten und bei Bestreiten des Vertreters auch beweisen, daß dieser im fremden Namen mit ihm einen Vertrag geschlossen und der Vertretene die Genehmigung verweigert hat.

b) Der Vertreter erreicht eine Abweisung der Klage, wenn er eine der folgenden Voraussetzungen behauptet und bei Bestreiten des Dritten auch beweist:

(1) Er war bevollmächtigt (§ 179 I: »*sofern* er nicht seine Vertretungsmacht nachweist«).

(2) Er hat den Mangel der Vertretungsmacht nicht gekannt (§ 179 II). Dann ist zwar der Anspruch auf Erfüllung oder Schadensersatz wegen Nichterfüllung unbegründet; jedoch bleibt der Anspruch auf Ersatz des Vertrauensschadens (§ 179 II).

(3) Der Dritte kannte den Mangel der Vertretungsmacht oder mußte ihn kennen (§ 179 III 1: »Der Vertreter haftet nicht ...«).

(4) Der Vertreter war beschränkt geschäftsfähig (§ 179 III: »Der Vertreter haftet auch dann nicht . . .«). Allerdings gewinnt der Dritte doch noch den Prozeß, wenn er gegenüber der beschränkten Geschäftsfähigkeit des Vertreters behauptet und beweist, daß dieser mit Zustimmung seines gesetzlichen Vertreters gehandelt hat (§ 179 III 2: »es sei denn, daß . . .«).

Dritter Teil Das subjektive Recht

Erstes Kapitel Inhalt und Ausübung der subjektiven Rechte

§ 28 Das Privatrechtsverhältnis und das subjektive Recht 559

Schrifttum: *Aicher*, Das Eigentum als subjektives Recht, 1975; *Bötticher*, Besinnung auf das Gestaltungsrecht und das Gestaltungsklagerecht, Festschrift f. Dölle, Bd. I, 1963, 41; *Bucher*, Das subjektive Recht als Normsetzungsbefugnis, 1965; *Coing*, Zur Geschichte des Begriffs »subjektives Recht«, in: Coing/Lawson/Grönfors, Das subjektive Recht und der Rechtsschutz der Persönlichkeit, 1959, 7; *Kasper*, Das subjektive Recht – Begriffsbildung und Bedeutungsmehrheit, 1967; *Larenz*, Zur Struktur »subjektiver Rechte«, Festgabe f. Sontis, 1977, 129; *L. Raiser*, Der Stand der Lehre vom subjektiven Recht im deutschen Zivilrecht, JZ 1961, 465; *Schapp*, Das subjektive Recht im Prozeß der Rechtsgewinnung, 1977; *J. Schmidt*, Aktionsberechtigung und Vermögensberechtigung, 1969; *Seckel*, Die Gestaltungsrechte des Bürgerlichen Rechts, Festgabe f. Koch, 1903, 205; *Wüstenbecker*, Die subjektiven Privatrechte, JA 1984, 227.

I. Privatrechtsverhältnis

1. Begriff

Das Privatrecht im objektiven Sinn, das alle privatrechtlichen Rechtsnormen umfaßt, regelt die Beziehungen zwischen Personen untereinander und ordnet das Verhältnis von Personen zu Gegenständen. Diese Rechtsbeziehungen nennt man Privatrechtsverhältnisse.

Das Mietverhältnis zwischen Vermieter und Mieter, das Arbeitsverhältnis zwischen Arbeitgeber und Arbeitnehmer sind Rechtsverhältnisse zwischen Personen. – Das Eigentum ordnet eine Sache einer Person zur vollen Sachherrschaft zu (vgl. Art. 14 GG; § 903), das Pfandrecht weist dem Inhaber das Recht zur Befriedigung aus der verpfändeten Sache zu (vgl. § 1204); dabei handelt es sich jeweils um ein Rechtsverhältnis zwischen einer Person und einer Sache. Aus einem solchen Rechtsverhältnis können sich Rechtsverhältnisse zwischen Personen ergeben. Wenn etwa jemand eine fremde Sache in seine tatsächliche Gewalt (in seinen Besitz) bringt, kann der Eigentümer von ihm Herausgabe der Sache verlangen (§ 985). Stört ein anderer das Eigentum, indem er etwa ein fremdes Grundstück unbefugt betritt, kann der Eigentümer Beseitigung und Unterlassung der Störung von ihm begehren (§ 1004).

560 *2. Elemente*

Das Privatrechtsverhältnis enthält auf der einen Seite ein (subjektives) Recht, und diesem entspricht auf der anderen Seite eine Pflicht.

So hat im Mietverhältnis der Mieter das Recht, vom Vermieter die Gebrauchsüberlassung der gemieteten Sache zu verlangen; dem entspricht die Pflicht des Vermieters zur Gebrauchsüberlassung (§ 535, 1).

561 a) Unter einem *subjektiven Privatrecht* (= Privatrecht im subjektiven Sinn) versteht man *die dem einzelnen vom Privatrecht im objektiven Sinne verliehene Macht*.

Es gibt auch subjektive Rechte im öffentlichen Recht. Sie richten sich gegen Hoheitsträger wie den Staat (z. B. Grundrechte; Art. 1–19 GG).

562 (1) Das subjektive Privatrecht ist das wichtigste Element des Privatrechtsverhältnisses. Dieses enthält regelmäßig eine Reihe von subjektiven Rechten, manchmal aber auch nur ein einziges subjektives Recht.

Beispiele: Aus dem Kaufvertrag (Rechtsverhältnis) ergeben sich die Rechte des Käufers, vom Verkäufer Übergabe und Übereignung der Kaufsache (§ 433 I 1), Auskunft (§ 444) sowie bei Mangelhaftigkeit der Kaufsache Herabsetzung des Kaufpreises (§§ 462, 459) zu verlangen. – Hat A dem B bis zum 1. Juli 500,– DM zinslos »geliehen«, so folgt aus diesem Darlehen (Rechtsverhältnis) nur ein einziges subjektives Recht, nämlich das Recht des A, von B am 1. 7. Zahlung von 500,– DM zu begehren (§ 607).

563 (2) Kein subjektives Recht ist die *Erwerbsaussicht*. Sie ist die bloße Chance, in der Zukunft ein subjektives Recht zu erwerben. Ob der Erwerb jemals eintritt, ist unsicher. Eine solche Erwerbsaussicht wird von der Rechtsordnung nicht geschützt.

Beispiel: Hat der Vater (V) seinen Sohn (S) zu seinem Erben eingesetzt, so geht mit dem Tod des V sein Vermögen auf S über (§ 1922). S hat also ein (Erb-)Recht im subjektiven Sinne, nämlich die Rechtsmacht über die Erbschaft. – Vor dem Tod des V hat S dagegen noch kein Erbrecht, sondern nur die Chance, demnächst – beim Tod des V – Erbe zu werden. Denn es steht noch keineswegs fest, daß S den V beerbt. Abgesehen davon, daß man nicht weiß, ob S den V überlebt, besteht auch die Möglichkeit, daß V in einem späteren Testament eine andere Person zu seinem Erbe einsetzt (vgl. § 2258 I; ErbR Rdnr. 139).

564 (3) Die *Anwartschaft* ist ebenfalls eine Aussicht, ein subjektives Recht zu erwerben. Im Unterschied zur bloßen Erwerbsaussicht oder -chance liegt eine Anwartschaft vor, wenn ein Teil der Voraussetzungen zum Erwerb eines subjektiven Rechts schon erfüllt ist. Kann der Veräußerer den Rechtserwerb nicht mehr verhindern und stellt deshalb die Position des Erwerbers bereits einen eigenen Vermögenswert dar, so behandelt man die Anwartschaft als Vorstufe des subjektiven Rechts; man spricht von einem Anwartschaftsrecht. Damit soll erreicht werden, daß der Inhaber einer solchen Anwartschaft diese beispielsweise verkaufen und auf den Käufer übertragen kann und daß die Anwartschaft bereits pfändbar ist.

Hauptbeispiel ist der Kauf unter Eigentumsvorbehalt (vgl. § 455). Zur Erläuterung ist folgender Fall vorauszuschicken: Kauft K bei V ein Fernsehgerät für 1500,– DM in bar, so ist V nach § 433 I 1 verpflichtet, dem K das Gerät zu übergeben und zu übereignen. V erfüllt seine Verpflichtung dadurch, daß er das Gerät dem K übergibt und beide Parteien sich darüber einig sind, daß das Eigentum an dem Gerät von V auf K übergehen soll (§ 929, 1). Ist das geschehen, so ist K Eigentümer des Geräts.

Abwandlung des Falles: K will das Gerät von V erwerben, will aber den Kaufpreis in Raten zahlen. Deshalb vereinbaren V und K im Kaufvertrag, daß der Kaufpreis in monatlichen Raten von 100,– DM zu zahlen ist. Überträgt V nach Abschluß des Kaufvertrages das Eigentum an dem Gerät auf K, so steht ihm kein Recht an dem Gerät mehr zu. V kann beispielsweise nicht verhindern, daß ein Gläubiger des K das diesem gehörende Gerät pfänden und versteigern läßt. Das ist dann für V mißlich, wenn K seinen Ratenzahlungsverpflichtungen nicht nachkommt. V ist sein Eigentum »los«, und er kann möglicherweise den Kaufpreisanspruch nicht realisieren. Demgegenüber ist V hinreichend gesichert, wenn er dem K das Gerät sofort nach Kaufabschluß übergibt und beide Parteien sich darüber einig sind, daß das Eigentum an dem Gerät auf K erst dann übergeht, wenn der gesamte Kaufpreis gezahlt ist (Eigentumsvorbehalt; BS Rdnr. 107ff.). Hier bleibt V bis zur vollständigen Kaufpreiszahlung Eigentümer des Geräts. Sobald die letzte Rate gezahlt wird, geht das Eigentum ohne weiteres von V auf K über. Bis zu diesem Zeitpunkt hat K kein Eigentum an dem Gerät, aber ein Anwartschaftsrecht, das sich zum Vollrecht (Eigentum) hin entwickelt und mit Zahlung der letzten Rate zum Vollrecht erstarkt.

b) Die Rechtsnormen enthalten außer den Rechten auch *Rechtspflichten.* **565**
Diese verpflichten den Betroffenen zu einem bestimmten Tun oder Unterlassen.

Beispiele: Pflicht des Käufers zur Kaufpreiszahlung (§ 433 II); Pflicht jeder Person, Störungen fremden Eigentums zu unterlassen (vgl. § 1004).

(1) In der Regel entspricht die Rechtspflicht einem subjektiven Recht. Sie **566**
soll als dessen Kehrseite bewirken, daß das subjektive Recht beachtet und nicht beeinträchtigt wird.

So entspricht die Pflicht des Käufers zur Kaufpreiszahlung dem Recht des Verkäufers auf Kaufpreiszahlung. Die Pflicht zur Unterlassung von Störungen fremden Eigentums dient dem Schutz des Rechts des Eigentümers.

Das Gesetz kennt aber auch Rechtspflichten, denen kein subjektives Recht gegenübersteht. In solchen Fällen werden durch die Pflicht des Betroffenen zwar auch die Interessen einzelner oder der Allgemeinheit geschützt. Aber der durch die Rechtsnorm Begünstigte kann vom Verpflichteten nicht selbst die Erfüllung der Pflicht verlangen; er hat kein subjektives Recht. Die tatsächliche Begünstigung ist lediglich eine Reflexwirkung des objektiven Rechts.

Beispiel: Der Vater (V) hat im Testament seinen Sohn (S) zum Erben eingesetzt, ihn aber auch verpflichtet, 10000,– DM an die Armen der Heimatgemeinde zu zahlen (Auflage; § 1940). Hier hat V den S »zu einer Leistung verpflichtet, ohne einem anderen ein Recht auf die Leistung zuzuwenden« (§ 1940). Der einzelne Arme oder die Armen können also den S nicht mit Erfolg auf Zahlung von 10000,– DM in Anspruch nehmen. Da deshalb die Gefahr besteht, daß S der Auflage nicht nachkommt, räumt § 2194 bestimmten Personen die Befugnis ein, von S die Vollziehung der Auflage zu verlangen (vgl. ErbR Rdnr. 441).

Beispiel aus dem öffentlichen Recht: Ist im Straßenverkehr durch ein Verkehrszeichen ein Überholverbot angeordnet, so ist jedermann verpflichtet, dort das Überholen zu unterlassen (vgl. § 5 III Nr. 2 StVO). Das Verbot bezweckt den Schutz der Verkehrsteilnehmer vor den Gefahren, die hier beim Überholen entstehen. Der einzelne Verkehrsteilnehmer hat aber kein subjektives Recht darauf, nicht überholt zu werden. Überholt jemand trotz des Überholverbots und verursacht er dadurch schuldhaft einen Verkehrsunfall, so hat der Verletzte jedoch das Recht, von ihm Ersatz des Schadens zu verlangen (vgl. § 823 II).

567 (2) Von der Rechtspflicht ist die *Obliegenheit* zu unterscheiden. Darunter versteht man *Verhaltensanforderungen von geringerer Intensität*. Auch sie werden im Interesse eines anderen dem Belasteten auferlegt. Jedoch ist dieser zu einem entsprechenden Verhalten nicht verpflichtet. Kommt er dem nicht nach, erleidet er aber einen Nachteil (z. B. Verlust einer günstigen Rechtsposition), so daß er sich schon im eigenen Interesse entsprechend verhält.

Beispiel: Der Käufer hat die Rechtspflicht, den Kaufpreis zu zahlen. Außerdem trifft ihn beim Handelskauf nach § 377 HGB die Obliegenheit, unverzüglich einen festgestellten Mangel der Kaufsache dem Verkäufer anzuzeigen; andernfalls verliert er die Gewährleistungsrechte aus § 462 (Rdnr. 17). Die Zahlungspflicht muß der Käufer erfüllen; der Verkäufer kann die Zahlung mit Hilfe der Gerichte erzwingen. Die Erhebung der Mängelrüge steht dagegen im Belieben des Käufers; rügt er nicht rechtzeitig, verliert er seine Gewährleistungsrechte.

568 II. Subjektives Privatrecht

1. Begriff und Inhalt

Unter einem subjektiven Recht versteht man die von der Rechtsordnung verliehene Willensmacht einer Person zur Befriedigung menschlicher Interessen (vgl. Medicus, AT, Rdnr. 70 ff.). Das bedeutet im einzelnen:

a) Das subjektive Recht muß sich *aus dem Recht im objektiven Sinn* ergeben. Kein subjektives Recht liegt also vor, wenn die »Befugnis« nicht dem Recht, sondern etwa der Sitte oder Sittlichkeit (Rdnr. 2 f.) entspringt.

Verspricht der Bauer B seinem Nachbarn N am Stammtisch per Handschlag, ihm sein Wiesengrundstück für 20000,– DM zu Eigentum zu überlassen, so entspricht es den Regeln der Sitte oder Sittlichkeit, daß B sein Wort hält und N demnach Erfüllung des Versprechens verlangen kann. Doch hat N kein subjektives Recht darauf, da ein Kaufvertrag mangels notarieller Beurkundung nicht wirksam zustande gekommen ist (vgl. § 125, 1, § 313).

b) Das subjektive Recht muß *einer Person* (= Mensch, juristische Person; Rdnr. 654; 683) *zustehen*. Rechte ohne Rechtssubjekte sucht das BGB zu vermeiden. **569**

Beispiele: Stirbt ein Mensch, kann er nicht mehr Träger subjektiver Rechte sein. An seine Stelle tritt bereits im Zeitpunkt des Todes sein Erbe (§ 1922). Dieser wird damit Träger der subjektiven Rechte des Erblassers. Er ist also (automatisch) Eigentümer des Pkw des Verstorbenen, Inhaber der Kaufpreisforderung, die der Erblasser gegen den Käufer K hatte usw. – Das Kind im Mutterleib kann noch nicht Träger von Rechten sein (§ 1; vgl. aber Rdnr. 658).

c) Das subjektive Recht ist eine *Willensmacht*. Es verleiht dem Inhaber eine Bestimmungsbefugnis, läßt ihm also Raum für seine Willensbetätigung. Damit sichert das subjektive Recht die Freiheit des einzelnen. **570**

So kann der Eigentümer nach seinem Belieben mit seiner Sache verfahren (§ 903); er hat die Freiheit, das ihm gehörende Bild in seinem Zimmer aufzuhängen, im Keller verstauben zu lassen oder es gar zu zerstören. Der Verkäufer kann seine Kaufpreisforderung (§ 433 II) stunden oder sie mit Hilfe der Gerichte gegen den Käufer durchsetzen.

d) Das subjektive Recht hat den *Zweck, menschliche Interessen zu befriedigen*. Welches Interesse durch das einzelne subjektive Recht geschützt wird, ergibt sich aus dem Inhalt des jeweiligen Rechts. **571**

Bei den menschlichen Interessen kann es sich um eigene des Rechtsinhabers, und zwar wirtschaftliche (z. B. des Verkäufers) oder persönliche (z. B. des Ehegatten im Familienrecht) handeln. In Betracht kommen aber auch die Interessen anderer (z. B. des Kindes bei der elterlichen Sorge).

Bei dem Zweck, menschliche Interessen zu befriedigen, geht es nicht nur um die Interessen des Rechtsinhabers, sondern auch um die anderer Personen. In dem Maße, in dem die Freiheitssphäre des einzelnen ausgedehnt wird, verkleinert sich die Freiheitssphäre der anderen. Diese Überlegung zeigt schon, daß die Rechtsmacht des einzelnen nicht schrankenlos sein kann. Vielmehr sind vom Zweck des subjektiven Rechts (Interessenschutz) her der Umfang und die Grenzen des Rechts zu bestimmen. Das hat in geringem Maße auch der Gesetzgeber des BGB bereits erkannt.

So ist die Ausübung eines Rechts, die keinem vernünftigen menschlichen Interesse dient, unzulässig, wenn sie nur den Zweck haben kann, einem anderen Schaden zuzufügen (§ 226; Schikaneverbot; Rdnr. 636f.). – § 903, der das Recht des Eigentümers sehr weit ausdehnt, schränkt es andererseits auch ein (»soweit nicht das Gesetz oder Rechte Dritter entgegenstehen«). Auch § 905 begrenzt das Recht des Eigentümers.

Inzwischen hat man erkannt, daß die liberale Auffassung des BGB nicht ausreicht, um das subjektive Recht vernünftig zu begrenzen. Deshalb hat man den Gedanken der Pflichtbindung des Rechtsinhabers gegenüber dem einzelnen und der Allgemeinheit stärker betont (z. B. Art. 14 II GG: »Eigentum verpflichtet. Sein Gebrauch soll zugleich dem Wohle der Allgemeinheit dienen«). Abzulehnen ist dagegen der während der Zeit des Nationalsozialismus unternommene Versuch, durch Übersteigerung des Pflichtgedankens das subjektive Recht auszuhöhlen und damit zu beseitigen. Das subjektive Recht ist nach wie vor von entscheidender Bedeutung, um dem einzelnen die Selbstbestimmung über seine Güter zu erhalten und damit seine Freiheitssphäre zu sichern.

572 *2. Arten*

Die subjektiven Privatrechte können nach verschiedenen Gesichtspunkten eingeteilt werden. Die wichtigsten Gruppierungen ergeben sich, wenn man auf den Inhalt der Rechte und den Kreis der Verpflichtungen abstellt. Jedoch ist zu beachten, daß nicht alle Rechte eindeutig bestimmten Gruppen zugeordnet werden können; es gibt Grenzfälle und Überschneidungen.

a) Bei der wichtigsten Einteilung nach dem *Inhalt* der dem einzelnen eingeräumten Rechtsmacht unterscheidet man seit langem zwischen Herrschaftsrechten, Ansprüchen und Gestaltungsrechten. Heute kommen noch die Persönlichkeitsrechte hinzu.

573 (1) Die *Persönlichkeitsrechte* sind Rechte, die dem einzelnen Menschen als Persönlichkeit zustehen. Durch Gesetz sind ausdrücklich nur einzelne Aspekte der Persönlichkeit als Rechte anerkannt. In § 823 I werden Leben, Körper, Gesundheit und Freiheit genannt; wer eines dieser Güter rechtswidrig und schuldhaft verletzt, macht sich schadensersatzpflichtig. § 12 schützt das Namensrecht (Rdnr. 668 ff.). Das Recht einer Person am eigenen Bild wird durch §§ 22 ff. KunstUrhG begründet; grundsätzlich darf niemand das Bild ohne Einwilligung der abgebildeten Person verbreiten oder öffentlich zur Schau stellen (Rdnr. 673). Darüber hinaus ist heute unter dem Einfluß des Grundgesetzes (Art. 1 und 2 GG) ein allgemeines Persönlichkeitsrecht des einzelnen auf Achtung und Entfaltung seiner Persönlichkeit anerkannt (Rdnr. 673 ff.).

574 (2) Die *Herrschaftsrechte* räumen dem Inhaber eine absolute und unmittelbare *Herrschaftsmacht über einen bestimmten Gegenstand* ein.

Herrschaftsrechte gegenüber einer Person, die es früher gab (z. B. Herrschaft des Gläubigers gegenüber der Person seines Schuldners, Schuldturm (!); Leibeigenschaft), sind heute abgeschafft. Auch aus den gesetzlich geregelten Rechtsbeziehungen zwischen Eltern und Kind ergeben sich keine Herrschaftsrechte der Eltern an der Person des Kindes; vielmehr handelt es sich um ein familienrechtliches Sorgerecht (vgl. § 1626 I).

575 (a) Die *Herrschaftsrechte an Sachen* (§ 90; Rdnr. 728) bezeichnet man als *dingliche Rechte*; sie sind vorwiegend im dritten Buch des BGB (Sachenrecht) geregelt. Das umfassendste Recht ist das *Eigentum* als die *volle rechtliche Sachherrschaft*. Der Eigentümer darf mit seiner Sache im Rahmen der Rechtsordnung nach Belieben verfahren und andere von jeder Einwirkung ausschließen (Art. 14 GG; § 903). Er kann die Sache vom Besitzer herausverlangen (§§ 985 ff.); er hat einen Abwehranspruch sowie eventuell einen Un-

terlassungsanspruch gegen den Störer (§ 1004); er kann von dem, der seine Sache schuldhaft beschädigt, Schadensersatz verlangen (§ 823 I). Eigentum ist *vom Besitz als der tatsächlichen Sachherrschaft zu unterscheiden.*

Im Sprachgebrauch des täglichen Lebens macht man diesen Unterschied nicht. So bezeichnet man den Hauseigentümer als Hausbesitzer. Besitzer im Sinne des BGB (§§ 854ff.) ist er aber nur, wenn er selbst das Haus bewohnt, er es also in seiner tatsächlichen Gewalt hat; ansonsten ist beispielsweise der das Haus bewohnende Mieter der Besitzer des Hauses. Der Eigentümer (E) eines Ringes ist und bleibt dessen Eigentümer, auch wenn der Ring ihm von dem Dieb (D) gestohlen wird. E verliert aber den Besitz an dem Ring in dem Augenblick, in dem D den Ring in seine Gewalt bringt; nun ist D der Besitzer des Ringes.

Der Besitz als die tatsächliche Gewalt über eine Sache ist zwar nicht wie das Eigentum ein dingliches Recht. Dennoch wird auch er in gewissem Maße vom Gesetz geschützt (vgl. etwa §§ 861 f.). Es ist einleuchtend, daß z. B. der Mieter als Besitzer der gemieteten Sache ebenso, wie wenn der Eigentümer selbst Besitz hätte, in der Lage sein muß, Entziehungen oder Störungen des Besitzes abzuwehren.

(b) Der Eigentümer kann sein Herrschaftsrecht einschränken, indem er ande- **576**
ren Personen *beschränkt dingliche Rechte* an seiner Sache einräumt. Sie gewähren dem Berechtigten einen Teil der Befugnisse des Eigentümers. Nach dem Inhalt dieser Befugnisse kann man Sicherungs- und Verwertungsrechte einerseits sowie Nutzungsrechte andererseits unterscheiden.

Ein *Sicherungs- und Verwertungsrecht* ist z.B. die Hypothek an einem Grundstück (§§ 1113ff.) und das Pfandrecht an einer beweglichen Sache (§§ 1204ff.). Hat E seiner Bank B für ein ihm gewährtes Darlehen von 30000,– DM eine Hypothek an seinem Grundstück oder ein Pfandrecht an seinem wertvollen Schmuck bestellt, so sollen diese Rechte der B zur Sicherung ihrer Forderung gegen den E dienen. Zahlt E das Darlehen nicht zurück, kann B die Hypothek oder das Pfandrecht verwerten, indem sie das Grundstück oder den Schmuck des E versteigern läßt, um auf diese Weise zu ihrem Geld zu kommen. Trotz der beschränkt dinglichen Rechte der B bleibt E Eigentümer des Grundstücks oder des Schmucks. So ist er in der Lage, sein Grundstück oder seinen Schmuck an einen anderen zu veräußern; die Rechte der B werden dadurch nicht beeinträchtigt; sie wirken auch gegenüber dem neuen Eigentümer.

Nutzungsrechte sind der Nießbrauch an beweglichen Sachen und an Grundstücken (§§ 1030ff.) sowie die Grunddienstbarkeit (§§ 1018ff.) und die beschränkte persönliche Dienstbarkeit (§§ 1090ff.) an Grundstücken. Während es sich beim Nießbrauch um das umfassende dingliche Nutzungsrecht (= das Recht, sämtliche Nutzungen des belasteten Gegenstandes zu ziehen) handelt, geht es bei den Dienstbarkeiten um das Recht, das belastete Grundstück »in einzelnen Beziehungen« zu nutzen (§ 1018, § 1090 I). So besteht beispielsweise ein Wegerecht an dem belasteten Grundstück zugunsten des jeweiligen Eigentümers des Nachbargrundstücks (= Grunddienstbarkeit); eine Erdölgesellschaft erwirbt beschränkte persönliche Dienstbarkeiten an fremden Grundstücken, um gegenüber dem jeweiligen Eigentümer berechtigt zu sein, ihre Pipeline über diese Grundstücke zu führen.

(c) Außer den Rechten an Sachen kennt das BGB auch *Herrschaftsrechte an* **577**
Rechten, nämlich den Nießbrauch (§§ 1068ff.) und das Pfandrecht (§§ 1273ff.) an

Rechten. Diese beiden Rechte können an beschränkt dinglichen Rechten wie Hypothek und Grundschuld, aber auch an Forderungen (Rdnr. 579) bestellt werden.

So kann der Verkäufer (V) seine Kaufpreisforderung gegen den Käufer (K) an seine Bank (B) verpfänden. Aufgrund des Pfandrechts erlangt B eine solche Rechtsmacht über die Kaufpreisforderung des V gegen K, daß B selbst die Forderung bei K einziehen kann (§ 1282 I).

578 (d) *Herrschaftsrechte an geistigen Schöpfungen* sind die Immaterialgüterrechte. Schriftstellerische Werke, Musikstücke oder Erfindungen etwa haben auch einen wirtschaftlichen Wert. Deshalb hat die Rechtsordnung den Schöpfern solcher Geisteswerke das Recht gegeben, diese zu verwerten und anderen die Verwertung zu verbieten.

Die gesetzliche Regelung findet sich im Urheberrechtsgesetz, Patent-, Geschmacksmuster-, Gebrauchsmuster- und Warenzeichengesetz.

579 (3) Die *Ansprüche* (Rdnr. 591 ff.) räumen dem Inhaber das Recht ein, von einer bestimmten anderen Person ein Tun oder Unterlassen zu verlangen (§ 194 I). Diese Person soll sich in einer bestimmten Weise verhalten; dazu ist sie gegenüber dem Rechtsinhaber verpflichtet.

Beispiel: Durch den Kaufvertrag über ein bestimmtes Bild zum Preise von 700,– DM ist der Verkäufer (V) verpflichtet, dem Käufer (K) das Bild zu übergeben und das Eigentum an dem Bild zu verschaffen (§ 433 I 1). K hat also gegen V Ansprüche auf Übergabe und Übereignung des Bildes. Der Kaufvertrag gibt dem K kein Herrschaftsrecht an dem Bild. Erst wenn K nach § 929, 1 durch Einigung (über den Eigentumsübergang des Bildes von V an K) und Übergabe (des Bildes) Eigentümer des Bildes geworden ist, hat er ein Herrschaftsrecht an dem Bild. Vor dem Eigentumsübergang hat K gegen V nur Ansprüche (auf Übergabe und Übereignung des Bildes); Ansprüche sind keine Herrschaftsrechte in dem soeben beschriebenen Sinne.

Zu den Ansprüchen gehören die *Forderungen*. So bezeichnet man die Ansprüche des Schuldrechts; das Gesetz nennt den Inhaber der Forderung Gläubiger und den Verpflichteten Schuldner (vgl. § 241). Forderungen sind beispielsweise die Ansprüche des Käufers gegen den Verkäufer auf Übergabe und Übereignung der Kaufsache nach § 433 I 1.

Ansprüche gibt es aber auch außerhalb des Schuldrechts. Sie können sich etwa aus der Verletzung eines Herrschaftsrechts ergeben. So kann der Eigentümer einer Sache diese vom Besitzer herausverlangen (§ 985); er hat also gegen ihn einen Anspruch auf Herausgabe.

580 (4) Die *Gestaltungsrechte* geben dem Inhaber die Macht, allein – ohne Mitwirkung eines anderen – auf eine bestehende Rechtslage einzuwirken. Dies geschieht in aller Regel durch Abgabe einer Willenserklärung (Rdnr. 80 ff.). Übt der Berechtigte sein Recht aus, kann dadurch ein neues Recht begründet, ein bestehendes Rechtsverhältnis geändert oder beendet werden.

Beispiele: Der Vater ist von seinen 2 Söhnen (S 1 und S 2) zu je ½ beerbt worden. Verkauft S 1 seinen Erbanteil zum Preis von 100000,– DM an K, dann steht dem S 2 ein Vorkaufsrecht zu (§ 2034). Erklärt S 2 gegenüber S 1, daß er sein Vorkaufsrecht ausübe, so entsteht durch diese einseitige Erklärung des S 2 ein neues Rechtsverhältnis, nämlich ein Kaufvertrag zwischen S 1 und S 2 zu den Bedingungen des Kaufvertrages S 1 – K (Einzelheiten: ErbR Rdnr. 456ff.).

V hat dem K eines seiner beiden Reitpferde Max oder Moritz verkauft und dem K die Auswahl des Tieres überlassen. Wählt K das Pferd Moritz, dann gilt dieses Pferd als von Anfang an allein geschuldet (vgl. §§ 262, 263 II). Durch die einseitige Ausübung des Wahlrechts beschränkt sich das Rechtsverhältnis auf das Pferd Moritz (AS Rdnr. 94ff.).

Der Mieter (M) einer Wohnung erklärt dem Vermieter (V), er kündige das Mietverhältnis zum 30. Juni (vgl. § 565 II); durch diese Kündigung als einseitige Erklärung des M wird das Mietverhältnis – ohne Einverständnis des V – zum genannten Zeitpunkt beendet.

In besonderen Fällen, in denen wichtige Interessen der an dem Rechtsverhältnis **581** Beteiligten oder der Allgemeinheit auf dem Spiele stehen, räumt das Gesetz dem Berechtigten nicht die Befugnis ein, durch seine Erklärung selbst die Gestaltung vorzunehmen. Vielmehr muß er sein Recht durch Antrag bzw. Klage ausüben; die Gestaltung erfolgt dann durch ein der Klage stattgebendes Urteil (Gestaltungsurteil). Der Berechtigte hat also kein eigenes Gestaltungsrecht, sondern nur ein »Gestaltungsklagerecht«.

Beispiel: Die Ehe kann nicht durch einseitige Erklärung (z. B. Kündigung, Anfechtung wegen arglistiger Täuschung) eines Ehegatten gegenüber dem Ehepartner aufgelöst werden. Dieses Ziel kann er nur durch einen entsprechenden Antrag bzw. eine entsprechende Klage (z. B. auf Scheidung, Aufhebung der Ehe) erreichen; erst durch ein rechtskräftiges Gestaltungsurteil (Scheidungsurteil, Aufhebungsurteil) ist die Ehe aufgelöst (vgl. § 1564, § 29 EheG).

b) *Nach der Person des Verpflichteten* unterscheidet man absolute und relative **582** Rechte.

(1) *Absolute Rechte* sind solche Rechte, *die sich gegen jedermann richten* (Hauptbeispiel: Eigentum). Jedermann – mit Ausnahme des Rechtsinhabers – ist von der Herrschaft über das Gut ausgeschlossen (Ausschließungsrechte). Jeder ist verpflichtet, dem Rechtsinhaber das Gut zu belassen und es nicht zu beeinträchtigen.

Verstößt jemand gegen diese Pflicht, kann der Inhaber des Rechts von ihm Beseitigung und bei Wiederholungsgefahr Unterlassung verlangen (vgl. §§ 12, 1004, 1065, 1227). Verletzt jemand schuldhaft (vorsätzlich oder fahrlässig) ein absolutes Recht, kann der Inhaber von ihm Schadensersatz nach § 823 I verlangen; denn absolute Rechte sind jedenfalls sonstige Rechte i. S. d. § 823 I (BS Rdnr. 443ff.).

(2) *Relative Rechte* sind solche Rechte, *die sich gegen bestimmte einzelne* **583** *Personen richten*; nur diese sind gegenüber dem Rechtsinhaber zu einem bestimmten Tun oder Unterlassen verpflichtet (vgl. §§ 194 I, 241).

Im Gegensatz zum absoluten Recht, das jedermann verpflichtet und das von jedermann verletzt werden kann, ist beim relativen Recht (z. B. bei der Forderung) nur ein einzelner (z. B. der Schuldner) verpflichtet; nur dieser kann das relative Recht verletzen.

Beispiel: V, der dem K 1 ein bestimmtes Bild für 700,– DM verkauft hat, ist dem K 1 zur Übergabe und Übereignung des Bildes verpflichtet (§ 433 I 1). Er verletzt die Rechte des K 1, wenn er das Bild verbrennt oder es zu einem Preis von 800,– DM an K 2 verkauft und diesem den Besitz und das Eigentum an dem Bild überträgt. In beiden Fällen ist es V nicht mehr möglich, die Forderungen des K 1 zu erfüllen; K 1 kann wegen dieser von V verschuldeten Verletzung seiner relativen Rechte Schadensersatz von V verlangen (vgl. § 325; AS Rdnr. 263 ff.). Es besteht jedoch keine Rechtsbeziehung zwischen K 1 und K 2. K 1 kann von K 2, der durch Übereignung des Bildes dessen Eigentümer geworden ist, nicht etwa gem. § 823 I wegen Verletzung eines sonstigen Rechts Ersatz seines Schadens begehren; denn K 1 hatte nur relative Rechte gegen V, und sonstige Rechte i. S. d. § 823 I sind nur absolute Rechte (BS Rdnr. 444). Nur unter den strengen Voraussetzungen des § 826 (vorsätzliche sittenwidrige Schädigung) kann K 1 von K 2 Schadensersatz verlangen (AS Rdnr. 7; BS Rdnr. 469 ff.).

584 § 29 Erwerb der subjektiven Rechte

Fälle:

a) E will sich seiner ausgedienten Bücherkiste entledigen. Deshalb stellt er sie auf den Bürgersteig. Es ist ihm gleichgültig, ob sie von einem Liebhaber alter Sachen, der Müllabfuhr oder sonst jemandem mitgenommen wird. Der Kleingärtner K meint, er könne die Kiste noch verwenden und bringt sie in seine Laube. Kann E von K die Kiste herausverlangen? K meint, er sei Eigentümer geworden. Mit Recht?

b) Wie, wenn E seine Bücherkiste in den Garten gestellt hat, um sie in Kürze zu verschenken, und K die Kiste mitnimmt?

c) Wie, wenn K die Kiste im Fall b zu einer Mistkarre umbaut?

d) K, der die Kiste im Garten des E sieht, bittet diesen, sie ihm für 10,– DM zu überlassen. E geht darauf ein, will die Kiste dem K aber erst überlassen, wenn dieser zahlt. Drei Tage später bringt K einen Zehnmarkschein. E gibt ihm die Kiste. Welche Rechte haben E und K?

Rechtserwerb ist die Verbindung eines Rechts mit einer bestimmten Person. Das Recht kann ursprünglich in der Person des Erwerbers entstehen, aber auch von einer anderen Person auf den Erwerber übergehen. Dabei kann es sich um die Nachfolge entweder in einzelne Rechte oder in die gesamte Rechtsstellung des Vorgängers handeln. Normalerweise erfolgt der Erwerb vom Berechtigten, ausnahmsweise aber auch vom Nichtberechtigten.

585 I. Ursprünglicher und abgeleiteter Erwerb

1. Ursprünglicher Erwerb

Ursprünglicher (= originärer) Erwerb ist dann gegeben, wenn der Erwerber ein nicht von einem anderen abgeleitetes Recht erwirbt, das im Augenblick des Erwerbs neu entsteht.

Im Fall a hat K durch Aneignung das Eigentum an der Kiste erworben (§ 958 I). Sein Eigentum ist nicht von E abgeleitet; E hatte sein Eigentum schon vorher aufgegeben (§ 959). Im Fall b dagegen ist K nicht Eigentümer geworden. Denn E hat sein Eigentum nicht verloren, als er die Kiste in seinen Garten stellte; er hat den Besitz nicht aufgegeben und nicht in der Absicht gehandelt, auf sein Eigentum zu verzichten (vgl. § 959). Weil die Kiste weiterhin Eigentum des E und damit nicht herrenlos i. S. d. § 958 I war, hat K auch kein Eigentum nach § 958 I erworben, als er sie in seinen Besitz nahm. Deshalb kann E als Eigentümer von K als Besitzer die Kiste herausverlangen (§ 985).

Im Fall c greift § 950 ein. K hat durch »Verarbeitung« der Kiste eine neue bewegliche Sache, eine Mistkarre, hergestellt; der Wert der Verarbeitung ist auch nicht erheblich geringer als der Wert der ausgedienten Bücherkiste. Deshalb ist K gem. § 950 durch Verarbeitung Eigentümer geworden; damit erlischt das Eigentum des E. K leitet sein Eigentum nicht von E ab; vielmehr erwirbt er – unabhängig vom früheren Eigentum des E – originäres Eigentum. E hat also mangels Eigentums keinen Anspruch auf Herausgabe nach § 985. Jedoch kann er von K nach § 951 I Wertersatz oder nach § 823 I Schadensersatz verlangen (§ 951 II 1).

2. *Abgeleiteter Erwerb* 586

Abgeleiteter (= derivativer) Erwerb bedeutet, daß der Rechtserwerb von dem Rechtsvorgänger abgeleitet wird.

Im Fall d übereignet E an K durch Einigung über den Eigentumsübergang und Übergabe die Kiste (§ 929, 1). Auf dieselbe Weise geht das Eigentum an dem Geldschein von K auf E über.

V, der sein Bild für 700,– DM an K verkauft hat, ist Inhaber einer Forderung auf Zahlung von 700,– DM gegen K (§ 433 II). V kann seine Forderung auf einen Dritten (X) übertragen (an X abtreten). Das geschieht durch einen Vertrag zwischen V und X, wonach die Forderung von V auf X übergehen soll (§ 398; AS Rdnr. 382 ff.). Mit dem Abschluß dieses Abtretungsvertrages tritt X an die Stelle des V (§ 398, 2). Die Forderung geht also von V auf X über; dieser kann nunmehr von K Zahlung der 700,– DM verlangen.

Mit dem Tod eines Menschen gehen seine Rechte (z. B. Eigentum am Pkw, Kaufpreisforderung gegen K) auf den Erben über (§ 1922 I; Rdnr. 661 ff.); dieser leitet seine durch den Erbfall erworbenen Rechte vom Erblasser her.

II. Einzel- und Gesamtnachfolge 587

Einzel- und Gesamtnachfolge sind ebenfalls Fälle des abgeleiteten Erwerbs.

1. *Einzelnachfolge*

Bei der Einzelnachfolge (= Sondernachfolge, Singularsukzession) bezieht sich der Erwerb nur auf ein einzelnes Recht. Sie ist gegenüber der Gesamtnachfolge der Regelfall und beruht regelmäßig auf einem Vertrag zwischen Rechtsvorgänger und Nachfolger. Auch wenn jemand verpflichtet ist, ein Vermögen auf einen anderen zu übertragen, so muß die Erfüllung dieser Verpflichtung im Interesse der Rechtsklarheit durch Einzelübertragungen der verschiedenen Rechte erfolgen (sog. Spezialitätsgrundsatz).

Beispiel: Verkauft V an K sein Warenhaus, dann muß er zur Erfüllung des Kaufvertrages alle einzelnen Rechte auf K übertragen. So geht das Eigentum am Warenhausgrundstück durch Auflassung und Eintragung des K im Grundbuch auf K über (§§ 925, 873). Das Eigentum an den einzelnen Waren wird von V durch Einigung und Übergabe (§ 929) auf K übertragen. Die einzelnen Forderungen des V gegenüber den Kunden werden an K abgetreten (§ 398).

588 2. *Gesamtnachfolge*

Bei der Gesamtnachfolge (= Universalsukzession) bezieht sich der Erwerb auf einen ganzen Komplex von Rechten. Sie ist als Ausnahmefall nur in den vom Gesetz zugelassenen Fällen möglich und beruht auf gesetzlicher Anordnung.

Beispiele: Nach § 1922 I geht im Zeitpunkt des Todes des Erblassers dessen »Vermögen als Ganzes« auf den Erben über. War der Erblasser also Inhaber eines Warenhauses, dann gehen die einzelnen Vermögensgegenstände »automatisch« und »mit einem Schlage« auf den Erben über, selbst wenn dieser vom Tod des Erblassers nichts weiß. Der Erbe wird also ohne Auflassung und Eintragung im Grundbuch Eigentümer des Grundstücks, ohne Übereignung Eigentümer der Waren, ohne Abtretung Inhaber der Forderungen.

Haben Brautleute vor der Eheschließung in einem Ehevertrag Gütergemeinschaft vereinbart, so wird mit der Eheschließung das Vermögen eines Ehegatten grundsätzlich gemeinschaftliches Vermögen beider Ehegatten, ohne daß die einzelnen Gegenstände »durch Rechtsgeschäft übertragen zu werden« brauchen (§ 1416 I, II). Die junge Ehefrau kann also »seinen« Hut nunmehr mit Recht als »unseren« Hut bezeichnen. Das Grundstück der Frau gehört mit Eheschließung beiden Eheleuten gemeinsam, obwohl die Frau im Grundbuch noch allein als Eigentümerin steht.

Beide Beispiele zeigen, daß bei einer Gesamtnachfolge Grundstücksrechte ohne entsprechende Eintragung im Grundbuch übergehen und das Grundbuch durch den Rechtserwerb unrichtig wird. Demgegenüber ist bei einer Einzelnachfolge in Grundstücksrechte Einigung und Eintragung (§ 873) erforderlich, so daß das Grundbuch auch nach dem Rechtsübergang mit der wirklichen Rechtslage übereinstimmt.

589 III. Erwerb vom Berechtigten oder vom Nichtberechtigten

1. *Erwerb vom Berechtigten*

Erwerb vom Berechtigten bedeutet, daß jemand ein Recht von einem anderen erwirbt, der bis zum Rechtsübergang Inhaber des Rechts (Berechtigter) war. Es gilt grundsätzlich auch heute noch der römisch-rechtliche Satz, daß niemand mehr Rechte übertragen kann, als er selbst hat. Der Erwerb vom Berechtigten ist der Normalfall.

Verkauft etwa der Dieb (D) einen dem E gehörenden Ring an K, indem er vorspiegelt, ihm gehöre der Ring, dann erwirbt K trotz Einigung und Übergabe nach § 929, 1 kein Eigentum an dem Ring, selbst wenn er den D für den Eigentümer hält (vgl. § 935 I); denn D war kein Eigentümer und konnte deshalb kein Eigentum übertragen. E kann als Eigentümer von K als Besitzer den Ring nach § 985 herausverlangen. Da K dann den Ring und den Kaufpreis »los« ist, gibt ihm § 440 i. V. m. § 325 einen Anspruch auf Rückzahlung des Kaufpreises oder auf Schadensersatz gegen D, da dieser seine Pflicht zur Übereignung des Ringes nicht erfüllt hat (vgl. BS Rdnr. 24ff.).

Tritt V seine Kaufpreisforderung gegen K an X ab und spiegelt er diesem vor, die Forderung belaufe sich – statt in Wirklichkeit auf 700,– DM – auf 900,– DM, dann erwirbt X die Kaufpreisforderung gegen K in Höhe von 700,– DM; denn größer war die Forderung nicht, die V auf X übertrug.

Findet ein Erbe im Nachlaß des Erblassers eine wertvolle Uhr, so ist er nur dann deren Eigentümer, wenn sie zum Zeitpunkt des Todes dem Erblasser gehörte. Hatte der Erblasser die Uhr nur in seinem Besitz, ohne jedoch Eigentümer zu sein, ist auch der Erbe mit dem Erbfall kein Eigentümer geworden.

2. *Erwerb vom Nichtberechtigten* 590

Erwerb vom Nichtberechtigten bedeutet, daß jemand ausnahmsweise auch dann ein Recht erwirbt, wenn nicht der Veräußerer, sondern ein Dritter Inhaber des Rechts war. Hier gilt der deutsch-rechtliche Grundsatz des Vertrauensschutzes (Rdnr. 27); wer gutgläubig den nichtberechtigten Veräußerer für den Berechtigten hält und ihn dafür halten darf, wird geschützt.

Beispiel: E hat seinen Ring seinem Freund F geliehen. F, der dringend Geld braucht, verkauft den Ring für 1000,– DM an K und übereignet den Ring nach § 929, 1 an K, der F für den Eigentümer hält. K wird nicht nach § 929, 1 Eigentümer des Ringes, weil diese Bestimmung voraussetzt, daß der Veräußerer F Eigentümer ist. Demnach bliebe E Eigentümer des Ringes; er könnte ihn nach § 985 von K herausverlangen, so daß K das Nachsehen hätte.

Hier ist E jedoch nicht so schutzwürdig, wie in dem zuvor erörterten Fall, in dem ihm der Ring gestohlen worden war. Dort war der Ring ohne Willen des E aus dessen Besitz gekommen; hier hat E den Ring freiwillig aus seinem Besitz gegeben, da er ihn seinem Freund F geliehen hat. Den Entleiher konnte E sich aussuchen, den Dieb nicht. Deshalb ist es in dem Fall des Verleihens eher als im Fall des Diebstahls berechtigt, die Interessen des Käufers K vor denen des E zu schützen. Zwar waren sowohl der Dieb D als auch der Freund F im Besitz des Ringes; der Besitz läßt auf das Eigentum schließen (vgl. § 1006 I 1). Der Rechtsschein sprach in beiden Fällen dafür, daß der Besitzer auch Eigentümer war. Im Fall des verliehenen Rings hatte E jedoch selbst diesen Rechtsschein veranlaßt, indem er den Ring freiwillig aus der Hand gab, während er als Bestohlener den Rechtsschein nicht veranlaßt hatte. Wegen des von E veranlaßten Rechtsscheins (arg. e § 935 I) wird K gem. §§ 929, 1; 932 I 1 Eigentümer des Ringes, obwohl er vom Nichteigentümer F erwirbt.

K ist nur dann nicht schutzwürdig, wenn er nicht auf den von E veranlaßten Rechtsschein vertrauen durfte. Das ist dann der Fall, wenn K wußte, daß der Ring dem F nicht gehörte, oder wenn ihm infolge grober Fahrlässigkeit (z. B. weil er den eingravierten Namen des E übersah) unbekannt blieb, daß F nicht Eigentümer war (§ 932 I 1, II).

Demnach setzt der gutgläubige Erwerb vom Nichtberechtigten gem. §§ 929, 1; 932 I 1 voraus:

a) Einigung und Übergabe nach § 929, 1.

b) Die Sache gehört nicht dem Veräußerer (sonst würde der Erwerber schon nach § 929, 1 vom Berechtigten erwerben).

c) Guter Glaube des Erwerbers an das Eigentum des Veräußerers (= keine Kenntnis oder grobfahrlässige Unkenntnis; § 932 II).

d) Die Sache darf dem Eigentümer nicht gestohlen worden, verlorengegangen oder sonst abhanden gekommen sein (§ 935 I 1).

Zum gutgläubigen Erwerb des Eigentümers an einem Grundstück siehe Rdnr. 27.

591 # § 30 Die Ansprüche

Schrifttum: *Bornemann*, Die Lehre vom Anspruch, 1971; *Dietz*, Anspruchskonkurrenz bei Vertragsverletzung und Delikt, 1934; *Eichler*, Die Konkurrenz der vertraglichen und deliktischen Haftung im deutschen Recht, AcP 162, 401; *Medicus*, Anspruch und Einrede als Rückgrat einer zivilistischen Lehrmethode, AcP 174, 313; *Schapp*, Das Zivilrecht als Anspruchssystem, JuS 1992, 537.

Fälle:

a) E stellt in seinem Garten eine ihm gehörende Plastik auf. A schaut sie sich oft von der Straße her an; B bewirft sie auf seinen Spaziergängen häufig mit Steinen; C schießt bewußt einen Teil der Plastik ab; D stiehlt die Plastik und stellt sie bei sich auf. Rechte des E?

b) X gewährt dem Y ein Darlehen über 10000,– DM, das Ende Dezember zurückgezahlt werden soll. Bereits im September benötigt X das Geld. Was kann er tun?

c) Der M und die F sind verlobt. Als M von F nichts mehr wissen will, klagt sie auf Eingehung der Ehe, hilfsweise auf Zahlung von 800,– DM Schadensersatz, weil sie in Erwartung der Eheschließung ein Brautkleid zu diesem Preis gekauft habe. Wie ist zu entscheiden?

d) Wie, wenn M im Fall c geltend macht, er zahle nur, sofern F ihm den Diamantring zurückgebe, den er ihr zur Verlobung geschenkt habe?

I. Begriff und Bedeutung

1. Begriff

Anspruch im Sinne des bürgerlichen Rechts (= materiell-rechtlicher Anspruch) ist das *subjektive Recht einer Person, von einer anderen Person ein Tun oder Unterlassen zu verlangen* (§ 194 I).

a) Der Anspruch besteht immer *zwischen zwei Personen*, dem Anspruchsberechtigten und dem Anspruchsverpflichteten. Der Berechtigte kann ein bestimmtes Verhalten vom Verpflichteten verlangen; der Verpflichtete ist zu diesem Verhalten dem Berechtigten gegenüber verpflichtet.

Im Fall a kommen Ansprüche des E gegen A, B, C und D in Betracht.

b) Da der Anspruch sich nur gegen eine bestimmte Person richtet, ist er ein 592
relatives Recht (Rdnr. 583). Dadurch unterscheidet er sich von den absolut wirkenden Persönlichkeitsrechten (Rdnr. 582, 573) und Herrschaftsrechten (Rdnr. 582, 574ff.). Aus deren Beeinträchtigung können jedoch Ansprüche entstehen (vgl. §§ 12, 823, 985, 1004).

Im Fall a gibt das Eigentum des E zwar das umfassendste Herrschaftsrecht über die Plastik, er kann mit ihr nach Belieben verfahren und andere von jeder Einwirkung ausschließen (vgl. § 903). Doch gewährt das Eigentum als solches dem E noch keinen Anspruch gegen eine andere Person. Ansprüche entstehen erst, wenn das Eigentum unter Verstoß gegen das Gesetz beeinträchtigt wird. Deshalb kann E von A nicht gem. § 1004 I 2 verlangen, er solle die Besichtigung der Plastik von der Straße aus unterlassen; durch das Besichtigen wird das Eigentum des E nämlich nicht beeinträchtigt, mag E sich auch gestört fühlen. Anders ist dies, wenn B die Plastik mit Steinen bewirft. Dadurch wird in die Rechtsstellung des E eingegriffen; weitere Beeinträchtigungen sind auch in Zukunft zu besorgen, da B bisher auf seinen Spaziergängen die Plastik häufig mit Steinen beworfen hat. E kann von B nach § 1004 I 2 also Unterlassung des Steinwerfens verlangen. Gegen D hat E den Anspruch auf Herausgabe der Plastik nach § 985, da D Besitzer und E Eigentümer der Plastik ist. Von C kann E Schadensersatz nach § 823 I verlangen, da C das Eigentum des E rechtswidrig und vorsätzlich verletzt und dadurch dem E Schaden zugefügt hat.

c) Zum Begriff des Anspruchs gehört *nicht dessen Fälligkeit*. Auch wenn der 593
Berechtigte noch nicht sofort, sondern erst zu einem späteren Zeitpunkt vom Verpflichteten ein bestimmtes Verhalten verlangen kann, so ist der Anspruch doch schon vorhanden.

Im Fall b kann X von Y nicht verlangen, daß dieser das Geld bereits im September zurückzahlt. X hat aber jetzt schon einen Anspruch auf Rückzahlung zum Jahresende, also einen Anspruch auf künftige Leistung. Diesen Anspruch kann X im September etwa an seine Bank verkaufen (vgl. § 433 I 2). Dadurch kann er schon im September zu Geld kommen.

d) Vom materiell-rechtlichen Anspruch ist der *Anspruch i. S. des Zivilprozeß-* 594
rechts (= prozessualer Anspruch) zu unterscheiden. Dieser prozessuale Anspruch ist kein subjektives Recht, sondern ein Begriff des Prozeßrechts. Darunter versteht man das Begehren des Klägers im Zivilprozeß (Streitgegenstand).

Beispiel: Klagt K einen Kaufpreisanspruch in Höhe von 20000,– DM ein und ergibt sich im Prozeß, daß zwischen den Parteien gar kein Kaufvertrag zustande gekommen ist, also gar kein materiell-rechtlicher Anspruch besteht, so ist dennoch ein prozessualer Anspruch auf Zahlung von 20000,– DM aus Kauf gerichtlich geltend gemacht, über den entschieden werden muß.

2. Bedeutung 595

Nur dann kann jemand von einem anderen ein Tun oder Unterlassen verlangen, wenn er darauf einen materiell-rechtlichen Anspruch hat. Wo kein Anspruch besteht, kann rechtlich nichts verlangt werden. Eine Klage ist dann immer erfolglos.

Im Fall c besteht aus dem Verlöbnis kein Anspruch auf Eheschließung; deshalb ist die Klage auf Eingehung der Ehe abzuweisen (§ 1297 I). F hat aber einen Schadensersatzanspruch in Höhe von 800,– DM aus § 1298, da sie in Erwartung der Ehe insoweit angemessene Aufwendungen gemacht hat. Deshalb ist der Zahlungsklage stattzugeben.

596 II. Arten und gesetzliche Regelung

1. Arten

Nach dem Entstehungsgrund können schuldrechtliche, dingliche, familien- und erbrechtliche Ansprüche unterschieden werden.

a) *Schuldrechtliche (= obligatorische) Ansprüche* entstehen aufgrund eines Schuldverhältnisses im weiteren Sinn. Das ist ein Rechtsverhältnis zwischen Personen, aus dem sich eine Vielzahl von Ansprüchen und Pflichten ergeben kann (AS Rdnr. 10). Kraft des Schuldverhältnisses ist der Gläubiger berechtigt, von dem Schuldner eine Leistung zu fordern; die Leistung kann auch in einem Unterlassen bestehen (§ 241). Demnach bezeichnet das Gesetz den einzelnen schuldrechtlichen Anspruch als Forderung, den Anspruchsberechtigten als Gläubiger und den Verpflichteten als Schuldner. Vielfach wird statt des Begriffs des schuldrechtlichen Anspruchs oder der Forderung auch der Begriff des Schuldverhältnisses im engeren Sinn verwandt.

Der Kaufvertrag zwischen Verkäufer und Käufer ist ein Schuldverhältnis im weiteren Sinn. Aus ihm ergeben sich der Kaufpreisanspruch des Verkäufers und der Lieferungsanspruch des Käufers (= Schuldverhältnisse im engeren Sinn; AS Rdnr. 11).

597 b) *Dingliche Ansprüche* verwirklichen dingliche Rechte (Rdnr. 575 f.). Sie sind deshalb unselbständig. Das zeigt sich an der Abhängigkeit des dinglichen Anspruchs vom dinglichen Recht.

Hat E im Fall a die Plastik an K verkauft und übereignet, aber vereinbart, er dürfe sie noch einen Monat als Entleiher in seinem Garten aufstellen, so ist K Eigentümer, E Besitzer der Plastik. Der Herausgabeanspruch gegen D nach § 985 und der Unterlassungsanspruch aus § 1004 I 2 gegen B stehen jetzt K und nicht E zu; denn diese Ansprüche dienen der Durchsetzung des Eigentums. K kann diese Ansprüche auch nicht an E abtreten und selbst Eigentümer bleiben.

Dingliche Ansprüche entstehen aus der Beeinträchtigung eines dinglichen Rechts. Aber nicht jeder Anspruch, der auf der Verletzung eines dinglichen Rechts beruht, ist ein dinglicher Anspruch.

Übereignet E im Fall a die Plastik an K, nachdem C einen Teil der Plastik abgeschossen hat, so hat E auch dann noch den (schuldrechtlichen) Schadensersatzanspruch aus § 823 I, wenn K inzwischen Eigentümer geworden ist.

c) *Familienrechtliche und erbrechtliche Ansprüche* ergeben sich aus familien- oder erbrechtlichen Rechtsverhältnissen. 598

Beispiele: Unterhaltsanspruch des Kindes gegen den Vater (§§ 1601 ff.); Anspruch des Vermächtnisnehmers gegen den Erben auf Zahlung der für ihn im Testament ausgesetzten 5000,– DM (§§ 1939, 2174).

2. Gesetzliche Regelung 599

a) Gesetzliche Regelungen, die ausdrücklich *für alle Ansprüche* gelten, sind im BGB nur vereinzelt vorhanden.

So beziehen sich die Vorschriften über die Verjährung auf alle Ansprüche (Rdnr. 619).

b) Die *schuldrechtlichen Ansprüche* sind im Schuldrecht (2. Buch des BGB) ausführlich geregelt. 600

Dort ist im Allgemeinen Schuldrecht (1. bis 6. Abschnitt des Rechts der Schuldverhältnisse) etwa bestimmt, was gelten soll, wenn der Schuldner seine Leistung nicht erbringen kann (§§ 275 ff., 323 ff.) oder er den Anspruch nicht rechtzeitig erfüllt (§§ 284 ff., 326).

c) Die *anderen Ansprüche* haben keine entsprechend ausführliche gesetzliche Ausgestaltung erfahren. Da aber auch bei diesen Ansprüchen die Fragen auftauchen, die im Allgemeinen Schuldrecht geregelt sind, können die Vorschriften des Allgemeinen Schuldrechts grundsätzlich auf alle Ansprüche angewandt werden, soweit die besondere Eigenart der jeweiligen Ansprüche nicht entgegensteht. 601

Im Fall c hat die F einen Schadensersatzanspruch in Höhe von 800,– DM aus dem Verlöbnis.

M hat im Fall d gegen F einen familienrechtlichen Anspruch auf Rückgabe des geschenkten Ringes aus § 1301. Ob M die Schadensersatzleistung bis zur Rückgabe des Ringes verweigern kann, ist im Familienrecht nicht geregelt. Ein Zurückbehaltungsrecht gibt es aber im Allgemeinen Schuldrecht. Nach § 273 kann der Schuldner, dessen Verpflichtung auf demselben rechtlichen Verhältnis beruht wie sein fälliger Anspruch gegen den Gläubiger, die geschuldete Leistung bis zur Bewirkung der ihm gebührenden Leistung verweigern (AS Rdnr. 145 ff.). Der Anwendung des § 273 steht die familienrechtliche Eigenart der Ansprüche aus § 1298 und § 1301 nicht entgegen. Beide Ansprüche sind nämlich auf ein Verhalten gerichtet, das auch Gegenstand eines schuldrechtlichen Anspruchs sein kann. M kann die Zahlung der 800,– DM also bis zur Rückgabe des Ringes nach § 273 verweigern, da die Ansprüche auf demselben rechtlichen Verhältnis, dem gelösten Verlöbnis, beruhen. M wird also zur Zahlung von 800,– DM Zug um Zug gegen Rückgabe des Ringes verurteilt (§ 274 I).

Dagegen können die Eltern ihr einjähriges Kind, das sie während ihres Urlaubs ihrer Nachbarin N gegen Bezahlung in Pflege gegeben haben, von N nach § 1632 I herausverlangen, ohne daß N sich ihrerseits wegen der Pflegekosten auf ein Zurückbehaltungsrecht nach § 273 berufen könnte. Denn ein Zurückbehaltungsrecht scheidet hier wegen der besonderen personenrechtlichen Bindung des familienrechtlichen Anspruchs aus § 1632 I aus.

602 **III. Anspruchsgrundlagen**

Anspruchsgrundlagen sind die Rechtsgrundlagen für Ansprüche (vgl. auch Rdnr. 789ff.). Ohne Anspruchsgrundlage gibt es keinen Anspruch.

1. Arten

Ansprüche ergeben sich aus Anspruchsnormen und aus Rechtsgeschäften.

a) *Anspruchsnormen* sind Rechtsnormen, die einen Anspruch begründen. Sie bestehen aus Tatbestand und Rechtsfolge. Die Rechtsfolge ordnet das Verhalten an, das der Anspruchsberechtigte aufgrund dieser Norm vom Verpflichteten verlangen kann; der Tatbestand enthält die Voraussetzungen, bei deren Erfüllung der Anspruch besteht.

Eine Anspruchsnorm ist z. B. § 823 I. Die Rechtsfolgeanordnung bestimmt, daß aufgrund dieser Norm Schadensersatz verlangt werden kann (»... ist dem anderen zum Ersatz des daraus entstandenen Schadens verpflichtet«). Der Tatbestand zählt die Voraussetzungen zur Entstehung dieses Schadensersatzanspruchs auf (»Wer vorsätzlich oder fahrlässig das Leben, den Körper, die Gesundheit, die Freiheit, das Eigentum oder ein sonstiges Recht eines anderen widerrechtlich verletzt«).

Anspruchsnormen finden sich in allen fünf Büchern des BGB. Das Gesetz verwendet verschiedene Formulierungen zur Kennzeichnung einer Anspruchsnorm.

Manchmal wird unmittelbar das Wort *Anspruch* gebraucht (z. B. § 1004 II). Oft sagt das Gesetz, daß jemand etwas Bestimmtes von einem anderen *verlangen kann* (z. B. § 985). Seltener heißt es, daß jemand gegen einen anderen *klagen kann* (z. B. § 12, 2; § 1004 I 2). Häufig kennzeichnet das Gesetz eine Anspruchsnorm, indem es nicht die Berechtigung, sondern die Verpflichtung einer Person gegenüber einer anderen ausspricht (z. B. § 433 II; § 1601).

Auch aus Gewohnheitsrecht ergeben sich wichtige Anspruchsnormen.

Hierher gehört etwa der Schadensersatzanspruch wegen positiver Forderungsverletzung (vgl. Rdnr. 66).

603 b) *Rechtsgeschäfte* (Rdnr. 94ff.), insbesondere Verträge, können Rechtsgrundlage für Ansprüche sein. Nach dem Prinzip der Privatautonomie (Rdnr. 24) kann sich jedermann durch Vertrag grundsätzlich zu jeder beliebigen Leistung verpflichten und einem anderen einen Anspruch darauf einräumen. Der Gesetzgeber hat im 7. Abschnitt des Rechts der Schuldverhältnisse zwar eine Reihe von Rechtsgeschäften geregelt, die am häufigsten abgeschlossen werden. Ansprüche aus diesen Rechtsgeschäften können also den im BGB enthaltenen Anspruchsnormen entnommen werden; sie haben ihre Grundlage aber in der rechtsgeschäftlichen Vereinbarung.

Hat E seine Plastik für 800,– DM an K verkauft, so hat er gegen K einen Kaufpreisanspruch in Höhe von 800,– DM. Rechtsgrundlage ist der Vertrag zwischen E und K, wonach K sich gegenüber E zur Zahlung verpflichtet hat. Der Gesetzgeber hat diesen Anspruch zwar in der Anspruchsnorm des § 433 II geregelt; E hätte den Kaufpreisanspruch aber auch dann, wenn es § 433 II nicht gäbe.

Das zeigt sich deutlich, wenn Ansprüche aus einem Vertrag erhoben werden, der gesetzlich nicht geregelt ist. Läßt E die Plastik für 2,50 DM pro Person besichtigen und einigt er sich mit Z hierüber, so hat Z gegen E einen Anspruch auf Besichtigung. Anspruchsgrundlage könnte § 241, 1 sein; danach ist der Gläubiger eines Schuldverhältnisses berechtigt, vom Schuldner eine Leistung zu fordern. Ein Schuldverhältnis kann durch Rechtsgeschäft begründet werden (vgl. § 305). § 241, 1 sagt aber nicht, *welche* Leistung verlangt werden kann, sondern nur, *daß* die vereinbarte Leistung beansprucht werden kann. Demnach ist Anspruchsgrundlage der Besichtigungsvertrag in Verbindung mit der Rahmenvorschrift des § 241.

2. *Anwendung* 604

Jeder Anspruch muß aus einer Anspruchsgrundlage hergeleitet werden. Ist also nach einem Anspruch gefragt, so muß eine Anspruchsgrundlage gefunden werden, aus der sich der Anspruch ergibt.

a) Zuerst ist eine *Auswahl* unter den Anspruchsgrundlagen, die möglicherweise in Betracht kommen, zu treffen.

Zur näheren rechtlichen Prüfung kommen nur die Anspruchsgrundlagen in Betracht, deren Rechtsfolgen abstrakt das tatsächliche Begehren gewähren; alle anderen Anspruchsgrundlagen sind damit schon ausgeschieden.

Verlangt E im Fall a von C Schadensersatz, so muß eine Anspruchsgrundlage gesucht werden, die eine Schadensersatzleistung anordnet. § 985 etwa scheidet aus, da er auf »die Herausgabe der Sache« gerichtet ist; ebenso entfällt § 812, da er die »Herausgabe« von etwas bestimmt. Bei beiden Vorschriften handelt es sich also nicht um Schadensersatzansprüche. Dagegen kommt § 823 als Anspruchsgrundlage in Betracht; denn diese Norm verpflichtet »zum Ersatz des entstandenen Schadens«.

Aber auch von den Anspruchsgrundlagen, die von der Rechtsfolge her passen, scheiden diejenigen aus, deren Voraussetzungen nicht vorliegen.

So scheidet im Fall a § 833 für einen Schadensersatzanspruch des E gegen C aus, weil die Plastik nicht durch ein Tier beschädigt wurde.

b) Der Schwerpunkt der Prüfung liegt in der anschließenden *Subsumtion* des 605
Sachverhalts unter die Anspruchsgrundlage. Dadurch wird erreicht, daß keine überflüssigen Fragen für die Lösung des Falles erörtert werden.

Im Fall a könnte C das Eigentum des E an der Plastik widerrechtlich und vorsätzlich verletzt und E dadurch einen Schaden zugefügt haben. Das *Eigentum* an der Plastik hat C durch den Schuß *verletzt*. Das war *widerrechtlich*; denn eine Rechtfertigung für das Verhalten des C ist nicht ersichtlich. C hat das Eigentum *vorsätzlich* verletzt, da er wissentlich und willentlich auf die Plastik geschossen hat. Dadurch hat C einen *Schaden* von 200,– DM verursacht, wenn E für die Ausbesserung der Plastik 200,– DM aufzuwenden hatte. Demnach kann E von C nach § 823 I die Zahlung von 200,– DM verlangen.

606 *3. Anspruchsgrundlagenkonkurrenz*

Eine Anspruchsgrundlagenkonkurrenz liegt vor, wenn sich der Anspruch aus *mehreren Anspruchsgrundlagen* ergibt. Alle Anspruchsgrundlagen, die in Betracht kommen, müssen in einem Gutachten geprüft werden.

Klagt E im Fall a gegen D auf Herausgabe der Plastik, so kann sich sein Verlangen auf mehrere Anspruchsgrundlagen stützen. Als Eigentümer hat E gegen den Besitzer D den Eigentumsherausgabeanspruch aus § 985. Sein Begehren ergibt sich auch aus § 823 I, da die Verpflichtung zum Schadensersatz gem. § 249, 1 bedeutet, den Zustand herzustellen, der bestehen würde, wenn der zum Ersatz verpflichtende Umstand nicht eingetreten wäre. D hat das Eigentum des E durch Diebstahl widerrechtlich und vorsätzlich verletzt; er muß also die Plastik wieder zurückbringen und damit den früheren Zustand wiederherstellen. Weiter folgt der Anspruch aus § 823 II 1 in Verbindung mit § 242 StGB, da D einen Diebstahl i. S. des § 242 StGB begangen hat, also gegen ein den Schutz des Eigentümers E bezweckendes Gesetz i. S. des § 823 II verstoßen hat. Weitere Anspruchsnorm ist § 812 I 1, 2. Fall; denn D hat in sonstiger Weise auf Kosten des E Besitz an der Plastik erlangt. Außerdem ist der Anspruch aus § 861 I schlüssig, da D dem E den Besitz an der Plastik durch verbotene Eigenmacht (= ohne dessen Willen, § 858 I) entzogen hat. Ebenso greift § 1007 I ein, da E die Plastik in Besitz hatte und D bei Besitzerwerb nicht in gutem Glauben war; vielmehr wußte er, daß er kein Besitzrecht besaß.

Verteidigt sich D damit, E sei nicht Eigentümer der Plastik und wisse schon seit 5 Jahren von seinem Diebstahl, so entfallen einige Anspruchsnormen. Für § 985 fehlt das Eigentum des E; die Anspruchsgrundlagen aus § 823 I und § 823 II in Verbindung mit § 242 StGB sind durch die Verjährungseinrede nach §§ 852, 222 I (Rdnr. 617 ff.) gehemmt; § 861 ist aufgrund der abgelaufenen Ausschlußfrist (Rdnr. 617) des § 864 ausgeschlossen. Auf diese Verteidigung kommt es aber nicht an, da der Anspruch des K weiterhin aus § 812 I 1, 2. Fall und § 1007 I begründet ist.

607 § 31 Die Einreden

Schrifttum: *H. Dilcher*, Verjährungsrecht, JZ 1983, 825; *Jahr*, Die Einrede des bürgerlichen Rechts, JuS 1964, 125, 218, 293; *Loritz*, Unterbrechung der Verjährung durch Einreichen des Mahnantrages bei einem unzuständigen Gericht, JR 1985, 98; *Medicus*, Anspruch und Einrede als Rückgrat einer zivilistischen Lehrmethode, AcP 174, 313; *H. Roth*, Die Einrede des Bürgerlichen Rechts, 1988; *P. Schlosser*, Selbständige peremptorische Einrede und Gestaltungsrecht im deutschen Zivilrecht, JuS 1966, 257; *Zimmermann*, Die Verjährung, JuS 1984, 409.

Fälle:

a) Der Kaufmann K begehrt durch Klage beim Amtsgericht, den B zur Zahlung von 280,– DM zu verurteilen. Zur Begründung führt er aus, er habe dem B einen Plattenspieler für 280,– DM verkauft. B beantragt, die Klage abzuweisen; denn er habe von K keinen Plattenspieler gekauft. Wie ist zu entscheiden?

b) Wie, wenn B vorträgt, er sei bei Abschluß des Kaufvertrages sinnlos betrunken gewesen?

c) Wie, wenn B geltend macht, er habe den Kaufpreis längst bezahlt?

d) Wie, wenn B darauf hinweist, der Kaufvertrag sei vor sechs Jahren geschlossen worden und nach so langer Zeit zahle er nicht mehr?

e) Der Fabrikant F kauft am 12.12.1990 im Möbelhaus des V einen Schrank für 2000,– DM, um ihn seiner Tochter T zu schenken. Wann verjähren die Ansprüche aus dem Kaufvertrag? Wann, wenn F den Schrank für sein Büro kauft?

I. Einrede im prozeßrechtlichen Sinn

Im Zivilprozeß hat der Kläger dem Gericht die Tatsachen vorzutragen, aus denen sich sein Begehren rechtlich herleiten läßt (= klagebegründende Tatsachen).

Im Fall a setzt die Kaufpreisklage voraus, daß K vorträgt, er habe mit B einen Kaufvertrag über einen Plattenspieler zum Preise von 280,– DM abgeschlossen (vgl. § 433 II).

Der Beklagte hat verschiedene Möglichkeiten, sich zu verteidigen. Einmal kann er das Vorliegen einer klagebegründenden Tatsache bestreiten (= Klageleugnen).

Im Fall a bestreitet B das Vorliegen eines Kaufvertrages. Ein Klageleugnen läge auch vor, wenn B behauptete, K habe nicht mit ihm, sondern mit seinem Bruder einen Kaufvertrag über den Plattenspieler geschlossen.

Beim Klageleugnen muß der Kläger die vom Beklagten bestrittene klagebegründende Tatsache beweisen, andernfalls verliert er den Prozeß.

Gelingt dem K im Fall a der Beweis, daß er mit B einen Kaufvertrag über den Plattenspieler zum Preis von 280,– DM geschlossen hat (z. B. durch Zeugenaussagen oder durch Vorlage eines entsprechenden, von B unterschriebenen Schriftstückes), wird B zur Zahlung verurteilt; andernfalls wird die Klage abgewiesen.

Der Beklagte kann zum anderen Einreden im prozessualen Sinne geltend machen. Darunter versteht man das Vorbringen von Tatsachen, die eine Gegennorm erfüllen, durch die der Anspruch des Klägers vereitelt wird. Diese Gegennorm hindert, vernichtet oder hemmt das Recht des Klägers. Dementsprechend unterscheidet man rechtshindernde, rechtsvernichtende und rechtshemmende Einreden.

1. Rechtshindernde Einrede 608

Der Beklagte trägt eine oder mehrere Tatsachen vor, welche die Entstehung des Anspruchs des Klägers hindern.

Im Fall b bestreitet B den Abschluß des Kaufvertrages nicht. Vielmehr behauptet er eine Tatsache (Volltrunkenheit), die der Wirksamkeit des Kaufvertrages entgegensteht. Nach

§ 105 II ist eine Willenserklärung nichtig, die im Zustand der Bewußtlosigkeit abgegeben wird.

Bestreitet der Kläger die rechtshindernde Tatsache, muß der Beklagte sie beweisen, da sie einen Ausnahmetatbestand darstellt.

Wird also bewiesen, daß B bei Vertragsschluß sinnlos betrunken war, gewinnt B den Prozeß; die Klage des K wird abgewiesen. Gelingt der Beweis nicht, wird der Klage stattgegeben.

609 2. *Rechtsvernichtende Einrede*

Der Beklagte trägt eine oder mehrere Tatsachen vor, die den bereits entstandenen Anspruch des Klägers vernichten.

Im Fall c bestreitet B den Vertragsabschluß nicht; er wendet sich auch nicht gegen die Entstehung des Kaufpreisanspruchs. Vielmehr behauptet er eine Tatsache (Zahlung), die den Kaufpreisanspruch vernichtet. Wenn B inzwischen gezahlt hat, ist der Kaufpreisanspruch durch Erfüllung nach § 362 I erloschen.

Rechtsvernichtende Tatsachen, die der Kläger bestreitet, muß der Beklagte beweisen.

Die Erfüllung ist am einfachsten durch eine Quittung (vgl. § 368) zu beweisen. Gelingt dem B der Beweis, gewinnt er, andernfalls verliert er den Prozeß.

610 3. *Rechtshemmende Einrede*

Der Beklagte greift den Anspruch des Klägers nicht an; er bestreitet weder das Klagevorbringen, noch wehrt er sich gegen die Entstehung und den Fortbestand des Anspruchs. Vielmehr macht er ein Leistungsverweigerungsrecht geltend. Dieses ist ein Gegenrecht des Beklagten, das den Anspruch des Klägers hemmt.

Im Fall d beruft B sich auf die Einrede der Verjährung (Rdnr. 617ff.). Sie gibt ihm das Recht, die Leistung zu verweigern (§ 222 I). Der Kaufpreisanspruch des Kaufmanns K ist nach § 196 I Nr. 1 in zwei Jahren verjährt.

Da der Beklagte sich bei der rechtshemmenden Einrede auf ein Gegenrecht beruft, muß er bei Bestreiten des Klägers die rechtshemmenden Tatsachen beweisen.

Behauptet K im Fall d, der Vertrag sei erst im letzten Jahr geschlossen worden, so bestreitet er die Voraussetzung der Verjährung. B muß beweisen, daß der Vertrag schon vor mehr als zwei Jahren geschlossen wurde. Gelingt ihm der Beweis, wird die Klage abgewiesen; andernfalls wird er zur Zahlung verurteilt.

II. Einrede im privatrechtlichen Sinn 611

1. Begriff

a) Die Einrede i. S. des BGB ist mit der rechtshemmenden Einrede i. S. des Prozeßrechts (Rdnr. 610) identisch. Man versteht darunter das *subjektive Recht einer Person, die Ausübung des Rechtes einer anderen Person zu hemmen.* Sie dient also der Verteidigung gegenüber einem Anspruch und führt zu dessen Hemmung, wenn der Einredeberechtigte sein Gegenrecht geltend macht. Die Einrede gibt dem Anspruchsverpflichteten das Recht, die Erfüllung des Anspruchs zu verweigern. Sie ist also ein Leistungsverweigerungsrecht (vgl. z. B. §§ 222 I, 273 I, 320 I, 478 I).

Im Fall d besteht der Kaufpreisanspruch des K gegen B. Da B demgegenüber die Einrede der Verjährung geltend macht und ihm diese Einrede zusteht, wenn der Vertrag schon vor sechs Jahren geschlossen wurde, kann er die Leistung verweigern, so daß die Klage abgewiesen werden muß.

b) Die Einrede im Sinne des BGB ist *von der Einwendung zu unterscheiden.* 612
Dieser Begriff wird nicht einheitlich gebraucht. Einmal ist er der Oberbegriff nur für rechtsverneinende (= rechtshindernde und rechtsvernichtende) Einreden (Rdnr. 608, 609); zum anderen umfaßt er zusätzlich noch die Einreden im privatrechtlichen Sinn (so z. B. § 404). Soweit im folgenden nichts anderes gesagt ist, wird der Begriff Einwendung im engeren Sinne verwandt.

2. Ausübung der Einrede 613

Die Einrede muß geltend gemacht werden. Im Prozeß darf das Gericht das Einrederecht nur beachten, wenn die Voraussetzungen des Einrederechtes (= Einredetatbestand) gegeben sind und der Berechtigte sich auf die Einrede berufen hat.

Das Gesetz hält die Berufung auf das Einrederecht für erforderlich, da es allein dem Einredeberechtigten überlassen bleiben soll, ob er den Anspruch erfüllen will oder nicht. Wegen dieser Willensmacht gehört die Einrede zu den subjektiven Rechten (Rdnr. 568 ff.).

Wenn K im Fall d selbst vorträgt, der Kaufvertragsabschluß liege schon sechs Jahre zurück, B sich aber auf die Verjährungseinrede nicht beruft, so ist dem Gericht zwar die Verjährung des Kaufpreisanspruchs bekannt; denn der Einredetatbestand der Verjährung ist gem. §§ 196 I Nr. 1, 201 (Rdnr. 622) gegeben. Das Gericht muß B aber dennoch zur Zahlung verurteilen, da er sich auf die Einrede der Verjährung nicht berufen hat. Die Klage ist dagegen abzuweisen, wenn B sich – im Prozeß – auf die Verjährung beruft und damit die Hemmungswirkung der Einrede auslöst.

Demgegenüber ist eine Einwendung vom Gericht schon dann zu berücksichtigen, wenn ihre tatsächlichen Voraussetzungen von einer Partei vorgetragen sind; der Beklagte braucht sich nicht darauf zu berufen.

Trägt K im Fall b selbst vor, B sei bei Abschluß des Kaufvertrages volltrunken gewesen, so liegen die Voraussetzungen der rechtshindernden Einwendung nach § 105 II vor. Die Klage ist abzuweisen, unabhängig davon, ob B diese Einwendung geltend macht oder nicht.

614 *3. Wirkung der erhobenen Einrede*

a) Die Wirkung der geltend gemachten Einrede besteht in der *Hemmung des Anspruchs.* Der Anspruch geht also nicht unter, sondern wird nur in seiner Durchsetzung gelähmt.

Im Fall d hat K einen Anspruch auf Kaufpreiszahlung aus § 433 II. Erklärt B anstelle der Verjährungseinrede, der Plattenspieler sei noch nicht geliefert worden und er (B) sei nur gegen Lieferung des Geräts zur Zahlung bereit, so macht er die Einrede des nicht erfüllten Vertrages (§ 320 I) geltend. Sie gibt demjenigen, der aus einem gegenseitigen Vertrag verpflichtet ist, das Recht, die ihm obliegende Leistung bis zur Bewirkung der Gegenleistung zu verweigern (AS Rdnr. 153 ff.). Der Kaufpreisanspruch des K bleibt bestehen, doch ist seine Durchsetzung bis zur Lieferung des Plattenspielers durch K gehemmt. Das zeigt auch das Urteil des Gerichts; denn gem. § 322 I würde B zur Zahlung Zug um Zug gegen Übereignung des Plattenspielers durch K verurteilt. Dies wäre bei einem Untergang des Kaufpreisanspruchs durch die Einrede nicht möglich.

615 b) Die *Hemmung des Anspruchs* durch eine ausgeübte Einrede kann *verschieden stark* sein:

(1) Die *aufschiebende (dilatorische) Einrede* hemmt die Durchsetzung eines Anspruchs nur *zeitweilig.*

Beispiel: Beruft sich der Käufer auf die Einrede des nicht erfüllten Vertrages (§ 320 I), so wird der Zahlungsanspruch des Verkäufers nur vorübergehend bis zur Lieferung der Kaufsache gehemmt.

(2) Die *ausschließende (peremptorische) Einrede* hemmt die Durchsetzung eines Anspruchs *dauernd.*

Beispiel: Beruft der Käufer sich gegenüber dem Zahlungsanspruch des Verkäufers auf Verjährung (Fall d), ist die Durchsetzung des Kaufpreisanspruchs für immer ausgeschlossen.

616 c) In der Wirkung unterscheidet sich die Einrede *von der Einwendung* (Rdnr. 612). Die Einrede läßt den Anspruch bestehen und hemmt ihn nur. Die Einwendung führt dagegen zum Nichtbestehen des Anspruchs, indem sie dessen Entstehung hindert oder den entstandenen Anspruch vernichtet.

Im praktischen Ergebnis besteht jedoch kein Unterschied darin, ob der Anspruch durch eine Einwendung verneint wird (Fälle b und c) oder durch eine ausschließende Einrede dauernd gehemmt ist (Fall d). In allen Fällen wird die Klage abgewiesen.

III. Einrede der Verjährung 617

1. *Begriff*

Verjährung ist die Entkräftung eines Anspruchs durch Zeitablauf. Sie gibt dem Anspruchsverpflichteten eine Einrede; er ist berechtigt, die Leistung dauernd zu verweigern (§ 222 I).

Die Verjährung ist von der *Ausschluß-(Präklusions-)frist* zu unterscheiden. Während bei der Verjährung der Anspruch trotz Fristablaufs bestehen bleibt, erlischt bei der Ausschlußfrist das Recht mit Ablauf einer Frist. Die Ausschlußfrist ist also eine rechtsvernichtende Einwendung. Die Verjährung richtet sich nur gegen Ansprüche; die Ausschlußfristen begrenzen hauptsächlich Gestaltungsrechte (Rdnr. 580). So kann die Anfechtung wegen arglistiger Täuschung nur binnen Jahresfrist erfolgen (vgl. § 124; Rdnr. 409).

2. *Zweck* 618

Die Verjährung dient der Erhaltung der Rechtssicherheit und des Rechtsfriedens. Der Schuldner soll vor der Geltendmachung veralteter Ansprüche geschützt werden. Er ist infolge der verflossenen Zeit oft nicht oder nur schwer in der Lage, sich gegenüber der Inanspruchnahme durch den Gläubiger zu verteidigen (Mot. I, 291). Tritt die Verjährung innerhalb kurzer Zeit ein (z. B. §§ 477, 558, 638), so geschieht dies im Interesse einer schnellen Abwicklung der Geschäfte.

Da die Verjährungsvorschriften also auch dem öffentlichen Interesse dienen, sind sie grundsätzlich zwingendes Recht (Rdnr. 34). Die Verjährung kann durch Rechtsgeschäft weder ausgeschlossen noch erschwert werden (§ 225, 1). Deshalb ist eine Verlängerung der Verjährungsfrist unzulässig; ausnahmsweise können bestimmte sehr kurze Verjährungsfristen verlängert werden (z. B. §§ 477 I 2; 638 II). Erleichterungen der Verjährung, insbesondere eine Abkürzung der Verjährungsfrist, sind dagegen zulässig (§ 225, 2).

3. *Gegenstand* 619

Nur ein Anspruch kann Gegenstand der Verjährung sein (§ 194 I).

a) Andere subjektive Rechte als Ansprüche verjähren nicht. Es verjähren aber die aus der Verletzung eines absoluten Rechtes entstehenden Ansprüche (Rdnr. 597), soweit nichts anderes bestimmt ist (Rdnr. 620).

Beispiel: Der Herausgabeanspruch des Eigentümers aus § 985 gegen den Dieb verjährt nach 30 Jahren (§§ 195, 198). Stiehlt anschließend ein Dritter die Sache beim Dieb, so entsteht ein neuer Herausgabeanspruch des Eigentümers gegen den Dritten. Das ist möglich, da nicht das Eigentum selbst verjährt, sondern nur der aus seiner Verletzung entstandene Anspruch. (Siehe aber auch Rdnr. 626).

620 b) Einige Ansprüche verjähren ausnahmsweise nicht. Sie sind gesetzlich einzeln aufgezählt. Die Gründe für die Unverjährbarkeit sind verschieden und ergeben sich aus der einzelnen Regelung.

Beispiele: §§ 194 II, 758, 898, 902, 924, 2042 II.

621 *4. Dauer der Verjährungsfristen*

a) Die Verjährungsfrist beträgt regelmäßig 30 Jahre (§ 195). Sie gilt, wenn weder durch Gesetz noch durch Vereinbarung kürzere Fristen bestimmt sind.

Im Fall e läuft für den Anspruch des F aus § 433 I 1 auf Übereignung des Schrankes die 30-jährige Verjährungsfrist.

622 b) *Der Allgemeine Teil* des BGB regelt *zwei kürzere Verjährungsfristen.*

(1) Nach § 196 I gilt für bestimmte Ansprüche, die überwiegend *aus Geschäften des täglichen Lebens* herrühren, eine *zweijährige Verjährungsfrist.* Hierzu zählen die Ansprüche der Kaufleute, Fabrikanten und Handwerker wegen ihrer Warenlieferungen oder Arbeitsleistungen (§ 196 I Nr. 1). Sinn der zweijährigen Frist ist es, die Beteiligten zu einer schnellen Abwicklung der Ansprüche zu veranlassen; ihnen soll die Aufbewahrung von Beweismitteln und Belegen für die Entstehung und Erfüllung der Ansprüche nicht länger zugemutet werden (Mot. I, 297f.). Einige dieser Ansprüche verjähren unter bestimmten Voraussetzungen in vier Jahren, wenn z. B. die Leistung für den Gewerbebetrieb des Schuldners erfolgte (§ 196 II). Das Gesetz rechnet hier mit einer längeren Aufbewahrung der Unterlagen durch den Schuldner.

Im Fall e läuft für den Anspruch des V aus § 433 II die zweijährige Frist nach § 196 I Nr. 1, da V Kaufmann ist und es sich um einen Kaufpreisanspruch für die Lieferung von Waren handelt.

Hat F den Schrank aber für sein Büro gekauft, so verjährt der Kaufpreisanspruch des V erst in vier Jahren; die Leistung des V erfolgte dann für den Gewerbebetrieb des F (vgl. § 196 I Nr. 1, II).

623 (2) In vier Jahren verjähren die Ansprüche auf Rückstände von Zinsen, von Miet- und Pachtzinsen sowie auf Rückstände von regelmäßig wiederkehrenden Leistungen (§ 197). Durch die kurze Verjährungsfrist soll ein übermäßiges Anwachsen von Rückständen verhindert werden.

Liegen im Einzelfall die Voraussetzungen sowohl der zweijährigen Verjährungsfrist des § 196 als auch der vierjährigen Frist des § 197 vor, gilt die kürzere Frist des § 196 (BGHZ 91, 305, 307ff.).

624 c) *Außerhalb des Allgemeinen Teils* des BGB gibt es viele *Sondervorschriften* über die Verjährungsfristen.

Beispiele: Die Gewährleistungsansprüche des Käufers wegen Mangelhaftigkeit einer beweglichen Kaufsache verjähren in 6 Monaten von der Ablieferung an (§ 477 I 1).

Der Anspruch auf Ersatz des aus einer unerlaubten Handlung entstandenen Schadens verjährt in drei Jahren von dem Zeitpunkt an, in dem der Verletzte von dem Schaden und der Person des Ersatzpflichtigen Kenntnis erlangt (§ 852 I).

d) Ist ein Anspruch etwa durch Urteil *rechtskräftig festgestellt*, so verjährt er in 30 Jahren. Mit Rechtskraft des Urteils beginnt eine neue Verjährungsfrist zu laufen, selbst wenn der Anspruch bisher in kürzerer Zeit verjährte (vgl. § 218). **625**

e) Auf den Lauf der Verjährungsfrist hat es *keinen Einfluß, wenn der Berechtigte oder Verpflichtete des Anspruchs wechselt.* Der Rechtsnachfolger muß die verstrichene Frist für und gegen sich wirken lassen. Das gilt auch, wenn eine Sache, auf die sich ein dinglicher Anspruch (z. B. aus § 985) bezieht, durch Rechtsnachfolge in den Besitz eines Dritten gelangt (§ 221). **626**

Beispiele: Tritt der Verkäufer seinen Kaufpreisanspruch, der am 31. 12. 1992 verjährt, an einen Dritten ab, so verjährt der Anspruch auch nach der Abtretung mit Ablauf des 31. 12. 1992; denn der Anspruch ist trotz der Abtretung derselbe geblieben.

Verleiht der Dieb D, der dem Eigentümer E vor 30 Jahren einen Ring gestohlen hatte, diesen 31 Jahre nach dem Diebstahl an seinen Freund F, so entsteht für E ein neuer Herausgabeanspruch aus § 985 gegen den Besitzer F (vgl. Rdnr. 619). Da F aber mit Willen des D Besitzer des Ringes wurde (abgeleiteter Erwerb; Rdnr. 586), liegt eine Rechtsnachfolge in den Besitz des D vor. Die nach 30 Jahren für D eingetretene Verjährung des Herausgabeanspruchs des E kommt nach § 221 dem F zugute. F kann sich gegenüber dem Herausgabeanspruch des E also auf die Einrede der Verjährung berufen. Keine Rechtsnachfolge in den Besitz des D liegt vor, wenn F sich durch Diebstahl bei D in den Besitz des Ringes gesetzt hat (= originärer Erwerb; Rdnr. 585). In diesem Fall greift § 221 nicht zugunsten des F ein (vgl. Rdnr. 619).

5. *Beginn der Verjährungsfristen* **627**

a) Der Beginn der Verjährung setzt *grundsätzlich mit der Entstehung des Anspruchs* ein (§ 198, 1). Darunter ist der Zeitpunkt zu verstehen, an dem der Anspruch erstmalig geltend gemacht und notfalls im Wege der Klage durchgesetzt werden kann (BGHZ 55, 341; 113, 191)).

Im Fall e ist der Lieferungsanspruch am Tage des Kaufvertragsabschlusses entstanden. Also würde eine 30-jährige Verjährungsfrist am 12. 12. 1990 beginnen (vgl. aber Rdnr. 630).

b) Von der Regel, daß der Zeitpunkt der Entstehung des Anspruchs für den Verjährungsbeginn maßgebend ist, gibt es *Abweichungen*: **628**

(1) Bei Ansprüchen, die auf ein *Unterlassen* gehen, beginnt die Verjährung mit der Zuwiderhandlung (§ 198, 2).

Beispiel: Verpflichtet sich der Gastwirt G am 1. 1. 1988 gegenüber der Brauerei B, Bier anderer Brauereien nicht auszuschenken, und tut er dies 1989 trotzdem, so beginnt die Verjährungsfrist für den Unterlassungsanspruch der B mit der Zuwiderhandlung im Jahre 1989 und nicht schon vom 1. 1. 1988 an.

629 (2) Hängt die Entstehung des Anspruchs von einer Kündigung oder Anfechtung des Berechtigten ab, so beginnt die Verjährung mit dem Zeitpunkt, von dem an die Kündigung oder Anfechtung zulässig ist (§§ 199, 200).

Beispiel: Gewährt A dem B ein Darlehen von 1000,– DM, das vom 1. 8. 1988 an mit sofortiger Wirkung gekündigt werden kann, so beginnt die Verjährungsfrist für den Rückzahlungsanspruch aus § 607 I am 1. 8. 1988, selbst wenn A erst viel später kündigt. Von da an kann A den Anspruch nämlich zur Entstehung bringen.

630 (3) Die kurze Verjährung der Ansprüche aus §§ 196, 197 beginnt mit dem Schluß des Jahres, in dem der Anspruch gem. §§ 198–200 entsteht (§ 201). Sinn dieser Regelung ist es, die Berechnung der Fristen durch Ablauf nur zum Jahresende klar und einfach zu gestalten (Mot. I, 310).

Kauft F im Fall e den Schrank für seine Tochter, so entsteht der Kaufpreisanspruch des V am 12. 12. 1990, doch beginnt die zweijährige Verjährungsfrist (§ 196 I Nr. 1) erst mit Ablauf des Jahres 1990, also am 1. 1. 1991; sie endet am 31. 12. 1992, so daß der Anspruch am 1. 1. 1993 verjährt ist. Ebenso läuft die vierjährige Verjährung (§ 196 II i. V. m. § 196 I Nr. 1) für den Kaufpreisanspruch bei Erwerb des Schranks für das Büro des F erst vom 1. 1. 1991 bis zum 31. 12. 1994.

631 6. *Hemmung, Ablaufhemmung und Unterbrechung der Verjährung*

a) Die *Hemmung der Verjährung* bewirkt, daß der Zeitraum, während dessen die Hemmung besteht, nicht in die Verjährungsfrist eingerechnet wird (§ 205); die Verjährung ruht solange. Nach Wegfall der Hemmung läuft die Verjährungsfrist weiter und verlängert sich um den Zeitraum der Hemmung.

Eine Hemmung tritt ein, wenn der Anspruchsberechtigte aus bestimmten rechtlichen oder tatsächlichen Gründen seinen Anspruch nicht durchsetzen konnte oder ihm dies nicht zuzumuten war (Einzelheiten: §§ 202–204).

632 b) Die *Ablaufhemmung* schiebt die Beendigung der Verjährung auf (Einzelheiten: §§ 206, 207). Die Verjährung tritt erst ein, wenn seit Wegfall des Hemmungsgrundes sechs Monate verstrichen sind. Fällt der Hemmungsgrund jedoch schon sechs Monate vor Ablauf der Verjährungsfrist weg, greift die Ablaufhemmung nicht ein.

Beispiel: Verjährt der Schadensersatzanspruch des Minderjährigen A aus § 823 am 31. 8. 1991 und war dieser vom 1. bis 26. 5. 1991 ohne gesetzlichen Vertreter, so greift die Ablaufhemmung nach § 206 ein. Die Verjährung endet dann erst sechs Monate nach der Bestellung des Vormundes. Ist A dagegen vom 1. bis 31. 1. 1991 ohne gesetzlichen Vertreter, so liegt kein Hemmungsgrund vor, da er während der letzten sechs Monate einen gesetzlichen Vertreter hatte.

Die Ablaufhemmung des § 206 greift auch bei einem Betreuten im Falle eines Einwilligungsvorbehalts ein (§ 1903 I 2; dazu Rdnr. 249a ff., insbes. Rdnr. 249i).

633 c) Die *Unterbrechung* der Verjährung bewirkt, daß die bis zur Unterbrechung verstrichene Zeit nicht in Betracht kommt; nach Beendigung der Unterbrechung beginnt die Verjährungsfrist neu zu laufen (§ 217).

Unterbrechungsgründe können durch ein Verhalten des Verpflichteten oder des Berechtigten entstehen. So wird die Verjährung unterbrochen, wenn der Verpflichtete den Anspruch gegenüber dem Berechtigten durch Abschlagszahlung, Zinszahlung, Sicherheitsleistung oder in anderer Weise anerkennt (§ 208). Durch den Berechtigten wird die Verjährung unterbrochen, wenn er Klage erhebt (§ 209 I) oder ein entsprechendes Verfahren (z. B. Zustellung eines Mahnbescheids) einleitet (§§ 209 II, 210). Die Unterbrechung endet mit Abschluß des jeweiligen Verfahrens (vgl. §§ 211, 212 a bis 215). Dagegen wird die Verjährung durch die bloße Androhung gerichtlicher Schritte oder eine Mahnung nicht unterbrochen. Weitere Einzelheiten: §§ 212 ff.

7. Wirkung der Verjährungseinrede 634

Die zu Recht erhobene Verjährungseinrede bewirkt eine dauernde Hemmung des Anspruchs; der Verpflichtete ist zur Verweigerung der Leistung berechtigt (§ 222 I). Das Leistungsverweigerungsrecht erstreckt sich auch auf die vom Hauptanspruch abhängigen Nebenleistungen wie Zinsen (§ 224). Dagegen hindert die geltend gemachte Verjährungseinrede den Berechtigten nicht, Befriedigung aus einer Hypothek oder einem Pfandrecht zu suchen, obwohl der gesicherte Anspruch verjährt ist (§ 223).

Der verjährte Anspruch bleibt weiterhin erfüllbar. Das zur Befriedigung eines verjährten Anspruchs Geleistete kann nicht zurückgefordert werden, auch wenn die Leistung in Unkenntnis der Verjährung bewirkt worden ist (§ 222 II 1; vgl. auch § 813 I 2).

Zahlt F im Fall e die 2000,– DM an V, nachdem der Kaufpreisanspruch verjährt ist, so kann F das Geld nicht mit der Begründung zurückfordern, daß er nicht hätte zahlen müssen.

8. Übergangsrecht in den neuen Bundesländern 634

Auf die am 3. 10. 1990 (Beitritt der DDR) noch nicht verjährten Ansprüche finden die Vorschriften des BGB Anwendung (Art. 231 § 6 I 1 EGBGB).

Beginn, Hemmung und Unterbrechung der Verjährung richten sich bis zum 2. 10. 1990 nach §§ 475 ff. ZGB (Art. 231 § 6 I 2 EGBGB). Ist die Verjährungsfrist nach BGB kürzer als nach ZGB, läuft sie vom 3. 10. 1990 ab; wenn allerdings die kürzere Frist des BGB erst nach der längeren des ZGB abläuft, bleibt es bei der Verjährungsfrist nach ZGB (Art. 231 § 6 II 1, 2 EGBGB). Die genannten Vorschriften finden auf die am Stichtag laufenden Ausschlußfristen entsprechende Anwendung (Art. 231 § 6 III EGBGB).

Die am 3. 10. 1990 bereits eingetretene Verjährung ist vom Gericht auch dann zu beachten, wenn eine entsprechende Einrede nicht erhoben wird; allerdings kann in Ausnahmefällen dennoch eine Verurteilung erfolgen (vgl. § 472 ZGB).

635 § 32 Grenzen und Schutz der Rechtsmacht

Schrifttum: *Brox*, Aussperrung oder einstweilige Verfügung bei rechtswidrigem Streik? – Zum Verhältnis von Tarifrecht, Notwehrrecht und prozessualen Abwehrrechten –, JA 1982, 221; *Canaris*, Notstand und Selbstopferung im Straßenverkehr, JZ 1963, 655; *H. Dilcher*, Besteht für die Notwehr nach § 227 BGB das Gebot der Verhältnismäßigkeit oder ein Verschuldenserfordernis?, Festschrift f. H. Hübner, 1984, 443; *L. W. Hager*, Schikane und Rechtsmißbrauch, 1913; *Hedemann*, Die Flucht in die Generalklauseln, 1933; *Hohmann*, § 242 BGB und unzulässige Rechtsausübung in der Rechtsprechung des BGH, JA 1982, 112; *A. Hueck*, Der Treuegedanke im modernen Privatrecht, 1947; *L. Raiser*, Rechtsschutz und Institutionenschutz im Privatrecht, in: summum ius summa iniuria, 1963, 145; *W. Schünemann*, Selbsthilfe im Rechtssystem, 1985; *Siber*, Schranken der privaten Rechte, 1926; *Siebert*, Verwirkung und Unzulässigkeit der Rechtsausübung, 1934; *ders.*, Vom Wesen des Rechtsmißbrauchs, 1935; *Teichmann*, Venire contra factum proprium – Ein Teilaspekt rechtsmißbräuchlichen Handelns, JA 1985, 497; *Wieacker*, Zur rechtstheoretischen Präzisierung des § 242, 1956.

Fälle:

a) V verbietet seinem mit ihm verfeindeten Sohn S, sein Grundstück zu betreten, um dort das Grab der Mutter zu besuchen. Mit Recht?

b) K stellt an dem von V gekauften Radio einen Mangel fest. Deshalb verlangt er sofort sein Geld zurück; V will darüber verhandeln. Als die Verhandlungen scheitern, klagt K. V beruft sich auf die eingetretene Verjährung. Wie ist zu entscheiden?

c) Mieter M kommt jede Nacht volltrunken und lärmend nach Hause. Nach einem klärenden Gespräch mit dem Vermieter V bessert M sich. Ein Jahr später kündigt V dem M fristlos und beruft sich auf das frühere Verhalten des M. Mit Recht?

d) Der Räuber R entreißt dem Spaziergänger S die Tasche. S schlägt dem davoneilenden R mit seinem Spazierstock ins Kreuz und bricht ihm eine Rippe. R verlangt Schadensersatz.

e) Der Hund des A fällt den Hund des S an. S nimmt dem Passanten P den Schirm ab und verletzt damit den Hund des A. Dabei wird der Schirm beschädigt. Ansprüche von A und P?

f) G hat in der Wirtschaft des W eine Zeche für 25,– DM gemacht. Als G, ohne die Zeche zu bezahlen, gehen will, nimmt W ihm mit Gewalt die Uhr weg. Mit Recht?

I. Grenzen der Rechtsmacht

Die Ausübung eines subjektiven Rechts erfolgt durch ein Verhalten des Berechtigten, das dem Inhalt des Rechts entspricht. Dadurch können Interessen anderer Personen verletzt werden. Das ist grundsätzlich erlaubt, da durch die Gewährung eines subjektiven Rechts ein Interessengegensatz zugunsten des Rechtsinhabers entschieden ist.

Der Gläubiger einer Kaufpreisforderung kann z. B. auch dann Bezahlung verlangen, wenn der Schuldner kein Geld hat und ein Darlehen aufnehmen muß.

Die Rechtsausübung ist jedoch nicht schrankenlos zulässig (vgl. Rdnr. 571); sie kann unzulässig sein.

1. Schikaneverbot 636

Die Ausübung eines Rechts ist unzulässig, wenn sie nur den Zweck haben kann, einem anderen Schaden zuzufügen (§ 226).

a) *Voraussetzung* ist, daß die Rechtsausübung aus objektiver Sicht gar keinen anderen Zweck haben kann, als einem anderen Schaden zuzufügen. Es genügt also nicht, daß der Berechtigte die Schädigung mit der Rechtsausübung beabsichtigt hat. Der Schaden braucht aber kein Vermögensschaden zu sein.

Im Fall a hat V als Eigentümer das Recht zu bestimmen, wer sein Grundstück betreten darf (vgl. § 903). Das Verbot gegenüber S kann keinen anderen Zweck haben, als S in seinem ideellen Interesse zu schädigen, das Grab seiner Mutter zu besuchen. Nach § 226 ist das Verbot unzulässig.

b) Die *Bedeutung* der Vorschrift, welche die einzige ausdrücklich geregelte Grenze der Rechtsausübung enthält, ist wegen ihres engen Anwendungsbereichs gering. Die Bestimmung beruht auf der liberalen Grundhaltung des Gesetzgebers des BGB, der davon ausging, ein gerechter Interessenausgleich werde sich von selbst ergeben, wenn jedermann seine eigenen Interessen weitgehend unbeschränkt durchsetzen könne. Diese Einstellung ist überwunden; Rechtsprechung und Rechtslehre haben darüber hinaus die gewohnheitsrechtlich anerkannten Schranken der sittenwidrigen und treuwidrigen Rechtsausübung entwickelt. 637

2. Verbot sittenwidriger Rechtsausübung 638

Eine Rechtsausübung, die gegen die guten Sitten verstößt, ist unzulässig.

a) *Rechtsgrundlage* für diese Schranke der Rechtsausübung ist § 826. Nach seinem Wortlaut gewährt § 826 einen Schadensersatzanspruch. Doch haben Rechtsprechung und Rechtslehre daraus das Verbot sittenwidriger Rechtsausübung hergeleitet.

b) *Voraussetzung* ist die Sittenwidrigkeit der Rechtsausübung. Die Rechtsausübung ist sittenwidrig, wenn sie das »Anstandsgefühl aller billig und gerecht Denkenden« verletzt (Mot. II, 727; Rdnr. 283 ff.). Dabei handelt es sich um eine Generalklausel; sie ist also wertausfüllungsbedürftig. Dazu sind alle Umstände des Einzelfalles heranzuziehen.

Im Fall a ist das Verhalten des V zugleich sittenwidrig. Die Schikane nach § 226 erfüllt immer die Voraussetzungen der sittenwidrigen Rechtsausübung; umgekehrt ist nicht jede sittenwidrige Rechtsausübung schon eine Schikane.

3. Verbot treuwidriger Rechtsausübung 639

Eine Rechtsausübung, die gegen Treu und Glauben verstößt, ist unzulässig.

a) *Rechtsgrundlage* ist § 242. Danach ist der Schuldner verpflichtet, die Leistung so zu bewirken, wie Treu und Glauben mit Rücksicht auf die Verkehrssitte es erfordern. Nach seinem Wortlaut bestimmt § 242 also nur, wie der Schuldner seine Leistung erbringen muß. Rechtsprechung und Rechtslehre haben aber daraus den allgemeinen Rechtsgedanken entwickelt, daß auch die Ausübung von Rechten durch die Rücksichtnahme auf Treu und Glauben beschränkt ist (AS Rdnr. 73 ff.).

640 b) »Treu und Glauben« ist eine *Generalklausel* (Rdnr. 32); es handelt sich um einen wertausfüllungsbedürftigen Begriff. Rechtsausübung nach Treu und Glauben bedeutet, daß der Berechtigte bei der Rechtsausübung auf die berechtigten Interessen anderer Beteiligter Rücksicht nehmen muß; er hat seine Rechte redlich auszuüben. Aus dieser Generalklausel kann aber nicht klar entnommen werden, unter welchen Umständen ein Recht im Einzelfall treuwidrig ausgeübt wird. Ob die Rechtsausübung Treu und Glauben entspricht, entscheidet sich aufgrund einer umfassenden Wertung der an dem Rechtsverhältnis beteiligten Interessen. § 242 ermächtigt den Richter also zur Interessenwertung im Einzelfall.

Rechtliche Maßstäbe, an denen die Interessen abgewogen werden, ergeben sich aus Interessenwertungen, die im Gesetz Ausdruck gefunden haben, aus den Wertentscheidungen des Grundgesetzes sowie aus der Berücksichtigung der Verkehrssitte. Durch die Verkehrssitte (Rdnr. 2) werden die sozialen Gepflogenheiten der am Rechtsverhältnis beteiligten Personen zum Kriterium für die Redlichkeit der Rechtsausübung.

Lediglich *allgemeine Billigkeitserwägungen* dürfen dagegen *nicht* zu einer Begrenzung der Rechte führen; das ist keine ausreichende Interessenwertung nach § 242. Dadurch würden die vom Gesetzgeber gewährten subjektiven Rechte außer Kraft gesetzt. Der Richter verstieße gegen den verfassungsrechtlichen Grundsatz seiner Bindung an Gesetz und Recht (Art. 20 III, 97 GG; Rdnr. 52).

Verlangt etwa der reiche Kaufmann V vom armen K Bezahlung des gekauften Pkw, so darf der Anspruch des V nicht damit abgelehnt werden, V habe das Geld nicht nötig, K brauche es dagegen sehr.

641 c) Die Rechtsprechung und das Schrifttum bilden *Fallgruppen*, denen immer wiederkehrende, gleichartige Interessenwertungen zugrunde liegen (vgl. AS Rdnr. 85 ff.). Dadurch sollen die gerichtlichen Entscheidungen vorhersehbar werden. Das dient der Rechtssicherheit. Doch kann die Einordnung in eine bestimmte Fallgruppe nur ein erster Anhaltspunkt für die Interessenbewertung sein; der Einzelfall kann andere Wertungen rechtfertigen.

Folgende Fallgruppen sind von besonderer Bedeutung:

642 (1) Die Rechtsausübung ist unzulässig, wenn der Berechtigte sich damit *zu seinem früheren Verhalten in Widerspruch* setzen würde (venire contra factum proprium).

Im Fall b ist die Berufung des V auf die Verjährungseinrede (§§ 477 I 1, 222 I) unzulässig, da V sich damit in Widerspruch zu seinem vorherigen Verhalten setzt; durch das Einlassen auf Verhandlungen hat er zu erkennen gegeben, daß er dem Anspruch des K entgegenkommen will. Deshalb hat K auch eine Unterbrechung der Verjährung, etwa durch Klageerhebung, nicht herbeigeführt. Auf die Unzulässigkeit der Verjährungseinrede muß K sich nicht berufen; die unzulässige Rechtsausübung ist eine Einwendung (Rdnr. 612). Das Gericht beachtet die Unzulässigkeit der Rechtsausübung also von sich aus, wenn nur die Umstände, aus denen sie sich ergibt, vorgetragen sind.

(2) Die *Verwirkung* von Rechten ist ein Sonderfall des Einwandes des wider- **643**
sprüchlichen Verhaltens.

Ein Recht ist verwirkt, wenn der Berechtigte es längere Zeit nicht geltend gemacht hat und die jetzige Geltendmachung danach für den Gegner aufgrund besonderer Umstände unzumutbar ist. Das widersprüchliche Verhalten liegt darin, daß der Berechtigte sein Recht erst eine Zeitlang nicht, dann unerwartet doch ausübt. Besondere Umstände, welche die Rechtsausübung für den Gegner unzumutbar machen, sind dann anzunehmen, wenn er auf die Nichtausübung des Rechts vertrauen durfte und auch tatsächlich darauf vertraut hat.

Im Fall c konnte V dem M aufgrund der nächtlichen Störungen des Hausfriedens nach § 554 a fristlos kündigen. Doch ist ein Jahr später das Kündigungsrecht verwirkt, da V sein Recht seither nicht ausgeübt hat und M infolge der Aussprache mit V auch auf das Unterbleiben der Kündigung vertrauen durfte.

d) Die *Bedeutung* des Verbots treuwidriger Rechtsausübung nach § 242 liegt **644**
darin, daß hierdurch über die engen Grenzen von § 226 und die Voraussetzungen des Verbots sittenwidriger Rechtsausübung hinaus eine objektive Bewertung aller am Rechtsverhältnis beteiligten Interessen ermöglicht wird.

II. Schutz der Rechtsmacht **645**

Werden die subjektiven Rechte im Rechtsverkehr nicht beachtet, so muß der Berechtigte geschützt werden. Dies geschieht grundsätzlich durch staatlichen Rechtsschutz; der Berechtigte muß, wenn er seine Rechte durchsetzen will, die Gerichte anrufen. Nur in wenigen, vom Gesetz bestimmten Fällen darf der Rechtsinhaber seine Rechte eigenmächtig verwirklichen. Das BGB unterscheidet den Selbstschutz zur Verteidigung gegenüber Angriffen und Gefahren (§§ 227, 228, 904) sowie den Selbstschutz zur eigenmächtigen Durchsetzung von Rechten (§§ 229ff.).

Wer unter den Voraussetzungen der Notwehr, des Notstands oder der erlaubten Selbsthilfe handelt, handelt rechtmäßig. Dies gilt nicht nur für das Privatrecht, sondern für alle Rechtsgebiete.

Schlägt X den Y in Notwehr, so hat Y keinen Schadensersatzanspruch aus § 823, und X macht sich auch nicht wegen Körperverletzung strafbar; denn X handelt rechtmäßig.

646 *1. Notwehr*

Notwehr ist diejenige Verteidigung, welche erforderlich ist, um einen gegenwärtigen rechtswidrigen Angriff von sich oder einem anderen abzuwenden. Eine durch Notwehr gebotene Handlung ist nicht rechtswidrig (§ 227; vgl. auch § 32 StGB).

a) Die *Notwehrlage* setzt einen gegenwärtigen rechtswidrigen Angriff gegen irgendein rechtlich geschütztes Interesse voraus.

(1) *Angriff* ist jede menschliche Handlung, die rechtlich geschützte Interessen zu verletzen droht.

Im Fall d greift R den S an. Dagegen ist im Fall e das Anfallen durch den Hund des A kein Angriff, da keine menschliche Handlung vorliegt. Würde A seinen Hund jedoch auf den Hund des S hetzen, so läge ein Angriff des A vor; der Hund wäre dann nur das Angriffsmittel des A.

(2) *Rechtswidrig* ist der Angriff, wenn er nicht durch einen Rechtfertigungsgrund gerechtfertigt ist.

Wenn etwa der Gerichtsvollzieher G in rechtmäßiger Amtsausübung den Pkw des Schuldners S pfändet und mitnimmt, liegt kein rechtswidriger Angriff des G gegen S vor.

(3) *Gegenwärtig* ist der Angriff, der begonnen hat und noch nicht beendet ist.

Im Fall d ist der Angriff des R noch gegenwärtig, als S dem R nacheilt. Beendet ist der Angriff erst, wenn R sich vor S in Sicherheit gebracht hat. Sieht S ihn nach Stunden wieder, liegt kein gegenwärtiger Angriff des R mehr vor.

(4) *Notwehrfähig* ist jedes rechtlich anerkannte Interesse.

Beispiele: Eigentum, Gesundheit, Freiheit, Ehre.

647 b) Die *Notwehrhandlung* ist die vom Verteidigungswillen getragene, objektiv erforderliche und nicht rechtsmißbräuchlich ausgeübte Verteidigung des Angegriffenen oder eines Dritten.

(1) Ein *Verteidigungswille* liegt vor, wenn der Handelnde den Willen hat, sich oder einen Dritten zu verteidigen.

Greift Y den X in einer Schlägerei an, meint aber X, Y wolle ihm zu Hilfe eilen, so hat X keinen Verteidigungswillen, wenn er den Y in dieser Situation zu Boden schlägt.

(2) Die Verteidigung muß zur Abwehr des Angriffs *erforderlich* sein. Ob dies der Fall ist, beurteilt sich nach objektiven Maßstäben, nicht dagegen aus der Sicht des Angegriffenen. Erforderlich ist die Verteidigung, die zur Abwehr des Angriffs nötig ist. Deshalb bestimmt sich die Erforderlichkeit nach Art und Maß des Angriffs.

Dagegen findet eine Abwägung der kollidierenden Rechtsgüter für die Feststellung, ob die Verteidigung erforderlich ist, nicht statt. Grundsätzlich darf der Angegriffene also auch ein höherwertiges Rechtsgut zur Verteidigung eines geringerwertigen verletzen. Es gilt der Grundsatz, daß das Recht des Angegriffenen dem Unrecht des Angreifers nicht zu weichen braucht.

Im Fall d ist die Verteidigung durch einen Schlag mit dem Stock erforderlich, um den davoneilenden R aufzuhalten. Auch wenn die Tasche wertlos ist, kann S sein Eigentum durch Verletzung des Körpers des R verteidigen, sofern er nicht durch eine weniger einschneidende Verteidigung die Tasche zurückerlangen kann.

(3) Die erforderliche Verteidigung darf – wie jede Rechtsausübung – *nicht mißbräuchlich* sein.

Würde S im Fall d den R gezielt mit einer Pistole niederschießen, da er ihn nicht mehr einholen kann und keine andere Verteidigungsmöglichkeit mehr hat, so ist diese Verteidigung mißbräuchlich, wenn die Tasche für S wertlos ist. Wertloses Eigentum darf nicht durch Zerstörung des Rechtsguts »Leben« verteidigt werden. Eine Notwehr ist also rechtsmißbräuchlich, wenn die Rechtsgüterabwägung zu dem Ergebnis führt, daß das verteidigte Rechtsgut zu dem durch die Verteidigungshandlung verletzten Rechtsgut in einem krassen Mißverhältnis steht.

Die Notwehr kann ferner rechtsmißbräuchlich sein, wenn der Angriff von einem schuldlos Handelnden ausgeht und der Angegriffene ohne weiteres ausweichen könnte. Greift etwa der erkennbar Betrunkene X den Y an, so ist Y ein Ausweichen vor dem Angriff des X zuzumuten, ehe er sich gegen den Angriff zur Wehr setzt. Da Y ein Ausweichen ohne Preisgabe eigener Interessen möglich ist, wäre eine Verteidigung durch Verletzung des X mißbräuchlich.

(4) In Notwehr kann nicht nur der Angegriffene selbst, sondern auch ein *Dritter* für den Angegriffenen handeln. In diesem Fall spricht man von *Nothilfe*.

c) *Rechtsfolge:* Das Handeln in Notwehr ist rechtmäßig (§ 227 I). 648

Im Fall d hat R gegen S keinen Schadensersatzanspruch aus § 823 wegen Körperverletzung, da S den R in Notwehr und deshalb rechtmäßig verletzt hat. R darf sich gegen den Schlag des S nicht wehren; denn es gibt keine Notwehr gegen Notwehr, da Notwehr einen rechtswidrigen Angriff voraussetzt.

Liegen die Voraussetzungen der Notwehr nicht vor, so ist die Handlung rechtswidrig. Das ist insbesondere der Fall, wenn der Handelnde irrig eine Notwehrlage annimmt (Putativnotwehr) oder über die Grenzen einer erforderlichen Verteidigung hinausgeht (Notwehrexzeß).

Schlägt S im Fall d dem am Boden liegenden R auch noch einige Zähne aus, so handelt S rechtswidrig; es liegt ein Notwehrexzeß vor. S ist nach § 823 zum Schadensersatz verpflichtet, da er auch schuldhaft handelt (zur Haftung bei Putativnotwehr vgl. BGH NJW 1981, 745; 1987, 2509).

2. *Notstand* 649

Das BGB kennt den defensiven Notstand (§ 228) und den aggressiven Notstand (§ 904). Beiden ist gemeinsam, daß sie zur Abwendung einer Gefahr Eingriffe in fremdes Eigentum gestatten. Sie beruhen auf dem Gedanken der Rechtsgüterabwägung; das minderwertigere Rechtsgut muß bei Gefahr dem wertvolleren Rechtsgut weichen. Die beiden Bestimmungen unterscheiden sich darin, daß der Handelnde beim defensiven Notstand eine durch die Sache selbst drohende Gefahr abwehrt, während er beim aggressiven Notstand auf eine unbeteiligte Sache einwirkt.

650 a) In *defensivem Notstand* handelt rechtmäßig, wer eine fremde Sache beschädigt oder zerstört, um eine durch sie drohende Gefahr von sich oder einem anderen abzuwenden, sofern die Handlung zur Abwehr der Gefahr erforderlich ist und der Schaden nicht außer Verhältnis zur Gefahr steht (§ 228, 1). Das Gesetz geht davon aus, daß die Rechtsgüter des Bedrohten grundsätzlich höher zu bewerten sind als das Eigentum an der Sache, durch die ihm Gefahr droht.

(1) *Durch die fremde Sache muß eine Gefahr* für den Handelnden oder einen Dritten *drohen*. Gleichgültig ist, welches Rechtsgut durch die Sache gefährdet ist.

Im Fall e wird der Hund des S durch den Hund des A bedroht. Zwar sind Tiere nach dem neuen § 90a, 1 keine Sachen; aber auf sie sind grundsätzlich die für Sachen geltenden Vorschriften entsprechend anzuwenden (§ 90a, 2; Rdnr. 747).

(2) Die Einwirkung auf die Sache muß *zur Abwendung der Gefahr erforderlich* sein. Es darf also keine andere geeignete, den Eigentümer der gefahrbringenden Sache weniger beeinträchtigende Abwehrmöglichkeit bestehen.

Im Fall e kann S den Hund des A nur durch eine Verletzung (= Beschädigung) abwehren.

(3) Der *Schaden* an der Sache *darf nicht außer Verhältnis zu der Gefahr stehen*. Der durch die Abwehrhandlung entstehende Schaden darf also zwar größer sein als der Schaden, der ohne diese Handlung entstünde; doch darf er nicht unverhältnismäßig größer sein. Dabei sind auch ideelle Interessen des Handelnden zu berücksichtigen.

So darf im Fall e der S den Angriff des fremden Hundes abwehren und diesen dabei verletzen, auch wenn es sich bei dem angreifenden Hund um einen sehr teuren Rassehund und beim eigenen Hund des S nur um eine (wirtschaftlich) wertlose »Promenadenmischung« handelt.

(4) *Rechtsfolge:* Die Beschädigung oder Zerstörung der gefahrbringenden Sache ist rechtmäßig. Hat der Handelnde die Gefahr jedoch verschuldet, ist er zum Schadensersatz verpflichtet (§ 228, 2).

So hat A im Fall e gegen S keinen Schadensersatzanspruch aus § 823, da das Handeln des S gerechtfertigt war. Hätte S den Hund des A aber zum Angriff gereizt, so bliebe die Beschädigung des Hundes zwar rechtmäßig, doch wäre S nach § 228, 2 zum Schadensersatz verpflichtet.

651 b) In *aggressivem Notstand* handelt rechtmäßig, wer auf fremde Sachen einwirkt, sofern dies zur Abwendung einer gegenwärtigen Gefahr notwendig ist und der drohende Schaden gegenüber dem aus der Einwirkung dem Eigentümer

entstehenden Schaden unverhältnismäßig groß ist (§ 904, 1). Grundgedanke dieser Regelung ist es, daß jedem Eigentümer in bestimmten Notlagen eine Einschränkung seines Herrschaftsrechts zuzumuten ist.

(1) Es muß eine *gegenwärtige Gefahr* für ein Rechtsgut drohen. Auf die Person des bedrohten Rechtsgutträgers und die Art des Rechtsguts kommt es nicht an.

(2) Die Einwirkung auf die fremde Sache muß *zur Abwehr der Gefahr notwendig* sein. Das Merkmal der Notwendigkeit entspricht dem der Erforderlichkeit beim defensiven Notstand.

Im Fall e ist es notwendig, daß S dem P seinen Schirm wegnimmt; anders kann er sich nicht verteidigen.

(3) *Der drohende Schaden muß unverhältnismäßig größer sein als der* dem Eigentümer durch den Eingriff in sein Eigentum *entstehende Schaden*. Das Verhältnis ist also genau umgekehrt wie beim defensiven Notstand.

Im Fall e ist der dem S drohende Schaden unverhältnismäßig größer als der Schaden am Schirm des P.

(4) *Rechtsfolge:* Der Gefährdete darf in fremdes, nicht störendes Eigentum eingreifen; er ist nach § 904, 2 dem Eigentümer immer zum Schadensersatz verpflichtet.

S handelt im Fall e bei der Beschädigung des Schirmes gemäß § 904, 1 zwar rechtmäßig, doch ist er dem P zum Schadensersatz verpflichtet (§ 904, 2).

3. Selbsthilfe 652

Unter Selbsthilfe versteht man die vorläufige Durchsetzung oder Sicherung eines privatrechtlichen Anspruchs mittels privater Gewalt.

a) *Voraussetzungen* der Selbsthilfe nach § 229 sind:

(1) Es muß ein privatrechtlicher, durchsetzbarer Anspruch bestehen.

Steht dem Anspruch etwa die Einrede der Verjährung entgegen, so kann er gerichtlich nicht mit Erfolg geltend gemacht werden, so daß er auch nicht im Wege der Selbsthilfe durchgesetzt werden darf.

(2) Obrigkeitliche Hilfe darf nicht rechtzeitig zu erlangen sein.

Kann W im Fall f seinen Anspruch mit Hilfe eines Polizeibeamten sichern, so scheidet das Recht zur Selbsthilfe aus.

(3) Ohne sofortiges Eingreifen muß die Gefahr bestehen, daß die Verwirklichung des Anspruchs vereitelt oder wesentlich erschwert wird.

Wenn W im Fall f jetzt nicht eingreift, bekommt er sein Geld nie.

b) Die *Mittel* der Selbsthilfe sind in § 229 bestimmt:

(1) Wegnahme, Zerstörung oder Beschädigung der Sache.

Die Wegnahme der Uhr im Fall f durch W ist also ein zulässiges Selbsthilfemittel.

(2) Festnahme des Verpflichteten, wenn Fluchtverdacht vorliegt.

(3) Beseitigung des Widerstandes gegen eine Handlung, die der Verpflichtete zu dulden hat.

c) Die Selbsthilfehandlungen unterliegen nach § 230 folgenden *Grenzen*:

(1) Die Selbsthilfe darf nicht weitergehen, als zur Abwendung der Gefahr erforderlich ist (§ 230 I).

Deshalb darf W im Fall f den G nicht festnehmen, wenn er die Uhr als Sicherheit wegnehmen kann. Die Wegnahme ist nämlich ein weniger einschneidendes Selbsthilfemittel als die Festnahme.

(2) Da die Selbsthilfe nur der vorläufigen Anspruchssicherung dient, bedarf sie in einzelnen Fällen der nachträglichen gerichtlichen Bestätigung (vgl. § 230 II–IV).

653 d) *Rechtsfolge:* Wer Selbsthilfe unter den Voraussetzungen der §§ 229 f. übt, handelt rechtmäßig. Notwehr ist deshalb gegen eine berechtigte Selbsthilfe nicht möglich.

Im Fall f durfte G sich also gegen die Wegnahme der Uhr nicht wehren.

Liegen die Voraussetzungen für die erlaubte Selbsthilfe jedoch nicht vor, so ist der Selbsthilfe Ausübende nach § 231 zum Schadensersatz verpflichtet, auch wenn er ohne Verschulden davon ausging, die Voraussetzungen der Selbsthilfe lägen vor.

Zweites Kapitel Die Rechtssubjekte

§ 33 Die natürliche Person 654

Schrifttum: *Becker*, Zur Problematik des Lebensbeginns, FamRZ 1968, 409; *Bosch*, Todeserklärung–Todesfeststellung–Irrige Totmeldung, Festschrift f. Mikat, 1989, 793; *Fabricius*, Relativität der Rechtsfähigkeit, 1963; *Geilen*, Das Leben des Menschen in den Grenzen des Rechts, FamRZ 1968, 121; *Heldrich*, Der Deliktsschutz des Ungeborenen, JZ 1965, 593; *Laufs*, Haftung für Nachkommenschaftsschäden nach § 823 BGB, NJW 1965, 1053; *Saerbeck*, Beginn und Ende des Lebens als Rechtsbegriffe, 1974; *Schönfeld*, Rechtsperson und Rechtsgut im Lichte des Reichsgerichts, RG-Festschrift, II, 1929, 191; *Schönig*, Zur Feststellung des Todeszeitpunktes, NJW 1968, 189; *Schwalm*, Über den Beginn des menschlichen Lebens aus der Sicht des Juristen, MDR 1968, 277; *Selb*, Schädigung des Menschen vor Geburt – ein Problem der Rechtsfähigkeit?, AcP 166, 76; *Stoll*, Zur Deliktshaftung für vorgeburtliche Gesundheitsschäden, Festschrift f. Nipperdey, Bd. I, 1965, 739; *H. Westermann*, Person und Persönlichkeit als Wert im Zivilrecht, 1957; *E. Wolf/Naujoks*, Anfang und Ende der Rechtsfähigkeit des Menschen, 1955.

Fälle:

a) Die verwitwete Frau E hat ihren Hund Fiffi testamentarisch zu ihrem Alleinerben eingesetzt. Von wem wird sie bei ihrem Tode beerbt?

b) M stirbt ohne Testament und hinterläßt seine Frau F und seine Eltern. F gebiert zwei Monate nach dem Tod des M das Kind K, das wenige Minuten nach der Geburt stirbt. An wen fällt das Vermögen des M?

An wen, wenn K tot geboren wird?

c) Das kinderlose Ehepaar M und F, das sich testamentarisch gegenseitig zu Erben eingesetzt hat, stirbt nach einem Verkehrsunfall an der Unfallstelle; F überlebt M um fünf Minuten. Die Eltern des M und die der F streiten sich um die Erbschaft.

Wer erbt, wenn sich nicht feststellen läßt, ob M oder F eher verstorben ist?

d) Karl Krause (K 1) betreibt in der Gemeinde D die Gastwirtschaft »Zum Treppchen«. Ein anderer Karl Krause (K 2) eröffnet in derselben Gemeinde eine Wirtschaft, die er ebenfalls »Zum Treppchen« nennt; er beschuldigt in einer Zeitungsanzeige seinen Namensvetter, sich unberechtigt Karl Krause zu nennen, und entfernt dessen Türschild. Was kann K 1 unternehmen?

e) In einer Zeitung wird über einen Mordprozeß berichtet und der Name des Verurteilten (V) genannt. Rechte des V?

Welche Rechte hat der im Prozeß als Zeuge vernommene Z, der in der Zeitung irrtümlich als der Mörder genannt ist?

Welche Rechte hat V, wenn die Zeitung acht Jahre nach der Verurteilung berichten will, daß V nunmehr vor der Entlassung aus der Strafanstalt stehe, und der Fall bei dieser Gelegenheit noch einmal wieder aufgerollt werden soll?

f) Der 17jährige A ist im Streit mit seinen Eltern aus der elterlichen Wohnung in Köln ausgezogen und hat sich in Mainz ständig niedergelassen. Als er vor dem Amtsgericht Mainz verklagt wird, machen seine Eltern als gesetzliche Vertreter des A geltend, das Gericht sei nicht zuständig, da A seinen Wohnsitz nach wie vor in Köln habe (vgl. § 13 ZPO).

I. Der Mensch als Rechtssubjekt

Das subjektive Recht setzt einen Träger dieses Rechts, ein Rechtssubjekt, voraus. Das BGB bezeichnet das Rechtssubjekt als Person; es kennt natürliche und juristische Personen (vgl. Titel vor § 1 und § 21). Natürliche Person ist jeder Mensch. Davon geht das BGB als selbstverständlich aus; das ergibt sich mittelbar aus § 1. Die Anerkennung eines jeden Menschen als Persönlichkeit entspricht den modernen Rechtsordnungen aller Kulturstaaten; die Person wird durch die Grundrechtsartikel unserer Verfassung besonders geschützt (z. B. Schutz der Menschenwürde, der freien Entfaltung der Persönlichkeit, Art. 1, 2 GG).

Da jedem Menschen eine unverzichtbare Personenwürde zukommt, wäre eine gesetzliche Regelung, die bestimmte Personengruppen davon ausnähme (z. B. Juden z. Zt. des Nationalsozialismus), verfassungswidrig. Der Verkauf eines Menschen als Sache (Sklaverei) oder ein Verzicht auf die Vermögensfähigkeit (z. B. durch Armutsgelübde eines Mönchs) ist nichtig.

655 II. Rechtsfähigkeit

1. Begriff und Bedeutung

a) Unter Rechtsfähigkeit versteht man die *Fähigkeit, Träger von Rechten und Pflichten zu sein.*

b) Diese Fähigkeit kommt *jedem Menschen* zu. Ein bestimmtes Alter oder eine bestimmte Intelligenz ist nicht erforderlich; auch der Säugling und der Geisteskranke sind rechtsfähig.

Demgegenüber ist das noch so »intelligente« Tier kein Rechtssubjekt. Deshalb kann im Fall a die Erbschaft beim Tod der E nicht auf den Hund als Erben übergehen; er ist keine »Person« (vgl. § 1922 I). Die Erbeinsetzung ist nichtig; E wird kraft Gesetzes von ihren Verwandten beerbt (vgl. ErbR Rdnr. 7).

Daß jeder Mensch, also auch der Säugling oder der Geisteskranke, *Träger von Rechten* sein kann, leuchtet ohne weiteres ein, weil er ein Recht ohne sein Zutun kraft Gesetzes erwerben kann.

Beispiele: Der Autofahrer A gerät infolge überhöhter Geschwindigkeit auf den Bürgersteig und verletzt dabei den fünfzigjährigen Fußgänger F, den sechsjährigen Rollerfahrer R und den Säugling S, der im Kinderwagen liegt. Damit erwerben F, R und S – ohne Rücksicht auf ihr Alter – kraft Gesetzes (§ 823 I) Ansprüche auf Ersatz des erlittenen Schadens (z. B. Arztkosten) gegen A. – Der geisteskranke G wird als Alleinerbe seines verstorbenen Vaters V Eigentümer des diesem bisher gehörenden Hausgrundstücks. Hatte

V dem K seinen Pkw verkauft und K bis zum Tod des V den Kaufpreis noch nicht gezahlt, erwirbt G mit dem Tod des V dessen Anspruch auf Kaufpreiszahlung gegen K (§§ 433 II, 1922 I).

In der Regel erwirbt man ein Recht allerdings nicht ohne eigenes Zutun. Oft ist eine Willenserklärung oder ein Vertrag (z. B. Kaufvertrag, Einigung beim Eigentumsübergang) erforderlich. Jedoch kann auch auf diese Weise ein Säugling oder ein Geisteskranker Träger eines Rechts werden. Zwar ist er mangels Geschäftsfähigkeit nicht in der Lage, selbst die erforderliche Willenserklärung abzugeben. Aber für ihn handelt dann ein anderer, nämlich sein gesetzlicher Vertreter (Eltern, Vormund, Betreuer).

Beispiele: Die Eltern des verletzten Säuglings schließen in dessen Namen mit dem Arzt einen Behandlungsvertrag; damit erwirbt der Säugling den Anspruch gegen den Arzt auf Behandlung. – Das Dach des vom Geisteskranken geerbten Hauses muß repariert werden; deshalb schließt sein Betreuer im Namen des Geisteskranken mit dem Dachdecker einen Werkvertrag (§ 631), wodurch der Geisteskranke eine Forderung gegen den Dachdecker erwirbt.

Aber auch *Pflichten* können in der Person eines Säuglings oder Geisteskranken entstehen.

Beispiele: Mit dem Tod des Erblassers gehen nicht nur dessen Rechte, sondern auch dessen Pflichten auf den Erben über (§§ 1922 I, 1967). Deshalb schuldet der geisteskranke Erbe dem K, dem der Erblasser V seinen Pkw verkauft und noch nicht geliefert hatte, die Übergabe und Übereignung des Pkw (§ 433 I 1). – Dem Dachdecker gegenüber ist der Geisteskranke aus dem Werkvertrag, den sein Betreuer in seinem Namen geschlossen hatte, verpflichtet, den Werklohn zu zahlen (§ 631 I). – Der Säugling schuldet dem Arzt aus dem Behandlungsvertrag das Honorar für die Behandlung.

c) Die Rechtsfähigkeit ist *von der Handlungsfähigkeit zu unterscheiden*. Darunter versteht man die Fähigkeit des Menschen, rechtlich bedeutsame Handlungen vorzunehmen. Unter diesen Begriff fällt einmal die *Geschäftsfähigkeit*, also die Fähigkeit, Rechtsgeschäfte vorzunehmen (vgl §§ 104 ff.; Rdnr. 222 ff.), und zum anderen die *Deliktsfähigkeit*, also die Fähigkeit, eine zum Schadensersatz verpflichtende unerlaubte Handlung (§§ 823 ff.) zu begehen (vgl. §§ 827 ff.; Rdnr. 225; BS Rdnr. 440 ff.). Die Handlungsfähigkeit ist – anders als die Rechtsfähigkeit – nicht jedem Menschen eigen; so ist der Säugling oder der Geisteskranke weder geschäfts- noch deliktsfähig. 656

2. Beginn 657

Die Rechtsfähigkeit des Menschen beginnt *mit der Vollendung der Geburt* (§ 1).

a) Das Kind im Mutterleib ist nicht rechtsfähig. Auch ein Kind, das während der Geburt stirbt, hat keine Rechtsfähigkeit erlangt. Erforderlich ist vielmehr die Vollendung der Geburt; darunter versteht man den völligen Austritt des Kindes aus dem Mutterleib, ohne daß jedoch das Abschneiden der Nabelschnur erfolgt sein muß. Für den Erwerb der Rechtsfähigkeit reicht es auch nicht aus, daß das Kind tot zur Welt kommt. Vielmehr muß es wenigstens einen Augenblick lang gelebt haben; dazu reicht der Nachweis einer sicheren Lebensfunktion aus (z. B. Atmung, Herzschlag, Hirnströme).

Während zivilrechtlich für die Rechtsfähigkeit die Vollendung der Geburt maßgebend ist, stellt das Strafrecht für die Abgrenzung von Abtreibung (einer Leibesfrucht; § 218 StGB) und Tötung (eines Menschen; §§ 211 ff. StGB) auf den Beginn der Geburt ab (vgl. § 217 StGB): Wer ein Kind während des Geburtsaktes, der mit den Wehen beginnt, tötet, begeht ein Tötungsdelikt und keine Abtreibung. § 1 gilt also für das Strafrecht nicht.

658 b) Das Kind im Mutterleib ist zwar nicht rechtsfähig, wird aber auch zivilrechtlich nicht schutzlos gelassen. Das zeigt sich vor allem im Erbrecht und bei Schadensersatzansprüchen wegen vorgeburtlicher Schädigung.

(1) Nach § 1923 I kann Erbe nur werden, wer zur Zeit des Erbfalls (also im Zeitpunkt des Todes des Erblassers; § 1922 I) lebt; die Rechtsfähigkeit des Erben muß demnach im Zeitpunkt des Erbfalls gegeben sein. Danach ist ein Kind gesetzlicher Erbe seines Vaters (§ 1924 I), wenn es vor dessen Tod geboren ist; es würde aber nicht erben können, wenn es erst kurz nach dem Tod seines Vaters zur Welt kommt. Da eine solche verschiedene Behandlung der beiden Fälle schwerlich einleuchtet, hilft § 1923 II: Der bereits erzeugte, aber noch nicht geborene Mensch (nasciturus) gilt als vor dem Erbfall geboren. § 1923 II bestimmt also eine *Vorverlegung der Rechtsfähigkeit*. Voraussetzung ist, daß das noch nicht geborene Kind lebend zur Welt kommt, also einmal die Rechtsfähigkeit erlangt; dann wird es hinsichtlich seines Erbrechts so behandelt, als wenn es bereits beim Erbfall gelebt hätte (Fall b).

(2) Wird ein Kind vor seiner Geburt durch eine unerlaubte Handlung eines anderen (z. B. bei einem Verkehrsunfall oder einer Luesinfektion der Mutter) geschädigt, so hat es einen *Schadensersatzanspruch wegen vorgeburtlicher Schädigung* (z. B. aus § 823 I), wenn es lebend zur Welt kommt. Mit der Geburt erlangt es die Rechtsfähigkeit; damit wird es Träger des Schadensersatzanspruchs, obgleich die schädigende Handlung vor Eintritt der Rechtsfähigkeit liegt (vgl. BGHZ 8, 243; 58, 48).

659 c) Rechtlich kann es von großer Bedeutung sein, ob ein Kind tot geboren ist oder ob es – wenn auch nur ein paar Minuten – gelebt hat. Bei einer Totgeburt ist das Kind – anders als bei einer Lebendgeburt – nie rechtsfähig gewesen; es kommt also auch als Erbe nicht in Betracht.

Im Fall b wird M kraft Gesetzes von F und dem lebend geborenen K beerbt (vgl. §§ 1931, 1924 I, 1923 II). Stirbt K kurz nach seiner Geburt, ist seine Mutter F Alleinerbin des K (§ 1925 I). Auf diese Weise fällt das Vermögen des M letztlich ganz an F.

Ist aber das Kind bereits tot zur Welt gekommen, scheidet es als Erbe des M aus. Dann wird M von seiner Frau und seinen Eltern beerbt (vgl. §§ 1925 I, II, 1931).

660 d) Wer sich auf die Geburt eines Menschen beruft, muß sie beweisen. Der *Beweis* wird durch die vom Standesbeamten geführten *Personenstandsbücher* (hier: Geburtenbuch; §§ 16ff. PStG) erleichtert. Die vom Standesbeamten ausgestellten Geburtsurkunden haben dieselbe Beweiskraft wie die Eintragungen im Geburtenbuch (§ 66 PStG).

3. Ende 661

a) Die Rechtsfähigkeit endet *mit dem Tod des Menschen* (vgl. § 1922 I). Ob und wann der Tod des Menschen eingetreten ist, muß mit Hilfe der medizinischen Wissenschaft beantwortet werden (Gehirntod, wenn Hirnströme nicht mehr feststellbar sind). Da der Mensch vom Zeitpunkt des Todes an nicht mehr Träger von Rechten und Pflichten sein kann, geht mit seinem Tod sein Vermögen auf den oder die Erben über (§ 1922 I).

Im Fall c wird M von F, die ihn fünf Minuten überlebt, aufgrund des Testaments beerbt. Stirbt dann die F, wird sie von ihren Eltern beerbt (§ 1925 I). Zum Vermögen der F, das auf ihre Eltern übergeht, gehört auch das Vermögen des M, das F kurz zuvor geerbt hatte, weil sie den M überlebte. Demnach fällt das Vermögen beider Eheleute letztlich an die Eltern der Frau.

Läßt sich dagegen nicht feststellen, wer von den Ehegatten länger gelebt hat, wird vermutet, daß beide gleichzeitig gestorben sind (§ 11 VerschG). Demnach hat kein Ehegatte den anderen beerbt, weil er ihn nicht überlebt hat. Deshalb wird M von seinen Eltern und wird F von ihren Eltern beerbt.

Das Beispiel zeigt, daß es für die Erbfolge entscheidend darauf ankommen kann, in welchem Zeitpunkt der Tod des Menschen eingetreten ist.

b) Der *Beweis des Todes* erfolgt durch das Sterbebuch. Der Tod eines Men- 662
schen muß dem Standesbeamten angezeigt werden, der den Sterbefall im Sterbebuch beurkundet (vgl. §§ 32ff. PStG).

Der Beweis des Todes kann in vielerlei Hinsicht bedeutsam sein: z. B. Auszahlung der Lebensversicherungssumme, Bezug von Witwen- oder Waisenrente, Wiederheirat des überlebenden Ehegatten, Erbschaft.

c) Der Beweis des Todes ist nicht zu erbringen, wenn ein Mensch verschollen 663
ist. In einem solchen Fall kann eine *Todeserklärung* nach dem Verschollenheitsgesetz (VerschG) erfolgen.

(1) Die Todeserklärung eines Menschen setzt voraus, daß dieser *verschollen* ist (§ 2 VerschG). Nach § 1 VerschG ist verschollen, »wessen Aufenthalt während längerer Zeit unbekannt ist, ohne daß Nachrichten darüber vorliegen, ob er in dieser Zeit noch gelebt hat oder gestorben ist, sofern nach den Umständen hierdurch ernstliche Zweifel an seinem Fortleben begründet werden«.

Im allgemeinen müssen zehn Jahre seit dem Ende des Jahres verstrichen sein, in dem der Verschollene nach den vorhandenen Nachrichten noch gelebt hat; diese Frist verkürzt sich auf fünf Jahre, wenn der Verschollene z. Zt. der Todeserklärung das 80. Lebensjahr vollendet hätte (vgl. § 3 VerschG). Dagegen darf nach § 3 I VerschG nicht für tot erklärt werden, wer noch nicht das 25. Lebensjahr vollendet hätte (vgl. § 3 II VerschG).

Besonderheiten, insbesondere kürzere Fristen, gelten für die Verschollenheit, die mit einer besonderen Lebensgefährdung begonnen hat: Kriegsverschollenheit (§ 4 VerschG), Seeverschollenheit (§ 5 VerschG), Luftverschollenheit (§ 6 VerschG), Gefahrverschollenheit (§ 7 VerschG; z. B. Unwetterkatastrophe, Urwaldexpedition).

664 (2) Das *Todeserklärungsverfahren* ist eine Angelegenheit der freiwilligen Gerichtsbarkeit und in §§ 13–38 VerschG geregelt.

Das Amtsgericht erläßt auf Antrag ein Aufgebot (§§ 16, 19 I VerschG), das in einer Tageszeitung bzw. im Bundesanzeiger bekannt gemacht werden muß (vgl. § 20 VerschG). Das Aufgebot enthält eine Aufforderung an den Verschollenen, sich bis zu einem bestimmten Zeitpunkt zu melden, andernfalls er für tot erklärt werden könne, und an alle, die Auskunft über den Verschollenen geben können, dies dem Gericht anzuzeigen (§ 19 II VerschG). Die Todeserklärung erfolgt durch Beschluß des Amtsgerichts; in dem Beschluß ist der Zeitpunkt des Todes festzustellen; das ist grundsätzlich der Zeitpunkt, der nach dem Ergebnis der Ermittlungen der wahrscheinlichste ist (§ 9 II VerschG; Besonderheiten: § 9 III VerschG).

665 (3) Die Todeserklärung *bewirkt* die *Vermutung*, daß der Verschollene in dem Zeitpunkt gestorben ist, der im Beschluß festgestellt ist (§ 9 I VerschG). Es treten die Rechtsfolgen ein, die sonst durch den Tod ausgelöst werden.

Beispiele: Erbfolge; Ende der elterlichen Sorge oder der Vormundschaft; der Ehegatte des für tot Erklärten kann heiraten.

Da die Todeserklärung nur eine Vermutung des Todes begründet, kann diese Vermutung durch den Beweis widerlegt werden, daß der für tot Erklärte noch lebt; auf Antrag des für tot Erklärten oder des Staatsanwalts wird die Todeserklärung aufgehoben (vgl. § 30ff. VerschG). Die durch die Todeserklärung ausgelösten Rechtsfolgen sind nicht eingetreten.

Beispiele: Der irrtümlich für tot Erklärte ist nicht beerbt worden (vgl. §§ 2031, 2370). Sein Ehegatte darf nicht wiederheiraten; hat jedoch der Ehegatte bereits wiedergeheiratet, so sind §§ 38f. EheG zu beachten.

666 d) Ist der Tod eines Menschen sicher, ist aber unbekannt, wann er eingetreten ist, scheidet eine Todeserklärung mangels Verschollenheit (§ 1 II VerschG) aus. Es kommt jedoch ein Verfahren zur *Feststellung der Todeszeit* (§§ 39ff. VerschG) in Betracht.

Die Feststellung, *wann* jemand seine Rechtsfähigkeit verloren hat, kann besonders für die Frage bedeutsam sein, ob die betreffende Person den Erblasser überlebt hat (vgl. Fall c).

Das Verfahren bei Feststellung der Todeszeit entspricht in etwa dem Todeserklärungsverfahren. Der Beschluß des Amtsgerichts bestimmt den wahrscheinlichsten Zeitpunkt als Todeszeitpunkt und begründet die (widerlegbare) Vermutung, daß der Tod zu diesem Zeitpunkt eingetreten ist (§ 44 VerschG).

III. Schutz der Persönlichkeit 667

Schrifttum: *v. Caemmerer*, Der privatrechtliche Persönlichkeitsschutz nach deutschem Recht, Festschrift f. v. Hippel, 1967, 27; *E. Helle*, Der Schutz der persönlichen Ehre und des wirtschaftlichen Rufes im Privatrecht, 2. Aufl., 1969; *J. Helle*, Besondere Persönlichkeitsrechte im Privatrecht, 1990; *Hubmann*, Das Persönlichkeitsrecht, 2. Aufl., 1967; *Klippel*, Der zivilrechtliche Schutz des Namens, 1985; *Krüger-Nieland*, Anwendungsbereich und Rechtsnatur des Namensrechts, Festschrift f. R. Fischer, 1979, 339; *Nußbaum*, Der persönliche Schutz gegen Namensmißbrauch, 1933; *Reinhardt*, Das Persönlichkeitsrecht in der geltenden Rechtsordnung, 1931; *Schlachter*, Der Schutz der Persönlichkeit nach bürgerlichem Recht, JA 1990, 33; *Schlechtriem*, Inhalt und systematischer Standort des allgemeinen Persönlichkeitsrechts, DRiZ 1975, 65; *Schwerdtner*, Der zivilrechtliche Persönlichkeitsschutz, JuS 1978, 289.

Das BGB schützt nur einzelne Aspekte der Persönlichkeit wie den Namen (§ 12). Rechtsprechung und Lehre haben darüber hinaus ein allgemeines Persönlichkeitsrecht entwickelt, um die Person umfassend zu schützen.

1. Namensrecht 668

a) Der Name ist ein äußeres Kennzeichen einer Person zur Unterscheidung von anderen Personen. Das Namensrecht ist das unveräußerliche subjektive Recht auf ausschließlichen Besitz dieses Kennzeichens (vgl. BGH NJW 1959, 525).

b) § 12 schützt den bürgerlichen Namen einer natürlichen Person. Er gilt über 669 seinen Wortlaut hinaus auch für den Namen juristischer Personen und nichtrechtsfähiger Vereine sowie für Decknamen (Pseudonyme), Unternehmensnamen, Gaststättenbezeichnungen (Fall d: Treppchen) usw., wenn sie in der Öffentlichkeit bekannt geworden sind. Unter dieser Voraussetzung ist auch der bloße Vorname einer Person geschützt (BGH NJW 1983, 1184: »Uwe«).

Spezialgesetze gewähren außerdem einen besonderen Schutz im kaufmännischen Verkehr: § 37 HGB (Firma = Name des Kaufmanns; HR Rdnr. 148 ff.); § 24 WarenzeichenG (Warenzeichen); § 16 UWG (Gebrauch eines Namens, einer Firma, einer besonderen Bezeichnung in einer Weise, die geeignet ist, eine Verwechslung hervorzurufen).

c) Das Namensrecht wird auf verschiedene Arten geschützt: 670

(1) Der Berechtigte kann nach § 12,1 von einem anderen *Beseitigung der Beeinträchtigung verlangen*, wenn dieser ihm das Recht zum Gebrauch des Namens bestreitet oder wenn der andere das Interesse des Berechtigten dadurch verletzt, daß er unbefugt (= rechtswidrig) den gleichen Namen gebraucht.

Im Fall d bestreitet K 2 dem K 1 den Gebrauch des Namens in der Zeitungsanzeige sowie durch Entfernung des Türschildes. Deshalb kann K 1 von K 2 Berichtigung in einer Zeitungsanzeige und Wiederanbringung des Türschildes verlangen. Dagegen besteht kein Beseitigungsanspruch insoweit, als K 2 sich auch Karl Krause nennt; denn er benutzt diesen Namen befugtermaßen. Wohl kann K 1 verlangen, daß K 2 seine Wirtschaft nicht »Zum

Treppchen« nennt; denn diese Bezeichnung führt K 2 unbefugt, und K 1 hat ein vernünftiges Interesse an deren Entfernung.

671 (2) Der Berechtigte hat außerdem einen *Anspruch auf Unterlassung* in der Zukunft, wenn weitere Beeinträchtigungen zu besorgen sind (§ 12, 2). Eine vorbeugende Unterlassungsklage setzt also eine Wiederholungsgefahr voraus.

Sind im Fall d Anhaltspunkte dafür gegeben, daß K 2 auch in Zukunft dem K 1 das Recht bestreitet, sich Karl Krause und seine Wirtschaft »Zum Treppchen« zu nennen, hat eine Unterlassungsklage des K 1 Erfolg.

672 (3) Der Berechtigte kann *Schadensersatz verlangen*, wenn sein Namensrecht von dem Verletzer schuldhaft (vorsätzlich oder fahrlässig) verletzt worden ist. Anspruchsgrundlage für den Schadensersatzanspruch ist § 823 I, da das Namensrecht als sonstiges Recht im Sinne dieser Bestimmung angesehen wird.

Im Fall d kann K 1 von K 2 Ersatz des Verdienstausfalls verlangen, der ihm dadurch entstanden ist, daß Kunden infolge der Zeitungsanzeige ausgeblieben sind; erforderlich ist, daß K 2 bei der Anzeige schuldhaft gehandelt hat.

673 2. *Allgemeines Persönlichkeitsrecht*

a) Unter dem allgemeinen Persönlichkeitsrecht versteht man das Recht des einzelnen auf Achtung und Entfaltung seiner Persönlichkeit.

Der Gesetzgeber hat ein allgemeines Persönlichkeitsrecht nicht geregelt und sich damit begnügt, einzelne Persönlichkeitsrechte zu schützen.

Beispiele: Namensrecht (§ 12), Recht am eigenen Bild (§§ 22ff. KunstUrhG), Leben, Körper, Gesundheit, Freiheit (§ 823 I).

Durch die Spezialregelungen wird jedoch die Persönlichkeit des einzelnen nicht hinreichend geschützt. Insbesondere die Fortschritte der Technik (Tonbandgeräte, Spezialkameras, Minispione) haben die Lückenhaftigkeit der gesetzlichen Regelung offenbar gemacht.

So besteht ein dringendes Bedürfnis für den Schutz des einzelnen vor einem Eindringen in seine Privatsphäre (z. B. durch heimliche Tonbandaufnahmen), vor einer Weitergabe von Angelegenheiten aus seiner Privatsphäre (z. B. durch Veröffentlichung von Tagebuchaufzeichnungen) oder vor einer Verletzung seiner Ehre (z. B. durch beleidigende Äußerungen in der Presse).

Die gesetzliche Lücke ist durch die Wertentscheidung des Grundgesetzes (Art. 1 und 2 GG) zu schließen, wonach die Würde des Menschen und die freie Entfaltung der Persönlichkeit zu schützen sind (vgl. Rdnr. 67; 573; BS Rdnr. 450ff.).

Das allgemeine Persönlichkeitsrecht ist eine Generalklausel, unter der mehrere schutzwürdige Aspekte der Persönlichkeit zusammengefaßt werden. Dieses Recht wird durch analoge Anwendung der Normen über einzelne Persönlichkeitsrechte (z. B. § 12; § 823 I »sonstiges Recht«) geschützt. Sofern aber ein einzelnes Recht (z. B. das Namensrecht) im Gesetz ausdrücklich geregelt ist, bedarf es eines Eingehens auf den sehr weiten und schwer abgrenzbaren Begriff des allgemeinen Persönlichkeitsrechts und einer Analogie nicht; vielmehr ist die konkrete Gesetzesbestimmung (z. B. § 12) allein anzuwenden.

b) Alle Ansprüche wegen Verletzung des Persönlichkeitsrechts setzen außer einer Verletzungshandlung voraus, daß der Eingriff *rechtswidrig* ist. Zur Feststellung der Rechtswidrigkeit muß im Einzelfall eine Güter- und Interessenabwägung vorgenommen werden. Dabei ist auf seiten des Verletzten zu berücksichtigen, in welche Sphäre seiner Persönlichkeit eingegriffen ist, wie schwer der Eingriff wiegt und welche Folgen er hat sowie welches Verhalten des Verletzten zu dem Eingriff geführt hat. Auf seiten des Schädigers sind u. a. dessen Motiv für den Eingriff, das Recht der freien Meinungsäußerung, die Pressefreiheit und die Freiheit der Kunst (vgl. Art. 5 GG) zu beachten. Die miteinander kollidierenden Güter und Interessen sind gegeneinander abzuwägen. Fällt die Abwägung zum Nachteil des Schädigers aus, ist der Eingriff widerrechtlich (BS Rdnr. 459). 674

Beispiele: Auf seiten des Verletzten genießt die Intimsphäre einen größeren Schutz als die sonstige Privatsphäre. – Hat jemand seinen politischen Gegner in einem Zeitungsartikel polemisch angegriffen, muß er sich gefallen lassen, daß der Gegner auf ebensolche Weise antwortet; denn »auf einen groben Klotz gehört ein grober Keil«.

Im Fall e ist beim Bericht über den Mordprozeß die Intensität des Eingriffs in den Persönlichkeitsbereich gegen das Informationsinteresse der Öffentlichkeit abzuwägen, das bei der aktuellen Berichterstattung über schwere Straftaten im allgemeinen den Vorrang verdient; deshalb ist der Eingriff in das Persönlichkeitsrecht des V nicht rechtswidrig. – Demgegenüber ist die Rechtswidrigkeit zu bejahen, wenn die Zeitung den Zeugen Z fälschlicherweise als Täter nennt. – Ebenfalls rechtswidrig ist die Berichterstattung nach acht Jahren, da sie geeignet ist, gegenüber der aktuellen Information eine neue und zusätzliche Beeinträchtigung des V zu bewirken, insbesondere seine Wiedereingliederung in die Gesellschaft (Resozialisierung) zu gefährden (vgl. BVerfGE 35, 202 – Lebach; OLG Hamburg NJW-RR 1991, 990 m. N.).

c) Liegt eine rechtswidrige Verletzung des Persönlichkeitsrechts vor, kann der Verletzte vom Schädiger *Beseitigung* und bei Wiederholungsgefahr *Unterlassung* verlangen (analoge Anwendung der §§ 12, 862, 1004). 675

Im Fall e kann Z von der Zeitung Berichtigung begehren. V kann die acht Jahre nach der Tat geplante Berichterstattung – notfalls durch Antrag auf Erlaß einer einstweiligen Verfügung – verhindern.

Handelt der Schädiger bei der rechtswidrigen Verletzung des Persönlichkeitsrechts schuldhaft, steht dem Verletzten ein *Schadensersatzanspruch* nach § 823 I (»sonstiges Recht«) zu; unter besonderen Voraussetzungen kommt auch ein Schmerzensgeldanspruch nach § 847 I in Betracht (Rdnr. 28, 67).

Beruht die falsche Berichterstattung im Fall e auf Fahrlässigkeit, kann Z seinen dadurch entstandenen Schaden ersetzt verlangen.

d) Auch nach dem Tod des Menschen ist ein sog. *postmortaler Persönlichkeitsschutz* in gewissem Umfang zu bejahen (vgl. ErbR Rdnr. 13).

676 **IV. Wohnsitz**

1. Bedeutung

Der Wohnsitz eines Menschen ist vor allem im Schuldrecht und im Verfahrensrecht von Bedeutung. So ist für die Erbringung einer Leistung mangels einer anderen Regelung der Wohnsitz des Schuldners der Leistungsort (§ 269 I); Geld hat der Schuldner dem Gläubiger im Zweifel an dessen Wohnsitz zu übermitteln (§ 270 I; AS Rdnr. 140ff.). Für die örtliche Zuständigkeit des Gerichts ist grundsätzlich der Wohnsitz des Beklagten maßgebend (§§ 12f. ZPO; Fall f).

677 *2. Begriff*

Wohnsitz im Rechtssinn ist der Ort, an dem sich der *räumliche Schwerpunkt der Lebensinteressen* eines Menschen befindet.

Der Wohnsitz muß nicht mit dem Aufenthaltsort übereinstimmen. So hat der bei seinen Eltern wohnende Student, der am Hochschulort eine Bude gemietet hat, am Hochschulort keinen Wohnsitz. Die polizeiliche Anmeldung begründet allein keinen Wohnsitz. Der im Wohnwagen herumziehende Zigeuner hat überhaupt keinen Wohnsitz.

678 *3. Arten*

Das Gesetz unterscheidet zwischen gewillkürtem und gesetzlichem Wohnsitz.

a) Der *gewillkürte Wohnsitz* ist der Ort, an dem sich jemand ständig niederläßt (§ 7 I).

Zur Begründung dieses Wohnsitzes ist zweierlei erforderlich: einmal der Wille, sich an einem Ort ständig niederzulassen, und zum anderen die tatsächliche Niederlassung an diesem Ort. Für die Aufhebung des Wohnsitzes gilt Entsprechendes (§ 7 III). Der Aufhebungswille muß in die Tat umgesetzt werden (z. B. durch Abtransport der Möbel).

Begründung und Aufhebung des Wohnsitzes nach § 7 sind keine Rechtsgeschäfte, sondern Rechtshandlungen (Realakte). Denn der Handelnde braucht nicht wie beim Rechtsgeschäft einen Rechtsfolgewillen (vgl. Rdnr. 83) zu haben. Es genügt z. B. für die Begründung des Wohnsitzes, daß jemand sich willentlich ständig niederläßt; selbst wenn er die Rechtsfolge (Wohnsitzbegründung) nicht will, tritt sie kraft Gesetzes ein.

Obwohl es sich also nur um Realakte handelt und obwohl Realakte normalerweise keine Geschäftsfähigkeit des Handelnden voraussetzen, ist für eine Wohnsitzbegründung oder -aufhebung volle Geschäftsfähigkeit erforderlich. Denn nach § 8 I kann ein Geschäftsunfähiger oder beschränkt Geschäftsfähiger ohne den Willen seines gesetzlichen Vertreters einen Wohnsitz weder begründen noch aufheben. Eine Ausnahme gilt nur für einen Minderjährigen, der verheiratet ist oder war; er kann selbst einen Wohnsitz begründen oder aufheben (§ 8 II).

Im Fall f konnte der minderjährige A ohne Willen seiner Eltern weder seinen Wohnsitz in Köln aufgeben noch einen solchen in Mainz begründen. Deshalb ist das Amtsgericht Köln zuständig (Wohnsitz des Beklagten; §§ 12f. ZPO).

Eine Person kann auch *mehrere* gewillkürte Wohnsitze haben (§ 7 II). Voraussetzung ist, daß sie sich an mehreren Orten ständig niedergelassen hat, also etwa mehrere Wohnungen an verschiedenen Orten unterhält und in ihnen abwechselnd wohnt (z. B. im Sommer in der Landwohnung, im Winter in der Stadtwohnung).

b) Der *gesetzliche Wohnsitz* ist der Ort, der kraft Gesetzes als Wohnsitz einer 679
Person gilt, ohne daß diese sich dort ständig niedergelassen zu haben braucht.

(1) Der volljährige Berufssoldat oder Soldat auf Zeit (nicht der Wehrdienstpflichtige) hat seinen Wohnsitz am Standort (vgl. § 9).

(2) Das minderjährige Kind hat den Wohnsitz der Eltern, wenn beiden Eltern das Sorgerecht zusteht. Hat ein Elternteil oder ein Dritter das Sorgerecht, teilt das Kind dessen Wohnsitz (vgl. § 11).

Sind beide Eltern sorgeberechtigt und trennen sie sich, so daß sie verschiedene Wohnsitze haben, erlangt das Kind einen doppelten Wohnsitz (BGHZ 48, 237; str.).

§ 34 Die juristischen Personen 680

Schrifttum: *Ballerstedt*, Mitgliedschaft und Vermögen beim rechtsfähigen Verein, Festschrift f. Knur, 1972, 1; *Beuthien*, Mehrheitsprinzip und Minderheitenschutz im Vereinsrecht, BB 1987, 6; *Birk*, Der Aufnahmezwang bei Vereinen und Verbänden, JZ 1972, 343; *Coing*, Die Vertretungsordnung juristischer Personen und deren Haftung gemäß § 31 BGB, Festschrift f. Fischer, 1979, 65; *Dütz*, Tendenzaufsicht im Vereinsrecht, Festschrift f. Herschel, 1982, 55; *ders.*, Verbandsbezogene Verhaltenspflichten von Koalitionsmitgliedern, Festschrift f. Hilger/Stumpf, 1983, 99; *L. Fischer*, Der Ausschluß aus dem Verein, 1985; *Flume*, Allgemeiner Teil des Bürgerlichen Rechts, 1. Bd., 2. Teil, Die juristische Person, 1983; *ders.*, Der nichtrechtsfähige Verein, ZHR 1984, 503; *ders.*, Körperschaftliche juristische Person und Personenverband, Festschrift f. Kegel, 1987, 147; *Grunewald*, Vereinsaufnahme und Kontrahierungszwang, AcP 182, 181; *dies.*, Der Ausschluß aus Gesellschaft und Verein, 1987; *dies.*, Auskunftserteilung und Haftung des Vorstandes im bürgerlich-rechtlichen Verein, ZIP 1989, 962; *Habscheid*, Der nichtrechtsfähige Verein zwischen juristischer Person und Gesellschaft, AcP 155, 375; *Heckelmann*, Der Idealverein als Unternehmer?, AcP 179, 1; *Hemmerich*, Möglichkeiten und Grenzen wirtschaftlicher Betätigung von Idealvereinen, 1982; *Hüffer*, Gesellschaftsrecht, 3. Aufl., 1991; *John*, Die organisierte Rechtsperson, 1977; *Knauth*, Die Ermittlung des Hauptzwecks bei eingetragenen Vereinen, JZ 1978, 339; *Kollhosser*, Der Verzicht des rechtsfähigen Vereins auf seine Rechtsfähigkeit, ZIP 1984, 1434; *Landwehr*, Die Haftung der juristischen Person für körperschaftliche Organisationsmängel, AcP 164, 482; *Leßmann*, Persönlichkeitsschutz juristischer Personen, AcP 170, 266; *Liermann*, Handbuch des Stiftungsrechts, 1. Bd., 1963; *Lohbeck*, Die Vereinsordnungen, MDR 1972, 381; *Lukes*, Der Satzungsinhalt beim eingetragenen Verein und die Abgrenzung zu sonstigen Vereinsregeln, NJW 1972, 121; *ders.*, Erstreckung der Vereinsgewalt auf Nichtmitglieder durch Rechtsgeschäft, Festschrift f. H. Westermann, 1974, 325; *Martinek*, Repräsentantenhaftung, 1979; *Meyer-Cording*, Die Vereinsstrafe, 1957; *Müller-Erzbach*, Das Recht der Mitgliedschaft, 1949; *Müller-Freienfels*, »Haftungsvertreter« und Stellvertreter, Festschrift f. H. Hübner, 1984, 627; *Mummenhoff*, Gründungssysteme und Rechtsfähigkeit, 1979; *Nass*, Person, Persönlichkeit und juristische Person, 1964; *Oetker*, Der Wandel vom Ideal- zum Wirtschaftsverein, NJW 1991, 385; *Reichert/Dannecker/Kühr*, Handbuch des Vereins- und Verbandsrechts, 5. Aufl., 1993; *Reuter*, Grenzen der Verbandsstrafgewalt, ZGR 1980, 101; *ders.*, Die Verfassung des Vereins gem. § 25 HGB, ZHR 1984, 523; *ders.*, Der Ausschluß aus dem Verein, NJW 1987, 2401; *Rittner*, Die werdende juristische Person, 1973; *Sauter/Schweyer*, Der eingetragene Verein, 14. Aufl., 1990; *P. Schlosser*, Vereins- und Verbandsgerichtsbarkeit, 1972; *K. Schmidt*, Der bürgerlich-rechtliche Verein mit wirtschaftlicher Tätigkeit, AcP 182, 1; *ders.*, Systemfragen des Vereinsrechts, ZHR 1983, 43; *ders.*, Verbandszweck und Rechtsfähigkeit im Vereinsrecht, 1984; *ders.*, Der Vereinszweck nach dem Bürgerlichen Gesetzbuch, BB 1987, 556; *ders.*, Erlöschen eines eingetragenen Vereins durch Fortfall aller Mitglieder?, JZ 1987, 394; *ders.*, Eintragungsfähige und eintragungsunfähige Vereine, Rpfleger 1988, 45; *Schockenhoff*, Der Grundsatz der Vereinsautonomie, AcP 193, 35; *Schumann*, Zur Haftung der nichtrechtsfähigen Vereine, 1956; *Seifart*, Handbuch des Stiftungsrechts, 1987; *Serick*, Rechtsform und Realität juristischer Personen, 2. Aufl., 1980; *Stöber*, Vereinsrecht, 5. Aufl., 1988; *Stoltenberg*, Rechtsfähigkeit nichtrechtsfähiger Vereine, MDR 1989, 494; *Strickroth*, Stiftungsrecht, 2. Aufl., 1977; *Vieweg*, Die gerichtliche Nachprüfung von Vereinsstrafen und -entscheidungen, JZ 1984, 167; *H. P. Westermann*, Die Verbandsstrafgewalt und das allgemeine Recht, 1972; *Wilhelm*, Rechtsform und Haftung bei der juristischen Person, 1981.

Fälle:

a) A, B und C wollen den »Gesangverein Liedertafel Schönberg e. V.« gründen, der nebenbei auch die Mitglieder mit verbilligten Liederbüchern und Schallplatten versorgen soll. Wie wird der Verein rechtsfähig?

b) Die Mitgliederversammlung des e. V. beschließt mit 60 gegen 50 Stimmen bei 20 Enthaltungen, ein Vereinshaus von A zu kaufen. Wer schließt den Kaufvertrag für den Verein, wenn dieser einen dreiköpfigen Vorstand hat?

Wem gegenüber kann A den abgeschlossenen Vertrag wegen Irrtums anfechten?

c) Für ein Vereinsfest schließt der Festwart F mit dem Conferencier C einen Vertrag; bei den Verhandlungen betrügt er ihn. Beim Verlassen des Festes kommt der Gast G, der Eintritt gezahlt hat, vor dem Eingang des Vereinshauses zu Fall und bricht sich den Arm, weil der Hausmeister H trotz Glatteises nicht gestreut hat. Wegen des Glatteises vor dem Vereinshaus stürzt kurz danach der Spaziergänger S und zieht sich einen Bluterguß zu. C, G und S verlangen vom Verein Schadensersatz.

d) Die Mitgliederversammlung beschließt eine Satzungsänderung, wonach jedes einzelne Vorstandsmitglied nur zum Abschluß von Geschäften bis zu 1000,– DM befugt ist. Das Vorstandsmitglied A kauft für den Verein ein Klavier für 2000,– DM.

Sie beschließt außerdem, daß anstelle des Vorstandsmitglieds B ab sofort Y in den Vorstand eintritt. Danach kauft B für den Verein Liederbücher für 300,– DM.

Muß der Verein zahlen, auch wenn die genannten Beschlüsse nicht ins Vereinsregister eingetragen worden sind?

e) Die Mitgliederversammlung beschließt unter Beteiligung des Mitglieds A mit einer Stimme Mehrheit, daß A Vorstandsmitglied wird und daß mit A ein Bierlieferungsvertrag abgeschlossen werden soll.

Ferner wird die Satzungsbestimmung, wonach Junggesellen einen geringeren Monatsbeitrag zu zahlen haben, durch Beschluß gegen die Stimme eines Junggesellen (J) gestrichen.

Später wird gegen die Stimme des J beschlossen, daß jeder Junggeselle monatlich 2,– DM mehr an Beitrag zu zahlen hat.

Sind die Beschlüsse wirksam?

f) Das Vereinsmitglied X ist vom Vorstand mit einer Vereinsstrafe belegt worden; X soll wegen Diebstahls von Vereinseigentum eine Geldbuße von 50,– DM zahlen. X möchte dagegen vorgehen, weil er vom Vorstand nicht angehört worden sei und weil er nicht gestohlen habe.

g) Das einzige Vorstandsmitglied A des nichtrechtsfähigen Vereins kauft für diesen von X Waren. X verlangt Bezahlung vom Verein, dem A und dem besonders zahlungskräftigen Vereinsmitglied B.

I. Einführung

Am Rechtsverkehr nehmen nicht nur einzelne Menschen, sondern auch Vereinigungen von Menschen und sogar Vermögensmassen teil.

1. Personenvereinigungen

a) Beschließen etwa drei Freunde gemeinsam, ein Konzert zu veranstalten, so müssen sie einen Konzertsaal mieten, Künstler verpflichten, Eintrittskarten und Programme drucken lassen usw. Das Gesetz stellt für eine solche Personenvereinigung (= Gesellschaft) in §§ 705ff. Regeln auf, die gelten sollen, wenn die Beteiligten sich gegenseitig verpflichten, um einen gemeinsamen Zweck zu erreichen. Diese Vorschriften beruhen auf der Erwägung, daß eine Gesellschaft aus wenigen Personen mit enger Beziehung zueinander besteht. Deshalb sollen die Gesellschafter die Geschäfte der Gesellschaft gemeinschaftlich führen. Jeder einzelne, nicht aber die Gesellschaft selbst, soll Träger von Rechten und Pflichten sein; die Gesellschaft selbst ist nicht rechtsfähig. Die drei Freunde schließen also gemeinsam die einzelnen Verträge mit dem Vermieter, den Künstlern, dem Drucker. Alle drei haben aus dem Mietvertrag den Anspruch gegen den Vermieter auf Gebrauchsüberlassung des Saales; alle drei schulden den Mietzins. Wegen der engen Beziehung der Gesellschafter untereinander kann grundsätzlich kein Gesellschafter aus der Gesellschaft ausscheiden, ohne daß dadurch die Gesellschaft aufgelöst wird. Stirbt also einer der Freunde, ist die Gesellschaft aufgelöst (§ 727 I).

b) Die Vorschriften über die Gesellschaft passen nicht für Vereinigungen, zu **681**
denen viele Personen gehören. Will beispielsweise ein Gesangverein mit 150 Mitgliedern ein Konzert veranstalten, so ist es nicht praktikabel, daß alle 150 Personen zusammen mit Vermieter, Künstlern, Drucker die erforderlichen Verträge schlie-

ßen. Hier muß es möglich sein, daß einige Personen (die Vorstandsmitglieder) für den Verein handeln. Aus den einzelnen Verträgen soll nicht das einzelne Mitglied berechtigt sein. Erst recht will das Mitglied nicht Schuldner des Mietzinses, der Gagen, des Entgelts für den Drucker sein. Außerdem soll die Existenz des Vereins nicht davon abhängig sein, ob neue Mitglieder eintreten oder bisherige Mitglieder aus dem Verein ausscheiden.

Um diesen Interessen Rechnung zu tragen, sieht das Gesetz die Möglichkeit vor, daß eine Personenvereinigung unter bestimmten Voraussetzungen Rechtssubjekt wird (z. B. der eingetragene Verein; §§ 21 ff.). Dann ist diese Vereinigung – wie der einzelne Mensch – Person im Rechtssinne. Man bezeichnet sie – im Gegensatz zur natürlichen Person – als juristische Person. Sie ist rechtsfähig, kann also Träger von Rechten (z. B. des Anspruchs auf Gebrauchsüberlassung) und Pflichten (z. B. der Verpflichtung zur Mietzinszahlung) sein. Weil die Vereinigung selbst tatsächlich nicht handeln kann, handelt sie durch ihre Organe (z. B. den Vorstand), so daß sie auf diese Weise auch im Rechtssinne handlungsfähig ist. Scheiden Personen aus der Vereinigung aus oder treten andere ihr bei, so ändert das an der Identität der Vereinigung nichts; diese ist vom Mitgliederwechsel unabhängig.

682 *2. Vermögensmassen*

Auch bei Vermögensmassen kann das Bedürfnis bestehen, eine selbständige Rechtspersönlichkeit zu schaffen. Will jemand mit einem Teil seines Vermögens einen bestimmten (z. B. caritativen, künstlerischen) Zweck verfolgen, so kann das auf die Weise geschehen, daß er alle erforderlichen Geschäfte selbst tätigt, aus denen er dann auch selbst berechtigt und verpflichtet ist. Vielfach will oder kann er das jedoch nicht. Manchmal möchte jemand, daß sein Vermögen erst nach seinem Tode ganz oder zum Teil für einen bestimmten Zweck verwandt wird. Das Gesetz gibt die Möglichkeit, daß die Vermögensmasse verselbständigt und selbst zur juristischen Person wird (Stiftung: §§ 80 ff.). Eine solche Vermögensmasse kann selbst Träger von Rechten und Pflichten werden sowie durch ihr Organ (den Vorstand) handeln.

683 II. Arten

Juristische Personen sind die *von der Rechtsordnung als selbständige Rechtsträger anerkannten Personenvereinigungen oder Vermögensmassen.*

Dazu gehören auch die juristischen Personen des *öffentlichen* Rechts (vgl. § 89). Es handelt sich um selbständige Träger öffentlicher Verwaltung, die auf einem staatlichen Hoheitsakt (z. B. Gesetz) beruhen. Die Körperschaften des öffentlichen Rechts (z. B. Staat, Gemeinde, Kirche) sind Personenvereinigungen und insoweit den Vereinen vergleichbar. Die Anstalten (z. B. Bundesanstalt für Arbeit, Stadtsparkasse, Rundfunkanstalt) und die

Stiftungen des öffentlichen Rechts (z. B. Stiftung preußischer Kulturbesitz, Stiftung Hilfswerk für behinderte Kinder) sind keine Personenvereinigungen, sondern Vermögensmassen und ähneln den Stiftungen des Privatsrechts.

Auch eine juristische Person des öffentlichen Rechts kann am Privatrechtsverkehr teilnehmen (z. B. Räume mieten, Büromaterial kaufen). Der Staat (Bundesrepublik Deutschland, Bundesland) als Privatrechtssubjekt wird Fiskus genannt.

Bei den juristischen Personen des *privaten* Rechts ist zwischen Vereinen und Stiftungen zu unterscheiden.

1. *Verein* 684

a) Der Verein ist eine mit juristischer Persönlichkeit ausgestattete Personenvereinigung zur Verfolgung eines gemeinsamen Zwecks.

(1) Der Verein besteht aus einer *Mehrheit von Personen*; er hat – anders als die Stiftung – Mitglieder. Sein Bestand wird vom Mitgliederwechsel nicht berührt.

(2) Der *Zweck* des Vereins ergibt sich aus der Satzung (vgl. § 57 I). Der Wille der Mitglieder (Mitgliederversammlung) ist für die Verwaltung des Vereins entscheidend. Demnach ist der Vereinswille im Gegensatz zum Stiftungswillen eigengesetzlich (autonom).

(3) Der Verein ist eine *selbständige Rechtspersönlichkeit*. Dadurch unterscheidet er sich vom nichtrechtsfähigen Verein und vom Vorverein.

Der *nichtrechtsfähige Verein* (Rdnr. 720 ff.) hat bis auf die Rechtsfähigkeit alle Merkmale des rechtsfähigen Vereins (Beispiele: die Industrie-Gewerkschaft Bau, Steine, Erden; der nicht im Vereinsregister eingetragene Gesangverein).

Als *Vorverein* bezeichnet man einen Verein, der rechtsfähig werden soll, es aber noch nicht ist, weil die Eintragung im Vereinsregister (§ 21) oder die staatliche Verleihung (§ 22) noch aussteht. Der Vorverein ist ein nichtrechtsfähiger Verein.

b) Außer dem im BGB geregelten Verein gibt es noch *andere juristische Personen* des privaten Rechts, die keine Vermögensmassen, sondern auch Personenvereinigungen sind. 685

Beispiele: Aktiengesellschaft, Kommanditgesellschaft auf Aktien, Gesellschaft mit beschränkter Haftung, eingetragene Genossenschaft, Versicherungsverein auf Gegenseitigkeit.

Keine juristischen Personen sind die offene Handelsgesellschaft und die Kommanditgesellschaft; sie sind handelsrechtliche Sonderformen der Gesellschaft nach § 705.

2. *Stiftung* 686

a) Die Stiftung ist eine mit juristischer Persönlichkeit ausgestattete Vermögensmasse zur Verwirklichung des vom Stifter bestimmten Zwecks.

(1) Die Stiftung besteht aus einer Vermögensmasse, dem *Stiftungsvermögen*; sie ist also im Gegensatz zum Verein *keine Personenvereinigung*. Sie hat keine

Mitglieder; die von ihr begünstigten Personen (sog. Destinatäre) sind weder ihre Mitglieder noch ihre Organe.

(2) Der von der Stiftung *zu verwirklichende Zweck* ergibt sich aus dem vom Stifter im Stiftungsgeschäft festgelegten Willen; danach muß die Stiftung verwaltet werden. Infolgedessen ist der Stiftungswille im Gegensatz zum Vereinswillen fremdgesetzlich (heteronom).

(3) Die Stiftung ist eine *selbständige Rechtspersönlichkeit.* Dadurch unterscheidet sie sich von der unselbständigen Stiftung und vom Sammelvermögen.

Bei der *unselbständigen (fiduziarischen) Stiftung* wird eine Zuwendung zu einem bestimmten Zweck an eine bereits bestehende (meist juristische) Person gemacht (z. B. eine Zahlung eines Geldbetrages an die Stadt zum Bau eines Sportplatzes).

Bei einem sog. *Sammelvermögen* handelt es sich um ein Vermögen, das durch eine Sammlung für einen bestimmten Zweck (z. B. zum Bau eines Sportplatzes) zusammenkommt. Hier wird in der Regel anzunehmen sein, daß das gesammelte Geld Eigentum der Sammler wird, die es dem Sammlungszweck entsprechend zu verwerten haben.

687 b) Zur *Entstehung* der Stiftung sind ein entsprechendes Rechtsgeschäft des Stifters (Stiftungsgeschäft) und eine staatliche Genehmigung erforderlich.

(1) Das *Stiftungsgeschäft* ist eine nicht empfangsbedürftige Willenserklärung des Stifters (§ 80), die der Schriftform bedarf (§ 81 I). Es kann auch in einer Verfügung von Todes wegen (Testament, Erbvertrag) enthalten sein (§ 83).

(2) Die *staatliche Genehmigung* wird durch das Bundesland erteilt, in dem die Stiftung ihren Sitz haben soll (§ 80). Durch sie soll eine staatliche Kontrolle erreicht werden.

c) Die *Verfassung* der Stiftung richtet sich nach Bundes- und Landesrecht sowie nach dem Stiftungsgeschäft (§ 85). Die Stiftung muß als Organ einen Vorstand haben, für den weitgehend das Vereinsrecht gilt (§ 86).

d) Für das *Ende* der Stiftung gelten §§ 86–88.

687 e) Die rechtsfähigen Stiftungen, die in der *ehemaligen DDR* im Zeitpunkt des Beitritts bestanden, bestehen fort; für sie gelten ab 3. 10. 1990 die Vorschriften der §§ 80–88 als Bundesrecht sowie das am 13. 9. 1990 von der Volkskammer erlassene Stiftungsgesetz als ergänzendes Landesrecht (Art. 231 § 3 EGBGB).

688 III. Der rechtsfähige Verein

1. Gesetzliche Grundlagen

Normen über den Verein finden sich in der Verfassung, im Vereinsgesetz und im BGB.

a) Nach Art. 9 I GG haben alle Deutschen das Recht, Vereine und Gesellschaften zu bilden. Diese Vereinigungs- oder Vereinsfreiheit, die Teil der allgemeinen

Freiheit auf Entfaltung der Persönlichkeit (Art. 2 I GG) ist, wird auch in den meisten Länderverfassungen gewährleistet. Jedoch sind nach Art. 9 II GG Vereinigungen verboten, deren Zweck oder deren Tätigkeit den Strafgesetzen zuwiderläuft oder sich gegen die verfassungsmäßige Ordnung oder gegen den Gedanken der Völkerverständigung richtet. Das öffentliche Vereinsrecht wird im einzelnen durch das VereinsG geregelt.

b) Das Privatrecht des Vereins ist im BGB (§§ 21–79) normiert. Dabei handeln alle Bestimmungen bis § 54 vom rechtsfähigen Verein; § 54 verweist für den nichtrechtsfähigen Verein (Rdnr. 720) auf die Vorschriften über die Gesellschaft (§§ 705 ff.).

2. *Entstehung* 689

Zur Entstehung eines rechtsfähigen Vereins ist zweierlei erforderlich: Zunächst müssen die Gründer einen Gründungsvertrag schließen. Sodann bewirkt ein Staatsakt, daß der Personenverband die Rechtsfähigkeit erlangt.

a) Die Gründung des Vereins erfolgt durch übereinstimmende Willenserklärungen der Gründer; dieses Rechtsgeschäft kann man als *Gründungsvertrag* bezeichnen. Die Gültigkeit der Willenserklärung des einzelnen Gründers richtet sich nach den allgemeinen Vorschriften.

Die einzelne Willenserklärung kann also auch wegen Irrtums (§ 119) angefochten werden. Wenn jedoch der Verein bereits ins Leben getreten ist, scheidet eine rückwirkende Vernichtung der Willenserklärung nach § 142 I wegen des Gläubigerschutzes und der Abwicklungsschwierigkeiten aus (Rdnr. 390); die Anfechtung wirkt nur ex nunc, so daß der Willensmangel praktisch ein Recht zum Austritt aus dem Verein gibt.

Im Gründungsvertrag muß eine Satzung des Vereins enthalten sein; sie muß den Zweck, Namen und Sitz des Vereins festlegen und ergeben, daß der Verein eingetragen werden soll (§ 57 I).

b) Die *staatliche Mitwirkung* bei der Entstehung des rechtsfähigen Vereins ist 690
verschieden, je nachdem, ob es sich um einen wirtschaftlichen oder nichtwirtschaftlichen Verein handelt.

(1) Ein *wirtschaftlicher Verein* wird rechtsfähig durch *staatliche Verleihung* der obersten Landesbehörde (vgl. § 22).

Ein wirtschaftlicher Verein liegt vor, wenn der Hauptzweck des Vereins darauf gerichtet ist, durch einen wirtschaftlichen Geschäftsbetrieb vermögenswerte Vorteile für den Verein oder unmittelbar für dessen Mitglieder zu erzielen (vgl. RGZ 154, 351; BGHZ 85, 92).

Beispiele: Vereine, die eine Darlehenskasse oder ein Inkasso für die Mitglieder betreiben.

Wirtschaftliche Vereine nach bürgerlichem Recht kommen in der Praxis selten vor, da die meisten wirtschaftlichen Vereinigungen nach anderen Rechtsnormen (z. B. AktG, GmbHG, GenG) die Rechtsfähigkeit erlangen. In den Spezialgesetzen sind hinreichende Sicherungen vor allem für den Schutz der Gläubiger und auch der einzelnen Mitglieder vorgesehen. Solche Sicherungen fehlen im Vereinsrecht; deshalb behält sich der Staat durch die Verleihung Einfluß auf die Entstehung wirtschaftlicher Vereine vor (sog. Konzessionssystem). Wird die staatliche Verleihung der Rechtsfähigkeit für einen wirtschaftlichen Verein beantragt, hat die Behörde zu prüfen, ob nicht die Erlangung der Rechtsfähigkeit nach anderen Gesetzen in Betracht kommt und ob der Verein nach seiner Satzung auch die Interessen der Gläubiger und der einzelnen Mitglieder genügend schützt.

691 (2) Ein *nichtwirtschaftlicher Verein* (Idealverein) erlangt Rechtsfähigkeit durch *Eintragung in das Vereinsregister* (§ 21).

Ein Idealverein liegt vor, wenn der Hauptzweck nicht darauf gerichtet ist, vermögenswerte Vorteile zu erzielen. Dabei schadet es nicht, wenn der Verein zur Erreichung eines solchen Zwecks auch wirtschaftliche Geschäfte betreibt.

Beispiele: Vereine mit kulturellem, religiösem, politischem Hauptzweck; Wohltätigkeitsvereine; Geselligkeitsvereine. Der geplante Gesangverein im Fall a ist ein Idealverein, auch wenn er (als Nebenzweck) die Mitglieder mit verbilligten Liederbüchern und Schallplatten versorgen will.

Die Eintragung des Idealvereins in das Vereinsregister muß erfolgen, wenn die gesetzlichen Voraussetzungen erfüllt sind (sog. Normativsystem).

Voraussetzung für die Eintragung ist eine Anmeldung des Vereins durch seinen Vorstand beim Amtsgericht (Einzelheiten: §§ 55, 59). Die einzureichende Satzung *muß* bestimmte Mindesterfordernisse (§ 57) und *soll* weitere Angaben (§ 58) enthalten. Die Eintragung soll nur erfolgen, wenn die Zahl der Mitglieder mindestens sieben beträgt (§ 56; Fall a). Ist eine der in §§ 56–59 genannten Voraussetzungen nicht erfüllt, ist die Anmeldung vom Amtsgericht zurückzuweisen (§ 60). Andernfalls hat das Amtsgericht die Anmeldung der zuständigen Verwaltungsbehörde mitzuteilen, die unter bestimmten Voraussetzungen (vgl. Art. 9 II GG) Einspruch erheben kann. Mit der Eintragung erhält der Name des Vereins den Zusatz »eingetragener Verein« (§ 65).

Die *Eintragung* im Vereinsregister begründet die Rechtsfähigkeit des nichtwirtschaftlichen Vereins (§ 21); sie hat also *rechtsbegründende (= konstitutive) Wirkung*. Insoweit unterscheidet sich die Eintragung des nichtwirtschaftlichen von der des wirtschaftlichen Vereins. Da der wirtschaftliche Verein durch staatliche Verleihung seine Rechtsfähigkeit erlangt (§ 22), hat seine Eintragung im Vereinsregister keine rechtsbegründende, sondern lediglich eine feststellende (= deklaratorische) Bedeutung; sie stellt klar, was ohnehin schon (durch die staatliche Verleihung) rechtens ist.

692 *3. Organe*

Notwendige Organe des Vereins sind die Mitgliederversammlung und der Vorstand. Die Satzung kann außerdem noch andere Organe (z. B. Ausschüsse) vorsehen.

a) Die *Mitgliederversammlung* ist das oberste Organ des Vereins.

(1) Sie hat die *Aufgabe*, alle Vereinsangelegenheiten zu ordnen, die nicht durch Gesetz oder Satzung dem Vorstand oder einem anderen Vereinsorgan zugewiesen sind (§ 32 I 1). Vor allem überwacht sie die Tätigkeit des Vorstands; sie kann ihm im Rahmen des Gesetzes und der Satzung auch Weisungen erteilen, die er auszuführen hat.

Kraft Gesetzes gehören zu den Aufgaben der Mitgliederversammlung z. B. die Bestellung und Abberufung des Vorstandes (§ 27), die Satzungsänderung (§ 33; § 71), die Vereinsauflösung (§ 41; § 74 II). Die Satzung kann z. B. die Zuständigkeit der Mitgliederversammlung für die Aufnahme oder den Ausschluß von Mitgliedern vorsehen.

(2) Die *Einberufung* einer Mitgliederversammlung hat in den durch die Sat- **693**
zung bestimmten Fällen (z. B. Jahreshauptversammlung jeweils im Januar) sowie dann zu erfolgen, wenn das Interesse des Vereins es erfordert (z. B. vor Abschluß eines für den Verein wichtigen Geschäfts) oder wenn eine Minderheit es verlangt (vgl. §§ 36, 37).

Die Form der Einberufung ergibt sich aus der Satzung (vgl. § 58 Nr. 4). Regelmäßig lädt der Vorstand ein. Er hat vor allem die satzungsgemäße Form (z. B. Brief) und Frist (z. B. mindestens zwei Wochen vor der Versammlung) zu beachten, und er muß neben Ort und Zeit der Versammlung auch mitteilen, was Gegenstand der Beschlußfassung sein soll (Tagesordnung; vgl. § 32 I 2). Nach der Satzung kann es zulässig sein, daß Gegenstände zur Beschlußfassung noch nach der Einberufung der Mitgliederversammlung auf die Tagesordnung gesetzt werden; diese müssen aber den Mitgliedern so rechtzeitig vor dem Zusammentritt der Versammlung mitgeteilt werden, daß genügend Zeit zu einer sachgerechten Vorbereitung bleibt (vgl. BGH NJW 1987, 811). Werden die Vorschriften der Satzung nicht beachtet, sind die von der Mitgliederversammlung gefaßten Beschlüsse ungültig; ein Formfehler bewirkt nur dann keine Ungültigkeit, wenn er das Abstimmungsergebnis nicht beeinflußt haben kann (vgl. BGHZ 59, 375).

(3) Die *Beschlußfassung* setzt Beschlußfähigkeit der Mitgliederversammlung **694**
voraus. § 32 I 3 stellt auf die erschienenen Mitglieder ab. Ist also nur ein einziges Mitglied erschienen, ist die Mitgliederversammlung beschlußfähig. Oft sieht aber die Satzung zulässigerweise (vgl. § 40) vor, daß die Mitgliederversammlung nur beschlußfähig ist, wenn eine bestimmte Anzahl oder ein bestimmter Prozentsatz von Mitgliedern anwesend ist.

Bei der Beschlußfassung entscheidet nach § 32 I 3 grundsätzlich die Mehrheit der erschienenen Mitglieder. Zu einer Satzungsänderung ist eine Mehrheit von drei Viertel der erschienenen Mitglieder, zu einer Änderung des Vereinszwecks die Zustimmung aller (auch der nicht erschienenen) Mitglieder erforderlich (§ 33 I). Die Satzung kann jedoch in allen Fällen etwas anderes bestimmen (vgl. § 40). Soweit sich eine anderweitige Regelung auch auf die Änderung des Vereinszwecks beziehen soll, muß sich das eindeutig aus der Satzung ergeben (BGH NJW 1986, 1034f.).

Im Fall b ist die nach § 32 I 3 erforderliche Mehrheit der erschienenen Mitglieder (= absolute Mehrheit) nicht erreicht; die Stimmenthaltungen müßten sich demnach wie

Nein-Stimmen auswirken. Jedoch will das Mitglied durch seine Stimmenthaltung in aller Regel dartun, daß seine Stimme nicht mitzuzählen ist. Deshalb sollte ein solches Mitglied als „nicht erschienen" i.S.d. § 32 I 3 zu behandeln sein (BGHZ 83, 35; str.). Um Unklarheiten zu vermeiden, sollte die Satzung ausdrücklich vorsehen, daß die Mehrheit der abgegebenen Stimmen (= relative Mehrheit) entscheidend sein soll. Damit ist im Fall b mit 60 : 50 Stimmen die erforderliche Mehrheit gegeben.

695 b) Der *Vorstand* ist ebenfalls ein notwendiges Organ des Vereins; er kann aus mehreren Personen bestehen (§ 26 I). Er wird durch Beschluß der Mitgliederversammlung bestellt (§ 27 I); die Bestellung ist jederzeit widerruflich (§ 27 II 1). Die Satzung kann vorsehen, daß die Bestellung durch einen Ausschuß oder durch Dritte erfolgt (vgl. § 40 I) und ein Widerruf nur bei Vorliegen eines wichtigen Grundes zulässig ist (§ 27 II 2). Jedoch ist es nicht möglich, die Widerrufsmöglichkeit durch die Satzung ganz auszuschließen (vgl. §§ 27 II, 40).

Oft sieht die Satzung eine zeitlich begrenzte Amtsdauer des Vorstands vor; dann endet mit dem Zeitablauf das Vorstandsamt. Wenn nach der Satzung nur ein Vereinsmitglied Vorstand sein kann, endet das Amt mit dem Ende der Mitgliedschaft (z. B. mit dem Austritt aus dem Verein).

696 (1) Dem Vorstand obliegt die *Geschäftsführung* des Vereins. Er ist also im Innenverhältnis gegenüber den Vereinsmitgliedern zur Vornahme aller Handlungen befugt, die auf eine Förderung des Vereinszwecks gerichtet sind. Dabei hat er wie ein Beauftragter die Interessen des Vereins wahrzunehmen (§§ 27 III, 664–670; BS Rdnr. 295 ff.). Er hat also die Pflicht, die Geschäfte des Vereins persönlich und ordnungsgemäß zu führen. Dabei hat er Gesetz, Satzung und die Weisungen der Mitgliederversammlung zu beachten sowie ihre Beschlüsse durchzuführen. Dem Verein ist er zur Auskunft und zur Rechenschaft verpflichtet. Verletzt er schuldhaft seine Pflicht (z. B. zur Führung der Vereinsbücher) und entsteht dadurch dem Verein ein Schaden, ist er dem Verein nach allgemeinen Vorschriften schadensersatzpflichtig (BS Rdnr. 298).

Die Auftragsregeln gelten nur, wenn das Vorstandsmitglied das Amt ehrenamtlich ausübt (§ 662: »unentgeltlich«). Wird das Vorstandsmitglied jedoch gegen Entgelt tätig, besteht zwischen ihm und dem Verein ein Dienstvertrag (vgl. § 611; BS Rdnr. 230 f., 234).

Besteht der Vorstand aus mehreren Personen, erfolgt die Beschlußfassung in Ermangelung abweichender Satzungsvorschriften wie bei der Mitgliederversammlung (§§ 28 I, 40).

697 (2) Im Außenverhältnis hat der Vorstand die Stellung eines *gesetzlichen Vertreters* (§ 26 II; vgl. Rdnr. 487). Schließt also der Vorstand im Namen des Vereins mit einem Dritten einen Vertrag, wird der Verein (nicht der Vorstand und nicht das einzelne Vereinsmitglied) Vertragspartner. Die Vertretungsmacht des Vorstands ist grundsätzlich unbeschränkt, aber durch die Satzung beschränkbar (§ 26 II 2); jedoch wirkt eine Beschränkung der Vertretungsmacht gegenüber einem gutgläubigen Dritten nur, wenn sie im Vereinsregister eingetragen ist (§ 70; Rdnr. 705 ff.). Überschreitet der Vorstand seine Vertretungsmacht, greifen die §§ 177 ff. ein.

Besteht der Vorstand aus mehreren Personen, so fragt sich, ob bei der Aktivvertretung (Rdnr. 465) alle Vorstandsmitglieder zusammen den Verein vertreten müssen oder ob dies schon die Mehrheit der Vorstandsmitglieder kann. Das Gesetz enthält keine Regelung. Aus Praktikabilitätsgründen sollte in analoger Anwendung des § 28 I i. V. m. § 32 I 3 eine Vertretung durch die Mehrheit möglich sein (h. M.; MünchKomm/*Reuter*, § 26, Rdnr. 15; a. A. *Staudinger/Coing*, § 26, Rdnr. 13). Jedenfalls dürfte sich eine Regelung in der Satzung (z. B. Einzelvertretungsmacht jedes Vorstandsmitglieds, gemeinschaftliche Vertretung durch zwei Vorstandsmitglieder) empfehlen. Auch wenn alle oder mehrere Vorstandsmitglieder nur zusammen den Verein vertreten können, ist es nicht erforderlich, daß sie die Willenserklärung gemeinsam gegenüber dem Dritten abgeben. Es reicht aus, wenn ein Vorstandsmitglied von den übrigen zur Vornahme des Rechtsgeschäfts bevollmächtigt wird, was durch einen Vorstandsbeschluß geschehen kann. – Zur Passivvertretung (Rdnr. 465) ist nach der zwingenden Vorschrift des § 28 II (vgl. § 40) jedes Vorstandsmitglied allein befugt.

Im Fall b können mangels abweichender Satzungsbestimmung zwei Vorstandsmitglieder für den Verein den Kaufvertrag abschließen. Der Verein ist aus dem Kaufvertrag berechtigt und verpflichtet, selbst wenn sich die Mehrheit der Mitgliederversammlung gegen den Kauf ausgesprochen hat und der Vorstand deshalb gegenüber dem Verein verpflichtet war, den Kaufvertrag nicht abzuschließen. – Die Anfechtungserklärung braucht A nur gegenüber einem der Vorstandsmitglieder abzugeben (§ 28 II). – Selbstverständlich kann sich der Verein bei Abschluß des Kaufvertrages und bei der Entgegennahme der Anfechtungserklärung durch einen Bevollmächtigten (§§ 164 ff.) vertreten lassen.

4. *Verantwortlichkeit* 698

Für die Verantwortlichkeit des Vereins ist zwischen rechtsgeschäftlichen Erfüllungsansprüchen und Schadensersatzansprüchen zu unterscheiden.

a) Hat der Vorstand oder ein bevollmächtigter Vertreter des Vereins durch Rechtsgeschäft eine Verpflichtung des Vereins begründet, so ist der Verein zur *Erfullung* verpflichtet.

So hat der Verein im Fall b den Kaufpreis zu zahlen, wenn der Vorstand das Vereinshaus für den Verein gekauft hat.

b) Für den einem anderen zugefügten *Schaden* haftet der Verein aus Rechtsgeschäft oder Delikt.

(1) Die Haftung aus *Rechtsgeschäft* richtet sich danach, ob ein Organ oder ein Erfüllungsgehilfe gehandelt hat.

(a) Nach der zwingenden Vorschrift des § 31 haftet der Verein für den Schaden, den ein Organ durch eine in Ausführung der ihm zustehenden Verrichtungen begangene, zum Schadensersatz verpflichtende Handlung einem Dritten zufügt. Diese *Organhaftung* des Vereins beruht auf der Erwägung, daß die Handlung des Organs als Handlung des Vereins selbst gilt; deshalb soll der Verein für die

Handlung des Organs einstehen, wie eine natürliche Person für ihre eigene Handlung einzustehen hat.

Diese Erwägung trifft auch für andere juristische Personen zu. Deshalb ist § 31 z. B. auch bei Stiftungen (§ 86), Aktiengesellschaften und Gesellschaften mit beschränkter Haftung anwendbar.

§ 31 gilt nach § 89 I auch für juristische Personen des öffentlichen Rechts (z. B. Staat, Gemeinde, Universität). Sie sollen jedoch haftungsrechtlich nur dann wie solche des Privatrechts behandelt werden, wenn ihre Organe privatrechtlich (fiskalisch) tätig werden; nur insoweit greift § 31 ein.

Der gesetzgeberische Grund des § 31 trifft auch für Vereinigungen zu, die – wie die OHG, die KG und der nichtrechtsfähige Verein – zwar keine juristischen Personen sind, aber doch durch ihre Organe handeln. Deshalb ist die Vorschrift nach richtiger Ansicht auch hier anzuwenden. § 31 soll dagegen nicht für die Gesellschaft bürgerlichen Rechts (§§ 705 ff.; vgl. Rdnr. 680) gelten, weil sie zu wenig körperschaftlich organisiert ist (str.; BGHZ 45, 312; a. A. MünchKomm/*Reuter*, § 31 Rdnr. 10).

699 § 31 setzt im einzelnen voraus:

– Es muß der *Vorstand, ein Mitglied des Vorstands oder ein anderer verfassungsmäßig berufener Vertreter* gehandelt haben. Unter einem solchen Vertreter ist nach dem Gesetzeswortlaut ein Vertreter zu verstehen, dessen Bestellung in der Satzung (unmittelbar oder wenigstens mittelbar) vorgesehen ist. Dazu gehört sicherlich der besondere Vertreter nach § 30. Die Rechtsprechung geht aber weit darüber hinaus. Danach ist verfassungsmäßig berufener Vertreter eine Person, der »durch die allgemeine Betriebsregelung und Handhabung bedeutsame, wesensmäßige Funktionen der juristischen Person zur selbständigen, eigenverantwortlichen Erfüllung zugewiesen sind, daß er also *die juristische Person auf diese Weise repräsentiert*« (so BGHZ 49, 21: Filialleiter einer Auskunftei).

Im Fall c fällt der Festwart, nicht aber der Hausmeister unter § 31.

700 – Die Handlung muß *in Ausführung der dem Organ zustehenden Verrichtung* begangen sein. Erforderlich ist ein innerer Zusammenhang der Handlung mit den zugewiesenen Verrichtungen.

Im Fall c gehört der Abschluß von Geschäften zur Durchführung des Vereinsfestes zu den Aufgaben des Festwarts. Der Betrug bei den Vertragsverhandlungen steht im Zusammenhang mit den dem F zugewiesenen Verrichtungen.

701 – Das Organ muß eine *zum Schadensersatz verpflichtende Handlung* begangen haben. In Betracht kommen vor allem schuldhafte Vertragsverletzungen. § 31 ist also allein keine Anspruchsgrundlage, sondern nur eine Zurechnungsnorm; die Bestimmung bewirkt nur, daß der Verein in den Fällen schadensersatzpflichtig ist, in denen auch eine natürliche Person schadensersatzpflichtig wäre.

Die Rechtsprechung hat die Haftung des Vereins nach § 31 auf *Organisationsmängel* ausgedehnt (vgl. BGHZ 24, 212). Hat ein Organ des Vereins es unterlassen, in einer Vereinsangelegenheit einen besonderen Vertreter oder eine Hilfsperson zu bestellen, so haftet der Verein für den Schaden, der einem anderen aus diesem Organisationsmangel entsteht. Die h. M. wendet in solchen Fällen § 31 entsprechend an (vgl. MünchKomm/*Reuter*, § 31, Rdnr. 4).

Hätte der Verein im Fall c keinen Hausmeister oder keine andere Person bestellt, die für den gefahrlosen Zustand des Vereinshauses (einschl. Straße, Zugang, Treppen usw.) verantwortlich ist, würde er nach § 31 (analog) für die Schäden des G einzustehen haben.

(b) Nach § 278 hat der Verein für ein Verschulden seines Erfüllungsgehilfen im Rahmen eines bestehenden Schuldverhältnisses einzustehen (AS Rdnr. 222ff.). 702

Im Fall c bedient sich der Verein des H zur Erfüllung seiner Verbindlichkeiten. Der Verein ist aufgrund des zwischen ihm und dem G geschlossenen Vertrages auch verpflichtet, dafür zu sorgen, daß G ohne Gesundheitsbeschädigung das Fest verlassen kann. Durch das schuldhafte Unterlassen des H, vor dem Eingang des Vereinshauses zu streuen, entsteht der Schaden des G. Deshalb ist ihm der Verein schadensersatzpflichtig.

(2) Die Haftung aus *Delikt* richtet sich danach, ob ein Organ oder ein Verrichtungsgehilfe gehandelt hat.

(a) Die Organhaftung bestimmt sich auch hier nach § 31.

Im Fall c haftet der Verein nach §§ 31, 823 II i. V. m. § 263 StGB für den Schaden, der dem C durch den Betrug des F entstanden ist. – Unabhängig davon ist F selbst nach § 823 II dem C schadensersatzpflichtig; § 31 schließt eine Eigenhaftung des handelnden verfassungsmäßigen Vertreters nicht aus.

(b) Nach § 831 haftet der Verein, der einen anderen zu einer Verrichtung bestellt hat, für den Schaden, den der Verrichtungsgehilfe in Ausführung der Verrichtung einem Dritten widerrechtlich zufügt (BS Rdnr. 474ff.). § 831 setzt im Gegensatz zu § 278 kein bestehendes Schuldverhältnis voraus (zu den weiteren Unterschieden: AS Rdnr. 228). Eine Ersatzpflicht tritt aber nicht ein, wenn der Geschäftsherr dartun kann, daß ihn kein Verschulden trifft, er also bei der Auswahl des Verrichtungsgehilfen, bei der Beschaffung von Vorrichtungen und Gerätschaften und bei der Leitung der Ausführung der Verrichtung die im Verkehr erforderliche Sorgfalt beobachtet hat, oder daß der Schaden auch bei Anwendung der gebotenen Sorgfalt entstanden wäre (§ 831 I 2). Gelingt dem Geschäftsherrn dieser Entlastungsbeweis nicht, ist er schadensersatzpflichtig. 703

Im Fall c ist H Verrichtungsgehilfe des Vereins, da ihm vom Verein die Hausmeistertätigkeit übertragen worden ist. H hat durch das Unterlassen des Streuens widerrechtlich den Körper des G und des S verletzt. Der Verein ist beiden Personen nach § 831 schadensersatzpflichtig, wenn ihm nicht der Nachweis gelingt, daß er den H sorgfältig ausgewählt und überwacht hat. Kann der Verein den Entlastungsbeweis führen, entfällt eine Schadensersatzpflicht nach § 831. Das berührt G insofern nicht, als er einen vertraglichen Schadensersatzanspruch wegen Verschuldens des H gegen den Verein hat (§ 278). Ein solcher Anspruch scheidet für S aber aus, da zwischen ihm und dem Verein kein Schuldverhältnis besteht; er kann also nur über § 831 zu einem Schadensersatzanspruch gegen den Verein kommen.

Da der in § 831 I 2 vorgesehene Entlastungsbeweis den Schadensersatzanspruch nach § 831 ausschließt, legt die Rechtsprechung § 31 weit aus; damit soll im Interesse des Geschädigten dem Verein eine Entlastung verwehrt werden.

Bestellt ein Organ des Vereins in einer wichtigen Vereinsangelegenheit einen besonderen Vertreter oder eine Hilfsperson, obwohl die Aufgabe vom Organ selbst hätte vorgenommen werden müssen, so haftet der Verein für den Schaden, der einem anderen aus diesem Organisationsmangel entsteht (vgl. auch Rdnr. 701).

704 *5. Eintragungen im Vereinsregister*

Eintragungen im Vereinsregister können konstitutive oder nur deklaratorische Bedeutung haben.

a) *Konstitutive (= rechtsbegründende) Bedeutung* haben die Eintragung des nichtwirtschaftlichen Vereins (§ 21; Rdnr. 691) und die Eintragung einer Satzungsänderung (§ 71). Solange der Verein nicht eingetragen ist, fehlt ihm die Rechtsfähigkeit; bis zur Eintragung einer Satzungsänderung ist diese unwirksam.

Im Fall d ist der Verein zur Zahlung des Kaufpreises für das Klavier verpflichtet, da zwischen ihm und dem Verkäufer ein Kaufvertrag zustande gekommen ist; denn A kann trotz der beschlossenen Satzungsänderung den Verein bei einem Geschäft über 2000,– DM wirksam vertreten. Die Satzungsänderung über die Beschränkung des Umfangs der Vertretungsmacht ist nämlich mangels Eintragung ins Vereinsregister unwirksam (§ 71 I 1).

705 b) *Deklaratorische (= feststellende) Bedeutung* haben Eintragungen über Änderungen des Vorstandes (§ 68), Beschränkungen seiner Vertretungsmacht und abweichende Bestimmungen über seine Beschlußfassung (§ 70). Entsprechende Änderungen sind also auch schon vor ihrer Eintragung im Vereinsregister wirksam. Solange sie jedoch noch nicht eingetragen sind, wird ein gutgläubiger Dritter geschützt. Dieser kann sich also auf das Schweigen des Registers verlassen (negative Publizität des Registers).

Im Fall d ist B nicht mehr zur Vertretung des Vereins befugt, da er nicht mehr dessen Vorstandsmitglied ist. Dennoch wird der Verkäufer der Liederbücher in seinem Vertrauen auf das Schweigen des Registers, das die Vorstandsänderung nicht ausweist, geschützt; er ist jedoch dann nicht schutzwürdig, wenn ihm bei Abschluß des Geschäfts die Änderung im Vorstand bekannt war (§ 68, 1).

Bei der Frage, wie eine Eintragung oder Nichteintragung im Vereinsregister sich gegenüber Dritten auswirkt, sind drei Fälle zu unterscheiden:

706 (1) Ist die *Änderung* nach §§ 68, 70 *noch nicht* im Vereinsregister *eingetragen*, darf der Dritte auf das Schweigen des Registers vertrauen, es sei denn, daß er die Änderung kennt (§ 68, 1).

Ist im Fall d die Änderung des Vorstandes nicht im Vereinsregister eingetragen, dringt der Verkäufer der Liederbücher mit seiner Zahlungsklage durch, wenn nicht der Verein behauptet und beweist, daß der Verkäufer die Änderung bei Vertragsschluß kannte.

707 (2) Ist eine *Änderung* dagegen *eingetragen*, wird vermutet, daß der Dritte sie auch kennt; diese Vermutung kann der Dritte widerlegen, wenn er nachweist, daß

er die Änderung nicht kennt und seine Unkenntnis auch nicht auf Fahrlässigkeit beruht (§ 68, 2).

Ist im Fall d die Vorstandsänderung im Vereinsregister eingetragen, dringt der Verkäufer der Liederbücher mit seiner Zahlungsklage gegen den Verein nur durch, wenn er behauptet und beweist, daß er diese Änderung bei Abschluß des Vertrages nicht kannte und die Unkenntnis auch nicht auf Fahrlässigkeit beruhte, z. B. weil er das Register zwei Tage vor dem Kaufabschluß einsah, die Eintragung der Änderung jedoch erst einen Tag vor Vertragsschluß erfolgte.

Die Eintragung einer Änderung (§§ 68, 70) bewirkt also im Prozeß eine Änderung der Beweislast.

(3) Ist etwas *Falsches in das Vereinsregister eingetragen* worden, wird der 708
Dritte, der auf eine solche Eintragung vertraut, nicht geschützt. Das Vereinsregister genießt also – anders als das Grundbuch (vgl. § 892) – keine positive Publizität. Das Vertrauen auf die Richtigkeit der Eintragungen im Vereinsregister wird vom Gesetz nicht geschützt, sondern nur das Vertrauen auf das Schweigen des Registers.

Beispiel: War Z nie Vorstandsmitglied, aber zu Unrecht als Vorstandsmitglied im Vereinsregister eingetragen, so ist er nicht zur Vertretung des Vereins befugt. Deshalb kann er im Namen des Vereins keinen Kaufvertrag über Schallplatten mit einem Verkäufer schließen. Der Verkäufer kann sich auch nicht mit Erfolg auf die Eintragung des Z im Vereinsregister berufen; denn er vertraut nicht auf das Schweigen, sondern auf die Richtigkeit des Registers.

6. *Mitgliedschaft* 709

a) Der *Erwerb* der Mitgliedschaft richtet sich nach der Satzung (vgl. § 58 Nr. 1). Danach kann eine Beitrittserklärung ausreichen. Meist sieht die Satzung außerdem eine Aufnahmeerklärung durch das dafür zuständige Vereinsorgan vor. Normalerweise hat niemand einen Anspruch auf Aufnahme in den Verein (vgl. BGH NJW 1985, 1215; 1987, 2503). Jedoch kann eine Aufnahmepflicht bestehen, wenn der Verein im wirtschaftlichen oder sozialen Bereich eine überragende Machtstellung und der Beitrittswillige ein schwerwiegendes Interesse am Erwerb der Mitgliedschaft hat (BGHZ 93, 151; z. B. Monopolverein, BGHZ 63, 284; Wirtschaftsverband, BGHZ 21, 1 u. 29, 344; Gewerkschaft, BGHZ 93, 151). Ein Zwang zur Aufnahme ist auch dann zu bejahen, wenn die Ablehnung als eine sittenwidrige Schädigung nach § 826 anzusehen wäre (vgl. AS Rdnr. 36: Abschlußgebot); ein solcher Fall ist gegeben, wenn die Ablehnung des Bewerbers gegenüber den bereits aufgenommenen Mitgliedern eine sachlich nicht gerechtfertigte ungleiche Behandlung darstellt und zu einer unbilligen Benachteiligung des Bewerbers führt (BGHZ 63, 285). Allerdings darf der Verein sich aus einem sachlich gerechtfertigten Grund weigern, einen bestimmten Bewerber aufzunehmen (BGHZ 93, 154).

Besondere Fälle des Erwerbs der Mitgliedschaft: Teilnahme an der Vereinsgründung; Erbfolge oder Abtretung der Mitgliedschaft, wenn das von der Satzung vorgesehen ist (§§ 38, 40).

710 b) Die Mitgliedschaft begründet *Rechte* des Mitglieds gegenüber dem Verein, die sich im einzelnen aus der Satzung ergeben.

(1) Zu den *allgemeinen Mitgliedschaftsrechten* gehören die Organschaftsrechte (z. B. Recht auf Teilnahme an der Mitgliederversammlung, Stimmrecht) und die Genußrechte (z. B. Recht auf Benutzung der Vereinseinrichtungen, auf Gewinnanteil, auf Vermögensanteil bei der Vereinsauflösung; § 45 III).

Die allgemeinen Mitgliedschaftsrechte sind durch Beschluß der Mitgliederversammlung abänderbar.

Das Stimmrecht eines Mitglieds ist ausgeschlossen, wenn der Beschluß die Vornahme eines Rechtsgeschäfts mit ihm oder die Einleitung oder die Beendigung eines Rechtsstreits mit ihm und dem Verein betrifft (§ 34).

Im Fall e ist der Beschluß über den Bierlieferungsvertrag mit A ungültig; denn A durfte nach § 34 nicht mitstimmen, und seine Stimme konnte für den Beschluß entscheidend sein. – Dagegen ist die Wahl des A zum Vorstandsmitglied gültig, obwohl er sich an der Wahl beteiligte; denn Wahlen fallen nicht unter § 34. Jedes Mitglied kann sich also selbst wählen.

711 (2) *Sonderrechte* sind die einem Mitglied oder einer Gruppe von Mitgliedern in deren eigenem Interesse von der Satzung eingeräumten besonderen Berechtigungen. Dazu können z. B. ein erhöhtes Stimmrecht oder ein dauerndes Recht auf ein Vereinsamt, aber auch größere Genußrechte wie bevorzugte Benutzung bestimmter Vereinseinrichtungen, höherer Gewinnanteil, Beitragsermäßigung gehören. Solche Sonderrechte eines Mitglieds können nicht ohne dessen Zustimmung durch Beschluß der Mitgliederversammlung beeinträchtigt werden (§ 35).

Im Fall e räumte die Satzung den Junggesellen ein Sonderrecht ein (geringere Beitragszahlung). Die Beseitigung dieses Sonderrechts kann nur mit Zustimmung aller Junggesellen erfolgen (§ 35); die Gegenstimme eines Junggesellen macht den Beschluß ungültig.

712 c) Die Mitgliedschaft hat auch *Pflichten* des einzelnen Mitglieds zur Folge.

(1) Zu den *allgemeinen Mitgliedschaftspflichten* zählen vor allem die Beitragspflicht (vgl. § 58 Nr. 2) sowie die Treuepflicht gegenüber dem Verein. Diese gebietet dem Mitglied, alles zu unterlassen, was dem Vereinszweck schadet. Die Verletzung der Pflichten kann Grund für den Ausschluß des Mitglieds aus dem Verein sein (Rdnr. 715).

713 (2) *Sonderpflichten* sind die einem Mitglied oder einer Gruppe von Mitgliedern durch die Satzung auferlegten besonderen Verpflichtungen (z. B. Pflicht zur Zahlung erhöhter Beiträge). Solche Sonderpflichten können nicht ohne Zustimmung der betroffenen Mitglieder begründet werden (analoge Anwendung des § 35).

Der Beschluß auf Erhöhung der Beiträge für Junggesellen im Fall e bedarf der Zustimmung aller Junggesellen des Vereins. Verweigert nur ein Junggeselle seine Zustimmung, kann eine Beitragserhöhung nicht durchgesetzt werden.

d) Das *Ende* der Mitgliedschaft tritt – abgesehen vom Tod des Mitglieds (vgl. § 38) – durch Austritt oder Ausschluß ein. **714**

(1) Das *Recht zum Austritt* kann durch die Satzung nicht ausgeschlossen oder erschwert werden (§ 39 I); das Mitglied soll sich für die Zukunft der Vereinsgewalt entziehen können. Allenfalls kann die Satzung vorsehen, daß der Austritt nur zum Schluß des Geschäftsjahres oder nach einer Kündigungsfrist von höchstens zwei Jahren zulässig ist (§ 39 II). Aber auch dann ist – wie bei jedem Dauerrechtsverhältnis – ein sofortiger Austritt aus wichtigem Grund möglich (RGZ 130, 375).

(2) Der *Ausschluß* des Mitglieds aus dem Verein ist im Gesetz nicht geregelt; er **715**
kann in der Satzung vorgesehen sein. Enthält sie keine Ausschlußregelung, muß der Verein sich in analoger Anwendung der Regeln des Gesellschaftsrechts (vgl. § 737) bei Vorliegen eines wichtigen Grundes in der Person des Mitglieds von diesem trennen können. Ein solcher Grund liegt vor, wenn es dem Verein aufgrund objektiver Umstände nicht zumutbar ist, die Mitgliedschaft weiter fortzusetzen (z. B. bei beharrlicher, unberechtigter Verweigerung der Beitragszahlung). Der Grund für die Unzumutbarkeit muß im Ausschlußverfahren eindeutig bezeichnet werden, so daß er gerichtlich nachprüfbar ist (BGH NJW 1990, 40). Der Ausschluß ist die schwerste Vereinsstrafe.

e) Vielfach sieht die Vereinssatzung vor, daß der Verein gegen ein Mitglied **716**
Vereinsstrafen verhängen kann. Sie sollen dazu dienen, die Mitglieder zur Erfüllung der Mitgliedspflichten anzuhalten. Die Vereinsstrafgewalt beruht auf der Vereinsautonomie (str.), also dem Recht des Vereins, sich eine eigene Ordnung zu geben; das Mitglied unterwirft sich der Vereinsgewalt und damit auch der in der Satzung begründeten Strafgewalt. Bei der Verhängung einer Vereinsstrafe maßt sich der Verein keine staatliche Strafgewalt an (BGHZ 21, 374; 29, 356); es handelt sich nämlich nicht um eine Kriminalstrafe, sondern nur um eine Disziplinarmaßnahme.

Auch wenn – wie im Fall f – ein Straftatbestand durch eine Vereinsstrafe geahndet wird, so wird dadurch der staatliche Strafanspruch nicht berührt. Art. 92, 101 I 2 GG werden durch Vereinsstrafen nicht verletzt.

(1) *Voraussetzung* für die Verhängung einer Vereinsstrafe ist zunächst, daß die **717**
Satzung des Vereins Tatbestände aufführt, die eine Vereinsstrafe nach sich ziehen können; dabei reichen Generalklauseln wie »vereinsschädigendes Verhalten« aus (vgl. BGHZ 47, 384). Ferner müssen die Strafsanktionen in der Satzung genannt sein (z. B. Verweis, zeitweiliger Ausschluß bestimmter Mitgliedschaftsrechte, Geldbußen, Ausschluß aus dem Verein). Schließlich muß auch das Verfahren (z. B. entscheidendes Organ wie Vorstand, Vereinsgericht, Ehrenrat; Instanzenzug) geregelt sein. Enthält die Satzung keine Vorschrift über das zur Entscheidung befugte Organ, ist die Mitgliederversammlung zuständig.

Bei dem Verfahren sind die Verfahrensvorschriften und rechtsstaatlichen Mindestvoraussetzungen (z. B. rechtliches Gehör, kein unzulässiger Zwang, schriftliche Begründung) zu beachten.

718 (2) Die *Nachprüfung* der verhängten Strafe erfolgt durch die Gerichte. Werden sie angerufen, haben sie festzustellen, ob die Satzung eine Rechtsgrundlage für die Strafe enthält, die Verfahrensvorschriften eingehalten worden sind, der festgestellte Sachverhalt den Tatsachen entspricht (BGHZ 87, 337) und die Straffestsetzung nicht offenbar unbillig ist.

Im Fall f kann X also das Gericht anrufen und mangelndes rechtliches Gehör sowie unrichtige Feststellung des Sachverhalts rügen. Zahlt er die gegen ihn verhängte Geldbuße nicht, muß der Verein, um gegen ihn die Zwangsvollstreckung zu betreiben, den Geldbetrag einklagen. In diesem Zahlungsprozeß kann X die genannten Rügen zu seiner Verteidigung vorbringen; greift eine Rüge durch, wird die Zahlungsklage des Vereins abgewiesen.

719 7. *Ende der Rechtsfähigkeit*

a) Die Rechtsfähigkeit des Vereins endet

(1) mit dem Wegfall des Vereins (Auflösungsbeschluß der Mitgliederversammlung, § 41; Eintritt des in der Satzung vorgesehenen Endtermins, § 74 II; Auflösung durch Staatsakt, § 3 VereinsG, Art. 9 II GG; Wegfall aller Mitglieder, BGHZ 19, 51),

(2) mit dem Entzug der Rechtsfähigkeit (§§ 43, 44, 73, 74 III),

(3) mit der Eröffnung des Konkursverfahrens über das Vereinsvermögen (§§ 42, 75).

b) In den genannten Fällen tritt der Verein in Liquidation. Diese erfolgt durch den Vorstand oder durch besonders bestellte Liquidatoren (§ 48). Die Abwickler haben die laufenden Geschäfte zu beenden, Forderungen einzuziehen und Schulden zu begleichen (vgl. § 49). Das verbleibende Vermögen fällt an die in der Satzung bestimmten Personen, ansonsten an die Mitglieder (vgl. § 45).

Einzelheiten der Liquidation enthalten §§ 47–53.

719a 8. *Übergangsrecht in den neuen Bundesländern*

Für die rechtsfähigen Vereinigungen in der ehemaligen DDR, die vor dem 3.10.1990 gegründet worden sind, gilt von dem genannten Zeitpunkt ab das Vereinsrecht des BGB. Sie führen nunmehr die Bezeichnung »eingetragener Verein«. Registergericht ist das für den Sitz des Vereins zuständige Kreisgericht (Art. 231 § 2 I–III EGBGB).

Die Haftung nach § 31 und § 89 (Rdnr. 698 ff.) gilt nur für Handlungen, die nach dem 2.10.1990 begangen werden (Art. 231 § 4 EGBGB).

IV. Der nichtrechtsfähige Verein 720

1. Gesetzliche Regelung und Kritik

a) Der nichtrechtsfähige Verein wird nur in einer einzigen Gesetzesbestimmung (§ 54) behandelt. Nach § 54,1 sind auf den nichtrechtsfähigen Verein die Vorschriften über die Gesellschaft (§§ 705 ff.) anwendbar. Die Verweisung auf das Gesellschaftsrecht ist rechtspolitisch verfehlt. Der nichtrechtsfähige Verein entspricht weit mehr dem Typus des rechtsfähigen Vereins als dem der Gesellschaft. Die Gründer eines nichtrechtsfähigen Vereins wollen – wie die eines rechtsfähigen Vereins – einen dauernden körperschaftlichen Personenzusammenschluß, der vom Mitgliederwechsel unabhängig ist und ein selbständiges Vermögen hat. Dem entsprechen die Regeln über die Gesellschaft (Rdnr. 680) nicht.

Wenn der Gesetzgeber auf nichtrechtsfähige Vereine dennoch die Vorschriften über die Gesellschaft für anwendbar erklärte, so tat er dies, weil er diesen Vereinen mißtraute. Nach dem früheren § 61 II konnte die Verwaltungsbehörde gegen die Eintragung von politischen, sozialpolitischen und religiösen Vereinen Einspruch erheben. Man befürchtete, daß solche Vereinigungen, um eine behördliche Kontrolle zu vermeiden, eine Eintragung ins Vereinsregister nicht beantragen und als nichtrechtsfähige Vereine existieren würden. Durch Verweisung auf die für die Vereinigung und ihre Mitglieder ungünstigeren Gesellschaftsregeln wollte der Gesetzgeber die Beteiligten bewegen, den Verein ins Vereinsregister eintragen zu lassen, damit dieser dadurch die Rechtsfähigkeit erlange.

b) Der Gesetzgeber hat sein Ziel, durch die Anwendung der §§ 705 ff. nicht- 721
rechtsfähige Vereine möglichst zu verhindern, nicht erreicht. So haben z. B. Gewerkschaften, Studentenverbindungen, religiöse Ordensgemeinschaften und viele kleinere Vereine mangels Eintragung im Vereinsregister keine Rechtsfähigkeit erlangt; sie sind infolgedessen nichtrechtsfähige Vereine, so daß für sie bei Berücksichtigung des § 54,1 die Vorschriften über die Gesellschaft anwendbar wären. Diese passen aber für den nichtrechtsfähigen Verein in vieler Hinsicht nicht.

Beispiel: Während der rechtsfähige Verein für seine Schulden allein haftet und die einzelnen Mitglieder für die Schulden des Vereins selbst nicht einzustehen haben, haften die Gesellschafter einer Gesellschaft aus den Rechtsgeschäften, die der geschäftsführende Gesellschafter in ihrem Namen abgeschlossen hat, persönlich als Gesamtschuldner in voller Höhe (§§ 714, 164 I, 427, 421).

Demnach würde jedes Vereinsmitglied – wie jeder Gesellschafter – für die Schulden aus Rechtsgeschäften des nichtrechtsfähigen Vereins persönlich in voller Höhe haften. Mit einer solchen Haftung rechnet aber kein Vereinsmitglied; sie würde jeden davon abhalten, einem nichtrechtsfähigen Verein beizutreten. Auch der Vertragspartner eines solchen Vereins geht nicht davon aus, daß ihm für Schulden des Vereins jedes Vereinsmitglied mit seinem privaten Vermögen haftet (Rdnr. 725).

722 *2. Anpassung an den rechtsfähigen Verein*

Weil die Gesellschaftsregeln auf den nichtrechtsfähigen Verein nicht zugeschnitten sind, haben Rechtsprechung und Lehre die Rechtslage eines solchen Vereins entgegen § 54,1 der des rechtsfähigen Vereins angepaßt. Dazu hat man sich auf die Abdingbarkeit der §§ 705 ff. besonnen; diese Regeln werden durch abweichende Regelungen der Satzung abbedungen. Darüber hinaus sollen alle Vorschriften des Gesellschaftsrechts, die für den nichtrechtsfähigen Verein nicht passen, durch die Satzung jedenfalls stillschweigend ausgeschlossen sein. Statt dessen sind die entsprechenden Vorschriften über den rechtsfähigen Verein auf den nichtrechtsfähigen Verein analog anzuwenden.

So ist z. B. die persönliche Haftung des einzelnen Mitglieds für die Schulden des nichtrechtsfähigen Vereins auch dann ausgeschlossen, wenn die Vereinssatzung dies nicht ausdrücklich erwähnt. Im Fall g braucht B deshalb die Kaufpreisschuld nicht zu bezahlen.

Der nichtrechtsfähige Verein hat wie der rechtsfähige Verein eine körperschaftliche Verfassung, die sich im einzelnen aus seiner Satzung ergibt. Seine Organe sind die Mitgliederversammlung und der Vorstand. Er ist vom Wechsel der Mitglieder unabhängig. Die Mitgliedschaft, insbesondere ihr Erwerb und ihr Verlust, entsprechen der beim rechtsfähigen Verein.

So ist das in § 723 dem Gesellschafter eingeräumte Recht, die Gesellschaft zu kündigen, dem Mitglied eines nichtrechtsfähigen Vereins verwehrt; es hat nur ein Austrittsrecht. Scheidet ein Mitglied aus, steht ihm auch kein Anspruch auf ein Auseinandersetzungsguthaben zu, wie es § 738 I 2 dem ausscheidenden Gesellschafter einräumt.

723 *3. Parteifähigkeit*

Der Rechtsfähigkeit entspricht im Prozeßrecht die Parteifähigkeit (vgl. § 50 I ZPO). Darunter versteht man die Fähigkeit, Partei (Kläger oder Beklagter) eines Rechtsstreits zu sein. Da der nichtrechtsfähige Verein keine Rechtsfähigkeit hat, könnte er – anders als der rechtsfähige Verein – folgerichtig weder klagen noch verklagt werden. Davon macht das Gesetz im Interesse der Gläubiger des Vereins insofern eine Ausnahme, als der nichtrechtsfähige Verein verklagt werden kann (§ 50 II ZPO); insoweit wird dieser also wie ein rechtsfähiger Verein behandelt. Jedoch ist es dem nichtrechtsfähigen Verein nach § 50 ZPO verwehrt, Kläger eines Zivilprozesses zu sein (BGH NJW 1990, 186: Siedlergemeinschaft).

Im Fall g kann X gegen den Verein die Kaufpreisforderung einklagen. Dagegen ist eine Klage des Vereins nicht zulässig. Will er etwa auf Erfüllung des Kaufvertrages klagen, müssen alle Mitglieder klagen; sie alle müssen in der Klageschrift als Kläger aufgeführt werden. Um den damit verbundenen Schwierigkeiten auszuweichen, können die Mitglieder des Vereins die Forderung beispielsweise an ein Mitglied abtreten (§ 398), das dann die Forderung im eigenen Namen einklagt.

Auch der Gesetzgeber hat die Schwierigkeiten gesehen. Deshalb hat er bestimmte nichtrechtsfähige Vereine, nämlich Gewerkschaften und Arbeitgeberverbände, für parteifähig im arbeitsgerichtlichen Verfahren erklärt (§ 10 ArbGG). Darüber hinaus hat die Rechtsprechung entgegen § 50 ZPO den Gewerkschaften die Fähigkeit zuerkannt, Kläger eines Zivilprozesses zu sein (BGHZ 42, 210; 50, 325).

4. *Vereinsvermögen* 724

Da dem nichtrechtsfähigen Verein die Rechtsfähigkeit fehlt, kann er nicht Träger der zum Vereinsvermögen gehörenden Rechte sein; vielmehr steht den Vereinsmitgliedern gemeinschaftlich das Vereinsvermögen zu. Will also der nichtrechtsfähige Verein ein Grundstück erwerben, so kann er nicht – wie der rechtsfähige Verein – im Grundbuch als Eigentümer eingetragen werden; es müssen alle Mitglieder namentlich unter Hinweis auf die Vereinsmitgliedschaft eingetragen werden (str.; RGZ 127, 308, 311f.; a.A. *Palandt/Heinrichs*, § 54, Rdnr. 8 m.w.N.).

Um solche grundbuchmäßigen Schwierigkeiten zu vermeiden, die noch dadurch vergrößert werden, daß jeder Austritt oder Eintritt eine Grundbuchberichtigung erforderlich macht, lassen manche nichtrechtsfähige Vereine Grundstücksrechte durch einen Treuhänder erwerben, oder sie gründen eine Kapitalgesellschaft (z.B. GmbH), die rechtsfähig ist und deshalb im Grundbuch eingetragen werden kann.

5. *Haftung* 725

a) Eine Haftung des nichtrechtsfähigen Vereins selbst ist deshalb ausgeschlossen, weil er wegen fehlender Rechtsfähigkeit nicht Träger von Pflichten sein kann. Schuldner sind die Vereinsmitglieder. Jedoch ist ihre Haftung für Vereinsschulden entgegen dem Gesellschaftsrecht mindestens stillschweigend auf ihre Anteile am Vereinsvermögen beschränkt.

Will X im Fall g in das Vereinsvermögen vollstrecken, muß er gegen den Verein klagen (§ 50 II ZPO); aus dem Urteil gegen den Verein kann er die Zwangsvollstreckung in das Vereinsvermögen betreiben (§ 735 ZPO; ZVR Rdnr. 22). Eine Klage gegen das Vereinsmitglied B ist wegen dessen Haftungsbeschränkung aussichtslos; A wollte erkennbar nur den Verein, nicht auch dessen Mitglieder verpflichten.

b) Eine Haftung des Handelnden ergibt sich aus § 54, 2, wenn dieser ein Rechtsgeschäft im Namen des Vereins gegenüber einem Dritten vornimmt. Diese Regelung dient dem Gläubigerinteresse. Der Handelnde soll auch dann haften, wenn er zur Vertretung des Vereins berechtigt ist; insofern geht § 54, 2 über § 179 hinaus, der nur dann den Handelnden haftbar macht, wenn er keine Vertretungsmacht hat (Rdnr. 552ff.). 726

Im Fall g kann X neben dem Verein auch das handelnde Vorstandsmitglied A mit Erfolg auf Zahlung verklagen. Die Haftung des A kann nicht durch die Satzung ausgeschlossen werden. Für einen Haftungsausschluß ist vielmehr eine entsprechende Vereinbarung mit X erforderlich.

c) Der nichtrechtsfähige Verein haftet nach § 31 für Handlungen seiner Organe. Denn § 31 ist entsprechend anwendbar (str.; MünchKomm/*Reuter*, § 31, Rdnr. 8 m. N.), da der nichtrechtsfähige wie der rechtsfähige Verein durch seine Organe handelt (Rdnr. 698 ff.).

726 *6. Übergangsrecht in den neuen Bundesländern*

Für nicht rechtsfähige Vereinigungen, die in der ehemaligen DDR erst nach dem Vereinigungsgesetz v. 21. 2. 1990 gebildet werden konnten, gelten gem. Art. 231 § 2 IV EGBGB die Vorschrift des § 54 und die dazu von Rechtsprechung und Lehre entwickelten Regeln über die Anpassung an den rechtsfähigen Verein (Rdnr. 722).

Drittes Kapitel Die Rechtsobjekte

§ 35 Die Rechtsobjekte im allgemeinen 727

Schrifttum: *Binder*, Der Gegenstand, ZHR 1907, 1; *ders.*, Vermögensrecht und Gegenstand, ArchBürgR 34, 209; *Brecher*, Das Unternehmen als Rechtsgegenstand, 1953; *Forkel*, Verfügungen über Teile des menschlichen Körpers, JZ 1974, 593; *Görgens*, Künstliche Teile im menschlichen Körper, JR 1980, 140; *Hubmann*, Das Recht am Unternehmen, ZHR 1955, 41; *Husserl*, Der Rechtsgegenstand, 1933; *Jacobi*, Betrieb und Unternehmen als Rechtsbegriffe, 1926; *Oertmann*, Zum Rechtsproblem der Sachgesamtheit, AcP 136, 88; *Sohm*, Der Gegenstand, 1905; *ders.*, Vermögensrecht, Gegenstand, Verfügung, ArchBürgR 28, 173; *Strätz*, Zivilrechtliche Aspekte der Rechtsstellung des Toten unter besonderer Berücksichtigung der Transplantationen, 1971; *Taupitz*, Wem gebührt der Schatz im menschlichen Körper?, AcP 191, 201; *Wieacker*, Sachbegriff, Sacheinheit und Sachzuordnung, AcP 148, 57.

Fälle:

a) E möchte zu seinem Fabrikgelände eine zweite Zufahrt haben. Er vereinbart daher mit seinem Nachbarn N, daß »zugunsten des Betriebsgrundstücks« ein Zugangsrecht über das Grundstück des N bestehen soll. Welche Rechte bestehen aus dieser Vereinbarung, und wem stehen sie zu?

b) Der Zahnarzt Z fertigt dem P eine herausnehmbare Oberkieferprothese; außerdem setzt er ihm im Unterkiefer eine Goldkrone ein. Das Eigentum an Gebiß und Krone behält er sich bis zur Zahlung des Honorars vor. Als S nicht zahlt, verlangt Z Gebiß und Krone heraus.

c) Die H verkauft dem Friseur F ihre Zöpfe, die aber erst beim nächsten Mal abgeschnitten werden sollen. Den Kaufpreis von 50,– DM nimmt sie gleich mit. Als H später ihre Zöpfe behalten will, fragt F nach der Rechtslage.

d) E will seine Möbelfabrik als Einheit an K verkaufen und übereignen. Möglich?

e) A übereignet der Bank B im Frühjahr zur Sicherung eines ihm gewährten Darlehens seine Briefmarkensammlung »Deutsche Kolonien«. Im Sommer komplettiert er die Sammlung durch einige wertvolle Stücke. Als A das Darlehen im Winter nicht zurückzahlen kann, verlangt B die Briefmarkensammlung heraus. Muß A auch die im Sommer erworbenen Marken herausgeben?

I. Begriff, Arten und Abgrenzung

1. Begriff

Rechtsobjekt oder Rechtsgegenstand ist jedes Gut, auf das sich die rechtliche Herrschaftsmacht des Rechtssubjekts erstrecken kann (vgl. Rdnr. 575ff.).

728 *2. Arten*

Gegenstand rechtlicher Herrschaftsmacht können Sachen, Immaterialgüter und Rechte sein.

a) *Sachen* sind körperliche Gegenstände (§ 90; Rdnr. 747ff.). Durch ihre Körperlichkeit unterscheiden sie sich von den Immaterialgütern und Rechten. Nur Sachen können körperlich beherrscht werden; nur an ihnen ist Besitz (Rdnr. 575) möglich.

Die Körperlichkeit wirkt sich vor allem in folgendem aus: Nur bei Sachen kommt eine körperliche Entziehung und Beeinträchtigung in Betracht; gegen solche Besitzstörungen besteht ein umfangreicher Schutz (vgl. z. B. §§ 861f.). Für die Übertragung von Rechten an Sachen ist regelmäßig ein Besitzwechsel bzw. eine Eintragung im Grundbuch erforderlich. Besitz (bei beweglichen Sachen) und Grundbucheintragung (bei Grundstücken) sind Grundlage des Verkehrsschutzes; sie ermöglichen unter den Voraussetzungen der §§ 932ff., 892 einen Erwerb vom Nichtberechtigten (vgl. Rdnr. 590 und 27). Solche Rechtsscheinsgrundlagen fehlen bei Nichtsachenrechten wie Forderungen.

Die Herrschaft über Sachen ist besonders im Sachenrecht geregelt. Einige Bestimmungen sind nach der Ausklammerungsmethode (Rdnr. 37) in den Allgemeinen Teil vorgezogen (§§ 90ff.; Rdnr. 747ff.).

729 b) *Immaterialgüter* sind geistige Schöpfungen, an denen das Gesetz dem Urheber ein ausschließliches Nutzungs- und Verwertungsrecht einräumt (vgl. auch Rdnr. 578).

Solche *Immaterialgüterrechte* bestehen an Werken der Literatur, Wissenschaft und Kunst (§§ 1 ff. UrhG), an Geschmacksmustern (§ 1 GeschmMG), Patenten (§ 6 PatG), Gebrauchsmustern (§ 11 GebrMG) und Warenzeichen (§ 15 WZG).

Die Immaterialgüterrechte können ihrerseits Rechtsobjekte sein. Sie sind übertragbar (vgl. §§ 3 GeschmMG, 15 PatG, 22 GebrMG, 8 WZG; Ausnahme: § 29, 2 UrhG); an urheberrechtlich geschützten Werken, Geschmacksmustern, Patenten und Gebrauchsmustern können Nutzungsrechte bestellt werden (vgl. §§ 31ff. UrhG; 3 GeschmMG, 15 PatG, 22 GebrMG).

730 c) Von den *Rechten* können nur die *Vermögensrechte* Gegenstand rechtlicher Herrschaftsmacht sein. Dazu zählen die *dinglichen Rechte* (Eigentum und beschränkt dingliche Rechte; Rdnr. 575f.), die *Rechte an Rechten* (Rdnr. 577), die *Immaterialgüterrechte*, die *Forderungen* (Rdnr. 579) sowie *Mitgliedschaftsrechte* an Kapital- und Personengesellschaften.

Dagegen können *Persönlichkeitsrechte* (Rdnr. 573) und *Familienrechte* (vgl. Rdnr. 574) wegen ihres höchstpersönlichen Charakters nicht Gegenstand des Rechtsverkehrs sein. Ebenso scheiden *Gestaltungsrechte* wie Anfechtungsrechte (§§ 119ff., 123, 143; Rdnr. 385ff.) und Rücktrittsrechte (§§ 346ff., 327; AS Rdnr. 198ff.) aus dem Kreis der Rechtsobjekte aus, weil nicht sie, sondern allein die Rechte, aus denen sie abgeleitet werden, Gegenstand rechtlicher Herrschaftsmacht sind.

3. *Abgrenzung* 731

a) Rechtsobjekt ist der *Gegenbegriff zum Rechtssubjekt.*

(1) Rechtsobjekte können niemals Träger von Rechten und Pflichten, sondern immer nur Gegenstand rechtlicher Herrschaftsmacht sein.

Im Fall a hätten E und N also etwas rechtlich Unmögliches gewollt, wenn sie das Grundstück des E zum »Inhaber« eines Wegerechts über das Grundstück des N hätten machen wollen. Was sie gewollt haben, ist durch Auslegung zu ermitteln. Es kam ihnen allein darauf an, das Wegerecht mit dem Eigentum an dem Betriebsgrundstück zu verbinden. Dafür stellt das Gesetz die Grunddienstbarkeit zur Verfügung (vgl. § 1018); danach konnte das Grundstück des N mit einem Wegerecht zugunsten des jeweiligen Eigentümers des Betriebsgrundstücks belastet werden.

(2) Umgekehrt können Rechtssubjekte nicht Rechtsobjekte sein. Es bestehen 732
weder Rechte an der eigenen Person noch an fremden Personen.

Die *Persönlichkeitsrechte* (Rdnr. 573) lassen sich nicht als Herrschaftsrechte über das eigene Ich auffassen; es sind Rechte auf Achtung und Nichtverletzung der Person, die deren Schutz bezwecken, die Person aber nicht zum Gegenstand des Rechtsverkehrs machen.

Rechte an fremder Person sind heute nicht mehr anzuerkennen. Das *Recht auf eheliche Lebensgemeinschaft* kann wegen der Freiheit und Gleichheit der Rechtssubjekte nicht mehr als Herrschaftsrecht über den Ehepartner begriffen werden. Das elterliche Sorgerecht (vgl. § 1626) verleiht keine Herrschaftsbefugnisse über das Kind, sondern lediglich ein Fürsorgerecht (Rdnr. 574).

Auch die *Person des Schuldners* ist nicht Rechtsobjekt; Forderungsrechte sind lediglich an den Schuldner gerichtete Leistungsbefehle (vgl. Rdnr. 574, 579).

Der *Körper eines lebenden Menschen* ist ebenfalls kein Rechtsobjekt. Zwar kann der Mensch, der in seiner körperlichen Unversehrtheit durch § 823 I geschützt ist, bestimmte Eingriffe in seinen Körper gestatten; niemand kann jedoch einem anderen ein Herrschaftsrecht über seinen Körper einräumen und sich damit zum bloßen Objekt erniedrigen (vgl. Art. 1 GG).

Auch der *menschliche Leichnam* ist keine Sache, da die Persönlichkeit über den Tod hinaus fortwirkt (str.; vgl. ErbR Rdnr. 12). Den Angehörigen steht kein Eigentumsrecht am Leichnam, sondern ein gewohnheitsrechtliches Totensorgerecht zu, aufgrund dessen sie unter Beachtung des Willens des Verstorbenen die Modalitäten der Bestattung regeln und unbefugte Eingriffe fremder Personen abwehren können. *Mumien* und *Skelette* sind jedoch Sachen und als solche Gegenstand des Rechtsverkehrs, da hier von einem »Rückstand der Person« nicht mehr gesprochen werden kann.

Kein Bezug zur Persönlichkeit besteht in der Regel auch bei *künstlichen* und *abgetrennten Körperteilen.*

Künstliche Körperteile verlieren nur dann ihre Sacheigenschaft, wenn sie mit der Einfügung vom Körper dauernd aufgenommen werden (z. B. Zahnplomben, künstliche Gelenke, Herzschrittmacher). Im übrigen bleiben sie verkehrsfähige Sachen (z. B. Prothesen, Perücken).

Im Fall b scheidet ein Anspruch des Z auf Herausgabe der Krone nach § 985 aus; denn Z hat das Eigentum an der Krone mit deren Einfügung in das Gebiß des P verloren, da sie vom Körper dauernd aufgenommen worden ist und somit ihre Sacheigenschaft eingebüßt hat. Dagegen besteht die Sacheigenschaft des künstlichen Gebisses auch nach der Einpassung fort, so daß das Eigentumsrecht des Z nicht untergegangen ist.

Abgetrennte Körperteile können Gegenstand von Rechten sein (z. B. abgeschnittene Haare, zu Transplantationszwecken entfernte Organe vor ihrer Wiedereinpflanzung).

Verpflichtungsgeschäfte über *abzutrennende Teile* des menschlichen Körpers sind grundsätzlich möglich (vgl. § 308 I; AS Rdnr. 240). Sie dürfen aber nicht gegen die guten Sitten (§ 138) verstoßen. Im Fall c wollte H jedoch dem F das Eigentum nur an ihren *abgeschnittenen* Haaren verschaffen. Der Kaufvertrag ist also nicht nach § 306 nichtig, sondern nach § 308 wirksam, da er für den Fall geschlossen ist, daß die Leistung möglich wird. Eine Verpflichtung zur Verschaffung des Eigentums nach § 433 I besteht aber erst, wenn die Unmöglichkeit behoben ist, die Haare also abgeschnitten sind. Daß dies geschieht, ist rechtlich nicht erzwingbar.

733 b) Von dem Begriff des Gegenstandes als Objekt rechtlicher Herrschaftsmacht ist der Gegenstand als Objekt des schuldrechtlichen Verkehrs, der *Leistungsgegenstand*, zu unterscheiden. Das kann jedes geldwerte Gut sein.

So ist im Fall d der E verpflichtet, dem K die Geschäftsverbindungen, den Kundenstamm und die Geschäftsgeheimnisse (z. B. noch nicht patentierte Erfindungen, noch nicht abgeschlossene Neuentwicklungen) zugänglich zu machen, da sich der Kauf eines Unternehmens im Zweifel auf alles erstreckt, was wirtschaftlich dazu gehört. Solche tatsächlichen Vermögenswerte können nicht Gegenstand von Herrschaftsrechten sein. Auch das Unternehmen selbst kann Gegenstand einer Leistung, nicht aber besonderer Rechte sein (Rdnr. 744). Energien (z. B. Elektrizität, Wärme) können zwar aufgrund eines Energielieferungsvertrages »geschuldete Leistung« sein; subjektive Rechte (z. B. Eigentum) können daran jedoch nicht begründet werden, weil es sich nicht um Sachen handelt (Rdnr. 748). Häufig wird auch nicht die Übertragung eines Rechtes, sondern nur die Verschaffung von Besitz geschuldet (z. B. bei der Miete, Leihe); der Besitz kann jedoch nicht Gegenstand von Rechten sein (vgl. Rdnr. 575).

734 II. Sachgesamtheiten

1. Begriff

Sachgesamtheit (= Sachinbegriff) ist eine Mehrheit von einzelnen Sachen, die wegen eines gemeinsamen Zweckes als ein Ganzes angesehen werden. Meist werden sie mit einem einheitlichen Namen bezeichnet.

Beispiele: Bibliothek, Viehherde, Warenlager (§ 92 II), Münzsammlung, landwirtschaftliches Inventar, Kaffeeservice.

Nicht nur die einzelnen Sachen für sich, sondern auch deren Zusammenfassung sind von wirtschaftlicher Bedeutung. Das zeigt sich besonders bei gemeinsamer wirtschaftlicher Verwertung.

2. Bedeutung 735

a) Die Rechtsordnung kennt kein Herrschaftsrecht (z. B. Eigentum) an einer Gesamtsache (z. B. an einem Warenlager), sondern nur Herrschaftsrechte an den einzelnen Sachen, die zu dem jeweiligen gemeinsamen wirtschaftlichen Zweck zusammengefaßt sind. Das folgt aus dem sachenrechtlichen *Spezialitätsprinzip*, wonach jede einzelne Sache in einer einzelnen Rechtsbeziehung zu einem Rechtssubjekt steht.

Im Fall e hatte A also kein Eigentum an der Sammlung als solcher; vielmehr war er Eigentümer der einzelnen Briefmarken. Eine Übereignung der Sammlung könnte nur im Wege einer summierten Einzelübertragung des Eigentums an jeder einzelnen Briefmarke erfolgen.

Das Spezialitätsprinzip dient der *Rechtsklarheit*. Bei der Anerkennung dinglicher Herrschaftsrechte an der Sachgesamtheit als solcher müßten diese Rechte entfallen, wenn die gemeinsame Klammer, die aus einer Mehrheit von Sachen eine Sachgesamtheit gemacht hat, nämlich die wirtschaftliche Zweckbindung, entfällt (z. B. bei Auflösung eines Warenlagers wegen Geschäftsaufgabe). Damit würde eine unerträgliche Rechtsunsicherheit geschaffen, da das Bestehen oder der Fortfall einer Zweckbindung nicht ohne weiteres im Rechtsverkehr zu erkennen ist. Weitere Unklarheiten würden darin bestehen, daß die einzelnen Sachen bereits mit der bloßen tatsächlichen Einfügung in die Gesamtheit von den daran bestehenden Rechten erfaßt würden.

Im Fall e hätte die Bank B also ohne Willensäußerung der Beteiligten das Eigentum auch an den nachträglich eingefügten Marken erworben. Da aber kein Eigentum an der Briefmarkensammlung als solcher bestehen kann, hat die Bank B nur Eigentum an den einzelnen Marken erworben, aus denen die Sammlung im Frühjahr bestand. Nur diese Marken, nicht die inzwischen vervollständigte Sammlung kann sie nach § 985 herausverlangen.

b) Die Sachinbegriffe bieten jedoch eine *praktische Erleichterung im Rechtsverkehr*. Schuldrechtliche Verträge über Sachgesamtheiten sind zulässig; die Übertragung des Eigentums an den Einzelsachen kann *unter Benennung der Gesamtheit* geschehen. 736

Im Fall e hat die Bank B also das Eigentum an allen Briefmarken erworben, die im Frühjahr der Sammlung angehörten. Die Übertragung des Eigentums an den einzelnen Marken ist »uno actu« unter Benennung des Inbegriffs »Briefmarkensammlung Deutsche Kolonien« erfolgt.

Darüber hinaus sind die Sachinbegriffe rechtlich von Bedeutung, nämlich für die Abgrenzung der verbrauchbaren von den nicht verbrauchbaren Sachen (vgl. § 92 II; Rdnr. 755), für die Bestimmung des Umfangs des Pachtinventars (vgl. §§ 586 ff.) sowie für die Bestellung eines Nießbrauchs nach § 1035.

737 *3. Abgrenzung*

Keine Sachgesamtheiten sind »natürliche Mehrheiten« und zusammengesetzte Sachen. Bei ihnen handelt es sich um einheitliche Sachen im Rechtssinne. Ob eine Sacheinheit oder eine Sachmehrheit vorliegt, ist nach der Verkehrsanschauung unter Berücksichtigung wirtschaftlicher Gesichtspunkte zu entscheiden.

a) Bei einer *»natürlichen Mehrheit«* (z. B. Getreidehaufen, Kartenspiel) hat nur diese, nicht aber auch wie bei der Sachgesamtheit die einzelne Einheit (Getreidekorn, Spielkarte) eine wirtschaftliche Bedeutung.

738 b) Werden *mehrere Sachen fest zusammengefügt*, so entsteht in der Regel eine einzige Sache; die ursprünglich selbständigen mehreren Sachen werden, sofern sie räumlich unterscheidbar bleiben, zu (unselbständigen) Sachteilen (= Bestandteilen) einer zusammengesetzten Sache.

So besteht ein Kraftfahrzeug aus zahlreichen Teilen, aus Karosserie, Motor, Reifen, Sitzen, Kabeln, Scheinwerfern. Mit dem Ausbau werden diese Bestandteile wieder zu (selbständigen) Einzelsachen.

Auch bei nur loser Verbindung kann nach der Verkehrsauffassung aufgrund der gemeinsamen Zweckbestimmung der zusammengefügten Teile eine einheitliche zusammengesetzte Sache vorliegen.

Beispiele: Schublade im Schrank, lose aufliegende Tischplatte, Blätter in Loseblattsammlung.

Das rechtliche Schicksal der Bestandteile regeln die §§ 93 ff. (Rdnr. 761 ff.).

739 III. Rechtsgesamtheiten

Rechtsgesamtheiten sind das Vermögen und das Unternehmen.

1. Vermögen

a) Das Vermögen ist die *Summe aller geldwerten Rechte*, die einer bestimmten Person zustehen.

Nur *Rechte*, nicht auch Sachen gehören zum Vermögen. Wenn z. B. in einer Vermögensaufstellung neben Forderungen, Pfandrechten und Immaterialgüterrechten auch bewegliche Sachen und Grundstücke aufgeführt werden, so handelt es sich dabei um eine im allgemeinen Sprachgebrauch übliche Gleichsetzung von »Sache« und »Eigentum an der Sache«.

Geldwerte Rechte sind Rechte, die üblicherweise nur gegen Geld veräußert werden oder jedenfalls einen in Geld berechenbaren wirtschaftlichen Nutzen gewähren.

b) Das Vermögen selbst ist *kein Rechtsobjekt*, sondern nur eine zusammenfassende Bezeichnung für sämtliche einer Person zustehenden Vermögensrechte. Nicht das Vermögen als solches, sondern nur die einzelnen Rechte können übertragen werden (vgl. Rdnr. 101; 735). 740

c) Den Gläubigern dient das *Schuldnervermögen als Haftungsgrundlage* (vgl. §§ 803 I, 864 I ZPO; §§ 1 I, 3 I KO). Die Verbindlichkeiten werden daher vom Vermögensbegriff nicht erfaßt. Die Gläubiger werden nämlich nur dann ausreichend geschützt, wenn – entgegen einer wirtschaftlichen Betrachtungsweise – dem Vermögen im Rechtssinne allein die Aktiven, nicht auch die Passiven zugerechnet werden. Solange noch Aktiva vorhanden sind, muß eine Befriedigung im Wege der Zwangsvollstreckung möglich sein, selbst wenn die Passiva die Aktiva erreichen oder gar übersteigen sollten. 741

Beispiel: Dem S gehören im wesentlichen Hausgrundstücke und Wertpapiere im Gesamtwert von 1,5 Millionen DM. S hat aber auch Schulden in Höhe von 2 Millionen DM. Seine Gläubiger können die Zwangsvollstreckung in die Grundstücke und die Wertpapiere betreiben, auch wenn wirtschaftlich gesehen ein Defizit von 500 000,– DM besteht.

d) Im allgemeinen bilden die vermögenswerten Rechte eines Rechtssubjekts nur *ein* Vermögen. Das Gesetz sieht jedoch in einigen Fällen die Bildung besonderer Vermögensmassen vor, die rechtlich von dem übrigen Vermögen getrennt werden und für die teilweise besondere Vorschriften gelten. 742

Beispiel: E hat sich während seines Lebens ein Vermögen erarbeitet. Eines Tages beerbt er seinen Onkel O als dessen Alleinerbe. Damit geht dessen Vermögen auf E über (§ 1922). Die beiden Vermögensmassen verschmelzen zu einer Einheit. Wird aber Nachlaßverwaltung angeordnet, bleiben die beiden Vermögensmassen getrennt. Das Vermögen, das E von O durch den Erbfall erworben hat (= der Nachlaß), bleibt zwar Vermögen des E, aber der Nachlaßverwalter hat die Befugnis, es zu verwalten (§ 1985). Die Trennung der beiden Vermögensmassen (Eigenvermögen des E und Nachlaß) kann einmal dem E dienen, wenn dieser den Nachlaßgläubigern (z. B. dem V, der gegen O und nach dessen Tod gegen E eine Kaufpreisforderung von 20 000,– DM hatte) nur mit dem Nachlaß und nicht mit seinem Eigenvermögen haften will (vgl. § 1975). In der Regel kommt die Trennung der beiden Vermögensmassen auch den Nachlaßgläubigern zugute, da der Erbe E und dessen (Eigen-) Gläubiger vom Nachlaß ferngehalten werden; denn den Eigengläubigern haftet nur das Eigenvermögen (Einzelheiten: ErbR Rdnr. 647 ff.).

2. *Unternehmen* 743

Das Unternehmen ist *eine auf einer Verbindung personeller und sachlicher Mittel beruhende wirtschaftliche Einheit*. Dazu gehören Rechte aller Art, aber auch bloß tatsächliche Vermögenswerte.

So ist E im Fall d Eigentümer z. B. des Betriebsgrundstücks, der Werkzeugmaschinen, Förderbänder, Transportfahrzeuge; er ist ferner Inhaber von Forderungen (z. B. Außenstände), Patent-, Gebrauchsmuster- und Warenzeichenrechten; tatsächliche Vermögenswerte sind z. B. die Geschäftsverbindungen und Geschäftsgeheimnisse (Rdnr. 733).

744 a) Das Unternehmen ist kein selbständiges Rechtsobjekt.

Im Fall d kann E das Unternehmen zwar als Ganzes verkaufen; der Kauf erstreckt sich dann auf alles, was zum Unternehmen gehört. Damit der K Eigentümer der Grundstücke und des Inventars sowie Inhaber der übrigen Rechte wird, bedarf es jedoch so vieler Einzelübertragungen, wie Rechte vorhanden sind (vgl. Rdnr. 591, 735).

Das *Recht am eingerichteten und ausgeübten Gewerbebetrieb* (BS Rdnr. 446ff.) hat man nur deshalb anerkannt, um das Unternehmen in seinem Tätigkeitsbereich gegen Beeinträchtigungen nach § 823 I zu schützen. Unmittelbare Herrschaftsbefugnisse, die dem Inhaber eines Unternehmens nicht ohnehin schon aufgrund seiner Einzelrechte zustehen, werden dadurch nicht begründet.

745 b) Wenngleich das Unternehmen nicht Rechtsobjekt sein kann, so ist dennoch der Unternehmensbegriff *für das Rechtsleben von großer Bedeutung.*

Beispiele: Konzernrecht (§§ 15ff. AktG), Wettbewerbsrecht (§ 1 GWB), Betriebsverfassungsrecht (§§ 47ff. BetrVG).

§ 36 Die Sachen

746 **Schrifttum**: *Affolter*, Das Fruchtrecht, 1911; *H. Dilcher*, Der Streit um die Glocke – BGH, NJW 1984, 2277, JuS 1986, 185; *Harms/Ahorn*, Sachen, Bestandteile, Zubehör – Zentrale Heizungsanlagen in der Zwangsversteigerung, Jura 1982, 404; *Kirsten*, Der Bestandteilsbegriff des § 93 BGB unter Berücksichtigung der technischen Normung, 1933; *König*, Die Qualifizierung von Computerprogrammen als Sachen i. S. des § 90 BGB, NJW 1989, 2604; *Marly*, Die Qualifizierung der Computerprogramme als Sache nach § 90 BGB, BB 1991, 432; *Michaelis*, Voraussetzungen und Auswirkungen der Bestandteilseigenschaft, Festschrift f. Nipperdey, 1965, I, 553; *R. Möhring*, Der Fruchterwerb nach geltendem Recht, insbesondere bei einem Wechsel des Nutzungsberechtigten, 1954; *Schnorr von Carolsfeld*, Soziale Ausgestaltung des Erwerbs von Erzeugnissen, AcP 145, 27; *Siebenhaar*, Die Zeitbauten nach § 95 I Satz 1 BGB, AcP 160, 156; *Siebert*, Zubehör des Unternehmens und Zubehör des Grundstücks, Festschrift f. Gieseke, 1958, 59; *Spyridakis*, Zur Problematik der Sachbestandteile, 1966; *Wieacker*, Sachbegriff, Sacheinheit und Sachzuordnung, AcP 148, 57.

Fälle:

a) A verwendet bei der serienmäßigen Herstellung von Schleppern Motoren, die er unter Eigentumsvorbehalt (Rdnr. 564) von B bezogen hat. Als A die Lieferrechnungen nicht bezahlen kann, verlangt B die bereits eingebauten Motoren heraus.

b) W läßt zur Modernisierung seines Gasthofs eine Ölfeuerungsanlage und Warmwasserbereiter einbauen. Als die Handwerker kein Geld erhalten, berufen sie sich auf ihr Vorbehaltseigentum und verlangen die eingebauten Sachen wieder heraus.

c) Der Gärtner P pachtet von V ein Grundstück für 20 Jahre und errichtet dort auf festem Fundament ein Gewächshaus, in dem er Orchideen züchtet. Wem gehören Gewächshaus und Pflanzen?

d) E betreibt auf seinem Grundstück ein Elektrizitätswerk, zu dem ein Fernleitungsnetz gehört. Mit den Eigentümern der fremden Grundstücke, über die die Leitungen hinwegführen, hat E längerfristige Mietverträge abgeschlossen. Der Hypothekengläubiger G möchte wissen, ob auch die Fernleitungen für seine Hypothek am Grundstück des E haften.

I. Bedeutung und Begriff

1. Bedeutung

Das Sachenrecht regelt die Beziehung einer Person zu einer Sache. Dingliche Rechte können nur an Sachen bestehen. Was unter einer Sache zu verstehen ist, wird im Allgemeinen Teil des BGB (§§ 90ff.) bestimmt.

2. Begriff 747

Nach § 90 sind Sachen im Sinne des Gesetzes nur *körperliche Gegenstände*. Das sind unpersönliche, körperliche, für sich bestehende Stücke der beherrschbaren Natur.

Nach § 90a, der durch das Gesetz v. 20. 8. 1990 (BGBl. I 1762) ins BGB eingefügt wurde, fallen Tiere als Mitgeschöpfe nicht mehr unter den Begriff der Sache. Die für Sachen geltenden Vorschriften sind auf Tiere jedoch grundsätzlich entsprechend anzuwenden (§ 90a, 2).

a) Nur *unpersönliche Stücke* kommen in Betracht. Der Körper eines lebenden Menschen (Rdnr. 732) scheidet aus.

b) Nur *körperliche Stücke* können Sachen sein. Dabei spielt es grundsätzlich 748
keine Rolle, ob der Körper fest, flüssig oder gasförmig ist. Jedoch bestimmt sich die Körperlichkeit nicht nach den Lehren der Physik, sondern nach der Verkehrsanschauung. Körperlichkeit liegt immer nur dann vor, wenn eine Beherrschung nach sachenrechtlichen Grundsätzen möglich ist.

Deshalb scheiden Sach- und Rechtsgesamtheiten (Rdnr. 734ff., 739ff.) aus. Auch Naturkräfte und Energien (z. B. Wärme, Elektrizität, Licht) sind keine Sachen, selbst wenn ihnen (wie z. B. der Elektrizität) im physikalischen Sinne Körperlichkeit zukommt. Denn sie können nicht besessen, nicht übergeben werden; Eigentum kann an ihnen nicht bestehen.

Dagegen sind Geldscheine und -münzen sowie Wertpapiere (z. B. Aktie, Wechsel, Scheck) Sachen, wenngleich der Rechtsverkehr ihnen nicht wegen ihrer Körperlichkeit, sondern wegen des in ihnen verkörperten wirtschaftlichen Wertes Bedeutung beimißt.

Eine Geldschuld wird durch Übereignung von Zahlungsmitteln in Höhe des Geldnennwertes erfüllt. Welche Menge »Papier« oder »Metall« geleistet wird, interessiert nicht. Der

Schuldner kann daher bestimmen, mit welchen einzelnen Banknoten und Münzen er seine Schuld erfüllen will (vgl. AS Rdnr. 100, 102).

749 c) Nur *für sich bestehende Stücke* können Gegenstand von Sachenrechten sein. Denn nur bei *räumlicher Abgrenzbarkeit* ist der Umfang des Eigentums und der anderen dinglichen Ausschlußrechte erkennbar. Das ist regelmäßig bei festen beweglichen Körpern der Fall. Bei Grundstücken erfolgt die Abgrenzung durch Festsetzung (Eintragung im Grundbuch). Flüssige und gasförmige Körper werden durch Zusammenfassung in einer räumlichen Einheit abgegrenzt.

Beispiele: Bier im Faß, Benzin im Kanister, Gas im Zeppelin, Sauerstoff in der Flasche.

750 d) Nur *beherrschbare* Sachen sind rechtlicher Herrschaftsmacht zugänglich. Demnach scheiden etwa die freie Luft, das offene Meer und die frei fließende Wasserwelle aus.

Andererseits reicht Beherrschbarkeit aus. Ob eine Sache rechtlich beherrscht wird, ist für die Sachqualität ohne Belang. Es genügt vielmehr, daß die Sache in irgendeiner Form *beherrscht werden kann*.

Sachen sind also auch herrenlose Sachen (vgl. §§ 958 I, 960 I 1), da die Möglichkeit rechtlicher Beherrschung (durch Aneignung, § 958 I; Rdnr. 585) besteht.

751 II. Arten

1. *Unbewegliche und bewegliche Sachen*

a) *Unbewegliche Sachen (= Grundstücke)* sind die durch die Vermessung abgegrenzten Teile der Erdoberfläche, die im Grundbuch als selbständige Grundstücke eingetragen sind. Dabei muß es sich nicht um natürliche oder wirtschaftliche Einheiten handeln.

Ein »Wiesengrundstück« und ein »Ackergrundstück«, die durch einen Bach getrennt sind, können also im Grundbuch zu *einem* Grundstück im Rechtssinne zusammengefaßt werden. Andererseits kann ein zusammenhängender Acker aus mehreren Grundstücken bestehen.

Den Grundstücken sind vom Gesetz einige Grundstücksrechte (sog. *grundstücksgleiche Rechte*) gleichgestellt, für die ein besonderes Grundbuchblatt anzulegen ist.

Beispiele: Erbbaurecht (vgl. §§ 11, 14ff. ErbbauRVO), Sondereigentum an einer Wohnung (vgl. §§ 3ff., 7 WEG).

752 b) *Bewegliche Sachen* sind alle körperlichen Gegenstände, die nicht Grundstücke sind.

Auch Schiffe sind bewegliche Sachen. Wenn sie jedoch im Binnen- oder Seeschiffsregister eingetragen sind, werden sie im wesentlichen wie Grundstücke behandelt (vgl. SchiffsRG); so kann z. B. eine Schiffshypothek bestellt werden.

c) Diese *Unterscheidung* ist vor allem im Sachenrecht bedeutsam. Bei beweglichen Sachen werden Rechtsfolgen vielfach an eine Änderung der Besitzlage geknüpft; bei Grundstücken ist meistens die Eintragung im Grundbuch für das Entstehen dinglicher Rechte maßgeblich. 753

2. *Vertretbare und nicht vertretbare Sachen* 754

Vertretbar sind bewegliche Sachen, die im Verkehr nach Zahl, Maß oder Gewicht bestimmt zu werden pflegen (§ 91). *Nicht vertretbar* sind alle anderen Sachen.

Vertretbare Sachen sind etwa Kartoffeln, Wein einer bestimmten Gattung (BGH NJW 1985, 2403), Kohlen und serienmäßig hergestellte Waren wie Schallplatten, Staubsauger; nicht vertretbar sind gebrauchte Sachen und Sonderanfertigungen (Maßanzug).

Die *Unterscheidung* ist bei einigen Verträgen des Schuldrechts von Bedeutung. So können nur vertretbare Sachen Gegenstand eines Darlehens (§ 607) oder einer Anweisung (§ 783) sein. Beim Werklieferungsvertrag hängt die Frage, welche gesetzlichen Regeln auf ihn anzuwenden sind, davon ab, ob die herzustellende Sache vertretbar oder nicht vertretbar ist (§ 651 I).

Beispiel: U hat dem B Büromöbel, die er in seiner Fabrik serienmäßig herstellt, und nach Plänen des B gefertigte Stilmöbel geliefert. Wegen Mangelhaftigkeit der Möbel möchte B wandeln, ohne dem U vorher eine Frist zur Behebung der Mängel zu setzen.

Der Vertrag über die serienmäßig hergestellten Büromöbel ist ein Werklieferungsvertrag über vertretbare Sachen; auf ihn sind nach § 651 I 2 die Regeln über den Kauf anwendbar. Deshalb greift für die Wandlung wegen Mangels § 462 ein, der keine Fristsetzung vorschreibt. Dagegen handelt es sich bei den nach Plänen des B hergestellten Stilmöbeln um unvertretbare Sachen; insoweit sind nach § 651 I 2 für die Mängelhaftung die Werkvertragsregeln anwendbar. Hier muß B nach § 634 I dem M vor der Wandlung eine Frist zur Nachbesserung setzen (BS Rdnr. 287ff.).

Die Unterscheidung zwischen vertretbaren und nicht vertretbaren Sachen ist nicht identisch mit der im Schuldrecht getroffenen Unterscheidung zwischen Gattungs- und Stückschuld (vgl. § 243 I; AS Rdnr. 90f.).

3. *Verbrauchbare und nicht verbrauchbare Sachen* 755

a) *Verbrauchbare Sachen* sind bewegliche Sachen, deren bestimmungsmäßiger Gebrauch in dem Verbrauch oder in der Veräußerung besteht (§ 92 I).

Beispiele: Nahrungs- und Genußmittel, Brennstoffe, Geld.

Bewegliche Sachen aller Art werden dadurch zu verbrauchbaren Sachen, daß sie zu einem Sachinbegriff (Rdnr. 734) zusammengefaßt oder in einen solchen eingefügt werden, dessen bestimmungsmäßiger Gebrauch in der Veräußerung der einzelnen Sachen besteht (vgl. § 92 II).

Beispiele: Bücher einer Buchhandlung, Konfektionswaren eines Bekleidungsgeschäfts, Möbel eines Einrichtungshauses sowie Warenlager aller Art.

756 b) *Nicht verbrauchbare Sachen* sind alle übrigen Sachen. Der allmähliche Verschleiß durch Abnutzung ist kein Verbrauch.

Beispiele: Bücher, Bekleidungsstücke, Einrichtungsgegenstände.

757 c) Diese *Unterscheidung* ist für Gebrauchsüberlassungsverträge und Nutzungsrechte bedeutsam.

Beispiel: Frau A »leiht« ihrer Nachbarin N zehn Eier. N soll nicht wie bei der Leihe nur zum unentgeltlichen »Gebrauch« der Eier berechtigt (§ 598) und verpflichtet sein, *diese* Eier nach dem Ende der Vertragsdauer wieder zurückzugeben (§ 604 I). Vielmehr soll N befugt sein, diese Eier in ihrem Haushalt zu verbrauchen; sie ist nur verpflichtet, andere Eier gleicher Art und Güte zurückzuerstatten (§ 607 I; BS Rdnr. 221 ff.: Darlehen).

Da verbrauchbare Sachen nur durch ihren Verbrauch genutzt werden können, wird der Nießbraucher verbrauchbarer Sachen deren Eigentümer; nach Beendigung des Nießbrauchs hat der Nießbraucher dem Besteller den Wert der Sachen zu ersetzen (§ 1067).

758 4. *Teilbare und unteilbare Sachen*

a) *Teilbare Sachen* sind Sachen, die sich ohne Verminderung ihres Wertes in gleichartige Teile zerlegen lassen (vgl. § 752). Die einzelnen Teile müssen bei Zusammenrechnung ihres Wertes objektiv den Gesamtwert des ungeteilten Gegenstandes erreichen.

Beispiele: Mehl, Kartoffeln, Goldbarren und – durch Wechseln – Geld, ferner unbebaute Grundstücke.

759 b) *Unteilbare Sachen* sind alle anderen Sachen.

Beispiele: Ein Fernsehgerät, ein Paar Schuhe, ein Eßservice, in der Regel auch bebaute Grundstücke.

760 c) Die *Unterscheidung* ist für die Aufteilung von Rechtsgemeinschaften bedeutsam.

Beispiel: Die Erbengemeinschaft von A und B, die ihren Vater zu je ½ beerbt haben, soll auseinandergesetzt werden. Wenn die Erben sich über die Aufteilung des Nachlasses nicht einigen können, erfolgt die Auseinandersetzung derart (vgl. § 2042; ErbR Rdnr. 502 f.), daß die teilbaren Sachen des Nachlasses (Bargeld, Wein) in Natur geteilt werden (vgl. § 752), während das zum Nachlaß gehörende Hausgrundstück durch Zwangsversteigerung und anschließende Teilung des Erlöses »versilbert« wird (ZVR Rdnr. 984 ff.).

761 III. Bestandteile

1. *Gesetzliche Regelung*

Bestandteile sind Teile einer zusammengesetzten Sache (Rdnr. 738). Das Gesetz unterscheidet wesentliche und nicht wesentliche Bestandteile.

a) *Wesentliche Bestandteile* sind nach der Definition des § 93 Bestandteile einer Sache, die voneinander nicht getrennt werden können, ohne daß der eine oder der andere zerstört oder in seinem Wesen verändert wird.

Beispiel: Der Einband eines Buches kann nicht entfernt werden, ohne daß Buch und Einband zerstört werden.

Wesentliche Bestandteile können nicht Gegenstand besonderer Rechte sein (§ 93). Sie teilen also das rechtliche Schicksal der Sache.

So kann z. B. der Einband des Buches nicht im Eigentum einer anderen Person stehen als in dem des Bucheigentümers. Sonst könnte der Eigentümer des Einbandes diesen vom Eigentümer des Buches herausverlangen (§ 985). Sobald aber der Einband vom Buch getrennt ist, teilt er nicht mehr das rechtliche Schicksal des Buches.

Die §§ 94–96 enthalten Sonderregeln für wesentliche Bestandteile an Grundstücken (Rdnr. 767ff.).

b) *Nicht wesentliche (= einfache) Bestandteile* sind Teile einer zusammenge- **762**
setzten Sache, bei denen es sich nicht um wesentliche Bestandteile handelt. Sie sind sonderrechtsfähig.

Beispiel: Eine Fahrradklingel kann von der Lenkstange abgeschraubt werden, ohne daß Klingel oder Fahrrad zerstört oder in ihrem Wesen verändert werden. Die Klingel ist also nicht wesentlicher Bestandteil des Fahrrades; sie kann einem anderen als dem Fahrradeigentümer gehören.

2. *Bedeutung* **763**

a) Die Regelung über *wesentliche Bestandteile* in §§ 93ff. versieht wirtschaftlich zusammengehörige Sachen auch mit einer rechtlichen Klammer. Dadurch, daß zusammengehörige Sachen dasselbe rechtliche Schicksal erleiden, soll der Zerschlagung wirtschaftlicher Werte entgegengewirkt werden. Deshalb können nach § 93 wesentliche Bestandteile einer Sache nur zusammen mit der Sache übereignet oder (z. B. mit einem Pfandrecht) belastet werden. Weitere Folgerungen aus § 93 ziehen die §§ 946ff. für die Verbindung und Vermischung von Sachen, die verschiedenen Eigentümern gehören. Diese Vorschriften sind zwingendes Recht, also nicht (z. B. durch Vereinbarung eines Eigentumsvorbehalts; Rdnr. 564) abdingbar.

Wenn das Gewächshaus im Fall c und die Motoren im Fall a nicht wesentliche Bestandteile geworden sein sollten, gehören diese Sachen auch weiterhin ihren bisherigen Eigentümern (vgl. § 93).

Wenn das Gewächshaus dagegen wesentlicher Bestandteil des Grundstücks geworden sein sollte, erstreckt sich das Eigentum an dem Grundstück auch auf das Gewächshaus (§ 946).

Wenn die Motoren im Fall a mit dem Einbau wesentliche Bestandteile der Schlepper geworden sein sollten, treten die Rechtsfolgen des § 947 ein. Nach § 947 II hätte der A das Eigentum an den Motoren erworben, wenn die Schlepperkarosserie ohne Motor als Hauptsache anzusehen wäre. Eine Hauptsache liegt nach der Rechtsprechung jedoch nur dann vor, wenn die übrigen Bestandteile fehlen könnten, ohne daß dadurch nach der Verkehrsanschauung das Wesen der Sache beeinträchtigt würde; eine Sache ist jedenfalls dann keine Hauptsache, wenn sie ohne den Bestandteil nicht bestimmungsgemäß verwendbar wäre (vgl. BGHZ 20, 159, 163). Da ein Schlepper ohne Motor nicht als Schlepper genutzt werden kann, ist das Schleppergehäuse nicht die Hauptsache. Schon gar nicht kann der Schleppermotor als Hauptsache angesehen werden. Deshalb greift § 947 I ein: Es entsteht anteiliges Miteigentum der bisherigen Eigentümer A und B an den fertiggestellten Schleppern, sofern die Motoren wesentliche Bestandteile sind.

Bei der Auslegung des Begriffs des wesentlichen Bestandteils geht es letztlich um einen Ausgleich der Interessen der verschiedenen Kreditgeber im Wirtschaftsverkehr. Zumeist stehen sich die Lieferanten und Handwerker auf der einen und die Banken auf der anderen Seite gegenüber.

Im Fall a hat B sein Vorbehaltseigentum verloren, wenn die Motoren mit dem Einbau wesentliche Bestandteile der Schlepper geworden sind. Als Miteigentümer der Schlepper kann er dann nur Einräumung des Mitbesitzes an den Schleppern, nicht aber Herausgabe der Motoren verlangen (§§ 985, 1011); seine Stellung gegenüber den anderen Kreditgebern, wie den Banken, die sich üblicherweise das Warenlager zur Sicherung ihrer Darlehensforderungen übereignen lassen (§§ 929, 930), ist also geschwächt.

Wenn im Fall b die Anlagen wesentliche Bestandteile des Grundstücks geworden sind, haben die Realkreditgeber (häufig die Banken z. B. als Hypothekengläubiger) eine verstärkte Kreditsicherung durch Werterhöhung des Haftungsobjekts auf Kosten des Eigentums der Handwerker und Zulieferer erfahren.

764 b) An *nicht wesentlichen Bestandteilen* können besondere Rechte bestehen; häufig teilen jedoch auch die nicht wesentlichen Bestandteile das rechtliche Schicksal der zusammengesetzten Sache.

So wird bei Kauf und Übereignung eine zusammengesetzte Sache (z. B. Fahrrad mit Klingel) als Einheit behandelt, solange die Parteien nicht ausdrücklich etwas anderes vereinbaren. Auch die einfachen Bestandteile werden also im Zweifel mitverkauft und mitübereignet. Die Parteien können allerdings durch besondere Vereinbarung einen (einfachen) Bestandteil von dem Kauf oder von der Übereignung ausnehmen.

765 *3. Wesentliche Bestandteile an beweglichen Sachen*

Wesentliche Bestandteile sind die Teile einer Sache, die *bei Trennung zerstört werden oder eine Wesensveränderung erleiden* (§ 93). Dabei kommt es – entgegen dem Sprachgebrauch – nicht darauf an, ob die Sachteile das »Wesen der Gesamtsache« bestimmen. Es ist auch unerheblich, ob die Gesamtsache eine Zerstörung oder Wesensveränderung erfährt. Die wirtschaftliche Einheit als solche wird durch § 93 nicht geschützt. Abzustellen ist allein auf die *Sachteile*, nicht auf die Gesamtsache.

Eine Zerstörung oder Wesensveränderung liegt vor, *wenn die Sachteile nach der Trennung nicht in der bisherigen Art wirtschaftlich genutzt werden können.*

Im Fall a kann ein Ausbau der Motoren und ihr Wiedereinbau in andere Schlepper derselben Bauart ohne weiteres erfolgen, da es sich um seriengefertigte Modelle handelt. Die Motoren sind daher nicht wesentliche Bestandteile der Schlepper geworden (vgl. BGHZ 18, 226). B ist also Eigentümer der Motoren geblieben; sein Herausgabeverlangen (§ 985) ist gerechtfertigt.

Der Anwendungsbereich der §§ 93, 947 ist von der Rechtsprechung im Interesse der unter Eigentumsvorbehalt liefernden Warenkreditgeber stark eingeschränkt worden. Da heute nahezu alle wichtigen Gebrauchsgüter in Serie hergestellt werden, kommen wesentliche Bestandteile an beweglichen Sachen praktisch nur noch bei Sonderanfertigungen vor (z. B. Ersatzteile für spezialangefertigte Maschinen).

4. Wesentliche Bestandteile an Grundstücken 766

Wesentliche Bestandteile an Grundstücken bestimmen sich sowohl nach der Grundregel des § 93 als auch nach den Sonderregeln der §§ 94 ff.

a) *§ 93* hat bei Grundstücken einen größeren Anwendungsbereich als bei beweglichen Sachen, wenngleich auch insoweit zumeist § 94 eingreift.

Z. B. sind wesentliche Bestandteile eines Grundstücks *schon nach § 93*: eingebaute Balken, Träger, Ziegel, elektrische Anlagen und Verrohrungen eines auf festem Fundament errichteten Hauses. Nicht unter § 93 fallen jedoch die im Fall b eingebauten Anlagen, da sie ohne größere Zerstörungen aus- und wiedereingebaut werden können.

b) *§ 94* erweitert den Begriff des wesentlichen Bestandteils für Grundstücke. 767

(1) *Voraussetzung* dafür ist, daß die Sache entweder mit dem Grund und Boden fest verbunden (§ 94 I) oder zur Herstellung eines Gebäudes eingefügt ist (§ 94 II), sofern das Gebäude seinerseits wesentlicher Bestandteil des Grundstücks ist.

Die Vorschrift findet auch auf grundstücksgleiche Rechte (Rdnr. 751) Anwendung.

(a) Eine *feste Verbindung* liegt vor, wenn eine Trennung zur Zerstörung oder Beschädigung der eingefügten Sache führen oder unverhältnismäßige Kosten verursachen würde.

§ 94 I führt beispielhaft auf: Gebäude, ungetrennte Erzeugnisse des Grundstücks; Samen wird mit dem Aussäen, Pflanzen werden mit dem Einpflanzen wesentliche Bestandteile. Weitere Beispiele: Bodenbestandteile (Sand, Lehm, Kies), eingegrabenes Holz- und Mauerwerk.

(b) *Zur Herstellung eingefügt* sind nicht nur die gewöhnlichen Baustoffe, sondern alle Sachen, die dem Gebäude seinen besonderen Charakter verleihen, ohne die es im Verkehr als »unfertig« angesehen wird. Die Festigkeit der Verbindung ist ohne Bedeutung (vgl. BGH NJW 1979, 712).

Im Fall b sind die neuen Einrichtungen wesentliche Bestandteile des Gaststättengebäudes und damit des Grundstücks des W geworden, da moderne Sanitär- und Heizungsanlagen zu einem Gasthof gehören. Das Vorbehaltseigentum der Lieferanten ist untergegangen (vgl. § 946).

768 (2) Die *Wirkung des § 94* liegt darin, daß diese Bestimmung – mehr als § 93 – die wirtschaftliche Einheit des Grundstücks betont und damit die Stellung der Realkreditgeber (zumeist Banken) zum Nachteil der Baustofflieferanten und Bauhandwerker verstärkt. Deren Eigentumsvorbehalt geht unter erleichterten Voraussetzungen unter; das Grundeigentum erstreckt sich – ohne Rücksicht auf die tatsächlichen Wertverhältnisse – auf die wesentlichen Bestandteile (§ 946).

Baut B ein Gebäude mit festem Fundament auf dem Grundstück des E, das er irrtümlich für sein eigenes hält, wird E Eigentümer des Hauses. E ist aber zur Zahlung einer Vergütung in Geld nach §§ 951, 812ff. verpflichtet.

Die Rechtsprechung ist jedoch zum Teil bemüht, durch eine möglichst enge Auslegung des § 94 einen Untergang des Vorbehaltseigentums zu verhindern.

Beispiel: Maschinen und Produktionsanlagen im Fabrikgebäude sind nur dann mit dem Grund und Boden fest verbunden (§ 94 I), wenn sie einbetoniert sind; eine Verschraubung oder eine Anfügung an das Fundament mit Zement reicht nicht aus. Zur Herstellung eingefügt (§ 94 II) sind die Maschinen und Fabrikationsanlagen nur dann, wenn das Gebäude gerade auf diese Produktionsmittel zugeschnitten ist, also gleichsam als Gebäude für die Maschinen dient (vgl. RGZ 67, 34f.; 130, 266).

Die Wirtschaftseinheit »Betrieb« oder »Unternehmen« wird also auch durch § 94 nur bedingt geschützt; im Vordergrund steht nicht der Betrieb, sondern das Gebäude und damit das Grundstück. Diese enge Auslegung verhindert eine Benachteiligung der Lieferanten der Werkzeugmaschinen, die sich anders als durch Vorbehalt ihres Eigentums kaum absichern können.

769 c) Nach *§ 96* gelten ferner als wesentliche Bestandteile eines Grundstücks die mit dem Eigentum verbundenen Rechte (z. B. Grunddienstbarkeiten).

770 d) *§ 95* schränkt den Begriff des wesentlichen Bestandteils an Grundstücken für sog. *Scheinbestandteile* ein: Sachen, die nur zu einem vorübergehenden Zweck mit dem Grund und Boden verbunden (§ 95 I 1) oder in ein Gebäude eingefügt worden sind (§ 95 II), bleiben selbständige Sachen, werden also nicht einmal Bestandteile. Das gleiche gilt von einem Gebäude oder anderen Werk, das in Ausübung eines Rechts an einem fremden Grundstück mit dem Grundstück verbunden worden ist (§ 95 I 2).

Eine nur vorübergehende Verbindung ist im Fall des § 95 I 2 nicht erforderlich; andererseits ist der Kreis der Sachen in § 95 I 1 und § 95 II weiter gefaßt.

771 (1) Die Verbindung (§ 95 I 1) oder Einfügung (§ 95 II) geschieht *nur zu einem vorübergehenden Zweck*, wenn von Anfang an beabsichtigt oder mit Sicherheit erwartet wird, daß die Sachen wieder getrennt werden. Entscheidend ist der erkennbare Wille des Einfügenden.

Scheinbestandteile sind hiernach z. B. Behelfsheime, Schaubuden, Gerüste, Straßentribünen, Pflanzen einer Baumschule, die Orchideen im Fall c. Kinderschaukel und Sandkasten sind auch bei fester Verbindung keine wesentlichen Bestandteile, sondern nur zu einem vorübergehenden Zweck (auf die Dauer des Bedarfs für spielende Kinder) errichtet (BGH NJW 1992, 1101).

Bei Verbindung durch einen schuldrechtlich Berechtigten (Mieter, Pächter) spricht eine tatsächliche Vermutung dafür, daß sie nur für die Dauer der Berechtigung, also vorübergehend, vorgenommen wird. Auch bei langer Vertragsdauer bleibt der vorübergehende Charakter der Verbindung wegen der zeitlichen Begrenzung des Vertragsverhältnisses erhalten (BGHZ 92, 74).

Im Fall c hat P, da er einen anderen Willen nicht zum Ausdruck gebracht hat, das Gewächshaus nur vorübergehend mit dem Grundstück verbunden. Das feste Fundament ändert daran nichts, selbst wenn eine Trennung nicht ohne Zerstörung des Gewächshauses möglich sein sollte. Weil das Gewächshaus somit nach § 95 I eine selbständige bewegliche Sache ist, gehört es dem P; § 946 greift nicht ein. P kann das Haus z. B. nach §§ 929ff. übereignen.

Auch das Fernleitungsnetz im Fall d ist Scheinbestandteil der Grundstücke.

Keine nur vorübergehende Verbindung liegt jedoch vor, wenn vereinbart ist, daß der Eigentümer die eingefügten Sachen nach Vertragsablauf übernimmt (BGHZ 8, 1, 8).

Es soll sogar ausreichen, wenn es dem Eigentümer nur freigestellt ist, die Sache zu übernehmen (BGH DB 1964, 368). Wenn also die Parteien im Fall c ein Übernahmerecht des V vereinbart haben, ist das Gewächshaus wesentlicher Bestandteil des Grundstücks des V geworden. Die Orchideen allerdings sind Scheinbestandteile, da sie zum Verkauf bestimmt sind.

(2) *Rechte an einem fremden Grundstück* nach § 95 I 2 sind nur dingliche Rechte (z. B. Erbbaurecht, Grunddienstbarkeit, Nießbrauch). Schuldrechtliche Nutzungsrechte (Miete, Pacht) fallen nicht darunter. 772

Hat X am Grundstück des Y ein Erbbaurecht erworben und baut er auf dem Grundstück ein Haus, dann ist das Haus nicht wesentlicher Bestandteil des Grundstücks des Y, wohl aber wesentlicher Bestandteil des Erbbaurechts des X geworden, da es aufgrund des Erbbaurechts errichtet ist (§ 12 I 1 ErbbauRVO). Das Haus gehört daher dem X, fällt aber (entgegen § 95) nach Beendigung des Erbbaurechts in das Eigentum des Grundstückseigentümers Y (§ 12 III ErbbauRVO).

e) Auch in der *ehemaligen DDR* galt der Grundsatz, daß die mit dem Grund und Boden festverbundenen Sachen zu den wesentlichen Bestandteilen des Grundstücks gehören (§ 295 I ZGB, der dem § 94 BGB entspricht). Jedoch sah das ZGB in vielen Fällen an Gebäuden, Baulichkeiten, Anlagen, Anpflanzungen und Einrichtungen ein vom Grundstückseigentum unabhängiges Sondereigentum vor (Aufzählung bei *Palandt/Heinrichs*, Art. 231 § 5, Rdnr. 2). Soweit ein solches Sondereigentum am 2. 10. 1990 bestand, bleibt es weiterhin bestehen (Art. 231 § 5 I 1 EGBGB). Das gilt auch dann, wenn die Errichtung oder Anbringung erst am 772

3.10.1990 oder später erfolgt, sofern sie aufgrund eines vorher begründeten Nutzungsrechts zulässig ist (Art. 231 § 5 I 2 EGBGB). In den genannten Fällen ist § 94 also ausgeschlossen.

Das Nutzungsrecht am Grundstück, die Anlagen, Anpflanzungen oder Einrichtungen gelten nach Art. 231 § 5 II EGBGB als wesentliche Bestandteile des Gebäudes.

773 **IV. Zubehör**

Die Regelung über das Zubehör dient – wie die über Bestandteile – der rechtlichen Erfassung wirtschaftlich zusammenhängender Sachen.

1. Begriff

Zubehör sind nach § 97 solche beweglichen Sachen, die, ohne Bestandteile der Hauptsache zu sein, dem wirtschaftlichen Zweck der Hauptsache dauernd zu dienen bestimmt sind und zu ihr in einer entsprechenden räumlichen Beziehung stehen; die Sachen sind jedoch kein Zubehör, wenn sie nach der Verkehrsanschauung nicht als Zubehör angesehen werden.

774 a) Nur *bewegliche Sachen*, nicht aber Grundstücke können Zubehör sein.

Im Fall d könnten die Fernleitungen Zubehör des Grundstücks des E sein. Dann müßte es sich um bewegliche Sachen handeln; die Leitungen dürfen also weder Bestandteil der jeweiligen Grundstücke noch des Grundstücks des E sein. Die Leitungen sind Scheinbestandteile der fremden Grundstücke, da sie aufgrund von Mietverträgen, also zu einem vorübergehenden Zweck, errichtet worden sind (vgl. § 95). Das Fernleitungsnetz ist auch nicht Bestandteil des Betriebsgrundstücks, da die Verbindung ohne größere Schwierigkeiten durch Lösen von Schrauben aufgehoben werden kann und die Leitungen auch nach der Verkehrsanschauung ihre körperliche Selbständigkeit nicht verloren haben (vgl. Rdnr. 768). Die Fernleitungen können also als bewegliche Sachen Zubehör sein.

Kein Zubehör sind z. B. die Anlagen im Fall b, weil sie keine beweglichen Sachen sind.

775 b) Die Sachen dürfen *nicht Bestandteile der Hauptsache* sein.

Bei Grundstückszubehör ist diese Voraussetzung überflüssig, da es sich dann schon nicht um bewegliche Sachen handeln würde (vgl. Rdnr. 774 zum Fall d).

Kein Zubehör sind die Motoren im Fall a, weil sie Bestandteile von zusammengesetzten beweglichen Sachen sind.

Die Abgrenzung von Zubehör und Bestandteil ist nicht immer einfach; es entscheidet die Verkehrsanschauung, ob unselbständige Sachteile oder selbständige Zubehörsachen vorliegen (vgl. Rdnr. 738f.).

Beispiele: Bei einem Pkw sind Reservereifen, Warndreieck und Verbandskasten Zubehör; die Sicherheitsgurte dürften dagegen einfache Bestandteile sein, da sie zwar leicht aus ihrer Befestigung zu lösen, für die Sicherheit beim Fahren aber unerläßlich sind. Das Läutwerk und die Glocken sind selbständige Zubehörsachen einer Kirche (BGH NJW 1984, 2277).

c) Die Sachen müssen *dazu bestimmt* sein, *dem wirtschaftlichen Zweck der Hauptsache zu dienen*. 776

Gemäß § 98 sind dies insbesondere bei einem für einen gewerblichen Betrieb dauernd eingerichteten Gebäude die zu dem Betrieb bestimmten Maschinen und sonstigen Gerätschaften, bei einem Landgut das landwirtschaftliche Inventar sowie die zur Fortführung der Wirtschaft notwendigen landwirtschaftlichen Erzeugnisse.

Im Fall d dient das Überlandnetz dem Betriebsgrundstück, da das Elektrizitätswerk sonst keinen Strom liefern kann.

Da Sachen nur dann Zubehör sind, wenn sie der Hauptsache dienen sollen, ist ein Unterordnungsverhältnis erforderlich; die eine Sache muß als Haupt-, die andere als Hilfssache erscheinen.

Daran fehlt es z. B. bei einer Zugmaschine im Verhältnis zum Anhänger, beim Kraftfahrzeugpark eines Speditionsunternehmens im Verhältnis zum Verwaltungs- und Versorgungsgebäude (BGHZ 85, 234). Auch Rohstoffvorräte auf dem Betriebsgrundstück (z. B. Holzvorräte einer Möbelfabrik) stehen dem Betriebsgebäude gleichwertig gegenüber (RGZ 86, 329).

d) Die Zweckbestimmung der Hilfssache muß *für die Dauer* erfolgen; vorübergehende Benutzung begründet die Zubehöreigenschaft nicht (§ 97 II 1). 777

Scheinbestandteile nach § 95 (z. B. das Gewächshaus im Fall c) können daher auch nicht Zubehör des Grundstücks sein, mit dem sie verbunden sind; sie können aber – wie im Fall d das Leitungsnetz – Zubehör eines anderen Grundstücks sein.
In den Fällen des § 98 Nr. 1 kommt es dagegen nicht auf die dauernde Zweckbestimmung der Hilfssache an; hier reicht schon aus, daß das Gebäude für einen gewerblichen Betrieb dauernd eingerichtet ist (BGH DB 1971, 2113).

e) Es muß der Zweckbestimmung entsprechend eine *räumliche Beziehung* zur Hauptsache bestehen. 778

Beispiele: Bagger und Lastkraftwagen in Steinbrüchen, und zwar auch dann, wenn sie vorübergehend von dem Betriebsgrundstück entfernt werden (vgl. § 97 II 2).

In der Rechtsprechung zeigt sich die Tendenz, Sachen, die nicht ganz eindeutig auf *ein* Grundstück bezogen sind, als Zubehör des Grundstücks anzusehen, das den »Kern des Betriebes« bildet. Daher sind die Kraftwerksleitungen im Fall d auf das Betriebsgrundstück bezogen, wenngleich sie sich zum weitaus größten Teil auf fremden Grundstücken befinden (RGZ 87, 49; vgl. *Soergel/Mühl*, § 97, Rdnr. 30).

2. *Bedeutung* 779

a) Da Zubehörstücke selbständige Sachen sind, können sie – anders als wesentliche Bestandteile – *Gegenstand besonderer Rechte* sein.

b) Der Begriff des Zubehörs ist in folgenden Fällen von Bedeutung:

(1) Verpflichtet sich jemand zur Veräußerung oder Belastung einer Sache (bewegliche Sache oder Grundstück), so *erstreckt sich die Verpflichtung im Zweifel auch auf das Zubehör der Sache* (§ 314).

Verkauft V an K seinen Bauernhof, dann ist auch alles Zubehör (Vieh) mitverkauft, wenn nichts anderes vereinbart ist.

(2) *Mit der Übertragung des Eigentums am Grundstück geht auch das Eigentum an den Zubehörstücken über* (§ 926 I 1), ohne daß es besonderer Übertragungsakte bedarf.

Übereignet V seinen verkauften Bauernhof durch Auflassung und Eintragung (§§ 873, 925) an K, dann wird K damit auch Eigentümer des Viehs und sonstigen Zubehörs, ohne daß es einer Übereignung nach §§ 929ff. bedarf.

(3) Die *Hypothek erstreckt sich (auch) auf das Zubehör des Grundstücks* (§ 1120); das Zubehör haftet also für die Befriedigung des Hypothekengläubigers aus dem Grundstück (vgl. § 1147).

Im Fall d sind die Fernleitungen Zubehör des Grundstücks des E. Die Hypothek des G erstreckt sich also auch darauf. Eine zwangsweise Verwertung erfolgt durch Zwangsversteigerung des Grundstücks; eine Pfändung (nur) des Zubehörs durch den Gerichtsvollzieher, wie sonst bei beweglichen Sachen möglich, ist unzulässig (vgl. § 865 ZPO).

780 V. Früchte, Nutzungen, Lasten

1. Begriffe

a) Bei den *Früchten* unterscheidet das Gesetz Sach- und Rechtsfrüchte; es gibt unmittelbare und mittelbare Sach- und Rechtsfrüchte.

(1) *Unmittelbare Früchte einer Sache* sind nach § 99 I die Erzeugnisse der Sache (z. B. Hühnerei, Obst) und die sonstige Ausbeute, die aus der Sache ihrer Bestimmung gemäß gewonnen wird (z. B. Steine aus einem Steinbruch).

(2) *Mittelbare Früchte einer Sache* sind die Erträge, die eine Sache vermöge eines Rechtsverhältnisses gewährt (§ 99 III). Genau genommen handelt es sich dabei nicht um Früchte der Sache, sondern um solche des Eigentumsrechts an der Sache (z. B. Miet- und Pachtzinsen).

(3) *Unmittelbare Früchte eines Rechts* sind nach § 99 II die Erträge, die ein Recht (ausgenommen das Eigentum) seiner Bestimmung gemäß dem Berechtigten gewährt (z. B. Ernte des Pächters).

(4) *Mittelbare Früchte eines Rechts* sind die Erträge, die der Berechtigte vermöge eines Rechtsverhältnisses, das einen anderen zur Ausübung des Rechts berechtigt (z. B. Pachtzinsen durch Unterverpachtung), erzielt (vgl. § 99 III).

b) *Nutzungen* sind die *Früchte und andere Gebrauchsvorteile* einer Sache oder eines Rechts (§ 100). **781**

c) *Lasten* sind die *Verpflichtungen* des Eigentümers oder des Inhabers eines Rechts zu einer Leistung (vgl. § 103; z. B. Hypothekenzinsen). **782**

2. Bedeutung **783**

Wem Früchte und Gebrauchsvorteile zustehen und wer die Lasten zu tragen hat, sagt das Gesetz an verschiedenen Stellen.

So ist der Pächter berechtigt, die Früchte zu genießen (§ 581), der Nießbraucher ist berechtigt, die Nutzungen der Sache zu ziehen (§ 1030). Der (dingliche) Fruchterwerb ist in den §§ 953 ff. geregelt. Ansprüche auf Herausgabe von Nutzungen bestehen nach § 818 I, §§ 987, 990, 993 sowie § 2020.

Meistens hat der Nutzungsberechtigte die Lasten zu tragen (vgl. etwa § 1047).

Den Ausgleich zwischen mehreren Personen, die nacheinander zur Fruchtziehung berechtigt oder zur Lastentragung verpflichtet sind, regeln §§ 101–103.

Vierter Teil Anhang

784 § 37 Methode der Fallbearbeitung

Schrifttum: *Berg*, Übungen im bürgerlichen Recht, 12. Aufl., 1976; *Brox*, Zur Methode der Bearbeitung eines zivilrechtlichen Falles, JA 1987, 169; *Brühl*, Die juristische Fallbearbeitung in Klausur, Hausarbeit und Vortrag, 3. Aufl., 1992; *Diederichsen*, Die BGB-Klausur, 8. Aufl., 1994; *ders.*, Die Zwischenprüfung im Bürgerlichen Recht, 2. Aufl., 1990; *Fabricius*, Der Rechtsfall im Privatrecht, 4. Aufl., 1984; *Fahse/Hansen*, Übungen für Anfänger im Zivil- und Strafrecht, 6. Aufl., 1988; *Früh*, Bürgerliches Recht in der Fallbearbeitung, JuS 1993, 825; *Hopt*, Fallösungstechnik für Beginner, Jura 1992, 225; *Köbler*, Die Anfängerübung im bürgerlichen Recht, Strafrecht und öffentlichen Recht, 6. Aufl., 1991; *Kornblum/Schünemann*, Privatrecht in der Zwischenprüfung, 5. Aufl., 1993; *Medicus*, Bürgerliches Recht, 16. Aufl., 1993, Rdnr. 1 ff.; *Minas*, Die Anspruchsgrundlagen des BGB – präzisiert für Gutachten und Urteil – Allgemeiner Teil und Schuldrecht I, 1993; *Rips*, Typische Fehlerquellen bei Klausuren und Hausarbeiten, JuS 1979, 42; *E. Schneider*, Zivilrechtliche Klausuren, 4. Aufl., 1984; *W.-F. Schneider*, Die Zwischenprüfung im bürgerlichen Recht, 1988; *Tettinger*, Einführung in die juristische Arbeitstechnik, 2. Aufl., 1992; *Teubner*, Die Examens- und Übungsklausur im Bürgerlichen, Straf- und Öffentlichen Recht, 3. Aufl., 1991; *Werner*, Fälle mit Lösungen für Anfänger im Bürgerlichen Recht, 7. Aufl., 1990; *H. Westermann*, BGB, Allgemeiner Teil, 5. Aufl., 1983; § 21; *Wieser*, Übungen im Bürgerlichen Recht für Anfänger, 4. Aufl., 1991; *Wörlen*, Anleitung zur Lösung von Zivilrechtsfällen, 4. Aufl., 1993; *E. Wolf*, Anleitung zum Lösen zivilrechtlicher Fälle, JuS 1961, 353 ff.

Fälle:

a) Beim Autohändler V erschien der Realschüler H und erklärte, er wolle für seinen Vater (K) einen Gebrauchtwagen kaufen. Nachdem er ein Fahrzeug ausgesucht hatte, unterschrieben V und H einen Kaufvertrag über diesen Gebrauchtwagen zum Preise von 10000,– DM. H fügte seiner Unterschrift den Zusatz »im Namen meines Vaters« bei. Als K später davon erfuhr, schrieb er an V, er zahle nicht, weil sein Sohn H »noch grün hinter den Ohren« sei; vorsorglich fechte er den Vertrag an, da es sich bei dem Fahrzeug – im Gegensatz zu den Angaben des V bei den Kaufverhandlungen – um einen Unfallwagen handele. V antwortete dem K, dieser müsse zahlen; denn gekauft sei gekauft.

b) Bei der Leihbücherei des A hatte B drei Bücher gegen Entgelt für einen Monat ausgeliehen. Als A sie nach fünf Wochen zurückverlangte, erwiderte ihm B, das erste Buch habe er bereits zurückgegeben, das zweite Buch sei in seiner Wohnung verbrannt und das dritte Buch habe er aus Geldmangel an C weiterverkauft. Was ist dem A zu raten?

Ändert sich die Rechtslage, wenn B das dritte Buch dem A gestohlen hatte?

I. Sachverhalt und Fragestellung

1. Sachverhalt

Der Bearbeiter hat sich zunächst darum zu bemühen, den Sachverhalt (= die gestellte Aufgabe) zu erfassen. Dazu muß er ihn – notfalls mehrmals – sorgfältig lesen. Nur dadurch ist gewährleistet, daß er bei seinem Gutachten keine im Sachverhalt – manchmal nur versteckt – enthaltene Tatsache außer acht läßt.

Wenn der Bearbeiter feststellt, daß der Sachverhalt lückenhaft ist, darf er ihn nicht ohne weiteres »wirklichkeits- oder lebensnah« vervollständigen. Vielfach wird dabei nämlich der Sachverhalt verbogen und verfälscht. Vor allem aber kann man erst später bei der rechtlichen Prüfung feststellen, ob es auf eine solche »Lückenfüllung« überhaupt ankommt. Es ist auch nicht Sache des Bearbeiters, Erörterungen darüber anzustellen, ob eine im Sachverhalt wiedergegebene, von einer Person aufgestellte Behauptung einer Tatsache der Wahrheit entspricht. Vielmehr muß er sich auf die Untersuchung beschränken, ob die Tatsache – ihre Richtigkeit unterstellt – rechtlich bedeutsam ist.

Im Fall a deutet der Sachverhalt (Realschüler; »noch grün hinter den Ohren«) darauf hin, daß H möglicherweise noch minderjährig ist. Es wäre falsch, über das Alter des H sofort nähere Erörterungen anzustellen und etwa darzulegen, daß es auch 18jährige Realschüler gibt und daß der Vater mit »grün« etwas anderes als Minderjährigkeit gemeint haben könnte. Möglicherweise kommt es nicht darauf an, ob H noch minderjährig war (vgl. § 165; Rdnr. 474).

Im Fall b ist bei dem an A zu erteilenden Rat von der Richtigkeit der von B aufgestellten Behauptungen auszugehen; es dürfen keine Spekulationen darüber angestellt werden, ob B – bewußt oder unbewußt – die Unwahrheit gesagt hat.

2. Fragestellung 785

Das zu erstellende Gutachten hat von der meistens am Ende des Falles gestellten Frage auszugehen. Es ist immer nur das zu untersuchen, wonach gefragt ist.

a) In der Regel ist die Fallfrage auf *Ansprüche* (vgl. § 194; Rdnr. 591 ff.) gerichtet. Der Bearbeiter soll darlegen, ob eine im Fall genannte Person von einer anderen etwas verlangen kann.

Im Fall a könnte die Frage etwa lauten: »Kann V von K Zahlung von 10000,– DM verlangen?« oder: »Muß K zahlen?«. Auch wenn es heißt: »Wer hat Recht?«, ist nur zu prüfen, ob V mit Recht Zahlung verlangen kann oder ihm – wie K meint – ein Kaufpreisanspruch nicht zusteht.

Um den Anspruch einer Person gegen eine andere geht es auch dann, wenn der Fall damit endet, daß jemand einen anderen auf Zahlung des Kaufpreises verklagt und nun gefragt wird: »Wie wird das Gericht entscheiden?«. Entsprechendes gilt in der Regel, wenn eine Person einen Rat erbittet, was sie tun soll.

Im Fall a könnte gefragt werden: »Was ist dem V zu raten?«. Den Rat, den Betrag von 10000,– DM gegen K einzuklagen, wird man dem V nur dann geben, wenn man in dem Gutachten zu dem Ergebnis kommt, daß dem V gegen K ein Anspruch auf Zahlung von 10000,– DM zusteht.

Sofern im Fall keine Frage gestellt wird, muß der Bearbeiter aus dem Sachverhalt entnehmen,wozu von ihm ein Gutachten erwünscht wird.

Da im Fall a der Streit in erster Linie zwischen V und K um die Zahlung von 10000,– DM geht, muß der Bearbeiter sich die Frage stellen, ob V von K Zahlung dieses Betrages verlangen kann.

Werden im Sachverhalt mehrere Personen genannt, hängt es von der Fragestellung ab, ob nur Ansprüche einer ganz bestimmten Person gegen eine andere bestimmte Person oder gegen mehrere Personen geprüft werden sollen.

Wenn im Fall b nur nach Ansprüchen des A gegen B gefragt wird, ist ein etwaiger Anspruch des A gegen C nicht zu untersuchen. Das würde auch gelten, sofern im Fall b geprüft werden soll, ob A Schadensersatz in Geld für die Bücher verlangen kann, weil solche Ansprüche sich nur gegen B richten können. Da aber im Fall b danach gefragt wird, was dem A zu raten sei, so muß der Bearbeiter daran denken, daß nicht nur ein Schadensersatzanspruch gegen B, sondern wegen des dritten Buches auch ein Herausgabeanspruch gegen C in Betracht kommt.

Lautet die Frage: »Wie ist die Rechtslage?«, ist damit in der Regel gemeint, daß etwaige Ansprüche einer jeden im Sachverhalt genannten Person gegen alle anderen Personen untersucht werden sollen. Es können aber mit dieser nach umfassender Prüfung klingenden Frage auch nur bestimmte Ansprüche einer einzigen Person gegen eine andere gefragt sein. Was vom Bearbeiter im Einzelfall erwartet wird, muß aus dem übrigen Sachverhalt entnommen werden.

Wenn im Fall b nach der Rechtslage gefragt ist, dann sind alle Ansprüche des A gegen B und gegen C zu behandeln. Kommt man etwa zu dem Ergebnis, daß C das von ihm gekaufte Buch an A herausgeben muß, wird auch die Prüfung erwartet, ob C deshalb den B in Anspruch nehmen kann.

Hieße es dagegen am Ende des Falles b etwa: »A möchte wissen, gegen wen er vorgehen kann. Wie ist die Rechtslage?«, dann sollen nur Ansprüche des A und nicht etwa auch solche des C erörtert werden. Die Frage nach der Rechtslage hat dann keine Bedeutung, so daß sie auch entfallen könnte.

786 b) Nur in seltenen Fällen wird nicht nach Ansprüchen, sondern etwa danach gefragt, ob einer bestimmten Person ein *dingliches Recht* an einer Sache (z. B. Eigentum; Rdnr. 575 f.) zusteht.

Ist nach dem Sachverhalt beispielsweise ein bestimmtes Schmuckstück durch mehrere Hände (etwa vom ursprünglichen Eigentümer A an B, von B an C und von C an D) gegangen und wird gefragt, wer nun Eigentümer ist, dann hat der Bearbeiter historisch vorzugehen und zu untersuchen, ob B von A, C von B und schließlich D von C das Eigentum an dem Schmuck erworben hat. – Meist lautet die Frage in einem solchen Fall aber, ob A von D Herausgabe des Schmucks verlangen kann. Dann muß etwa vom Herausgabeanspruch gem.

§ 985 ausgegangen und dabei untersucht werden, ob A noch Eigentümer des Schmuckstücks ist oder er das Eigentum inzwischen verloren hat.

II. Regeln für die Prüfung eines Anspruchs 787

Bei der Prüfung eines jeden Anspruchs hat der Bearbeiter sich zu fragen: Wer kann von wem was woraus verlangen?

1. Anspruchsteller und Anspruchsgegner

Sollen nach der Fragestellung die Ansprüche einer jeden im Sachverhalt genannten Person gegen alle anderen dort vorkommenden Personen dargestellt werden, ist die Ausarbeitung zunächst nach Zweipersonenverhältnissen (Wer von wem?) zu gliedern.

Wenn im Fall a untersucht werden soll, welche Ansprüche die beteiligten Personen gegeneinander haben, ist vom Anspruch des V gegen K auszugehen. Kommt man dabei zum Ergebnis, daß V von K Zahlung des Kaufpreises verlangen kann, wird man alsdann die Ansprüche des K gegen V aus dem Kaufvertrag behandeln. Wenn man aber einen Kaufpreisanspruch des V gegen K verneint, weil zwischen diesen beiden Personen ein Kaufvertrag mangels Vertretungsmacht des H nicht zustande gekommen ist, muß sich die Prüfung anschließen, ob V gegen H als Vertreter ohne Vertretungsmacht (§ 179; Rdnr. 552 ff.) ein Anspruch zusteht.

Ist im Fall b nach der Rechtslage gefragt, kommen hinsichtlich des ersten und zweiten Buches nur Ansprüche des A gegen B in Betracht. Dagegen können hinsichtlich des dritten Buches Ansprüche mehrerer Personen bestehen. Hier wäre es zweckmäßig, mit dem Anspruch des A gegen C auf Herausgabe des Buches zu beginnen. Kommt man zum Ergebnis, daß C das Buch nicht herauszugeben braucht, wird man Schadensersatzansprüche des A gegen B untersuchen. Muß C aber das Buch an A herausgeben, stellt sich die Frage, ob C deshalb von B Schadensersatz verlangen kann.

2. Anspruchsziel 788

Ist die Gliederung nach den in Betracht kommenden Zweipersonenverhältnissen erfolgt oder wird nur nach den Ansprüchen einer bestimmten Person gegen eine andere gefragt, muß der Bearbeiter sich klarmachen, was verlangt wird. Dabei kann es sich etwa allein um eine Kaufpreiszahlung oder die Übereignung einer (gekauften) Sache handeln. Möglich ist aber auch, daß z. B. die Herausgabe einer Sache, Schadensersatz oder Unterlassung eines bestimmten Handelns begehrt wird.

Im Fall a geht es vornehmlich um einen Kaufpreisanspruch, im Fall b um Herausgabe- und Schadensersatzansprüche.

789 *3. Anspruchsgrundlagen*

Wenn dem Bearbeiter klar ist, was verlangt wird, hat er zu prüfen, woraus es verlangt werden kann. Er muß also die Rechtsvorschriften auffinden, die das Begehren des Anspruchstellers möglicherweise stützen. Unter Umständen gibt es für einen einzigen Anspruch mehrere Anspruchsgrundlagen. Alle in Betracht kommenden Anspruchsgrundlagen sind auf ihre Anwendbarkeit im konkreten Fall zu prüfen.

Im Fall a kommt für den Anspruch des V gegen K auf Kaufpreiszahlung die Norm des § 433 II in Betracht. Hat H den Vertrag ohne Vertretungsmacht des K geschlossen, muß geprüft werden, ob V gegen H gem. § 179 I (Rdnr. 553 ff.) Zahlung verlangen kann. Ist der Vertrag zustande gekommen und später von K angefochten worden, käme ein Anspruch des V gegen K auf Ersatz des Vertrauensschadens gem. § 122 (Rdnr. 395 ff.) in Betracht.

Im Fall b kann sich ein Schadensersatzanspruch des A gegen B aus § 280 (AS Rdnr. 248 ff.) wegen zu vertretender Unmöglichkeit der Rückgabe der Bücher (vgl. § 556 I; BS Rdnr. 177), aber auch aus §§ 823 I, 823 II, 826 (BS Rdnr. 442 ff.) ergeben. Für einen Herausgabeanspruch des A gegen C wegen des dritten Buches ist an §§ 985, 1007, 861 zu denken.

790 **III. Reihenfolge der Prüfung bei mehreren Anspruchsgrundlagen**

Kommen für einen Anspruch mehrere Anspruchsgrundlagen in Betracht, richtet sich die Reihenfolge ihrer Prüfung teilweise nach der gesetzlichen Regelung; teilweise sind lediglich Zweckmäßigkeitserwägungen maßgebend.

1. Ansprüche aus Vertrag

Ansprüche aus Vertrag sind an erster Stelle zu prüfen. Ihre Erörterung ist vorgreiflich etwa für Ansprüche aus Geschäftsführung ohne Auftrag; denn diese setzen voraus, daß der Geschäftsführer vom Geschäftsherrn nicht »beauftragt ...« ist (§ 677; BS Rdnr. 368), also gerade kein Vertrag besteht. Auch Ansprüche aus unerlaubter Handlung sind erst nach den Ansprüchen aus Vertrag zu untersuchen, da die Handlung durch einen Vertrag gerechtfertigt sein kann und damit nicht »widerrechtlich« ist (vgl. BS Rdnr. 455). Schließlich setzt ein Bereicherungsanspruch voraus, daß der Bereicherungsschuldner etwas »ohne rechtlichen Grund« erlangt hat; dieser kann in einem Vertrage liegen.

Zu den Ansprüchen aus Vertrag gehören z. B.:

791 a) Ansprüche auf *Vertragserfüllung*

Beispiele: Anspruch auf Übereignung der Kaufsache (§ 433 I), Überlassung des Gebrauchs der Mietsache (§ 535, 1), Herstellung des versprochenen Werkes (§ 631 I), Zahlung des vereinbarten Kaufpreises (§ 433 II), Mietzinses (§ 535, 2), Werklohnes (§ 631 I), aber auch der vertragliche Anspruch auf Unterlassung einer bestimmten Tätigkeit (vgl. § 241, 2).

b) (Sekundäre) vertragliche Ansprüche auf *Schadensersatz* 792

Beispiele: Vom Schuldner zu vertretende Unmöglichkeit der Leistung (vgl. etwa §§ 280, 325; AS Rdnr. 245ff.), Schuldnerverzug (§§ 286, 326; AS Rdnr. 278ff.), positive Forderungsverletzung (Gewohnheitsrecht; AS Rdnr. 291ff.).

2. *Ansprüche aus vertragsähnlichen Verhältnissen* 793

Ansprüche aus vertragsähnlichen Verhältnissen sind nach den vertraglichen Ansprüchen zu behandeln, weil sie diesen nahekommen. Sie entstehen meist bei der Vertragsanbahnung, ohne daß es zu einem wirksamen Vertrage kommt.

Die Ansprüche aus vertragsähnlichen Verhältnissen umfassen z. B.:

a) Ansprüche auf *Erfüllung*

Beispiel: Anspruch gegen den Vertreter ohne Vertretungsmacht gem. § 179 I (Rdnr. 553ff.).

b) Ansprüche auf *Schadensersatz* 794

Beispiele: Anspruch auf Ersatz des Vertrauensschadens bei Anfechtung der Willenserklärung (§ 122; Rdnr. 395ff.), auf Schadensersatz wegen Nichterfüllung gem. § 179 I (Rdnr. 553ff.), auf Ersatz des Vertrauensschadens gem. § 179 II (Rdnr. 556) und bei objektiver ursprünglicher Unmöglichkeit (§ 307 I 1; AS Rdnr. 238), vor allem aber Anspruch auf Ersatz des Vertrauensschadens aus Verschulden bei Vertragsverhandlungen (= culpa in contrahendo; Gewohnheitsrecht; AS Rdnr. 55ff.).

Einen Schadensersatzanspruch bei Geschäftsführung ohne Auftrag kann der Geschäftsherr gegen den Geschäftsführer aus §§ 677, 681 i. V. mit z. B. §§ 280ff., 284ff. (BS Rdnr. 375) oder aus § 678 (BS Rdnr. 380) haben.

c) Ansprüche auf *Aufwendungsersatz* 795

Beispiel: Anspruch des Geschäftsführers gegen den Geschäftsherrn bei berechtigter Geschäftsführung ohne Auftrag auf Erstattung der freiwilligen Vermögensopfer, die der Geschäftsführer den Umständen nach für erforderlich halten konnte (§ 683; BS Rdnr. 376) sowie auf Ersatz der Schäden, die ihm als Folge der typischen und erkennbaren Gefahrenlage der Geschäftsbesorgung entstanden sind (analog § 670; BS Rdnr. 376, 301).

3. *Dingliche Ansprüche* 796

Dingliche (= sachenrechtliche) Ansprüche sollen dingliche Rechte vor Beeinträchtigungen schützen (Rdnr. 597, 575f.). Sie können sich gegen jedermann richten, der das dingliche Recht beeinträchtigt.

Zu den dinglichen Ansprüchen gehören:

a) *Herausgabeansprüche*

(1) Anspruch gem. *§ 985* des Eigentümers (Nießbrauchers, § 1065; Pfandgläubigers, § 1227) gegen den unrechtmäßigen (vgl. § 986) Besitzer (vgl. *M. Wolf*, Sachenrecht, Rdnr. 174 ff.).

(2) Anspruch gem. *§ 1007* des früheren Besitzers einer beweglichen Sache gegen deren jetzigen Besitzer, wenn dieser beim Besitzerwerb bösgläubig war (§ 1007 I) oder wenn die Sache dem früheren Besitzer abhanden gekommen ist (§ 1007 II 1). Einzelheiten: *Baur/Stürner*, § 9 IV.

(3) Anspruch gem. *§ 861* desjenigen, dem der Besitz durch verbotene Eigenmacht (vgl. § 858 I) entzogen worden ist, gegen denjenigen, der fehlerhaft (vgl. § 858 II) besitzt (vgl. *Baur/Stürner*, § 9 III).

797 b) *Ansprüche auf Beseitigung und Unterlassung der Beeinträchtigung*

(1) Anspruch gem. *§ 1004* des Eigentümers (Nießbrauchers, § 1065; Pfandgläubigers, § 1227) gegen den Störer (vgl. *Baur/Stürner*, § 12).

Eine Spezialvorschrift zu § 1004 enthält *§ 894* (vgl. *Baur/Stürner*, § 18 C). Danach hat der Inhaber eines bestehenden Rechts, das im Grundbuch nicht oder nicht richtig eingetragen ist, einen Anspruch auf Zustimmung zu der Berichtigung des Grundbuchs gegen denjenigen, der von der Berichtigung in seinem (Schein-)Recht betroffen ist.

(2) Anspruch gem. *§ 862* des Besitzers gegen denjenigen, der den Besitzer durch verbotene Eigenmacht (vgl. § 858 I) im Besitz stört (vgl. *Baur/Stürner*, § 9 III).

798 *4. Deliktische Ansprüche*

Ansprüche aus unerlaubter Handlung und Gefährdungshaftung gehen auf Schadensersatz. Es sollen Einbußen ausgeglichen werden, die jemand an seinen Gütern erlitten hat.

Bevor auf diese Ansprüche eingegangen werden darf, muß geprüft werden, ob die Spezialregelungen des Eigentümer-Besitzer-Verhältnisses (§§ 989 ff.; BS Rdnr. 524 f.) eingreifen. Sie gehen deshalb den allgemeinen Regeln vor, weil sie den redlichen Besitzer vor Rechtshängigkeit (vgl. § 261 I ZPO i. V. m. § 253 ZPO) der Herausgabeklage besserstellen, als er nach den allgemeinen Vorschriften stehen würde; denn er ist dem Eigentümer gegenüber überhaupt nicht schadensersatzpflichtig (§ 993 I a. E.). Redlich ist derjenige Besitzer, der zwar unrechtmäßig besitzt, sich aber gutgläubig (d. h. ohne grobe Fahrlässigkeit) für zum Besitz berechtigt hält.

Erst wenn feststeht, daß die Spezialregeln der §§ 989 ff. nicht anzuwenden sind, kommen folgende Ansprüche in Betracht:

799 a) *Ansprüche aus unerlaubter Handlung* bezwecken den Ersatz von Schäden, die durch ein rechtswidriges und schuldhaftes Verhalten des Schädigers entstanden sind.

Zu diesen Ansprüchen gehören vornehmlich:

(1) Anspruch nach *§ 823 I* (BS Rdnr. 442ff.),
(2) Anspruch nach *§ 823 II* (BS Rdnr. 465ff.),
(3) Anspruch nach *§ 826* (BS Rdnr. 469ff.).

b) *Ansprüche aus Gefährdungshaftung* begründen eine Ersatzpflicht für solche Schäden, die durch eine rechtmäßige, aber für andere mit Gefahren verbundene Betätigung verursacht sind. In Betracht kommen insbesondere die Ansprüche gem. § 7 I StVG (BS Rdnr. 533ff.), § 1 I HaftpflG (BS Rdnr. 541ff.), § 1 I ProdHaftG (BS Rdnr. 554a ff.) und § 833, 1 (BS Rdnr. 545). 800

5. Ansprüche aus ungerechtfertigter Bereicherung 801

Bereicherungsansprüche bezwecken den Ausgleich einer nicht gerechtfertigten Vermögensverschiebung, indem die Vermögensmehrung beim »Bereicherten« zugunsten des »Entreicherten« wieder beseitigt wird. Im einzelnen kann es sich um folgende Ansprüche handeln:

a) Anspruch gem. *§ 812 I 1, 1. Fall* gegen den Schuldner, der durch die Leistung des Gläubigers einen Vermögensvorteil ohne rechtlichen Grund erlangt hat. Diese sog. *Leistungskondiktion* (BS Rdnr. 389ff.) schließt hinsichtlich desselben Bereicherungsgegenstandes eine Bereicherung in sonstiger Weise (§ 812 I 1, 2. Fall) grundsätzlich aus, so daß sie zuerst geprüft werden muß.

Einen Sonderfall der Leistungskondiktion stellt *§ 817, 1* dar (BS Rdnr. 403ff.).

b) Anspruch gem. *§ 812 I 1, 2. Fall* gegen den Schuldner, der *in sonstiger Weise* (also nicht durch Leistung des Gläubigers) auf Kosten des Gläubigers einen Vermögensvorteil ohne rechtlichen Grund erlangt hat. Hierher gehören die sog. Eingriffs-, Rückgriffs- und Verwendungskondiktion. 802

(1) *Eingriffskondiktion* (BS Rdnr. 409ff.): Der Eingriff in das Recht eines anderen kann durch den Bereicherten, einen Dritten, aber auch ohne menschliches Zutun (z. B. durch ein Naturereignis) erfolgen.

§ 816 (BS Rdnr. 415ff.) enthält drei Sondertatbestände der Eingriffskondiktion. Wegen ihrer Spezialität sind die Ansprüche des § 816 vor dem des § 812 I 1, 2. Fall zu prüfen.

(a) Anspruch gem. *§ 816 I 1* des Berechtigten gegen den, der als Nichtberechtigter über einen Gegenstand dem Berechtigten gegenüber wirksam verfügt hat, auf Herausgabe des durch die Verfügung Erlangten. 803

Im Fall b kann A von B den Erlös für den Verkauf des dritten Buches verlangen, da durch die Übereignung von B an C dieser durch gutgläubigen Erwerb vom Nichtberechtigten (gem. §§ 929, 932; Rdnr. 590) das Eigentum erworben hat. – Im Fall des Diebstahls scheidet zwar ein gutgläubiger Erwerb wegen § 935 I 1 aus. Jedoch kann A die Verfügung des B genehmigen (§ 185 II), so daß sie wirksam ist und § 816 I 1 eingreift.

804 (b) Anspruch gem. *§ 816 I 2* des Berechtigten gegen den, der aufgrund einer dem Berechtigten gegenüber wirksamen und unentgeltlichen Verfügung eines Nichtberechtigten unmittelbar einen rechtlichen Vorteil erlangt hat.

805 (c) Anspruch gem. *§ 816 II* des Berechtigten gegen den, an den als Nichtberechtigten eine Leistung bewirkt worden ist, die (z. B. gem. § 407 I) dem Berechtigten gegenüber wirksam ist.

Erst wenn keiner dieser drei Sondertatbestände vorliegt, ist die Eingriffskondiktion gem. § 812 I 1, 2. Fall zu prüfen.

(2) *Rückgriffskondiktion* (BS Rdnr. 413)

(3) *Verwendungskondiktion* (BS Rdnr. 414).

Der Anwendungsbereich beider Kondiktionen ist wegen zahlreicher Spezialvorschriften gering.

806 c) Anspruch gem. *§ 822* (BS Rdnr. 421 f.) des Bereicherungsgläubigers gegen einen Dritten, der vom Bereicherungsschuldner aufgrund wirksamen Kausalgeschäfts den Bereicherungsgegenstand unentgeltlich erworben hat.

807 IV. Prüfung des einzelnen Anspruchs

Die Prüfung des einzelnen Anspruchs erfolgt in drei Schritten. Zunächst ist zu untersuchen, ob der Anspruch überhaupt entstanden ist. Wird das verneint, ist die Prüfung bereits beendet. Kommt man aber zu dem Ergebnis, daß der Anspruch entstanden ist, muß in einem zweiten Schritt die Frage beantwortet werden, ob der Anspruch noch fortbesteht oder ob er inzwischen untergegangen ist. Sofern das Fortbestehen bejaht wird, muß schließlich in einem dritten Schritt untersucht werden, ob der noch bestehende Anspruch auch durchsetzbar ist oder ihm eine Einrede entgegensteht.

Das Fortbestehen sowie die Durchsetzbarkeit des Anspruchs müssen vom Bearbeiter selbstverständlich nur dann behandelt werden, wenn der Sachverhalt dazu Anlaß gibt.

808 *1. Entstehung des Anspruchs*

a) Die Entstehung des Anspruchs richtet sich danach, ob die einzelnen abstrakten *Tatbestandsmerkmale der Anspruchsgrundlage* durch den gegebenen Sachverhalt konkret ausgefüllt werden (= Subsumtion; Rdnr. 50, 605).

Regelmäßig werden die Merkmale der zu prüfenden Anspruchsnorm durch eine Reihe von Hilfsnormen näher konkretisiert.

Beispiele: Für den Anspruch auf Kaufpreiszahlung ist § 433 II die Anspruchsgrundlage. Danach muß etwa A der Verkäufer und B der Käufer sein. Ob sie das sind, richtet sich danach, ob zwischen beiden ein entsprechender Kaufvertrag zustande gekommen ist. Über den Vertragsabschluß handeln die §§ 145 ff. Diese Bestimmungen sind keine Anspruchsgrundlagen, sondern Hilfsnormen. – Der Anspruch auf Herausgabe einer Sache kann sich aus § 985 ergeben. Ob A Eigentümer und B Besitzer der Sache ist, kann mit Hilfe der Hilfsnormen der §§ 929ff. und der §§ 854ff. ermittelt werden. – Zur Anspruchsgrundlage des § 823 I ist hinsichtlich des Tatbestandsmerkmals »fahrlässig« § 276 I 2 die Hilfsnorm; dagegen ergänzen §§ 249ff. die in § 823 I ausgesprochene Rechtsfolge.

b) Hierher gehört auch die Prüfung, ob dem Anspruch *rechtshindernde Einwendungen* entgegenstehen; denn diese hindern die Entstehung des Anspruchs (Rdnr. 608). 809

Beispiele: Ein vertraglicher Anspruch entsteht erst gar nicht, wenn der Vertrag nichtig ist (Geschäftsunfähigkeit eines Vertragspartners gem. §§ 104ff., Scheingeschäft gem. § 117, Mangel der Ernstlichkeit gem. § 118, Formmangel gem. § 125, Verstoß gegen ein gesetzliches Verbot gem. § 134 oder gegen die guten Sitten gem. § 138). Eine von Anfang an bestehende Nichtigkeit wird auch durch eine wirksame Anfechtung gem. §§ 119f., 123 herbeigeführt (§ 142 I).

Der Herausgabeanspruch des Eigentümers gegen den Besitzer gem. § 985 entsteht nicht, wenn dem Besitzer gegenüber dem Eigentümer ein Recht zum Besitz zusteht (§ 986 I 1); dieses Recht gibt dem Besitzer eine Einwendung (vgl. *Baur/Stürner*, § 11 B I 1). – Der Anspruch des Eigentümers auf Beseitigung oder Unterlassung (§ 1004 I) ist gem. § 1004 II ausgeschlossen, wenn der Eigentümer zur Duldung verpflichtet ist.

2. *Kein Untergang des Anspruchs* 810

Eine *rechtsvernichtende Einwendung* bewirkt die Vernichtung eines einmal wirksam entstandenen Anspruchs (Rdnr. 609).

Beispiele: Der Anspruch erlischt etwa durch Erfüllung (§ 362; AS Rdnr. 162ff.; Fall b: Rückgabe des Buches), Hinterlegung (§§ 372ff.; AS Rdnr. 170ff.), Aufrechnung (§§ 387ff.; AS Rdnr. 177ff.), Erlaß (§ 397 I; AS Rdnr. 192), Unmöglichkeit (§ 275; AS Rdnr. 246ff.; Fall b: Unmöglichkeit der Rückgabe des Buches infolge Verbrennens).

Durch Rücktritt vom Vertrage (§§ 346ff.; AS Rdnr. 198ff.) erlöschen die Ansprüche aus dem Vertrag, an dessen Stelle ein Rückgewährschuldverhältnis tritt. Entsprechendes gilt für die Wandlung beim Kauf (§§ 462, 467; BS Rdnr. 77ff.).

Durch Abtretung oder gesetzlichen Forderungsübergang verliert der bisherige Gläubiger seinen Anspruch (§§ 398ff., 412; AS Rdnr. 381ff.). Durch befreiende Schuldübernahme verliert der Gläubiger seinen Anspruch gegen seinen bisherigen Schuldner (§§ 414ff.; AS Rdnr. 405ff.).

3. *Durchsetzbarkeit des Anspruchs* 811

Eine *rechtshemmende Einwendung* (= Einrede im privatrechtlichen Sinne) ist die Berufung auf ein Gegenrecht. Ein solches Leistungsverweigerungsrecht läßt den Anspruch weiterhin bestehen, hemmt aber seine Durchsetzung (Rdnr. 610).

Beispiele: Einrede der Verjährung (§ 222 I; Rdnr. 617ff.), Einrede des Zurückbehaltungsrechts (§ 273; AS Rdnr. 145ff.) und Einrede des nichterfüllten Vertrages (§ 320; AS Rdnr. 153ff.).

812 ## V. Ausarbeitung im Gutachtenstil

1. Allgemeine Regeln

Im Gutachten ist von der jeweiligen Anspruchsgrundlage auszugehen und zu prüfen, ob der Sachverhalt unter die Tatbestandsmerkmale der Norm subsumiert werden kann. Kommt man zum Ergebnis, daß ein Tatbestandsmerkmal nach dem Sachverhalt nicht vorliegt, greift die Anspruchsgrundlage nicht ein. Sind dagegen alle Tatbestandsmerkmale erfüllt, ist der Anspruch nach der geprüften Norm entstanden.

Der geschilderte Weg entspricht dem Gutachtenstil: Man beginnt mit der Anspruchsgrundlage, die in Betracht kommen könnte. Bei jedem einzelnen Tatbestandsmerkmal wird gefragt, ob es nach dem Sachverhalt gegeben ist. Schließlich kommt man zu dem Ergebnis, daß der Anspruch begründet oder nicht begründet ist.

Beispiel für Gutachtenstil: Der Anspruch auf Zahlung von 500,– DM könnte gem. § 433 II begründet sein. Diese Vorschrift setzt voraus, daß zwischen A und B ein Kaufvertrag über einen Kühlschrank zum Preise von 500,– DM zustande gekommen ist. Ein Vertrag setzt nach §§ 145 ff. ein Angebot und eine Annahme voraus. (Im folgenden wird dargelegt, daß im Schreiben des A an B das Angebot und im Antwortbrief des B an A die Annahme liegt). Also ist ein Kaufvertrag über den Kühlschrank für 500,– DM gegeben. Deshalb kann A von B Zahlung vom 500,– DM verlangen.

Dagegen wird in einem Urteil das im Gutachten gefundene Ergebnis an den Anfang gestellt und dann dargelegt, weshalb das Gericht zu diesem Ergebnis gekommen ist (sog. Urteilsstil).

Beispiel für Urteilsstil: Die Klage ist begründet. Denn der Kläger kann von dem Beklagten die Zahlung von 500,– DM verlangen. Das ergibt sich aus § 433 II. Danach kann der Verkäufer vom Käufer den vereinbarten Kaufpreis verlangen. Die Voraussetzung der genannten Vorschrift, das Zustandekommen eines Kaufvertrages, ist gegeben, weil der Kläger und der Beklagte sich über den Verkauf eines Kühlschranks zum Preis von 500,–DM geeinigt haben (wird näher ausgeführt).

Ob der Verfasser des Gutachtens bei seinen Darlegungen den Gutachtenstil angewandt hat, kann man daran erkennen, ob in den Text Worte wie »daher«, »demnach«, »also«, »infolgedessen« eingefügt werden können. Dagegen passen bei der Abfassung des Urteils im Urteilsstil Worte wie »denn«, »weil«, »nämlich«.

Allerdings ist beim Gutachten nicht immer und ausnahmslos der Gutachtenstil anzuwenden. Es wirkt bei der Erörterung unproblematischer Rechtsfragen umständlich oder gar unsicher, wenn jede Ausführung mit einer Frage oder mit der Bemerkung, daß »zu prüfen sei«, begonnen wird; vielmehr ist insoweit schlicht und einfach im Urteilsstil zu schreiben.

Beispiel: Heißt es im Sachverhalt, daß S den R, der ihm die Tasche raubt, mit einem Stock schlägt und ihm dabei eine Rippe bricht, braucht nicht im Gutachtenstil geprüft zu werden, ob der objektive Tatbestand des § 823 I (Verletzung des Körpers) erfüllt sein könnte; denn das ist »sonnenklar«. Zu problematisieren ist nur, ob S rechtswidrig gehandelt hat oder ob seine Tat wegen Notwehr rechtmäßig gewesen ist (vgl. § 227; Rdnr. 646ff. mit Fall d).

2. Beispiel für ein ausformuliertes Gutachten **813**

Lautet im Fall a die Frage, ob V von K Zahlung von 10000,– DM verlangen kann, müßte etwa folgendes ausgeführt werden:

Für den Anspruch des V gegen K auf Zahlung von 10000,– DM kommt als Anspruchsgrundlage allein § 433 II in Betracht. Dieser setzt einen Kaufvertrag über den Gebrauchtwagen zum Kaufpreis von 10000,– DM voraus. Die dazu erforderliche Willenserklärung des V ist in dem schriftlichen Kaufvertrag enthalten. K hat selbst keine entsprechende Willenserklärung abgegeben. Für ihn könnte aber sein Sohn H als sein Vertreter gehandelt haben. Der von H abgeschlossene Vertrag würde dann für und gegen K wirken, wenn H seine Erklärung im Namen des K abgegeben und er dabei innerhalb einer ihm zustehenden Vertretungsmacht des K gehandelt hat (§ 164 I). H ist im Namen des K aufgetreten; das ergibt sich aus seinem Verhalten gegenüber V und dem Zusatz zu seiner Unterschrift »im Namen meines Vaters«. Damit hat er für V erkennbar zum Ausdruck gebracht, daß er als Stellvertreter seines Vaters handele. Selbst wenn er noch minderjährig und damit nur beschränkt geschäftsfähig (§ 106) gewesen sein sollte, ist seine Willenserklärung gem. § 165 wirksam. Fraglich ist allein, ob dem H die erforderliche Vertretungsmacht zustand. Eine entsprechende Vollmacht (§ 167) hatte K ihm nicht erteilt. Der Sachverhalt ergibt auch keine Anhaltspunkte dafür, daß die Voraussetzungen der Duldungs- oder der Anscheinsvollmacht (vgl. Rdnr. 518ff.) vorlagen. Schließlich hat K den ohne Vertretungsmacht in seinem Namen geschlossenen Vertrag auch nicht genehmigt (§ 177 I), nachdem er von dem Geschehen erfahren hatte. Demnach ist K nicht Käufer des Wagens, so daß er nach § 433 II nicht zur Zahlung des Kaufpreises verpflichtet ist.

Paragraphenregister

BGB

§§	Rdnr.
1	654, 657
2	31, 222
7f.	678
8	678
9	679
11	679
12	30, 573, 582, 592, 602, *667ff.*
21	681, 684, *691*, 704
22	684, *690*, 691
26	695, 697
27	692, *695ff.*
28	696f.
30	699
31	*698ff.*, 726
32	692ff.
33	692, 694
34	710
35	711, 713
36f.	693
38	709, 714
39	714
40	*694ff.*, 709
41	692, 719
42ff.	719
45	710, 719
47ff.	719
54	688, *720ff.*
55f.	50, 691
57	684, 689, 691
58	691, 693, 709, 712
59f.	691
65	691
68	705ff.
70	697, *705ff.*
71	692, 704
73	719
74	692, 719

§§	Rdnr.
75	719
80ff.	682, 686f.
86	698
89	683, *698*
90	278, 372, *746ff.*
90a	650, *747*
91	754
92	734, 736, *755*
93	738, *761ff.*, 768
94	766ff.
95	*770ff.*, 774, 777
96	769
97	773ff.
98	776ff.
99	780
100	781
101f.	783
103	782, 783
104	39, 93, 116, 151, 163, *227ff.*, 656, 809
105	39, 116, 151, 165, *228ff.*, 474, 608, 613
106	164, *234*, 813
107	165, *235ff.*, 244, 249g, 506, 543, 557
108	220, *245ff.*, 249b, 453, 456, 547, 551
109	247, 249c
110	244, 249d
111	164, *248f.*, 249e, 458, 548f.
112f.	249f., 250f.
116	342f., *345ff.*, 350, 353
117	335, 342, *354ff.*, 809
118	342, 346, *349ff.*, 395, 809
119	45, 85, 117, 134f., 151, 187, 210f., 336, 359, *365ff.*, 395, 399, 403, 410f., 426, 456, 482, 493, 523, 525ff., 689, 730, 809
120	341, *367ff.*, 386, 478, 809

§§	Rdnr.
121	17, 59, 339, *387ff.*, 409, 549
122	59, 340, 352, 369, *395ff.*, 410f., 526, 556, 789, 794
123	187, 341, 392, *401ff.*, 426, 730, 809
124	*409*, 413, 423, 617
125	34, *262f.*, 271, 357, 568, 809
126	*254f.*, 260
127	258
127 a	260
128	190, 260
129	259f.
130	90, 141, 144, *151ff.*, 165f., 168, 179f., 183, 249h, 257, 387
131	*163ff.*, 230, 474
132	167
133	60, 124, 128, 133
134	75, *273ff.*, 282, 299, 357, 809
135f.	301f.
137	303
138	25, 28, 32, 34, 75, 96, 273, *283ff.*, 296, 357, 510, 531, 732, 809
139	120, 204r, 262, *304ff.*, 390
140	304, *317ff.*
141	304, *323ff.*, 389
142	117, 338, *390ff.*, 410, 526, 689, 809
143	*385f.*, 409, 730
144	*389*, 409
145	38f., 77, 168, *172ff.*, 205, 808, 812
146	39, 77, 79, 175f.
147	39, 147, 152, *177f.*, 181
148	*176f.*, 181, 184
149	*181*, 194
150	78, 175, 181, *193f.*, 202, 204g f., 205, 213
151	187ff.
152	190, 260
153	179f.
154	215f., 218
155	215, 221
156	191
157	2, 28, 32, *134*, 138, 429
158	44, 121, *430ff.*, 454, 627
159	444
160	449ff.
161	451f.
162	445, 447
163	*433*, 442
164	44f., 154, *257*, *464ff.*, 697, 721, 813
165	474, 477, 505, 813
166	59, 478f., 487, *493ff.*, 496, 528
167	474, *497ff.*, 813
168	507, *509ff.*, 524
169	509
170ff.	*513ff.*, 518
172f.	376, 516
174	*501*, 549
175f.	516
177	456, 462, 486, 488, 532, 537, *546f.*, *550f.*, 553, 697, 813
178	*550*, 557
179	57, 369, 469, 474, 486, 490, 504, 512, 526f., *552ff.*, 726, 787, 789, 793, 794
180	458, 546, *548ff.*, 553
181	535ff.
182	242ff., 454, *456ff.*, 547
183	242, 455, *459*
184	249, 455, *460*, 547
185	*462f.*, 803
187	31
194	579, 583, *591*, *619f.*
195	619, 621
196	610, 613, *622*, 630
197	61, 623, 630
198	619, 627f., 630
199f.	629f.
201	613, *630*
202ff.	631
206f.	249i, 632
208ff.	633
217	633
218	625
221	626
222	610f., 617f., 634, 642, 811
223f.	634
225	618
226	571, *636ff.*, 644
227	53, *645ff.*, 812
228	645, *649f.*
229	645, *652f.*
230	652
231	653

EGBGB

Art.	Rdnr.
2	7, 275
3 ff.	49
6	49
55	47
56 ff.	47
67	47
153	48
171 f.	48
181 ff.	48
213 ff.	48
230 ff.	46
231 § 2	719 a, 726 a
231 § 3	687 a
231 § 4	719 a
231 § 5	772 a
231 § 6	634 a
235 § 1	48
235 § 2	48

AGBG

§§	Rdnr.
1	204 a
2	204 b, *204 d ff.*, 204 i f., 204 p
3	204 j
4	204 l
5	204 m
6	204 j, *204 r*, 315
7	204 o, *204 q*
8	204 n
9	204 o, *204 p*
10	89, 157, 178, *204 o*, 204 p
11	157, *204 o*, 204 p, 204 r, 258, 552 f.
13	204 s
21	204 s
22	204 s
23	204 q
24	204 e, 204 p

HausTWG

§§	Rdnr.
1	203 b, 493, 557
2	203 g ff.
3	203 l ff.
4	203 l
5	203 a, 203 c, 203 d
6	203 e

Sachregister

(Die Zahlen verweisen auf die Randnummern des Buches)

Abgabe der Willenserklärung 145 ff.
– bei modernen Kommunikationsmitteln 150
Abschlußvermittlung 471
Abstraktes Geschäft 114
Abstraktionsgrundsatz *115 ff.*, 239, 392, 507
Äquivalenzstörung 427
Allgemeine Geschäftsbedingungen (AGB) 19, 89, 157, 178, *204 ff.*, 258, 315, 552 f.
– Auslegung 204 k
– Ausschluß überraschender Klauseln 204 j
– Bedeutung 204
– Begriff 204 a
– Einbeziehung i. d. Vertrag 204 b ff.
– geltungserhaltende Reduktion 204 r
– Gerichtlicher Verbraucherschutz 204 s
– Inhaltskontrolle 204 n ff.
– Rechtsfolgen bei Unwirksamkeit 204 r
– Umgehungsverbot 204 q
– Unklarheitenregel 204 m
Allgemeines Persönlichkeitsrecht 673 ff.
Analogie 65 ff.
– Gesetzesanalogie 65
– Rechtsanalogie 66
Anfechtung 45, 85, 117, 134 f, 187, 336 ff., 341, *359 ff.*
– Anfechtungserklärung 385 f., 409
– Anfechtungsgegner 386
– bei arglistiger Täuschung 341, *401 ff.*
– bei widerrechtlicher Drohung 341, *414 ff.*
– Frist 339, 387, 409
– Irrtumstatbestände 365 ff.
– Kalkulationsirrtum 378
– Motivirrtum *370 ff.*, 379, 399, 426
– Rechtsfolgeirrtum 377
– Rechtsfolgen 338, *390 ff.*
– Schadensersatzpflicht bei Irrtumsanfechtung 395 ff.
– Verhältnis zur Auslegung 359 ff.
– der Vollmacht 523 ff.
– Voraussetzungen der Irrtumsanfechtung 382 ff.
Angebot (Antrag) *77*, *168 ff.*
– Bindung an 172 ff.
– Erlöschen 175 ff.
Annahme *77*, *182 ff.*
– unter Erweiterungen oder Einschränkungen 193
– durch Schweigen 201 f.
– Verpflichtung zur Annahme 195 ff.
– verspätete Annahme 194
Anscheinsvollmacht *518 ff.*, 522
Anspruch 579, *591 ff.*
– Anspruchskonkurrenz 606
– Arten 596 ff.
– Begriff 591 ff.
– Bereicherungs- 790, *801 ff.*
– deliktischer 790, *798 ff.*
– dinglicher 597, 786, *796 ff.*
– Durchsetzbarkeit 811
– Entstehung 808 f.
– erbrechtlicher 598
– familienrechtlicher 598
– Hemmung 614 ff.
– prozessualer 594
– schuldrechtlicher 596
– Untergang 810
– vertraglicher 790 ff.
– vertragsähnlicher 793 ff.
Anspruchsgrundlagen 602 ff., 789, 790 ff.
– Anspruchsgrundlagenkonkurrenz 606
– Anwendung 604 f.
– Arten 602 f.
– Reihenfolge der Prüfung 790 ff.
Anspruchsnorm 602
Anwartschaft 451, 564
Arbeitsrecht 16, 26
Arglist 405
Arglistige Täuschung (s. Täuschung)

Ausklammerungsmethode *37ff.*, 728
Auslegung von Gesetzen (s. Gesetzesauslegung)
Auslegung von Rechtsgeschäften 122ff.
- Auslegungsmethoden 127ff.
- einfache Auslegung 123ff.
- Empfängerhorizont 134, 360f.
- ergänzende Auslegung 63ff., 136ff., 310, 428f.
- falsa demonstratio 131, 207
- hypothetischer Wille 138
- und Konsens 206ff.
- natürliche Auslegung 128
- normative Auslegung 133, 361
- bei Teilnichtigkeit 305ff.
- Verhältnis zur Anfechtung 359ff.
Ausschlußfrist 617

Bedingung 430ff.
- auflösende *440ff.*, 452
- aufschiebende 439, *441ff.*, 451
- Ausfall der 446f.
- Bedeutung 434f.
- Begriff 430ff.
- Eintritt der 443ff.
- notwendige 432
- Rechtsfolgen des Eintritts oder Ausfalls 443ff.
- Schutz des bedingt Berechtigten 448ff.
- Verhinderung des Bedingungseintritts 445
- Zulässigkeit 436ff.
Beitragspflicht der Vereinsmitglieder 712
Befristung 433, *435ff.*
- Anfangstermin 442
- Arten 442
- Bedeutung 435
- Begriff 433
- Endtermin 442
- Zulässigkeit 436ff.
Beschluß 100
Beschränkte Geschäftsfähigkeit 164, *233ff.*
Bestätigung 323ff., 389
- des anfechtbaren Rechtsgeschäfts 389
- des nichtigen Rechtsgeschäfts 323ff.
Bestätigungsschreiben, kaufmännisches 202
Bestandteil 738, *761ff.*
- Abgrenzung 737f.
- Bedeutung 763
- einfacher 762
- Scheinbestandteil 770ff.
- wesentlicher 761
- wesentlicher an beweglichen Sachen 765
- wesentlicher an Grundstücken 766ff.
Betreuer 234, 249aff.
Betreuung 18, 229
Betreuungsgesetz 18, 229
Beurkundung, notarielle 218, *260*
Beweisaufnahme 57
Beweislast 57, 558
Blankettformular 376
Blankounterschrift 255
Bote 475ff.
- Empfangsbote 155, 163
- Erklärungsbote 156, 163, 369
- und Stellvertreter 475ff.
Bürgerliches Gesetzbuch 20ff.
- Aufbau und Gliederung 36ff.
- Entstehung 20
- Geltungsbereich 46
- geschichtliche Wurzeln 21ff.
- Gliederung 41ff.
- Grundlagen 24ff.
- Inhalt und Arten der Normen 29ff.
- Motive 20
Bürgerliches Recht 12ff.

culpa in contrahendo 269, 378, 413, 489

Deliktsfähigkeit *225*, 656
Destinatär 686
Dissens 212ff.
Doppelwirkungen im Recht 394
Drittwirkung der Grundrechte 28
Drohung, widerrechtliche 414ff.
- Kausalität 416
- Subjektiver Tatbestand 421
- Widerrechtlichkeit 417ff.
Duldungsvollmacht *518ff.*, 521

Eheaufhebung 400
Ehefähigkeit 224
Ehegesetz 19
Eigenschaftsirrtum *317ff.*, 426

Eigentum 575, 730
Eigentumsfreiheit 24
Einrede *607ff.*, 811
– aufschiebende (dilatorische) 615
– ausschließende (peremptorische) 615
– und Einwendung 612, 616
– im privatrechtlichen Sinn 611
– im prozeßrechtlichen Sinn 607ff.
– rechtshemmende 610
– rechtshindernde 608
– rechtsvernichtende 609
Einrede der Verjährung (s. Verjährung)
Einseitiges Rechtsgeschäft 97, 248f.
Eintragung im Vereinsregister 691, *704ff.*
– deklaratorische Bedeutung 705
– konstitutive Bedeutung 704
Einwendung 612, 616, 809ff.
Einwilligung 455, 457, *458ff.*
– des gesetzlichen Vertreters 242ff.
Einwilligungsvorbehalt (bei Betreuung) 249aff.
Elterliche Sorge 574, 732
Empfängerhorizont 134, 361
Empfangsbote 155, 163
Entmündigung (altes Recht) 229
Erfüllungsschaden 397
Ergänzende Auslegung
– von Gesetzen 63ff.
– von Rechtsgeschäften *136ff.*, 310, 428f.
Erklärungsbewußtsein 83, 135, 381
Erklärungsbote 156, 163, 369
Erklärungsirrtum 85, 117, 171, 341, *365ff.*
Erklärungstheorie 332
Erklärungswille 83
Erwerb 584ff.
– abgeleiteter (derivativer) 586
– vom Berechtigten 589
– durch Einzelnachfolge 587
– durch Gesamtnachfolge 588
– vom Nichtberechtigten 27, 590
– ursprünglicher (originärer) 585
Erwerbsaussicht 563

Fallbearbeitung, Methode der 784ff.
falsa demonstratio 131, 207
falsus procurator (s. auch Vertretung ohne Vertretungsmacht) 546ff.
Familienrechte 574, 730
Fiskus 683
Forderung 579, 730
Form des Rechtsgeschäfts 79, *252ff.*
– Arten 254ff.
– Bedeutung der Formbedürftigkeit 253
– gesetzliche und rechtsgeschäftlich vereinbarte 254
– Heilung des Formmangels 264
– bei modernen Kommunikationsmitteln 258
– Rechtsfolgen der Nichtbeachtung 262ff.
Formfreiheit 252
Formnichtigkeit 262ff.
Früchte 780f., 783

Gattungsvollmacht 502
Geheimer Vorbehalt 342, *345ff.*
Genehmigung 455, *460ff.*
Generalkonsens 243
Generalvollmacht 502
Gesamtakt 99
Geschäft für den, den es angeht 483f.
Geschäftsähnliche Handlung 93, 470
Geschäftsfähigkeit *222ff.*, 656
– Begriff 222
– beschränkte 164, *233ff.*
– Teilgeschäftsfähigkeit 250f.
Geschäftsgrundlage 427
Geschäftsunfähigkeit 163, *227ff.*
– des Antragenden 179
– partielle 228
– Rechtsfolgen 230ff.
– relative 228
– Voraussetzungen 227f.
Geschäftswille 84, 123, 329f.
Gesellschaft 680
Gesetzesanalogie 65
Gesetzesauslegung 58ff.
– einschränkende, erweiternde 28, 67
– Entstehungsgeschichte 61
– ergänzende Auslegung 8, 63ff.
– Sinn und Zweck des Gesetzes 62
– Systematik des Gesetzes 60
– verfassungskonforme Auslegung 28
– Wortlaut der Norm 59
Gesetzesbindung des Richters 52
Gesetzeslücke 63ff.

– offene 67
– primäre 64
– sekundäre 64
– verdeckte 67
Gesetzliche Verbote 274ff.
Gestaltungsrecht 580, 730
Gestaltungsurteil 581
Gewohnheitsrecht 7
Grundgesetz 28
Grundstück 751
Grundstücksgleiches Recht 751
Gutachten
– Ausarbeitung 812f.
– Gutachtenstil 812f.
Gute Sitten 283ff.
Guter Glaube
– an das Eigentum des Veräußerers 27, 590
– an die Geschäftsfähigkeit des Geschäftspartners 223

Handeln unter fremdem Namen 485f.
– Eigengeschäft des Handelnden 485
– Fremdgeschäft für den Namensträger 486
Handelsrecht 13
Handlungsfähigkeit 656
Handlungswille 82
Haustürgeschäft 203a
– Bedeutung 203a
– Bürgschaft als – 203b
– Gesetz üb. Widerruf 19, 26, 203aff.
– Widerrufsrecht 203b ff.
– – bei Vertretung 493, 557
Herrschaftsrechte 574ff., *727ff.*
– an geistigen Schöpfungen 578, 729
– an Rechten 577, 730
– an Sachen 575f., 728
Hypothetischer Wille 138

Identitätsirrtum 380
Immaterialgüterrechte 15, 578, 729f.
Inhaltsirrtum 341, *366ff.*, 378f.
Inhaltsverbot 278ff.
Insichgeschäft 535ff.
– Anwendungsbereich 540ff.
– Begriff 535
– Rechtsfolgen 536ff.
Internationales Privatrecht 49
invitatio ad offerendum 170f.
Irrtum 45, 85, 117, 134, 151, 171, 187, 341, *349ff.*
– bei der Eheschließung 400
– Eigenschaftsirrtum *371ff.*, 426
– Erklärungsirrtum 85, 117, 171, 341, *365ff.*
– Identitätsirrtum 380
– Inhaltsirrtum 341, *366ff.*, 378f.
– Irrtumstatbestände 365ff.
– Kalkulationsirrtum 378
– Motivirrtum *370ff.*, 379, 399, 426
– bei der Stellvertretung 491ff., 523ff.
– bei Testamentserrichtung 399

Juristische Person 680ff.
– Arten 683ff.
– des öffentlichen Rechts 683
– des privaten Rechts 683ff.

Kalkulationsirrtum 378
Kastellanvertrag 282
Kaufmännisches Bestätigungsschreiben 202
Kausales Geschäft *112ff.*, 392
Knebelungsvertrag 292
Kollisionsnormen 49
Kollusion 531
Konsens 205ff.
Konversion 317ff.
Konzessionssystem 690

Lasten 782
Leichnam 732
Leistungsgegenstand 733
lucidum intervallum 228

Mehrvertretung (s. Insichgeschäft)
Mentalreservation 342, *345ff.*
Minderjährigkeit 227ff.
Mißbrauch der Vertretungsmacht 530ff.
Mitgliederversammlung 684, 692ff.
– Aufgabe 692
– Beschlußfassung 694
– Einberufung 693
Mitgliedschaft 709ff.
– allgemeine Mitgliedschaftsrechte 710

- Ausschluß 715
- Austritt 714
- Erwerb 709
- Sonderpflichten 713
- Sonderrechte 711
Monopolstellung 293
Motive (zum BGB) 20, 61
Motivirrtum *370ff.*, 379, 399, 426
- beiderseitiger Motivirrtum 426ff.

Namensrecht 668ff.
nasciturus 658
Natürliche Person 654
Nichtehelichengesetz 18
Nichtigkeit des Rechtsgeschäfts
- bei Anfechtung 390ff.
- bei gesetzlichem Verbot 273ff.
Nichtrechtsfähiger Verein 684, *720ff.*
- gesetzliche Regelung 720ff.
- Haftung 725
- Parteifähigkeit 723
- Vereinsvermögen 724
Nichtvermögensrecht 30
Normativsystem 691
Notarielle Beurkundung 218, *260*
Notstand 649ff.
- aggressiver 651
- defensiver 650
Notwehr 646ff.
Nutzungen 781
Nutzungsrecht 576

Obliegenheit 567
Öffentliche Beglaubigung 259
Öffentliches Recht 9
Offerte ad incertas personas 169
Option 198
Ordnungsvorschrift 277
Organhaftung 698ff.
Organisationsmangel 701

Parteifähigkeit 723
Persönlichkeitsrecht 573, 732
- allgemeines 673ff.
- Namensrecht 668ff.
Persönlichkeitsschutz 667ff.
- postmortaler 675
Personenstandsbücher 660
Personenvereinigung 680f.
Präklusionsfrist 617
Prioritätsgrundsatz 108
Privatautonomie 24, 73
Privatrecht 9ff.
Privatrechtsverhältnis 559ff.
Prokura 499, 503, 517
protestatio facto contraria 200
Protokolle (zum BGB) 20, 61
Putativnotwehr 648

Realakt 92, 470
Recht 1ff.
- Abgrenzung von Sitte und Sittlichkeit 2f.
- absolutes 582
- dinglich beschränktes 576, 730
- dingliches 575, 730
- auf eheliche Lebensgemeinschaft 732
- am eingerichteten und ausgeübten Gewerbebetrieb 744
- an fremder Person 732
- Gesetzesrecht 4
- Gewohnheitsrecht 7
- an Rechten 577, 730
- Rechtsverordnung 5
- relatives 582f.
- Richterrecht 8
- strenges und billiges Recht 31ff.
- subjektives 560ff.
- zwingendes und nachgiebiges Recht 34f.
Rechtsanalogie 66
Rechtsanwendung 53ff.
Rechtsausübung 635ff.
- Schikaneverbot 636f.
- sittenwidrige 638
- treuwidrige 639ff.
Rechtsbedingung 431
Rechtsfähiger Verein 688ff.
- Ende der Rechtsfähigkeit 719
- Entstehung 689ff.
- Haftung 698ff.
- Mitgliedschaft 709ff.
- nichtwirtschaftlicher 691
- Organe 692ff.
- wirtschaftlicher 690
Rechtsfähigkeit 226, *655ff.*
- Beginn 657ff.

– Begriff 655
– Ende 661ff.
Rechtsfolgeirrtum 377
Rechtsfortbildung 8, 28
Rechtsgesamtheit 739ff.
Rechtsgeschäft (s. auch Vertrag, Willenserklärung) 69ff., 94ff., 603
– Arten 97ff.
– bedingtes (s. auch Bedingung) 430ff.
– befristetes (s. auch Befristung) 433ff.
– Begriff 94ff.
– Beschluß 100
– Bestätigung eines nichtigen Rechtsgeschäfts 323ff.
– einseitiges 97
– Form 252ff.
– Gesamtakt 99
– Inhaltliche Schranken 273ff.
– Inhaltsverbot 278ff.
– mehrseitiges 98
– nichtiges 273ff., 390ff.
– zustimmungsbedürftiges 453ff.
Rechtsklarheit 735
Rechtsmacht *561ff.*, 635ff.
– Grenzen 635ff.
– Schutz 645ff.
Rechtsnorm 4ff.
Rechtsobjekt 727ff.
– Arten 728ff.
– Begriff 727
Rechtspflicht 565f.
Rechtsschein 518ff.
Rechtssubjekt 654, 680ff.
Rechtsverordnung 5
Rechtsweg 10
Relative Unwirksamkeit 302
Resolutivbedingung 440f., 443ff.
Richterrecht 8

Sachen 728, *746ff.*
– Arten 751ff.
– Bedeutung 746
– Begriff 747f.
– bewegliche 752
– teilbare 758
– Übergangsrecht in ehem. DDR 772a
– unbewegliche 751
– unteilbare 759
– verbrauchbare 755
– vertretbare 754
Sachgesamtheiten 734ff.
– Abgrenzung 737f.
– Bedeutung 735f.
– Begriff 734
Sachverhalt, Erfassung des 784
Satzung, autonome 6
Satzungsänderung 692
Satzungsgewalt 6
Schadensersatzanspruch des bedingt Berechtigten 449
Schadensersatzpflicht bei Irrtumsanfechtung 395ff.
Scheinbestandteil 770ff.
Scheinerklärung 342, *354ff.*
Scheingeschäft 355ff.
Scherzerklärung 342, *349ff.*
Schikaneverbot 636f.
Schriftform 254ff.
Schweigen 89, 201
– als Annahme 201f.
– auf ein kaufmännisches Bestätigungsschreiben 202
– als Willenserklärung 89
Selbsthilfe 652f.
Selbstkontrahieren (s. Insichgeschäft)
Sicherungsrecht 576
Simulierte Erklärung 354ff.
Singularsukzession 587
Sitte 2
Sittenwidrigkeit 283ff.
– Fallgruppen 290ff.
– sittenwidrige Rechtsausübung 638
Sittlichkeit 3
Sozialstaatsklausel 28
Sozialtypisches Verhalten 199f.
Spezialitätsprinzip 735
Stellvertretung (s. auch Vertretung ohne Vertretungsmacht, Vollmacht) 464ff.
– Abgrenzung 470ff.
– und Abschlußvermittlung 471
– aktive 465
– Bedeutung 464
– und Botenschaft 475ff.
– bei geschäftsähnlichen Handlungen 470

– Geschäftsfähigkeit des Stellvertreters 477
– Interessenlage 466 ff.
– mittelbare 472
– Offenkundigkeit 481 ff.
– passive 465
– bei Realakten 470
– Voraussetzungen 473 ff.
– Wirkungen 489 ff.
– Zulässigkeit 473
Stiftung 682 f., *686 ff.*
– fiduziarische 686
– und Sammelvermögen 686
– Stiftungsgeschäft 687
– Übergangsrecht in ehem. DDR 687 a
Straßenverkehrsgesetz 19
Strohmanngeschäft 358
Subjektives Privatrecht 561 ff., *568 ff.*
– Arten 572 ff.
– Begriff 568 ff.
– Erwerb 584 ff.
Subsumtion 50, 605, 808, 812
Sukzessivbeurkundung 260
Suspensivbedingung 439, 443 ff.

Täuschung, arglistige 341, *401 ff.*
– Anfechtungserklärung 409
– Arglist 405
– Dritter i. S. d. § 123 II 408
– Kausalität 403
– Konkurrenzen 411 ff.
– Person des Täuschenden 406
– Rechtsfolgen 410
– Täuschungshandlung 401
– durch Unterlassen 402
– Widerrechtlichkeit 404
Taschengeldparagraph 244
Teilgeschäftsfähigkeit 250 f.
Teilnichtigkeit 305 ff.
Teleologische Auslegung 62
Teleologische Reduktion 67
Telefax 150
– Abgabe d. Willenserklärung 150
– Schriftform 257
– Zugang d. Willenserklärung 153
Testamentsgesetz 18
Testierfähigkeit 224
Testierfreiheit 24

Tier 650, 655, 747
Todeserklärung 663 ff.
Treu und Glauben 32, 89, 138, 265, *639 ff.*
Treuhandgeschäft 358
Treuwidrige Rechtsausübung 639 ff.
– Fallgruppen 641 ff.
– Interessenwertung 640

Übergangsrecht i. d. neuen Bundesländern
– Haftung jur. Personen 719 a
– Sachen 772 a
– Stiftung 687 a
– Verein 719 a, 726 a
– Verjährung 634 a
Übersicherung 294
Umdeutung 317 ff.
Umgehungsgeschäfte 282, 358
Unerfahrenheit 297
Universalsukzession 588
Unrichtige Willensübermittlung 367 ff.
Unternehmen 743 ff.
Unterschreiben einer nicht gelesenen Urkunde 375
Untervollmacht 504
Urteilsstil 812

venire contra factum proprium 642
Veräußerungsverbot 299 ff.
– absolutes 299
– relatives 300 ff.
Verbotsgesetz 275
Verbraucherkreditgesetz 19, 26, 203 n
Verein 684 f., 688 ff.
– eingetragener 681, 691
– Gründungsvertrag 689
– Idealverein 691
– Mitgliedschaft 709 ff.
– Monopolverein 709
– nichtrechtsfähiger (s. auch Nichtrechtsfähiger Verein) 684 ff., *720 ff.*
– Organe 692 ff.
– rechtsfähiger (s. auch Rechtsfähiger Verein) 688 ff.
– Übergangsrecht in ehem. DDR 719 a, 726 a
– Verantwortlichkeit 698 ff.
– Vorverein 684

– wirtschaftlicher 690
Vereinsgesetz 688
Vereinsregister 691
Vereinsstrafe 716 ff.
Verfügung 102 ff.
– auflösend bedingte 452
– aufschiebend bedingte 451
Verfügungsmacht 105
Verfügungsverbot 299 ff.
Verjährung 599, *617 ff.*
– Ablaufhemmung 632
– Fristen 621 ff.
– Hemmung 631
– Übergangsrecht in ehem. DDR 634 a
– Unterbrechung 633
Verkehrssicherheit 27
Verkehrswesentliche Eigenschaft 371 ff.
Vermögen 739 ff.
Vermögensrecht 29, 730
Vernehmungstheorie 143
Verpflichtungsgeschäft 101
Verschollenheitsgesetz 663
Verschulden bei Vertragsverhandlungen 269, 378, 413, 489
Versteigerung 191
Vertrag 69 ff., 98
– Abschluß 168 ff.
– Begriff 76 ff.
Vertragsfreiheit 24, 73 ff.
– Abschlußfreiheit 74
– Gestaltungsfreiheit 75
Vertrauensschaden 340, 397, 556
Vertrauensschutz 27
Vertretung ohne Vertretungsmacht 546 ff.
– Beweislastverteilung 558
– Erfüllung 554
– Gestaltungsrecht des Dritten 550 f.
– Recht des Vertretenen 546 ff.
– Schadensersatz wegen Nichterfüllung 555
– Vertrauensschaden 556
Vertretungsmacht (s. auch Vollmacht) 487 f.
– Mißbrauch 530 ff.
Verwertungsrecht 576
Verwirkung 643
vis absoluta 414
vis compulsiva 414

Vollmacht 496 ff.
– Abstraktionsprinzip 507
– Anfechtung 523 ff.
– Anscheinsvollmacht 518 ff.
– Arten 502 ff.
– Außenverhältnis 505
– Außenvollmacht 498
– Beendigung des Grundverhältnisses 509
– Duldungsvollmacht 518 ff.
– Einzelvollmacht 503
– Erlöschen 508 ff.
– Erteilung 496 ff.
– Folgen des Erlöschens 512 ff.
– Form 499 ff.
– Gattungsvollmacht 502
– Generalvollmacht 502
– Gesamtvollmacht 503
– und Grundverhältnis 505 f.
– Hauptvollmacht 504
– Innenverhältnis 506
– Innenvollmacht 497
– Spezialvollmacht 502
– Untervollmacht 504
– Widerruf 510 f.
Vollmachtsurkunde 501, 516
Vorstand 681, *695 ff.*
– Geschäftsführung 696
– Vertretung 697
Vorvertrag 196

Widerruf einer Willenserklärung
– beim Haustürgeschäft 203 ff.
– nach Verbraucherkreditgesetz 203 n
– beim Vertrag mit beschränkt Geschäftsfähigem 247
– beim Vertrag mit Vertreter ohne Vertretungsmacht 550, 557
– vor Zugang der Willenserklärung 157
Willenserklärung 76, *80 ff.*, 94, 123 ff., 135
– Abgabe 141 ff., *145 ff.*
– amtsempfangsbedürftige 166
– anfechtbare 341
– Arten 90 f.
– ausdrückliche 87
– Begriff 80 ff.
– empfangsbedürftige 90, 146 ff., 168, 407 f.

– Erklärungstheorie 332
– Erklärungswille 83
– eines Geschäftsunfähigen 230
– Geschäftswille 84
– Handlungswille 82
– durch moderne Kommunikationsmittel 150, 152, 153
– konkludente 88
– mündliche Erklärung 147f.
– nicht empfangsbedürftige 91, 145, 406
– Nichtigkeit durch Willensmängel 335, 342
– Schweigen 89, 201f.
– telegraphische 150
– unmittelbare und mittelbare 87f.
– Vernichtbarkeit bei Willensmängeln 336ff.
– Widerruf (s. Widerruf)
– Zugang 141ff., *152ff.*
Willensmängel 327ff.
– Gültigkeit der Willenserklärung trotz Willensmangels 334
– Interessenbewertung 333
– Nichtigkeit 335
– Vernichtbarkeit 336
Willenstheorie 331
Wirtschaftsrecht 14
Wohnsitz 676ff.
– Arten 678f.
– Bedeutung 676
– Begriff 677
– gesetzlicher 679
– gewillkürter 678
Wucher 296ff.
Zubehör 773ff.
– Bedeutung 779
– Begriff 773ff.
Zugang einer Willenserklärung 152ff.
– gegenüber einem Abwesenden 152
– der Annahmeerklärung 183, 187ff.
– gegenüber einem Anwesenden 158f.
– bei Einschaltung einer Mittelsperson 154ff.
– bei modernen Kommunikationsmitteln 152, 153
– Ersatzmittel für das Zugehen 167
– gegenüber nicht voll Geschäftsfähigen 163f.
– mündliche Erklärung 159
– Verzicht auf Zugang 189
Zugangshindernis 160ff.
– Verweigerung der Annahme 160
– Zugangsfiktion 162
– Zugangsverhinderung 162
– Zugangsverzögerung 161
Zustimmung 455ff.
– Einwilligung 455, *458f.*
– Genehmigung 455, *460f.*
– des gesetzlichen Vertreters 242ff.
– Heilung der fehlenden Zustimmung 463
– bei Verfügung eines Nichtberechtigten 462
Zustimmungsbedürftiges Rechtsgeschäft 453ff.
Zuwendung 109ff.
Zwangslage 297
Zweckvereitelung 427

»How to find the law«

Der Zugang zu Rechtsquellen und Rechtsliteratur

Von der Anfängerübung bis zur Examensarbeit, vom Verwaltungsakt bis zum Widerspruchsverfahren, von der Klageerhebung bis zum Urteil – immer wird der Jurist mit der Frage konfrontiert: »Wo steht's?«
Die zunehmend komplizierter und unübersichtlicher werdende Rechtsordnung erfordert einfache und systematisch angelegte Suchstrategien für das Auffinden der Vorschriften, der Entscheidungen und der vielfältigen Auseinandersetzung mit ihnen in Wissenschaft und Praxis.
Hierzu bietet das völlig neuartige Buch von Dr. iur. Heribert Hirte die Möglichkeit, sich das erforderliche Wissen über den Zugang zum gesamten Handwerkszeug des Juristen anzueignen. Die Technik des Bibliographierens, die Grundzüge der Veröffentlichung von Gerichtsentscheidungen, Fragen der Leitsatzbildung, der Umgang mit dem Bundesgesetzblatt und den amtlichen Publikationen der Europäischen Gemeinschaft gehören ebenso dazu wie eine Beschreibung der wichtigsten elektronischen Datenbanken. Das Buch gehört zur Grundausstattung jedes Juristen.

Aus den Besprechungen:

»Meines Erachtens wäre es überaus lohnend, wenn jeder Jurist sich anhand dieses Werkes in seiner Seminarbibliothek zunächst einmal gründlich umsieht. Er wird dann gewinnen, was dem Juristen an dieser Stätte so oft fehlt: Orientierungssicherheit.«

Professor Dr. Hans-Wolfgang Arndt,
in: Juristische Schulung, 8/92

Von Priv.-Doz. Dr. Heribert Hirte

1991. XIV, 142 Seiten.
Kartoniert DM 23,80
ÖS 170,– /SFr 23,–
ISBN 3-452-22127-X

Carl Heymanns Verlag

136 7 94

Studien Literatur

Bleckmann, Prof. Dr. Dr. Albert

Staatsrecht I – Staatsorganisationsrecht

Grundlagen, Staatszielbestimmungen und Staatsorganisationsrecht des Bundes

1993. XXII, 873 Seiten. Kartoniert
DM 120,- / ÖS 850,- / SFr 112,-

Bleckmann, Prof. Dr. Dr. Albert

Europarecht

Das Recht der Europäischen Gemeinschaften

5., neubearbeitete und erweiterte Auflage

1990. XXVI, 917 Seiten. Kartoniert
DM 74,- / ÖS 530,- / SFr 69,-

Seidl-Hohenveldern, Prof. Dr. Ignaz

Völkerrecht

7., neubearbeitete Auflage

1992. XXVII, 475 Seiten. Kartoniert
DM 64,- / ÖS 460,- / SFr 60,-

Seidl-Hohenveldern, Prof. Dr. Ignaz

Das Recht der Internationalen Organisationen

5., überarbeitete Auflage

1992. XXXV, 387 Seiten. Kartoniert
DM 58,- / ÖS 410,- / SFr 54,-

Medicus, Prof. Dr. Dieter

Bürgerliches Recht

Eine nach Anspruchsgrundlagen geordnete Darstellung zur Examensvorbereitung

16., neubearbeitete Auflage

1993. XV, 624 Seiten. Kartoniert
DM 36,- / ÖS 260,- / SFr 34,-

Brox, Prof. Dr. Hans

Allgemeiner Teil des Bürgerlichen Gesetzbuchs

18., verbesserte Auflage

1994. XXV, 377 Seiten. Kartoniert
DM 29,80 / ÖS 240,- / SFr 29,80

Brox, Prof. Dr. Hans

Erbrecht

15., verbesserte Auflage

1994. XXXIV, 522 Seiten. Kartoniert
DM 31,- / ÖS 250,- / SFr 31,-

Deutsch, Prof. Dr. h. c. Erwin

Unerlaubte Handlungen, Schadensersatz und Schmerzensgeld

2., völlig überarbeitete und ergänzte Auflage

1993. XXXIII, 269 Seiten. Kartoniert
DM 36,- / ÖS 260,- / SFr 34,-

Müller, Prof. Dr. Klaus

Sachenrecht

3., neubearbeitete Auflage

1993. LIII, 1167 Seiten. Kartoniert
DM 78,- / ÖS 550,- / SFr 73,-

Schilken, Prof. Dr. Eberhard

Zivilprozeßrecht

1992. XL, 598 Seiten. Kartoniert
DM 68,- / ÖS 480,- / SFr 64,-

Schilken, Prof. Dr. Eberhard

Gerichtsverfassungsrecht

2., neubearbeitete und ergänzte Auflage

1993. XXXIII, 443 Seiten. Kartoniert
DM 48,- / ÖS 340,- / SFr 45,-

Brox, Prof. Dr. Hans / Walker, Prof. Dr. Wolf D.

Zwangsvollstreckungsrecht

4., neubearbeitete Auflage

1993. XLV, 1021 Seiten. Kartoniert
DM 71,- / ÖS 510,- / SFr 67,-

Häsemeyer, Prof. Dr. Ludwig

Insolvenzrecht

1992. XXXIV, 890 Seiten. Kartoniert
DM 70,- / ÖS 500,- / SFr 66,-

Eisenberg, Prof. Dr. Ulrich

Kriminologie, Jugendstrafrecht, Strafvollzug

Fälle und Lösungen zu Grundproblemen

4., völlig überarbeitete und erweiterte Auflage

1994. XIII, 279 Seiten. Kartoniert
DM 39,50 / ÖS 280,- / SFr 37,-

Pawlowski, Prof. Dr. Hans-Martin / Smid, Prof. Dr. Stefan

Freiwillige Gerichtsbarkeit

Ein Lehrbuch

1993. XXIV, 428 Seiten. Kartoniert
DM 62,- / ÖS 440,- / SFr 58,-

Diese Anzeige enthält nur eine Auswahl aus dem Programmbereich »Studienliteratur« des Carl Heymanns Verlages. Mehr Informationen finden Sie in weiteren Anzeigen unseres Verlages sowie in unserem aktuellen Katalog »Studienliteratur«, den Sie kostenlos über jede Buchhandlung oder direkt (Carl Heymanns Verlag, Luxemburger Straße 449, 50939 Köln) anfordern können.

Carl Heymanns Verlag

128 7 94